El caso Alaska Sanders

Joël Dicker nació en Suiza en 1985. En 2010 obtuvo el Premio de los Escritores Ginebrinos con su primera novela, *Los últimos días de nuestros padres* (vertida a nuestra lengua en 2014). *La verdad sobre el caso Harry Quebert* (2013) fue galardonada con el Premio Goncourt des Lycéens, el Gran Premio de Novela de la Academia Francesa, el Premio Lire a la mejor novela en lengua francesa y, en España, fue elegida Mejor Libro del Año por los lectores de *El País* y mereció el Premio Qué Leer al mejor libro traducido y el XX Premio San Clemente otorgado por los alumnos de bachillerato de varios institutos de Galicia. Traducida con gran éxito a cuarenta y dos idiomas, se ha convertido en un fenómeno literario global. En castellano también se han publicado su relato *El Tigre* (2017) y sus novelas *El Libro de los Baltimore* (2016), en la que recuperaba el personaje de Marcus Goldman como protagonista; *La desaparición de Stephanie Mailer* (2018); *El enigma de la habitación 622* (2020), ganadora del Premio Internacional de Alicante Noir; *El caso Alaska Sanders* (2022, secuela de *La verdad sobre el caso Harry Quebert* y *El Libro de los Baltimore*), y *Un animal salvaje* (2024).

Para más información, visita la página web del autor:
www.joeldicker.com

También puedes seguir a Joël Dicker en Facebook, X e Instagram:

- Joël Dicker
- @JoelDicker
- @joeldicker

Biblioteca
JOËL DICKER

El caso Alaska Sanders

Traducción de
María Teresa Gallego Urrutia
y **Amaya García Gallego**

DEBOLS!LLO

Papel certificado por el Forest Stewardship Council®

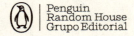

Título original: *L'Affaire Alaska Sanders*

Primera edición en Debolsillo: junio de 2023
Séptima reimpresión: septiembre de 2024

© 2022, Joël Dicker
© 2022, 2023, Penguin Random House Grupo Editorial, S.A.U.
Travessera de Gràcia, 47-49. 08021 Barcelona
© 2022, María Teresa Gallego Urrutia y Amaya García Gallego, por la traducción

Penguin Random House Grupo Editorial apoya la protección de la propiedad intelectual. La propiedad intelectual estimula la creatividad, defiende la diversidad en el ámbito de las ideas y el conocimiento, promueve la libre expresión y favorece una cultura viva. Gracias por comprar una edición autorizada de este libro y por respetar las leyes de propiedad intelectual al no reproducir ni distribuir ninguna parte de esta obra por ningún medio sin permiso. Al hacerlo está respaldando a los autores y permitiendo que PRHGE continúe publicando libros para todos los lectores. De conformidad con lo dispuesto en el artículo 67.3 del Real Decreto Ley 24/2021, de 2 de noviembre, PRHGE se reserva expresamente los derechos de reproducción y de uso de esta obra y de todos sus elementos mediante medios de lectura mecánica y otros medios adecuados a tal fin. Diríjase a CEDRO (Centro Español de Derechos Reprográficos, http://www.cedro.org) si necesita reproducir algún fragmento de esta obra.

Printed in Spain – Impreso en España

ISBN: 978-84-663-7313-5
Depósito legal: B-7.976-2023

Compuesto en MT Color y Diseño, S.L.
Impreso en Black Print CPI Ibérica
Sant Andreu de la Barca (Barcelona)

P373135

*Para Marie-Claire Ardouin,
sin la que nada habría sido posible*

El día antes del asesinato
Viernes 2 de abril de 1999

La última persona que la vio con vida fue Lewis Jacob, el dueño de una gasolinera situada en la carretera 21. Eran las siete y media de la tarde cuando se dispuso a salir de la tienda aneja a los surtidores. Se llevaba a su mujer a cenar para celebrar su cumpleaños.

—¿De verdad que no te importa cerrar? —le preguntó a la empleada que estaba en la caja.

—Ningún problema, señor Jacob.

—Gracias, Alaska.

Lewis Jacob se quedó un momento mirando a la joven: una preciosidad. Un rayo de sol. ¡Y tan simpática! En los seis meses que llevaba trabajando allí le había cambiado la vida.

—¿Y tú? —le preguntó—. ¿Tienes planes para esta noche?

—Tengo una cita. —Sonrió.

—Por la cara que pones, parece algo más que una cita.

—Una cena romántica —confesó ella.

—Walter es un chico con suerte —dijo Lewis—. ¿Así que os van mejor las cosas?

Por toda respuesta, Alaska se encogió de hombros.

Lewis se arregló el nudo de la corbata en el reflejo de una luna del escaparate.

—¿Qué tal estoy? —preguntó.

—Está perfecto. Venga, lárguese ya, que va a llegar tarde.

—Buen fin de semana, Alaska. Hasta el lunes.

—Buen fin de semana, señor Jacob.

Volvió a sonreírle. Esa sonrisa no se le iba a olvidar nunca.

A la mañana siguiente, a las siete, Lewis Jacob estaba de vuelta para abrir la gasolinera. Nada más entrar echó el cerrojo de la tienda mientras se preparaba para recibir a los primeros clientes. De pronto, sonaron unos golpes frenéticos en la puerta acristalada. Se dio la vuelta y vio a una joven corredora, con la cara desencajada, soltando alaridos. Se apresuró a abrir y ella se le echó encima al tiempo que gritaba: «¡Llame a la policía! ¡Llame a la policía!».

Esa mañana, el destino de una pequeña ciudad de New Hampshire iba a dar un vuelco.

Prólogo
SOBRE LO QUE SUCEDIÓ EN 2010

Los años entre 2006 y 2010, a pesar de los triunfos y la gloria, han quedado inscritos en mi memoria como unos años difíciles. Sin duda fueron las montañas rusas de mi existencia.

Así pues, en el momento de contaros la historia de Alaska Sanders, que apareció muerta el 3 de abril de 1999 en Mount Pleasant, New Hampshire, y antes de explicaros cómo acabé metido en una investigación criminal que duraba ya once años y sobre la que trata este libro, tengo que retrotraerme brevemente al contexto personal en el que me hallaba en ese instante y, más concretamente, a la trayectoria de mi joven carrera como escritor.

Había arrancado de forma fulminante en 2006 con una primera novela de la que se vendieron millones de ejemplares. Con apenas veintiséis años entraba en el reservadísimo club de los escritores ricos y famosos, y me veía propulsado al cénit de las letras estadounidenses.

Pero no había tardado en descubrir que la gloria no carecía de consecuencias; quienes siguen mi trayectoria desde los comienzos saben hasta qué punto el éxito inmenso de mi primera novela iba a desestabilizarme. Atenazado por la celebridad, me veía incapaz de escribir. Escritor averiado, inspiración averiada, crisis de la página en blanco. La caída.

Luego llegó el caso Harry Quebert, del que seguramente habréis oído hablar. El 12 de junio de 2008, exhumaron el cuerpo de Nola Kellergan —desaparecida en 1975 a la edad de quince años— en el jardín de Harry Quebert, leyenda de la literatura estadounidense. Ese caso me afectó mucho: Harry Quebert había sido profesor mío en la universidad, pero sobre todo era por entonces mi amigo más íntimo. No podía creer que fuera culpable. Solo contra todos, recorrí New Hampshire para investigar por mi cuenta. Y, aunque al fin conseguí demostrar la inocencia de Harry, los secretos que descubrí sobre él destrozaron nuestra amistad.

De esa investigación saqué un libro: *La verdad sobre el caso Harry Quebert*, publicado a mediados del otoño de 2009, cuyo inmenso éxito me situó como escritor de importancia nacional. Ese libro era la confirmación que mis lectores y la crítica llevaban esperando desde mi primera novela para darme el espaldarazo definitivo. No era ya un prodigio efímero, una estrella fugaz que se había tragado la noche, un rastro de pólvora ya consumida: a partir de ahí era un escritor que contaba con el reconocimiento del público y con la legitimación de sus pares. Sentí un inmenso alivio. Como si me hubiera recuperado a mí mismo después de tres años extraviado en el desierto del éxito.

Así fue como durante las últimas semanas del año 2009 se adueñó de mí una sensación de serenidad. La noche del 31 de diciembre celebré la llegada del Año Nuevo en Times Square, entre una jubilosa muchedumbre. No había cumplido con esa tradición desde 2006. Desde que se publicó mi primer libro. Esa noche, anónimo entre los anónimos, me sentí bien. Se me cruzó la mirada con la de una mujer que me gustó en el acto. Estaba bebiendo champán. Me ofreció la botella con una sonrisa.

Cuando vuelvo a pensar en lo que ocurrió en los meses siguientes, rememoro esa escena que me brindó la ilusión de haber hallado por fin el sosiego.

Los acontecimientos del año 2010 iban a demostrar que estaba equivocado.

El día del asesinato
3 de abril de 1999

Eran las siete de la mañana. Corría sola, siguiendo la carretera 21, por un paisaje de verdor. Con la música en los oídos, avanzaba a muy buen ritmo. A zancadas veloces, controlando la respiración; dentro de dos semanas tomaría la salida en el maratón de Boston. Estaba lista.

Le dio la sensación de que era un día perfecto; los rayos del sol naciente caían sobre los campos de flores silvestres, tras los cuales se erguía el inmenso bosque de White Mountain.

No tardó en llegar a la gasolinera de Lewis Jacob, a siete kilómetros exactos de su casa. En principio no tenía previsto ir más allá, sin embargo decidió prolongar un poco el esfuerzo. Dejó atrás la gasolinera y siguió hasta el cruce de Grey Beach. Torció entonces por el camino de tierra que los veraneantes tomaban por asalto los días demasiado calurosos. Llevaba a un aparcamiento del que partía un sendero peatonal que se internaba en el bosque de White Mountain hasta llegar a una extensa playa de guijarros a orillas del lago Skotam. Al cruzar el aparcamiento de Grey Beach, vio de pasada un descapotable azul con matrícula de Massachusetts. Enfiló el camino y se dirigió a la playa.

Estaba llegando a la linde de los árboles cuando divisó, junto al lago, una silueta que la hizo detenerse en seco. Necesitó unos segundos para caer en la cuenta de lo que estaba ocurriendo. El espanto la dejó paralizada. Él no la había visto. Ante todo no hacer ruido, no revelar su presencia: si la veía, a la fuerza la atacaría también a ella. Se escondió detrás de un tronco.

La adrenalina le devolvió fuerzas para marcharse sigilosamente, a rastras, por el sendero; luego, cuando le pareció que estaba fuera de peligro, arrancó a toda velocidad. Corrió como no había corrido nunca. Había salido sin el móvil deliberadamente. ¡Cuánto se arrepentía ahora!

Volvió a la carretera 21. Tenía la esperanza de que pasara un coche, pero nada. Se sentía sola en el mundo. Entonces se marcó un esprint hasta la gasolinera de Lewis Jacob. Allí conseguiría ayuda. Cuando llegó por fin, sin resuello, se encontró con la puerta cerrada, pero, al ver dentro al dueño, se puso a golpearla hasta que le abrió. Se le echó encima al tiempo que vociferaba:

—¡Llame a la policía! ¡Llame a la policía!

Extracto del informe policial
Declaración de Peter Philipps
[Peter Philipps es agente de la policía de Mount Pleasant desde hace unos quince años. Fue el primer policía en llegar al lugar de los hechos. Su testimonio se recogió en Mount Pleasant el 3 de abril de 1999].

Cuando oí la llamada de la central sobre lo que estaba ocurriendo en Grey Beach, lo primero que pensé es que lo había entendido mal. Pedí al operador que lo repitiera. Estaba en el sector de Stove Farm, que no pilla muy lejos de Grey Beach.

¿Fue usted allí directamente?
No, primero me paré en la gasolinera de la carretera 21, desde donde la testigo había llamado a emergencias. En vista de la situación, me parecía importante hablar con ella antes de intervenir. Saber a qué atenerme en la playa. La testigo en cuestión era una joven aterrada. Me contó lo que acababa de ocurrir. En los quince años que llevo en el cuerpo nunca me había enfrentado a una situación semejante.

¿Y luego?
Acudí directamente al lugar de los hechos.

¿Fue usted solo?
No tuve elección. No había ni un minuto que perder. Tenía que encontrarlo antes de que escapara.

¿Qué ocurrió luego?
Conduje como un loco desde la gasolinera hasta el aparcamiento de Grey Beach. Al llegar, me fijé en un descapotable azul con matrícula de Massachusetts. Luego agarré la escopeta y fui por el camino del lago.

¿Y qué...?
Cuando llegué a la playa, todavía estaba allí, ensañándose con esa pobre chica. Le grité que parase, alzó la cabeza y me miró fijamente. Se me empezó a acercar despacio. Comprendí en el acto que éramos él o yo. Quince años de servicio y nunca había disparado un tiro. Hasta esta mañana.

Primera parte
DE LAS CONSECUENCIAS DEL ÉXITO

Una nieve primaveral caía sobre los inmensos hangares, situados a orillas del San Lorenzo, que albergaban los estudios cinematográficos. Allí llevaba unos meses rodándose la adaptación al cine de mi primera novela, *Con G de Goldstein*.

1. Después del caso Harry Quebert
Montreal, Quebec
5 de abril de 2010

Los azares del calendario habían querido que el inicio del rodaje coincidiera con la publicación de *La verdad sobre el caso Harry Quebert*. Con el impulso de mi éxito en librerías, la película ya estaba despertando un entusiasmo generalizado y las primeras imágenes habían dado mucho que hablar en Hollywood.

Mientras fuera de los estudios los copos de nieve revoloteaban con el viento, en el interior cualquiera hubiese creído que era pleno verano: un sol de justicia parecía acribillar a los actores y a los extras, bajo la luz de los potentes focos en el decorado de una calle muy concurrida y de sobrecogedor realismo. La escena era una de mis favoritas del libro: en la terraza de un café, entre una muchedumbre de transeúntes, ambos protagonistas, Mark y Alicia, vuelven a encontrarse por fin tras haberse perdido de vista durante años. No necesitan hablar, les basta con las miradas para recuperar el tiempo perdido el uno sin la otra.

Sentado detrás de los monitores de control, yo presenciaba la toma.

—¡Corten! —exclamó de pronto el director, truncando ese pasajero estado de gracia—. ¡Esta vale!

A su lado, el primer ayudante repitió la orden por la radio:

—Esta vale. Se acabó por hoy.

En el acto, el plató se convirtió en un hormiguero: los técnicos recogieron el material mientras los actores regresaban a los camerinos ante la mirada decepcionada de los extras, a quienes les hubiera gustado un cruce de palabras, una foto o un autógrafo.

Por mi parte, me quedé deambulando por el decorado. La calle, las aceras, las farolas, los escaparates: qué real parecía todo. Entré en el café, admiradísimo con el esmero en los detalles. Me daba la impresión de andar paseándome por mi novela. Me metí detrás de la barra, rebosante de sándwiches y de bollería: todo cuanto se veía en la pantalla tenía que parecer de verdad.

Esa contemplación duró poco. Una voz me arrancó de mis pensamientos.

—¿Está usted atendiendo, Goldman?

Era Roy Barnaski, el excéntrico director general de Schmid & Hanson, la editorial que me publicaba. Había llegado por sorpresa de Nueva York esa misma mañana.

—¿Un café, Roy? —le ofrecí, cogiendo una taza vacía.

—Póngame mejor uno de esos sándwiches, me muero de hambre.

No tenía ni idea de si esas cosas eran comestibles, pero, sin comprobarlo, le alargué a Roy uno mixto de pavo y queso.

—¿Sabe, Goldman? —me dijo tras hincarle el diente glotonamente a las gruesas rebanadas—. ¡Esta película va a ser sonada! De hecho, tenemos prevista una edición especial de *Con G de Goldstein*. ¡Va a ser algo sensacional!

Quienes hayan leído *La verdad sobre el caso Harry Quebert* están muy al tanto de mis relaciones ambivalentes con Roy Barnaski. Para el resto, baste con saber que la afinidad de Roy con sus autores variaba en función del dinero que le hacían ganar. En mi caso, mientras que dos años atrás quería crucificarme por no haber entregado la novela a tiempo, el récord de ventas de *La verdad sobre el caso Harry Quebert* me otorgaba en adelante un lugar privilegiado en su panteón de gallinas de los huevos de oro.

—Debe de estar flotando en una nubecita, Goldman —continuó Barnaski, que no parecía darse cuenta de que me estaba estorbando—. El éxito del libro y, ahora, esta película. ¿Se acuerda de hace dos años, cuando hice todo lo habido y por haber para que el papel de Alicia fuera para Cassandra Pollock y usted me lo reprochó tanto? ¿Ve como valía la pena? ¡Todo el mundo coincide en que está sensacional!

—Voy a tardar en olvidar eso, Roy. Le hizo usted creer a todo el mundo que estábamos liados.

—¡Y ahí tiene el resultado! ¡Siempre tengo buenas intuiciones, Goldman! ¡Por eso soy el jefazo! De hecho, si he venido es para hablarle de un tema muy importante.

En el preciso momento en que lo vi aterrizar de improviso en el rodaje, supe que no había venido a Montreal sin una buena razón.

—¿De qué se trata? —pregunté.

—Es una noticia que va a gustarle, Goldman. Quería comunicársela de viva voz.

Barnaski se andaba con miramientos, no era buena señal.

—Vaya al grano, Roy.

Se decidió.

—¡Estamos a punto de conseguir un contrato de adaptación de *La verdad sobre el caso Harry Quebert* con la MGM! ¡Va a ser algo tremendo! Tan tremendo que les gustaría firmar un principio de acuerdo enseguida.

—Me parece que no quiero que se haga una película —contesté, muy seco.

—Espere a ver el contrato, Goldman. ¡Solo con firmarlo ya se embolsa usted dos millones de dólares! Garabatea su nombre al pie de una hoja y, ¡zas!, le caen dos millones de dólares en la cuenta corriente. ¡Y eso por no mencionar los derechos sobre los beneficios de taquilla y todo lo demás!

Yo no tenía ninguna gana de andar argumentando.

—Cuénteselo a mi agente o a mi abogado —sugerí para zanjar el asunto, lo que irritó una barbaridad a Barnaski.

—¡Si me interesara la opinión de ese agente de mierda suyo, Goldman, no habría venido hasta aquí!

—¿El asunto no podía esperar hasta que volviera a Nueva York?

—¿Hasta que volviera a Nueva York? ¡Es usted peor que el viento, Goldman, no puede estarse quieto!

—A Harry no le gustaría una película. —Torcí el gesto.

—¿Harry? —se atragantó Barnaski—. ¿Harry Quebert?

—Sí, Harry Quebert. Y no hay más que hablar: no quiero una película porque no quiero volver a meterme ahí dentro. Quiero olvidarme de ese caso. Quiero pasar página.

—¡Menudo bebé llorica está usted hecho! —se indignó Barnaski, que no soportaba que le llevasen la contraria—. ¡Le ofrecen un cacillo de caviar, pero Bebé Goldman se pone caprichoso y no quiere abrir la boca!

Yo ya había oído bastante. Barnaski se arrepintió de haberme violentado e intentó recoger velas poniendo una voz meliflua:

—¡Marcus, hombre, déjeme que le explique el proyecto! Ya verá como cambia de opinión.

—Voy a empezar por cambiar de aires.

—¡Vamos a cenar juntos esta noche! He reservado en un restaurante del casco viejo de Montreal. ¿Le parece bien a las ocho?

—Esta noche ya he quedado, Roy. Hablamos en Nueva York.

Lo dejé plantado con su sucedáneo de sándwich en la mano y me fui del decorado, camino de la entrada principal de los estudios. Justo antes de llegar a las grandes puertas de vaivén había un puesto de comida. Todos los días, después del rodaje, me paraba allí para tomarme un café. Estaba siempre la misma camarera. Me alargó un vaso de cartón lleno de café antes incluso de que despegase los labios. Sonreí para darle las gracias y ella me devolvió la sonrisa. La gente me sonríe a menudo. Pero ya no sé si me sonríe a mí, el congénere humano al que están viendo, o al escritor al que han leído. Precisamente, y tras sacarlo de debajo de la barra, la joven enarboló un ejemplar de *La verdad sobre el caso Harry Quebert*.

—Lo acabé anoche —me dijo—. ¡Ay, este libro no hay quien lo suelte! ¿Podría usted firmármelo?
—Con mucho gusto. ¿Cómo se llama?
—Deborah.
Deborah, claro. Ya me lo había dicho dos veces.
Me saqué un bolígrafo del bolsillo y escribí en la portadilla la frase ridícula que utilizaba para las dedicatorias:

Para Deborah,
que ahora ya conoce toda la verdad sobre el caso Harry Quebert.
Marcus Goldman

—Que tenga un buen día, Deborah —me despedí al entregarle el libro.
—Que tenga un buen día, Marcus. ¡Hasta mañana!
—Mañana me vuelvo a Nueva York. Estaré aquí dentro de una semana.
—Hasta pronto entonces.
Cuando estaba a punto de alejarme, me retuvo.
—¿Ha vuelto a verlo? —me preguntó.
—¿A quién?
—A Harry Quebert.
—No, no he vuelto a saber nada de él.
Crucé la puerta de los estudios y me metí en el coche que me estaba esperando. «¿Ha vuelto a ver a Harry Quebert?». Desde la publicación del libro no habían dejado de preguntármelo. Y en todas las ocasiones me esforzaba en responder como si la pregunta no me inmutase. ¡Como si no pensara en ello a diario! ¿Dónde estaba Harry? ¿Y qué había sido de él?
Tras bordear el San Lorenzo, el coche se dirigió hacia el centro de Montreal, cuyos rascacielos no tardé en ver alzándose ante mí. Me gustaba esta ciudad. Me sentía a gusto en ella. Quizá porque tenía a alguien esperándome allí. Desde hacía unos meses, por fin había una mujer en mi vida.

En Montreal, me alojaba en el Ritz-Carlton, siempre en la misma suite del último piso. Acababa de cruzar las puertas del hotel cuando me paró el recepcionista para informarme de que me estaban esperando en el bar. Sonreí, ella ya había llegado.

La encontré sentada a una mesa discreta, junto a la chimenea, tomándose a sorbitos un Moscow Mule, aún con el uniforme de piloto. Cuando me vio de lejos, se le iluminó la cara. Me besó, la abracé. Cuanto más la veía, más me gustaba.

Raegan tenía treinta años, igual que yo. Era piloto de línea en Air Canada. Llevábamos más de tres meses viéndonos. A su lado, la vida me parecía más plena, más realizada. Era un sentimiento tanto más fuerte cuanto que me había costado muchísimo conocer a alguien que me gustara de verdad.

La última relación seria la había tenido cinco años antes —una chica llamada Emma Matthews— y no había durado más que unos pocos meses. Así que, nada más acabar *La verdad sobre el caso Harry Quebert*, me prometí dedicarme a mi vida amorosa. Tuve, pues, un buen número de aventuras, pero sin mucho éxito que digamos. Quizá me metí demasiada presión. Todos mis encuentros acababan pareciendo siempre entrevistas de trabajo: mientras observaba a la mujer con la que apenas llevaba hablando unos minutos, me preguntaba si sería una buena compañera y una buena madre para mis hijos. Y en el acto se presentaba mi madre, surgiendo de mi mente, como una intrusa. Agarraba una silla vacía, se sentaba al lado de la desdichada y se ponía a sacarle una ristra de defectos. Y mi madre —o más bien su fantasma— se convertía en árbitro de la cita. Me cuchicheaba, aplicándole una expresión trillada que le gustaba mucho: «Markie, ¿tú crees que esta es la definitiva?». Como si hubiera que comprometerse para toda la vida, cuando en el fondo ni siquiera sabíamos si llegaríamos vivos a la noche. Y, como mi madre contaba con que yo tuviera un gran porvenir, añadía: «Oye, Markie, ¿tú te ves en la Casa Blanca, en la ceremonia de entrega de la Medalla de la Libertad, con esta chica del brazo?». Esta frase solía decirla con desdén, como para hacerme renunciar. Y yo renunciaba. Así fue como mi pobre madre, sin saberlo, no hizo sino prolongar mi soltería. Hasta que, también gracias a ella, conocí a Raegan.

*

Tres meses antes
31 de diciembre de 2009

Como todas las Nocheviejas, había ido a Montclair, en New Jersey, a ver a mis padres. Estábamos tomando café en el salón cuando mi madre soltó esta frase tonta que decía a veces y que me irritaba sobremanera:

—¿Qué podemos desearte para el año nuevo, cariño, a ti que ya tienes de todo?

—Recuperar a un amigo perdido —respondí algo molesto.

—¿Se te ha muerto un amigo? —se preocupó mi madre, que no había pillado la alusión.

—Me refiero a Harry Quebert —aclaré—. Me gustaría volver a verlo. Saber qué ha sido de él.

—¡Harry Quebert, que se vaya al infierno! ¡No te ha traído más que problemas! Los amigos de verdad no traen problemas.

—Me ha servido para convertirme en escritor. Se lo debo todo.

—¡Tú no le debes nada a nadie, aparte de a tu madre, a quien le debes la vida! ¡Markie, no necesitas amigos, necesitas una novia! ¿Por qué no tienes novia? ¿No quieres darme nietos?

—Es difícil conocer a alguien, mamá.

Mi madre se esforzó en suavizar el tono.

—Pero, cariño, es que creo que le echas pocas ganas a conocer a alguien. No sales todo lo que deberías. Sé que a veces te pasas horas mirando un álbum de fotos tuyas y de Harry Quebert.

—¿Y tú cómo sabes eso? —pregunté sorprendido.

—Me lo ha dicho tu asistenta.

—¿Desde cuándo hablas con mi asistenta?

—¡Desde que ya no me cuentas nada!

En ese momento, me fijé casualmente en una foto enmarcada: en ella aparecían mi tío Saul, mi tía Anita y mis primos, Hillel y Woody, en Florida.

—¿Sabes? Si tu tío Saul...

—¡No hablemos de eso, mamá, por favor!

—Yo solo quiero que seas feliz, Markie. No hay razón alguna para que no lo seas.

Tenía ganas de irme. Me levanté y cogí la chaqueta.

—¿Qué haces esta noche, Markie? —me preguntó mi madre.

—Salgo con unos amigos —mentí, para tranquilizarla.

Le di un beso a ella, otro a mi padre y acto seguido me marché.

Mi madre tenía razón: conservaba en casa un álbum en el que me enfrascaba cada vez que me ponía nostálgico. De hecho, eso fue lo que hice al volver a Nueva York. Me serví un vaso de whisky y hojeé el álbum. La última vez que había visto a Harry fue exactamente un año antes, una noche de diciembre de 2008, cuando se presentó en mi casa para un último encuentro cara a cara. Desde entonces, ni una triste señal de vida. Al querer demostrar su inocencia en el crimen del que lo acusaban y limpiar su honra, lo había perdido. Lo echaba muchísimo de menos.

Por supuesto, había intentado dar con su pista, pero en vano. Estuve volviendo con regularidad a Aurora, en New Hampshire, donde él vivió los últimos treinta años. Me había pasado horas recorriendo esa pequeña ciudad. Horas vagabundeando por delante de su casa de Goose Cove. Hiciera el tiempo que hiciera, fuera la hora que fuera. Volver a dar con él. Poder repararlo todo. Pero Harry no reaparecía nunca.

Estaba enfrascado en mi álbum, dándole vueltas a los recuerdos de lo que ambos habíamos sido, cuando sonó el teléfono fijo. Por un momento, creí que era él. Me apresuré a cogerlo. Era mi madre.

—¿Por qué contestas, Markie? —me riñó.

—Porque me has llamado, mamá.

—Markie, ¡es Nochevieja! ¡Me dijiste que ibas a casa de unos amigos! ¡No me digas que estás solo en tu casa mirando esas malditas fotos! Le voy a tener que pedir a tu asistenta que las queme.

—Voy a despedirla, mamá. Por tu culpa, una mujer cumplidora acaba de quedarse sin trabajo. ¿Estás contenta?

—¡Sal de casa, Markie! Me acuerdo de cuando estabas en secundaria e ibas a Times Square para cambiar de año. ¡Llama a unos amigos y sal! ¡Es una orden!

No se desobedece a una madre.

Así fue como acabé en Times Square, solo, porque la verdad es que en Nueva York no tenía amigos a quienes llamar. Al llegar a las proximidades de la plaza, que llenaban cientos de miles de personas, me sentí bien. En paz. Dejé que me llevase la marea humana. Fue en ese momento cuando me encontré con una chica que bebía de una botella de champán. Me sonrió. Me gustó en el acto.

Al dar las doce, la besé. Así fue como Raegan entró en mi vida.

*

Después de conocernos, Raegan fue a verme varias veces a Nueva York y, cuando yo iba a los rodajes, quedábamos en Montreal. En el fondo, tres meses de trato más tarde, apenas si nos conocíamos aún. Planeábamos los encuentros entre dos vuelos o dos días de rodaje. Pero esa noche de abril, en el bar del Ritz de Montreal, sentía por ella algo muy intenso. Y, mientras estábamos hablando de algo-que-ya-ni-recuerdo, aprobó con nota el test materno: me la imaginaba en diferentes situaciones de la vida y, en cada una de ellas, la veía perfectamente a mi lado.

Raegan volaba al día siguiente a las siete de la mañana a Nueva York-JFK. Cuando le propuse salir a cenar, ella sugirió que mejor nos quedásemos en el hotel.

—El restaurante del hotel está muy bien —dije.

—Tu habitación está aún mejor. —Sonrió.

Nos encerramos en mi suite para pasar la velada. Estuvimos mucho rato relajándonos en la gigantesca bañera mientras por el ventanal, resguardados en la espuma y el agua calentita, admirábamos la nieve que seguía cayendo sobre Montreal. Luego llamamos al servicio de habitaciones. Todo parecía fácil, reinaba entre los dos una ósmosis. Lo único que lamentaba era no poder pasar más tiempo con Raegan. Los motivos: la distancia geográfica (yo vivía en Nueva York y ella en una ciudad pequeña a una hora del sur de Montreal, donde yo ni siquiera había ido aún), pero sobre todo sus horarios restrictivos de piloto, que la tenían acaparada. De hecho, este reencuentro no se libró de esa pauta y, una vez más, la noche fue corta: a las cinco de la mañana, cuando el hotel aún dormía, Raegan y yo estábamos acabando de prepararnos. Por la puerta del cuarto de baño, la estuve contemplando. Con el pantalón del uniforme puesto y aún en sujetador, se maquillaba mientras bebía una taza de café. Nos fuimos los dos a Nueva York, pero por separado. Ella, por los aires; yo, por carretera, pues había ido a Montreal en coche. La llevé al aeropuerto Trudeau. En el momento en que me paraba delante de la terminal, Raegan me preguntó:

—¿Por qué no viniste en avión, Marcus?

Titubeé un instante: no podía confesarle razonablemente lo que justificaba mi elección.

—Me gusta la carretera entre Nueva York y Montreal —mentí.

Esa explicación solo le resultó satisfactoria a medias.

—Tranquilízame: ¿no te dará miedo el avión?

—Claro que no.

Me besó y me premió con un «a pesar de todo me gustas mucho».

—¿Cuándo te vuelvo a ver? —inquirí.

—¿Cuándo vuelves a Montreal?

—El 12 de abril.

Miró la agenda.

—Pasaré la noche en Chicago y empalmo con una semana de viajes de ida y vuelta a Toronto.

Me notó la decepción en la cara.

—Luego tengo una semana de permiso. Te prometo que entonces tendremos tiempo para pasarlo juntos. Nos encerraremos en tu habitación del hotel y no nos moveremos de ahí.

—¿Y si nos fuéramos unos días? —sugerí—. Ni Nueva York ni Montreal. Solos tú y yo en alguna parte.

Asintió con la cabeza, con convicción, brindándome su mejor sonrisa.

—Me gustaría mucho —susurró, como si se tratase de una confidencia admisible a medias.

Me dio un beso muy largo y salió del coche, dejándome albergar enormes esperanzas sobre lo que podríamos llegar a ser juntos. Mientras la miraba desaparecer en el edificio del aeropuerto, decidí adelantarme a los acontecimientos y organizar una escapada a un hotel de las Bahamas que me habían elogiado: Harbour Island. Sin más demora, tecleé en el móvil y consulté la página web del hotel. El lugar, cobijado en una isla privada, parecía paradisiaco. Aquí era donde íbamos a pasar su semana de permiso: en una playa de arena fina a orillas de un mar turquesa. Hice la reserva sobre la marcha y emprendí la ruta para Nueva York.

Crucé los Cantons-de-l'Est hasta Magog —donde me detuve para comprar un café—, antes de bajar hacia la pequeña ciudad de Stanstead, limítrofe con Estados Unidos, de la que quizá hayáis oído hablar porque allí está la única biblioteca del mundo a caballo entre dos países.

En el momento de cruzar la frontera, el agente de aduanas estadounidense que me miró el pasaporte me preguntó por mera rutina de dónde venía y adónde iba. Cuando le contesté que iba de Montreal a Manhattan, me indicó: «Este no es el camino más directo para ir a Nueva York». Como creyó que me había perdido, me dio instrucciones para volver a la autopista 87. Lo escuché cortésmente sin la menor intención de seguir sus indicaciones.

Sabía de sobra adónde iba.

Iba a Aurora, a New Hampshire. Donde mi amigo Harry Quebert había pasado la mayor parte de su vida antes de desaparecer sin dejar señas.

El día del asesinato
3 de abril de 1999

Un Chevrolet Impala de incógnito, con la luz giratoria y la sirena encendidas, iba a toda velocidad por la carretera 21 que une la pequeña ciudad de Mount Pleasant con el resto de New Hampshire. La raya de asfalto cruzaba por un paisaje de flores silvestres y de estanques cubiertos de nenúfares, más allá de los cuales se extendía el gigantesco bosque de White Mountain.

Conducía el sargento Perry Gahalowood. A su lado, su compañero, el sargento Matt Vance, clavaba la vista en un mapa de la comarca.

—Dentro de nada hay que girar a la derecha —indicó Vance nada más dejar atrás una gasolinera—. Deberías ver un caminito que se bifurca y se mete en el bosque.

—La policía local habrá puesto a alguien para orientarnos.

Mucho distaban los dos policías de imaginar el comité de bienvenida que los estaba esperando; tras una última curva, se encontraron de repente con un atasco. Perry se lo saltó circulando por el carril opuesto despacio, no tanto por los vehículos que iban en sentido contrario como por las decenas de mirones que rondaban al borde de la carretera.

—Pero ¿qué follón es este? —renegó.

—La juerga de costumbre cada vez que ocurre un drama en una ciudad pequeña: todo el mundo quiere estar en primera fila.

Llegaron por fin a un cordón policial a la altura de la bifurcación del aparcamiento de Grey Beach. Perry sacó la placa por la ventanilla para enseñársela a los centinelas.

—Brigada criminal de la policía estatal.

—Sigan de frente por el camino de tierra —dijo uno de los policías, al tiempo que alzaba una de las cintas policiales que impedían el paso.

Tras recorrer unos cientos de metros, el Chevrolet Impala llegó a la linde del bosque que señalaba un ancho rellano cubierto de hierba. Un agente de la policía local paseaba arriba y abajo.

—Brigada criminal de la policía estatal —volvió a anunciar Gahalowood por la ventanilla abierta.

El agente parecía completamente abrumado por los acontecimientos.

—Aparquen aquí —sugirió—. Me parece que allí no hay quien se aclare.

Los dos inspectores se bajaron del coche para terminar el recorrido a pie.

—¿Por qué siempre pasa algo los fines de semana en que estamos de servicio? —preguntó Vance con tono fatalista mientras iban andando por el camino de tierra—. ¿Te acuerdas del caso Greg Bonnet? También cayó en sábado.

—Antes de que me emparejaran contigo, mis fines de semana eran de lo más tranquilo —bromeó Gahalowood—. Creo que eres gafe, chico. A Helen no le va a gustar nada, le prometí que la ayudaría a abrir las cajas esta noche. Pero como nos caiga un asesinato...

—De momento, ni siquiera tenemos la seguridad de que sea un asesinato. No sería la primera vez que nos mandan a un simple accidente de senderismo.

No tardaron en llegar al aparcamiento de Grey Beach, que abarrotaban diferentes vehículos de emergencias. El barullo estaba en pleno apogeo. Los recibió Francis Mitchell, el jefe de policía de Mount Pleasant, que los avisó de entrada:

—No es un espectáculo agradable, señores.

—¿Qué ha ocurrido exactamente? —preguntó Gahalowood—. Nos han hablado de una mujer muerta.

—Prefiero que lo comprueben con sus propios ojos.

El jefe Mitchell los condujo al sendero que llevaba al lago. Tanto Perry Gahalowood como Matt Vance tenían experiencia con cadáveres y escenas de crimen pero, al llegar a la playa de guijarros, se quedaron de una pieza: nunca habían visto nada igual. El cuerpo de una mujer yacía con la cabeza hundida en el suelo blando, y a su lado había un oso muerto.

—Ha dado el aviso una corredora —explicó el jefe Mitchell—. Sorprendió al oso devorando a la mujer.

—¿Cómo que «devorando»?

—Que se la estaba zampando, vamos.

A juzgar por la forma en que la mujer yacía en la playa, casi cabía creer que estaba durmiendo. El rumor del agua del lago y el canto primaveral de los pájaros creaban en la zona un ambiente apacible. Solo el oso, tumbado en un charco de sangre que le daba lustre al pelaje negro, recordaba el drama que acababa de representarse allí.

Matt Vance le inquirió entonces al jefe Mitchell:

—Lo siento mucho por esta pobrecilla, pero la verdad es que me gustaría que me explicasen por qué han avisado a la brigada criminal por el ataque de un oso.

—Los osos negros abundan por aquí —contestó el jefe Mitchell—. Tenemos cierta experiencia, créame. Ya ha habido muchos incidentes con ellos y, cuando atacan a un ser humano, es para defender su territorio, no para comérselo.

—¿Dónde quiere ir a parar?

—Si ese oso ha consumido la carne de esa mujer es que acudió como carroñero. Ya estaba muerta cuando se la encontró.

Gahalowood y Vance se acercaron con cuidado al cadáver. A esa distancia no tenía ya nada de una apacible durmiente. Por la ropa, hecha jirones, asomaban profundas señales de mordiscos. Tenía el pelo pegajoso de sangre coagulada.

—¿Qué te parece, Perry? —preguntó Vance.

Gahalowood pasó revista a la víctima: llevaba un pantalón de cuero y botines elegantes.

—Va vestida de calle. Creo que la mataron anoche. Aunque las heridas que le ha hecho el oso parecen recientes.

—Así que ya estaba muerta cuando el oso se la encontró —fue la conclusión a la que llegó Vance—; seguramente de madrugada.

Gahalowood asintió:

—Esta historia huele fatal. Hay que llamar a la caballería.

Vance cogió el móvil para avisar a los refuerzos y a los servicios forenses.

Gahalowood, por su parte, seguía inclinado sobre el cadáver de la mujer. Se fijó entonces en un trozo de papel que asomaba del bolsillo trasero del pantalón. Se puso unos guantes de látex y agarró lo que resultó ser una hoja doblada en cuatro. La desdobló y se topó con un mensaje lacónico escrito con ordenador:

SÉ LO QUE HAS HECHO.

Eran casi las doce del mediodía cuando llegué a Aurora.
En la pequeña ciudad, igual que en el resto de Nueva Inglaterra, una fina capa de nieve se derretía bajo un sol radiante. Todos los pretextos eran buenos para venir y mantener vivos los recuerdos que me unían a Harry Quebert.

2. Recuerdos
New Hampshire
6 de abril de 2010

Si he de ser totalmente sincero, al principio había creído que escribir y publicar *La verdad sobre el caso Harry Quebert* me permitiría pasar página en esa amistad interrumpida de repente. Pero el entusiasmo generalizado que suscitó el libro no hacía sino recordarme hasta qué punto me había marcado. No tanto por la investigación, ya cerrada, ni por sus conclusiones, sino por esta pregunta que seguía pendiente: ¿dónde se había metido Harry Quebert? ¿Qué había sido de él? ¿Y por qué había desaparecido de mi vida?

Referí largo y tendido en *La verdad sobre el caso Harry Quebert* lo unidos que estábamos él y yo. No merece la pena abundar en ello aquí; lo único que necesito dejar claro es que Harry creyó lo bastante en mi porvenir de escritor como para invitarme a su casa y que trabajase allí en mis textos. La primera vez que fui a Aurora fue en enero de 2000. Descubrí a la vez su extraordinaria casa de Goose Cove —una casa de escritor, apartada del mundo, situada al borde del océano— y su soledad, que nunca había sospechado. El famoso Harry Quebert, personaje carismático y adulado, era en realidad un hombre increíblemente solo, sin mujer, sin hijos, sin nadie. Me acuerdo muy bien de aquel día: tenía la nevera desesperadamente vacía. Cuando se lo comenté, me explicó que no solía recibir a nadie. Me llevó entonces a comer al Clark's, el *diner* de la calle principal. Así fue como descubrí ese sitio que era parte integrante de la leyenda de Harry. Allí conocí a Jenny Quinn, la dueña, que llevaba veinticinco años colada por Harry. Él tenía una mesa adjudicada, la número 17, en la que Jenny Quinn había mandado atornillar una placa con la siguiente inscripción:

Esta es la mesa en la que durante el verano de 1975
Harry Quebert escribió su famosa novela
Los orígenes del mal

Los orígenes del mal, publicado en 1976, era el libro que le había brindado a Harry la fama y la gloria. Ante la admiración de mis preguntas al respecto, Harry torció el gesto.

—Solo soy el autor de un único éxito. Nada más se me conoce por esa novela.

—Pero ¡qué novela! ¡Una obra maestra!

Jenny acudió a tomar nota del pedido. Harry le dijo, refiriéndose a mí: «Si este joven empieza a escribir igual que boxea, Jenny, se convertirá en un gran escritor».

Cuando ella se fue, le pedí a Harry que se explicase. Entonces me contestó:

—Siempre se pretende que un gran escritor se parezca a los que lo precedieron, sin pensar que, si es un gran escritor, es precisamente porque no se les parece.

Como yo no parecía convencido, añadió:

—¿Sabe, Marcus? Lo he visto en mi casa, hace un rato sin ir más lejos, contemplando con pasión los clásicos en mis estanterías. Mira esos libros preguntándose si, dentro de cincuenta años, mirarán los suyos igual. Empiece por escribir un libro, que no es poco. Y deje de darnos la lata con la posteridad.

—Me gustaría ser como usted, Harry.

—No sabe de qué habla. Haré lo que haga falta para que no se me parezca. Justo por eso está usted aquí.

No entendí qué quería decir con esa frase. Solo era un joven que estaba descubriendo a su mentor. ¿Cómo iba a imaginarme en ese momento, cegado por mi ingenuidad, el caso que estallaría en el verano de 2008 en esa ciudad pequeña y tranquila y que acabaría presenciando cómo de la noche a la mañana retiraban *Los orígenes del mal*, esa novela considerada como una obra mayor de la literatura estadounidense, de los estantes de las librerías y de las bibliotecas?

Aquel día de abril de 2010, diez años después de haber ido allí por vez primera, aparqué delante del Clark's. Marcus, un estudiante soñador tiempo atrás, había regresado con una aureola de gloria, pero sin Harry.

Tras los acontecimientos del verano de 2008, habían traspasado el negocio. Dentro no conocía a nadie, cosa que me venía bien, pues la mayoría de los vecinos de la ciudad me daban la espalda desde que había sacado a la luz los entresijos de Aurora durante mi investigación sobre «el Caso». Aparte de los propietarios, no había cambiado nada. Ni la decoración ni el menú. La mesa de Harry estaba libre, así que me instalé en ella. Para los habituales, ahora era la mesa de los apestados; solo la gente de paso se sentaba allí. Después del verano de 2008 habían quitado la placa. Únicamente quedaban los agujeros de los tornillos, como impactos de bala, vestigios de una ejecución. Pedí una hamburguesa con queso y patatas fritas que me comí mirando por la ventana.

Estaba acabando de comer cuando se unió a mí Ernie Pinkas, el bibliotecario municipal y mi último apoyo en Aurora. Era un hombre con un corazón de oro y un enamorado de los libros, su única compañía desde que se había quedado viudo. Ernie llevaba la gestión de la Residencia Harry Quebert para Escritores, un proyecto que yo había puesto en marcha junto con la Universidad de Burrows para convertir la casa de Harry Quebert, en Goose Cove, en una residencia para escritores destinada a plumas jóvenes y prometedoras. El escándalo del verano de 2008 había empañado la reputación de Harry, pero su aura seguía intacta: los aspirantes hacían cola para tener la oportunidad de una estancia en ese lugar prestigioso y confortable. Ernie Pinkas se ocupaba de seleccionarlos junto con la Facultad de Letras de Burrows, que, por su parte, costeaba el mantenimiento de las instalaciones. La casa podía albergar hasta a seis escritores, que vivían allí tres meses en comunidad. En virtud de su nuevo cometido, Ernie disponía en Burrows de un despachito, de lo que estaba muy orgulloso.

Se sentó frente a mí.

—Marcus, ¿qué haces aquí otra vez?

Le extrañaba porque ya me había visto aquí una semana antes, cuando iba de camino a Montreal. Habíamos tomado un café en Goose Cove y yo había aprovechado para saludar a los nuevos residentes, que iban a quedarse hasta el verano.

—Pasaba por aquí —contesté— y me detuve a almorzar.

—¿Desde Montreal?

Por su tono me di cuenta de que no se lo tragaba. De que sabía que yo estaba aquí persiguiendo a Harry o a mis propios fantasmas.

—Tus trayectos se han convertido en peregrinaciones, Marcus —me dijo, poniendo el dedo en la llaga—. ¿Sabes quién más hacía esto?

—¿Hacer qué?

—Pasarse las horas muertas en el Clark's. Harry. Siempre me he preguntado a santo de qué se pasaba horas aquí mismo, en esta mesa, mirando al vacío, igual que haces tú. Creía que buscaba la inspiración. Pero, en realidad, estaba esperando a Nola.

Dejé escapar un largo suspiro.

—Me conformaría con una señal, Ernie.

—Harry no va a volver a Aurora.

—¿Cómo puedes estar tan seguro?

—Él sí ha pasado página. Deberías hacer lo mismo.

—¿Qué quieres decir?

—Ha pasado página gracias a ti, Marcus. Ahora sabe qué le pasó a Nola. Ya no necesita esperarla aquí. Por fin ha podido marcharse. Aurora era su cárcel y tú lo liberaste.

—No, Ernie, Aurora era...

—Sabes que tengo razón, Marcus —me interrumpió—. Sabes que Harry no volverá nunca aquí. No se puede esperar a los amigos como se espera el autobús. ¿Por qué te empeñas en volver aquí? Aprovecha la vida. Deja de torturarte la mente. Eres un chico estupendo, Marcus. Ya es hora de que pases a otra cosa.

Tenía toda la razón. Pero, tras acabar de comer, no pude por menos de hacer una peregrinación a Goose Cove. Anduve un rato por la playa que estaba a los pies de la casa de Harry, antes de sentarme en una roca grande para admirar el paisaje. Miraba la impresionante morada tan llena de recuerdos. Por la arena brincaban unas gaviotas. Poco a poco cubrió el cielo un velo de nubes grises y empezó a caer una lluvia fina. Fue entonces cuando vi aparecer, entre la cortina de bruma, a un hombre a quien consideraba un amigo muy querido: Perry Gahalowood, sargento de la brigada criminal de la policía estatal de New Hampshire. Se me acercó con una sonrisa burlona y un vasito de café en cada mano.

Quienes me conocen y me leen ya están al tanto de qué vínculos me unen a Perry Gahalowood. Para los demás, permítaseme que lo recuerde aquí brevemente: había conocido a Perry dos años antes, durante el famoso caso Harry Quebert, que tenía a su cargo. Juntos aclaramos por completo la muerte de Nola Kellergan. Habrá quienes digan que dilucidar el asesinato de Nola me permitió escribir mi segunda novela. En realidad, me permitió hacer que germinasen las semillas de la amistad que iba a trabar con ese policía fuera de serie que se parecía a los frutos del desierto: espinoso y de corteza gruesa por fuera, pero de pulpa dulce y corazón tierno por dentro. Así era Perry Gahalowood: rugoso, tosco e irascible, pero leal, recto y justo. Dicen que la familia de un hombre es la medida de su valía; yo conocía bien a la suya, y respiraba felicidad.

—Sargento —desde el día en que nos conocimos lo llamé «sargento» y él a mí «escritor», y la tradición se había perpetuado—, ¿qué hace aquí?

Me alargó uno de los vasitos de café.

—Debería devolverle la pregunta, escritor. Por si no lo sabe, cada vez que asoma por aquí, alguien llama a la policía. Señal de la buena impresión que dejó usted en esta ciudad.

—Es usted peor que mi madre, sargento.

Se echó a reír.

—¿Qué desacertado motivo lo ha traído a Aurora, escritor?

—Volvía de Montreal y he hecho una parada por el camino.

—Es un rodeo de dos horas —me hizo notar Gahalowood.

Indiqué con la barbilla la casa, al azote de los elementos.

—Quise a esa casa —dije—. Quise a esta ciudad. Cuando se quiere, se quiere a pesar de uno mismo; es para siempre.

—Si cree que ama esta ciudad, se equivoca, escritor. Ama los recuerdos que tiene aquí, eso se llama «nostalgia». La nostalgia es nuestra capacidad para convencernos de que nuestro pasado, en lo esencial, fue feliz y que, por consiguiente, tomamos las decisiones correctas. Cada vez que evocamos un recuerdo y nos decimos «qué bien estuvo», es de hecho nuestro cerebro enfermo el que rezuma nostalgia para convencernos de que lo que vivimos no fue en vano, de que no perdimos el tiempo. Porque perder el tiempo es perder la vida.

Al oírlo, creí que Gahalowood, siempre dispuesto a cuestionarlo todo, hablaba en general; no se me ocurrió que podría estar hablando de sí mismo. Como me di por aludido, le dije:

—A pesar de todo, Goose Cove estuvo bien.

—¿Bien para usted? No estoy tan seguro. Es el escritor de esta década y se dedica a vagar como un alma en pena por un pueblucho de New Hampshire. La última vez que lo vi aquí fue en octubre, ¿se acuerda?

—Sí.

—Pensaba que había venido a despedirse de esta casa. Nos tomamos una cerveza, más o menos aquí mismo, y me soltó el rollo de que partía en busca del amor. ¡Un fiasco, por lo visto! ¿Sigue con su piloto?

Perry Gahalowood era la persona mejor informada sobre cómo evolucionaba mi vida sentimental: lo había llamado después de cada nuevo encuentro. Cuando conocí a Raegan, fue el primero a quien se lo conté.

—Creo que lo mío con Raegan va bastante en serio.

—Vaya, al fin una buena noticia, escritor. No se le ocurra traerla de vacaciones aquí, si quiere que la cosa dure.

—Pues ya ve, me la llevo a las Bahamas.

—¡Buf! Me pone de los nervios, escritor.

—A una isla privada, un sitio extraordinario. ¿Quiere ver fotos?

—Me entran ganas de decir que no, pero sé que me las va a enseñar de todas formas.

Sentados los dos en nuestra roca, sin hacer caso de la llovizna que nos caía encima, tuvimos una conversación sin gran interés, un cruce de palabras trivial entre dos amigos, y si la menciono aquí es precisamente porque no mostré interés por Gahalowood. Le pregunté por su mujer, Helen, por sus hijas, Malia y Lisa, pero no le pregunté qué tal estaba él. No le di la oportunidad de sincerarse y nuestro encuentro terminó sin que yo sospechase ni por un segundo lo que se estaba urdiendo en su vida.

Una vez que se acabó el café, Gahalowood se levantó.

—¿Ya es hora de que vuelva a sus casos criminales? —le pregunté.

—No, he quedado con Helen. Es el cumpleaños de Lisa y tenemos que hacer unas cuantas compras. Hoy cumple once años.

—¡Once ya! ¿Qué se siente, papá sargento? ¿Van pesando los años?

Gahalowood respondió con un silencio apesadumbrado que me inquietó un poco.

—¿Va todo bien, sargento? No parece estar muy allá.

—Por desgracia, es una fecha que me trae un recuerdo doloroso. Hace exactamente once años, el 6 de abril de 1999, mi vida dio un vuelco.

—¿Qué sucedió?

Con la maña que solía tener cuando se trataba de hablar de sí mismo, Gahalowood cambió de tema.

—Da lo mismo, escritor. Esta noche damos una cena en casa para Lisa con toda la familia. Únase a nosotros. Es a las seis.

—Con mucho gusto. Puedo incluso llegar antes si quiere.

—¡Ni se le ocurra! ¡Terminantemente prohibido presentarse antes de las seis!

—¡A la orden, mi sargento!

Se alejó unos cuantos pasos antes de volverse hacia mí y decirme con su tono provocativo de costumbre:

—No vaya a creerse que lo considero un miembro de la familia, escritor. Pero Helen me mataría si no lo invitase.

—No me creo ni media —contesté sonriendo.

Se fue de una vez por todas y yo me quedé un ratito más en la playa preguntándome qué podría haber ocurrido en la vida de Perry once años antes. Distaba mucho de imaginarme el drama que llevaba años obsesionándolo hasta que llegaron los acontecimientos que me dispongo a contar aquí.

El día del asesinato
3 de abril de 1999

Un bullicio sin precedentes agitaba la pequeña ciudad de Mount Pleasant. Todo el mundo le hacía preguntas a todo el mundo, a la caza de información. De un local a otro, no se hablaba de otra cosa. Bien fuera en el Season, el café famoso por sus desayunos, en la librería de Cinzia Lockart o en la tienda de caza y pesca de la familia Carrey, los clientes se preguntaban unos a otros:

—¿Sabe algo?

—No. ¿Y usted? ¿Ha ido a ver lo que ocurre en Grey Beach?

—Mi mujer ha ido, pero la policía lo tiene todo acordonado.

Todo cuanto se sabía en Mount Pleasant era que habían encontrado a una mujer muerta en Grey Beach. El cadáver lo había hallado Lauren Donovan, la hija de Janet y Mark Donovan, los dueños de la tienda de alimentación, cuando salió a correr. A medida que iba circulando la noticia, todos acababan en Comestibles Donovan; se suponía que habían ido a hacer la compra, pero sobre todo buscaban información. En la tienda no cabía un alfiler, casi se podía hablar de una muchedumbre. Los clientes paraban a Mark o a Janet Donovan para preguntar sin rodeos:

—¿Está Lauren?

—No.

—¿Sabe algo de lo que ha pasado en Grey Beach?

—No sé nada nuevo. Lauren sigue con la policía. Perdone, pero hay muchos clientes a los que atender.

—¡Si se entera de algo, no deje de decírnoslo!

Mientras en Mount Pleasant las preguntas de los curiosos se quedaban en el aire, en ese preciso instante, en Grey Beach, los investigadores comenzaban a esbozar respuestas. Alrededor de cincuenta agentes de la policía local y de la policía estatal peinaban el bosque. En la playa, los equipos forenses se afanaban en torno al cuerpo, que yacía aún boca abajo. Y, en el aparcamiento, los expertos de la policía científica examinaban el descapotable azul. Según la matrícula, el coche pertenecía a una joven de veintidós años: Alaska Sanders. En el asiento del acompañante había un bolso, y el carnet de conducir estaba dentro.

Oír ese nombre había sido un impacto para los policías locales: Alaska era una joven de Mount Pleasant.

—Habría que verle la cara para confirmar que efectivamente es ella —explicaba el jefe Mitchell a Gahalowood y a Vance mientras el forense manipulaba el cuerpo inerte.

—¿Qué puede decirnos de ella? —preguntó Vance.

—Nada relevante. Ella y su novio se vinieron a vivir aquí hace unos meses. Trabajaba en una gasolinera cercana.

—¿Cómo es que la conocía?

—En Mount Pleasant todo el mundo se conoce.

Tras los primeros exámenes, el forense movió el cadáver y le dio la vuelta, revelando el rostro de la víctima. Al verlo, el jefe Mitchell soltó una palabrota. Varios policías locales acudieron y se alzó un murmullo.

—¿Es ella? —preguntó Gahalowood a Mitchell.

—Sí.

Gahalowood y Vance se acercaron al cuerpo.

—¿Y qué, doctor? —le preguntó Vance al forense.

—Ya me conoce, sargento. No me gusta pronunciarme antes de la autopsia. Pero lo que puedo decirle ahora mismo es que la muerte se sitúa en plena noche. La una o las dos de la madrugada. Probablemente se debe a un golpe que le dieron en la parte posterior de la cabeza. La víctima tiene una herida de consideración a la altura del occipucio. El oso no tiene nada que ver.

—O sea, que tenemos un asesinato.

—Sin la menor duda. La golpearon con un objeto contundente. Lo demás se lo contaré cuando haga la autopsia.

—¿Y eso cuándo será?

—Lo antes posible.

—Eso no es una respuesta —comentó Vance.

—Para mí, sí —bromeó el forense.

Gahalowood y Vance se quedaron un rato callados, contemplando el cadáver, hasta que de pronto una voz se dirigió a ellos:

—No soporto los crímenes en las ciudades pequeñas. Son siempre historias sórdidas.

Era el capitán Morris Lansdane, el responsable de la brigada criminal de la policía estatal.

—¿Qué hace usted aquí, capitán? —preguntó Vance—. Creía que estaba de permiso.

—Nunca cuando hay follón —contestó Lansdane—. El «gran jefe» (ese era el título con que aludían al jefe de la policía estatal de New Hampshire, cargo que, por cierto, acabaría ocupando Lansdane unos años después) quiere saber qué ocurre y me ha pedido que le resuma la situación. ¿Qué tenemos aquí?

Gahalowood inició el informe.

—La víctima es una joven de veintidós años que se llama Alaska Sanders. Nacida en Salem, Massachusetts. Murió anoche por un golpe en la parte posterior de la cabeza.

Vance tomó el relevo:

—Han encontrado su coche en el aparcamiento de la playa. No estaba cerrado. Hay una bolsa de viaje con algo de ropa en el maletero y, en el asiento del acompañante, un bolso.

—¿Un robo con homicidio? —preguntó Lansdane.

—Me extrañaría —contestó Gahalowood—. Hemos encontrado un mensaje amenazador que llevaba encima la víctima. Una frase escrita con ordenador: SÉ LO QUE HAS HECHO.

—Hummm... ¿Una venganza?

—A lo mejor. En cualquier caso, por la bolsa de viaje cabe pensar que se iba a algún sitio. O que huía de algo.

—Voy a buscar la dirección de sus padres —indicó entonces Vance—. Me gustaría avisarlos enseguida. Es una ciudad pequeña. Los polis locales seguramente se irán de la lengua. No me gustaría que la familia se enterase por las noticias.

—Tiene razón —asintió Lansdane—. Los dejo trabajar. Ah, esperen... ¿Qué es esa historia de un oso? No oigo hablar de otra cosa.

—El cuerpo lo ha descubierto una joven que había salido a correr y sorprendió al oso despedazando el cadáver —explicó Gahalowood.

Lansdane hizo una mueca de asco.

—¿Han hablado con la joven? —preguntó.

—Todavía no. Nos está esperando en la gasolinera de aquí al lado. Ahora iremos.

En ese momento fue a buscarlos un policía.

—Preguntan por ustedes en el bosque —anunció—. Han encontrado algo. ¡Vengan, síganme!

Gahalowood, Vance y Lansdane siguieron al agente por un camino forestal. El bosque estaba inundado de luz. Anduvieron serpenteando entre los helechos y los troncos centenarios hasta llegar a una caravana abandonada, invadida de zarzas y matorrales; junto a ella esperaba un grupo de policías.

—No hemos entrado —explicó uno de ellos—, solo hemos echado un vistazo por la puerta entornada.

—¿Y? —preguntó Gahalowood.

—Véalo usted mismo —sugirió el policía, alargándole una linterna.

Las ventanas de la caravana estaban cegadas, y al principio Gahalowood no vio nada salvo oscuridad al asomarse dentro. Luego, en el haz de luz de la linterna, descubrió un tremendo desorden; colchones despanzurrados, desperdicios, colillas. Pero sobre todo, en el suelo, un jersey con manchas rojizas. Se arriesgó a dar un paso dentro de la caravana para acercarse más: la prenda tenía restos de sangre.

—Que venga ahora mismo la policía científica y peine este sitio —decidió.

Vance y él exploraron luego los alrededores. A unos diez metros localizaron un camino lo bastante ancho para que cupiera un vehículo, el sendero que usaban los guardas forestales. Vance divisó en el suelo los restos del piloto trasero de un vehículo y se fijó en un tronco con marcas de un choque reciente.

—Parece pintura negra —dijo, mirando de cerca el rastro oscuro en la corteza.

*

Eran las doce del mediodía cuando Robbie y Donna Sanders recibieron la llamada del sargento Matt Vance. Tras concluir la conversación, los padres de la joven se quedaron pegados al teléfono, anonadados. Destruidos. Su mundo se derrumbaba.

A doscientos kilómetros de allí, en el prado florido que separaba el bosque de Grey Beach de la carretera 21, Vance cerró la tapa del móvil y volvió junto a Gahalowood, que lo estaba esperando apoyado en el coche de incógnito.

—Todas estas flores de mierda en un día así —renegó Vance, pisoteando adrede un racimo de lirios trucha—. Los padres de Alaska llegarán al cuartel general hoy a última hora.

—Gracias por encargarte tú —le dijo Gahalowood dándole una palmada amistosa en el hombro.

—Es lo lógico, Perry, tienes una criatura a punto de nacer. Ni siquiera deberías estar aquí viendo semejantes horrores.

—Son gajes del oficio. Por cierto, el jefe Mitchell me ha dado las señas de Alaska en Mount Pleasant. Un piso en la calle principal, en el que vivía con su novio. El novio en cuestión por lo visto trabaja en una tienda de caza y pesca que está justo debajo. De hecho, está allí ahora mismo.

—Comencemos por la gasolinera y vamos a Mount Pleasant luego —sugirió Vance.

El Chevrolet Impala subió por el camino de tierra hasta la carretera 21, donde Gahalowood tuvo que encender la sirena para abrirse paso entre policías, mirones y periodistas. Giró a la izquierda, en dirección a Mount Pleasant. Un kilómetro más allá, llegaron a la gasolinera donde todo había empezado aquella mañana. Había un coche de la policía local aparcado delante.

En la tienda encontraron a Lauren Donovan, la joven corredora, y a Lewis Jacob, el dueño, llorando y consolándose uno al otro ante la mirada de impotencia del agente Peter Philipps.

—¿Es verdad? ¿Es Alaska? ¿La muerta es Alaska? —exclamó Lewis Jacob al ver a los policías.

Gahalowood y Vance cruzaron una mirada: la información estaba circulando.

—Me temo que sí —indicó Gahalowood.

—Pero ¿cómo? ¿Se la ha comido un oso? Eso es lo que me ha dicho Peter. Pero los osos no se comen a nadie. Y menos los osos negros de por aquí. El otoño pasado tenía un par que venían cada dos por tres a rebuscar en los cubos de la basura y puedo asegurarles que bastaba con un buen grito para que se largasen.

—No la mató un oso —dijo Vance.

—Pero entonces ¿cómo ha muerto?

Vance eludió la pregunta.

—¿Cuándo vio a Alaska por última vez? —preguntó.

—Ayer por la tarde. Me fui de aquí a las siete y media; ella tenía que cerrar la tienda a las ocho.

—¿Y lo hizo?

—Sí, cuando he llegado esta mañana estaba puesta la alarma, todo parecía normal.

—¿Qué tal la vio ayer?

—Como solía ser ella. Nada de particular. Siempre tan simpática, ¿sabe?, siempre decía algo amable, sin cambios de humor. Era una maravilla esa muchacha.

—¿Tenía planes para la noche? ¿Mencionó algo?

—Dijo que tenía una «cena romántica». Usó esas mismas palabras.

—¿Con su novio?

—Se lo pregunté y no me contestó. Sé que últimamente tenían sus más y sus menos. ¿Han hablado con Walter?

—Walter es el novio, ¿no?

—Sí, Walter Carrey.

—Vamos a ir ahora.

Gahalowood miró al techo y se fijó en una cámara de seguridad.

—¿Podemos echar un vistazo a las grabaciones?

—Justo eso estaba explicando hace un rato: no sé manejar ese chisme para retroceder —reconoció Lewis Jacob—. Nunca me ha hecho falta. Pero sé que es posible. Fue mi sobrino el que me instaló ese trasto. Lo he avisado para que venga, está pasando el fin de semana en Vermont.

—Nos llevaremos el disco duro, si nos lo permite.

—Lléveselo todo lo que quiera, sargento.

*

Hasta el asesinato de Alaska Sanders, en Mount Pleasant se respiraba calidad de vida y tranquilidad. Era un pueblo encantador en la frontera con Maine, a dos horas en coche de Canadá y en medio del bosque nacional de White Mountain.

A lo largo de la calle principal había frondosos arces que se cubrían de nieve en invierno y daban generosa sombra en verano. A ambos lados de las espaciosas aceras, comercios reputados en toda la comarca: Comestibles Donovan, con artículos selectos que nada tenían que ver con los de los supermercados; la famosa librería Lockart, que regentaba Cinzia Lockart e invitaba a muchos escritores de la Costa Este para firmar ejemplares de sus obras; Caza y Pesca Carrey, de la familia Carrey, muy apreciada por la calidad de su material y por sus expertos consejos; o también el bar deportivo National Anthem, que retransmitía los partidos de las ligas nacionales de fútbol, béisbol y hockey, a las que el dueño era muy aficionado.

Esa mañana, los chismorreos corrían entre los paseantes de dicha arteria; aseguraban los rumores que era a Alaska Sanders a quien habían encontrado muerta. Varias mujeres casadas con policías lo sabían por sus maridos. De repente, todo el mundo se calló y las miradas fueron siguiendo el Chevrolet Impala de incógnito —reconocible por la luz giratoria pegada al techo con un imán— que avanzaba calle arriba. El vehículo se detuvo ante la tienda de alimentación de los Donovan. El sargento Gahalowood salió para abrirle la portezuela a Lauren Donovan.

—Gracias, sargento —le dijo ella.

—Ánimo, Lauren. Si quiere preguntarnos algo, ya tiene mi tarjeta.

Ella asintió y entró en la tienda evitando las miradas incisivas de los curiosos. Una vez dentro, se metió a toda prisa detrás del mostrador para reunirse con su madre en un abrazo.

—Cariño...

—¡Ay, mamá, ha sido horrible!

En el acto, la clientela allí presente comenzó a atosigarla con sus preguntas: «¿Es verdad que la chica muerta es Alaska? ¿Qué viste? ¿Qué está pasando en Grey Beach?».

Janet Donovan se llevó a su hija a la trastienda, a salvo del barullo. Mark Donovan, el padre, tuvo que ponerse firme para que los clientes se quedasen donde estaban y echó a los que no habían ido a comprar.

En la trastienda, Janet Donovan le sirvió un café a su hija y la ayudó a sentarse en una silla. Se unió a ellas Eric, el hermano mayor de Lauren, que trabajaba en la tienda con sus padres.

—Es cierto, la chica muerta es Alaska —dijo entonces Lauren, con voz trémula.

—¿Cómo? —balbució Eric, impactado—. No me lo puedo creer.

—Esa escena en la playa, Eric, era terrible. No la reconocí en el momento aunque en realidad tampoco vi gran cosa, menos mal.

—Alaska está muerta... —repitió Eric, incrédulo—. Tengo que ir a ver a Walter.

—La poli ya va para la tienda.

A pocas decenas de metros, el Chevrolet Impala de incógnito había aparcado delante de Caza y Pesca Carrey. Desde detrás del mostrador, Walter vio entrar a los dos hombres, con las placas en el cinturón, y se vino abajo. El rumor era cierto. Alaska estaba muerta.

Walter se había refugiado en la trastienda para huir de la mirada de los curiosos apiñados delante del local. Era un hombre de unos treinta años, de complexión robusta. Cualquiera creería que el viejo sillón en el que se había acurrucado iba a hundirse bajo su peso. Repetía, desencajado: «¿Asesinada? ¿Asesinada? Pero ¿quién ha podido hacer algo así? ¿Y por qué?». Tardó un buen rato en ser capaz de responder a las preguntas de los investigadores.

—Vivían juntos, ¿no? —preguntó entonces Vance.

—Sí, en un pisito justo encima de la tienda.

—¿No le extrañó que anoche no volviera a casa? —quiso saber Gahalowood.

—Se había ido fuera el fin de semana.
—Fuera ¿dónde?
—A casa de sus padres, creo. ¿Han hablado con ellos?
—Sí —contestó Vance—, y no parecían al tanto de esa visita.

Walter Carrey se pasó las manos por el pelo mientras repetía: «¡No puede ser! ¡No puede ser!».

—Walter —preguntó Vance—, ¿cuándo vio a Alaska por última vez?

—Ayer... Ayer a media tarde.

—¿Y qué...? —inquirió Vance—. ¿Notó algo fuera de lo habitual?

—¡Ya lo creo que sí! Puedo incluso decir que no parecía ella. Subí un momento a casa a eso de las cinco. Tenía frío y quería coger un jersey. Al entrar, me la encontré allí. Me extrañó, porque en principio trabajaba en la gasolinera hasta las ocho. Creí que quería darme una sorpresa. Pues menuda sorpresa...

*

La víspera
17.15 h

Walter abrió la puerta del piso y se encontró con Alaska. Llevaba un pantalón negro ceñido, una camisa de encaje que dejaba transparentarse el sujetador y esos botines negros tan sexis. Se estaba mirando en el espejo grande de la entrada.

—Alaska —dijo Walter sonriente, pensando que se había arreglado para él.

—¡Anda, estás aquí!

Por el tono, él se dio cuenta de que no esperaba verlo.

—¿Qué haces aquí? —preguntó, desilusionado—. ¿Y por qué vas vestida así?

—Por nada. Me lo estaba probando.

Se cambió en el acto y se puso los vaqueros y el polo de la gasolinera. Luego metió la ropa y los botines en una bolsa grande de cuero.

—¿Qué estás haciendo? —preguntó Walter.
Ella lo miró contrariada.
—Walter..., por favor..., no hagas como que no lo entiendes.
—¿Qué es lo que no entiendo?
—Me voy. Te dejo.
—¿Qué? ¿Cómo que «me dejas»?
—Lo nuestro ya no funciona, Walter. Y, además, aspiro a algo más que a vivir encima de la tienda de tus padres... ¿Qué pintamos juntos tú y yo?
—¡No puedes irte por las buenas, Alaska! ¡No sin darme antes una oportunidad!
—Lo siento.
—¿Y dónde vas?
—Me vuelvo a casa de mis padres hasta que me aclare.

*

—Ahí quedó la cosa —explicó Walter—. Cogió la bolsa y se fue. La seguí hasta la calle para intentar convencerla de que se quedase, pero no quería escucharme. Se metió en su coche y se largó.
—¿Y qué hizo usted? —preguntó Gahalowood.
—Se presentó un cliente en la puerta de la tienda. Tenía que volver.
—¿Estaba solo en la tienda?
—Sí, ahora mismo solo estoy yo. Mis padres están de vacaciones, vuelven mañana.
—¿Así que no se esperaba que Alaska lo dejase?
—¡No! Habíamos tenido nuestras cosas, como todas las parejas. Pero de ahí a irse de sopetón...
—¿Estaba viéndose con alguien? —preguntó Vance.
—¡No! —contestó Walter de entrada, herido por la pregunta—. En fin..., no lo sé... Ya no sé nada... Todo esto es tan irreal...
—¿Y qué hizo usted?
—Estaba pillado en la tienda hasta la hora de cierre. No quería cerrar antes de tiempo, mis padres llaman de vez en cuando, supuestamente para saber si hay novedades, pero es

para controlar que estoy aquí. Me ponen a prueba para ver si soy responsable y estoy listo para tomar el relevo. Dicen que su jubilación depende de mí, ya ven, sin presiones... Total, que tenía la esperanza de que Alaska volviera, pero no volvió. Cerré la tienda y me subí a casa. Lo veía todo negro. Al final, me fui a la calle. Quedé con mi amigo Eric Donovan para tomar una hamburguesa y ver el partido de hockey en el National Anthem. Volví bastante tarde.

—¿A qué hora?
—Ya no lo sé. Bebí más de la cuenta. Me metí en la cama, dormí hasta las doce.
—¿Fue a la gasolinera para intentar razonar con Alaska?
—No.
—¿Por qué no? —preguntó Gahalowood—. Si mi novia me dejase, a mí me darían ganas de ir a buscarla para pedirle explicaciones.
—¿Y de qué habría servido? —refunfuñó Walter—. Cuando Alaska tomaba una decisión, no había vuelta atrás. Y además yo no quería hacer el ridículo suplicándole nada. No me veía arrastrándome a sus pies delante de todos los clientes de la gasolinera.
—¿Quería hacerse el duro? —dijo Vance con ironía.

Walter se encogió de hombros.

—Intenté llamarla veinte veces por lo menos. La bombardeé a mensajes.
—¿Al móvil, quiere decir? —preguntó Gahalowood.
—Sí, claro, al móvil. ¿Por qué?
—Porque no hemos localizado su teléfono. Ni lo llevaba encima ni está en el coche. Hemos encontrado todas sus cosas menos el móvil. Walter, ¿podríamos ver su piso?
—Naturalmente.

El joven los hizo salir de la tienda por una puerta de servicio. Junto a esta, por una escalera exterior, se llegaba a la primera planta. Los tres hombres entraron en el piso, donde Gahalowood y Vance iniciaron un somero registro.

—¿Qué buscan? —preguntó Walter.
—Nada en particular. Es el procedimiento habitual en situaciones de este tipo.

—¿Se refieren a un asesinato?
—Sí. ¿Dónde están las cosas de Alaska?
—En el dormitorio.

Walter Carrey les mostró el camino. Gahalowood se fijó en una cámara en muy malas condiciones, sobre una estantería.

—¿De quién es esa cámara?
—De Alaska.

Gahalowood abrió el compartimento de la cinta y vio que estaba vacío.

—¿Qué le ha pasado a la cámara? —preguntó.
—Ni idea —contestó Walter—. Alaska me dijo que se le había caído. De todas formas no la usaba nunca. Era para sus castings. Soñaba con ser actriz. Tenía incluso una agente en Nueva York y demás. Pero había aparcado el proyecto desde que se mudó aquí.
—Si no la usaba nunca, ¿cómo es que está tan hecha polvo? —preguntó Vance.
—De verdad que no tengo ni idea —reconoció Walter.

Gahalowood abrió los armarios y examinó la ropa.

—¿Faltan cosas?
—Es difícil saberlo. Como ya les he dicho, se fue con una bolsa y había metido algo de ropa dentro.

Gahalowood levantó un montón de pantalones y, de pronto, se quedó parado. Acababa de encontrar otras dos notas similares a la que había aparecido en el bolsillo de Alaska.

SÉ LO QUE HAS HECHO.

—¿Es posible que Alaska se sintiera amenazada? —preguntó Gahalowood.
—No, ¿por qué?
—Porque recibía amenazas —contestó Gahalowood, enseñando los mensajes.
—¿Qué es eso? —preguntó Walter.

Le daba la impresión de estar perdiendo pie.

—¿Alaska nunca le habló de esto?
—¡No, nunca! Me parece que estoy viviendo una pesadilla.

*

A media tarde, Grey Beach volvía a estar tranquila. Habían retirado el cuerpo de Alaska y las balizas que rodeaban la playa. Los vehículos policiales se iban marchando uno tras otro. En las hileras de periodistas y de mirones se formaban claros. Ya no quedaba nada que ver.

Gahalowood y Vance, por su parte, habían regresado a Concord, al cuartel general de la policía estatal de New Hampshire. Obedecieron el ritual inmutable que acompañaba el inicio de cada nuevo caso: sacaron un pizarrón magnético de detrás de sus dos escritorios y empezaron a colocar en él los primeros elementos de la investigación.

Gahalowood escribió con rotulador rojo «Caso Alaska Sanders» y justo debajo Vance colocó las fotos que había hecho la policía científica y acababan de recibir. Se veía en ellas el cuerpo de Alaska en la playa, el oso muerto a su lado y también había unos primeros planos de enorme crudeza del rostro de la joven. Había fotos de la nota que decía SÉ LO QUE HAS HECHO, del descapotable azul y de la bolsa de cuero que habían encontrado en el maletero, con ropa y un neceser de aseo. También había unas cuantas vistas generales del bosque. La caravana abandonada. El jersey manchado de sangre en el suelo: un jersey de color gris en el que podía leerse «M U». El camino forestal. Las marcas de pintura negra en el árbol. Los restos del piloto trasero de un coche.

Una llamada telefónica del mostrador de recepción los interrumpió: los padres de Alaska Sanders habían llegado.

—Ya me encargo yo de ellos —le propuso Vance a Gahalowood—. Deberías irte a casa.

Gahalowood miró el reloj de pulsera.

—No voy a jugar a los funcionarios cuando tenemos un asesinato encima de la mesa.

—Sabes tan bien como yo que no va a ocurrir nada antes de mañana, y puede que ni eso... El forense no va a hacer la autopsia hasta el lunes. Voy a llevar a los padres de Alaska al depósito para que puedan identificar a su hija. Tú ve a ocuparte de Helen y de la mudanza. Sobre todo no la dejes cargar con cajas. Dentro de un rato paso por allí por si necesitas que alguien te eche una mano.

Gahalowood le tomó la palabra. Fue aparcar delante de la casa nueva y sosegarse en el acto. Como si se limpiara de las emociones del día. Tras parar el motor, se quedó unos minutos admirando su nueva residencia, no muy grande pero coquetona. Helen y él habían tenido un flechazo al verla tres meses antes. Llevaban desde el principio del embarazo queriendo dejar su piso, demasiado pequeño, y comprar una casa: pronto iban a ser cuatro, necesitaban espacio. Él quería un jardincito. Habían visitado montones de casas en vano y ninguna les gustaba. Hasta que llegaron a esta. Era un día lluvioso, pero, a pesar del mal tiempo, la casa por fuera les gustó a primera vista. En cuanto entraron les resultó obvio: imaginaban ese sitio rebosante de vida. Para rematarlo, el precio era inmejorable, pues había que hacer reformas. Diez días después firmaban la escritura. Un mes después empezaban las obras, pero, como siempre, se fueron retrasando y, al final, no habían podido mudarse hasta la semana anterior, a pocos días de que Helen saliera de cuentas.

Gahalowood cruzó la puerta de la calle; dentro reinaba un jubiloso desorden de cajas, pero le importaba un bledo. Era feliz. Helen se había quedado traspuesta en el sofá. La despertó cariñosamente, ella lo abrazó contra el abultado vientre mientras decía:

—Qué bien se está en esta casa.

—Ya lo sé. ¿Dónde está Malia?

—En casa de mi madre. Se queda a dormir allí esta noche.

—Lo siento, no me ha dado tiempo a llamarte en todo el día.

—No te preocupes. Ya he supuesto que estabas a tope.

—Nos ha caído encima un asesinato. Una chica de veintidós años que han encontrado en un bosque.

Gahalowood se esforzó por quitarse de la cabeza las imágenes de Alaska.

—Y tú, ¿cómo has pasado el día? —preguntó a su mujer por cambiar de tema.

—He ido a esa tienda de decoración de Isaac Street. Mira lo que he encontrado.

Se levantó y sacó de una bolsa de papel un aplique de hierro forjado que constaba de tres palabras grabadas:

Alegría de vivir

—Es para ponerlo fuera, junto a la puerta de la calle —explicó Helen.
—¿Y qué se supone que significa?
—¡Somos nosotros! Nosotros en esta casa.

Gahalowood sonrió. Después de cenar colocó el adorno de pared en el porche de la casa. Acababa de terminar cuando un coche aparcó delante del paseo de la entrada: era Vance.

—¿Cómo ha ido? —preguntó Gahalowood a su compañero cuando ambos se reunieron en el porche.
—Los padres están destrozados. Era de esperar. Han identificado sin lugar a dudas a su hija.

Gahalowood fue a buscar dos cervezas y se sentaron directamente en los peldaños para tomárselas. Vance encendió un cigarrillo.

—Bonita choza —dijo.
—Gracias.
—Pero ¡a quién se le ocurre mudarse cuando faltan tan pocos días para salir de cuentas!

Vance se fijó en el adorno de hierro forjado en la pared, que, en adelante, iba a recibir a las visitas.

—«Alegría de vivir» —leyó.
—Ha sido cosa de Helen —explicó Gahalowood.
—Me gusta —aprobó Vance—. Es una invitación a no traer aquí todos los espantos con los que tendrás que enfrentarte.

Los dos hombres se quedaron callados. Vance se acabó el cigarrillo y encendió otro a renglón seguido. Estaba nervioso. Después de unas cuantas caladas, pensó que había llegado el momento de contarle su decisión a su compañero. Llevaba mucho tiempo dándole vueltas, pero esa mañana, al encontrar el cuerpo de Alaska, supo que el momento había llegado.

—Empecé mi carrera de policía en Maine, en Bangor. Uno de mis primeros casos fue una cría de diecisiete años a la que asesinaron al volver caminando de una fiesta en casa de una amiga. Gaby Robinson, se llamaba. No se me olvidará en la vida. Nunca descubrieron quién lo había hecho. Esta mañana, cuando he visto ese cuerpo en la playa, me han venido a la cabeza un montón de malos recuerdos. El caso Alaska Sanders va a ser mi última investigación, Perry. Le vamos a echar el guante a quien lo haya hecho. Lo vamos a pillar. Te lo prometo. Quiero poder mirar a la cara a los padres de Alaska y decirles que se ha hecho justicia. Y, luego, lo dejo.

Me presenté mucho antes de la hora en el umbral de la casa de los Gahalowood, con unas flores, vino y un regalo para Lisa. Igual que en todas mis visitas, cuando iba a llamar detenía la mirada en el letrero de hierro forjado que recibía a las visitas: ALEGRÍA DE VIVIR.

3. Alegría de vivir
New Hampshire
6 de abril de 2010

Desde hacía algo más de dos años esa casa había sido el escenario de nuestra amistad. Empecé a ir a casa de esa familia durante el verano de 2008, en pleno caso Harry Quebert. Y así fue como conocí a Helen, la encantadora mujer de Gahalowood, y también a las adorables hijas de ambos, Malia y Lisa. El auténtico giro en mi relación con ellos ocurrió durante la Navidad de 2008.

*

Diciembre de 2008

Habían transcurrido unos pocos meses desde el final del caso Harry Quebert y solo nos habíamos mantenido en contacto de forma muy esporádica. Pero, como siempre ocurre cuando se trata de sentimientos profundos, la escasez de los encuentros no había hecho mella en los cimientos de la amistad que teníamos. Me percaté de ello una mañana, durante ese paréntesis navideño en que el tiempo parece detenerse, cuando me llegó un paquete por correo: lo enviaba Helen Gahalowood y dentro había unas cuantas especialidades culinarias de New Hampshire y una tarjeta de felicitación. Se veía en ella a la familia en un retrato realista a más no poder. Perry, con una de sus espantosas corbatas, miraba fijamente al objetivo con expresión de bisonte enfurruñado, mientras que Helen, radiante, tenía enlazadas a sus dos hijas. Dentro, unas cuantas líneas manuscritas de ella:

 Feliz Año Nuevo, mi muy querido Marcus, tú eres lo mejor que nos ha pasado en 2008.
 Helen, Perry y las niñas

Y justo debajo, la letra de Perry:

 ¡No lo suscribo! Pero ¡feliz año a pesar de todo, escritor!
 Perry

Esas muestras de afecto me conmovieron. Me hicieron cobrar conciencia de lo que sentía por la familia Gahalowood. Como sentí una necesidad absoluta de corresponder de algún modo, me puse a hacerles una tarta. Les preparé el único postre que sabía hacer: un bizcocho de plátano que mi tía Anita hacía siempre en esa época del año, receta cuyo éxito dependía de ponerle plátanos muy maduros. Una hora después, tras sacar el bizcocho del horno, me metí en el coche y viajé cuatro horas para llegar a Concord, en New Hampshire. Era media tarde cuando llamé a la puerta de los Gahalowood, con mi postre en la mano y unas cuantas fruslerías escogidas en un centro comercial al lado de la autopista. No tenía la menor intención de imponerles mi presencia en su casa; aquella paliza al volante solo para dejar mi modesto bizcocho no era sino mi respuesta a su declaración: «Vosotros también sois lo mejor que me ha pasado en 2008». Un amigo no se busca, un amigo se revela como tal. Eso es lo que había sucedido con ellos. Eran amigos de verdad, como no había tenido o, mejor dicho, como ya no tenía desde que había llegado «la gloria». Quitando a Harry Quebert.

Me acuerdo de la sonrisa de Helen cuando abrió la puerta y me vio con mi curioso regalo. Tras un momento de pasmo, se me echó en los brazos.

—¡Marcus! Marcus, pero ¿qué haces aquí? —Volviéndose hacia dentro—: Perry, ven, ¡es Marcus! —Luego, girando otra vez hacia mí—: Hace un frío que pela, entra.

—No quiero molestar —dije—. Solo estoy de paso.

—Venga, entra aunque sea un momento.

Obedecí y di unos pasos por la casa. Reinaba una alegre animación, los Gahalowood estaban jugando a un juego de mesa. Llegó Perry y me espachurró la mano con la suya a modo de saludo.

—Escritor, ¡menuda sorpresa! ¿Qué lo trae por estos lares?

—Nada en particular, solo pasaba a dejarles un bizcocho que les he hecho. Ahora me largo. Gracias por el paquete. Y sobre todo por la tarjeta. Me ha llegado al alma. Tenga, sargento, esto es para usted.

Le alargué uno de los cuatro paquetitos que traía. Perry lo abrió y miró con cara de asco la corbata que le acababa de comprar.

—¡Pero qué fea es! —me comentó.

—Como a usted le gustan, sargento.

Me dio las gracias y, de repente, frunció el entrecejo; como buen sabueso, acababa de levantar la liebre que yo había soltado unos minutos antes.

—¡Un momento, escritor! Cuando dice que «se larga», ¿quiere decir que se vuelve a Nueva York?

—Sí —contesté como si fuese de lo más normal.

—¡Por Dios bendito, Goldman! ¿Me está diciendo que acaba de conducir cuatro horas para dejarnos un bizcocho con pinta de estar quemado y que se va a tragar otras cuatro horas de vuelta?

Asentí con la cabeza y la única respuesta que se me ocurrió fue:

—Aunque parezca que está quemado, es la pinta que debe tener. Por dentro está esponjoso, ya lo verá.

Perry alzó la vista al cielo.

—Creo que está usted mal de la cabeza, escritor. Venga, deme la chaqueta y, sobre todo, quítese los zapatos, ¡me lo va a poner todo perdido de nieve! ¿Le gusta el ponche de huevo? Acabo de hacer uno que es la bomba.

Sonreí:

—Nunca le digo que no a un ponche de huevo.

Me quedé en casa de los Gahalowood hasta la noche, jugando con ellos al Trivial Pursuit, al Monopoly y al Scrabble, y bebiendo a sorbitos el ponche de huevo de Perry, que no dejaba de volver a llenarnos las tazas hasta arriba con ese matarratas. Luego me quedé a cenar. Y, cuando fue ya hora de irme, a Helen y a Perry les preocupó que me volviera a Nueva York a esas horas intempestivas.

—Me iré a un motel —los tranquilicé—, he visto uno cerca de la autopista.

—El motel que tengo yo en el sótano —decretó entonces Perry.

Allí me llevó y abrió un sofá cama que llenaba una angosta habitación. Abrió un armario empotrado y me enseñó dónde estaban las sábanas.

—Si Helen se lo pregunta, la cama se la he hecho yo. Si no, se pondrá otra vez a despotricar y a decir que no sé tratar a las visitas. Buenas noches, escritor.

—Buenas noches, sargento. Y gracias. Gracias por todo.

A modo de respuesta, resopló como un bisonte, lo que en su idioma de huraño seguramente quería decir «de nada». Habían entrado en mi vida unos amigos muy queridos.

*

Y ese día de abril de 2010, al presentarme delante de la casa de los Gahalowood, fue en ese recuerdo feliz en el que pensé. No es que Perry me recibiera con los brazos abiertos. Al encontrarme delante de la puerta, renegó:

—¡Maldita sea, escritor! ¿Qué pinta usted aquí? Le dije que a las seis.

—He venido a ayudar.

—Nadie necesita su ayuda.

Helen apareció detrás de su marido, con su eterna y radiante sonrisa en los labios.

—Marcus, ¡qué alegría verte!

Apartó a su marido para darme un abrazo.

—Llego pronto, pero es para echar una mano —expliqué, alargándole las flores.

—Eres adorable, Marcus.

Olió el ramo y me invitó a seguirla a la cocina. Perry cerraba la marcha.

—Su mujer dice que soy adorable —le tomé el pelo, volviéndome hacia él.

—¡Cierre el pico de una vez, escritor!

—Sargento, explíqueme cómo esta mujer tan extraordinaria pudo casarse con un individuo como usted.

—¿A usted qué le parece?

—Por pena, seguramente.

—Exacto.

—Tenga, sargento, el vino es para usted. Creo que este le gusta.

—Gracias, escritor.

Helen y Perry habían planeado una cena a base de fajitas, que a Lisa le encantaban. Esperaban a unas veinte personas y, en la cocina, me dediqué a cortar el pollo, los pimientos y las lonchas de queso, y a machacar aguacates bien maduros para hacer guacamole. Hicimos dos tartas de pisos que Perry y yo decoramos con más o menos talento.

Helen aprovechó para preguntarme por mi vida amorosa.

—¿Qué, Marcus, seguimos solteros?

—Tiene una novia —anunció Perry.

—¿Ah, sí? —se sorprendió Helen, fingiendo escandalizarse porque no le había dicho ni pío—. Cuenta, Marcus.

—Es algo muy reciente, no nos precipitemos.

—¿Así que tu casting al final ha dado sus frutos? —se guaseó Helen—. ¿El fantasma de tu madre aprueba tu elección?

—Sargento —exclamé—, ¡no me puedo creer que le haya contado eso!

—¡Es mi mujer, se lo cuento todo! Y, además, ese numerito de su madre apareciéndose y dando su opinión es la monda.

—Se llama Raegan —le dije a Helen.

—¿Tu madre?

—¡No, mi novia! Es piloto de línea. Vive cerca de Montreal.

—¿Hace mucho que empezasteis?

—¡Llevan ya tres meses juntos! —siguió chivándose Perry.

—¿Tres meses? La cosa va en serio —opinó Helen.

—Ni idea —dije—. No hemos tenido oportunidad de pasar demasiado tiempo juntos.

—Va muy en serio —terció Perry—. ¡Se la va a llevar de vacaciones a las Bahamas!

—¡Sargento, haga el favor, que tampoco es para tanto!

—Pobre chica —se burló Perry—; si supiera la que le espera.

Nos echamos a reír.

Malia y Lisa llegaron a casa una tras otra. Se me echaron en brazos, contentas y sorprendidas al encontrarme en su cocina. Las dos habían pegado otro estirón desde la última vez que las había visto. Lisa cumplía once años y estaba acabando la escuela primaria. Malia tenía diecinueve, había terminado el instituto el año anterior y estaba haciendo un curso de orientación universitaria. Yo tenía con ellas una relación muy cómplice: me llamaban cariñosamente «tío Marcus», cosa que me enternecía mucho.

A eso de las seis, los abuelos, los tíos, las tías y los primos se sumaron a la fiesta. Tengo grabadas en la memoria las imágenes de esa velada: las animadas conversaciones y las carcajadas. Lisa soplando las velas. La competición entre Perry y yo por saber quién había hecho la tarta más bonita. Helen, más guapa que nunca, sentada al piano para cantarnos clásicos del jazz.

Eran más de las once de la noche cuando me fui. ¿Cómo podía imaginarme que cuando volviera a esa casa lo haría destrozado por la pena?

El sargento Gahalowood salió conmigo para andar un rato.

—¿Está seguro de que no quiere quedarse a dormir, escritor?

—No, gracias, sargento, voy a volver a Nueva York.

—Va a llegar de madrugada —me hizo notar.

—No me asusta la noche.

Nos dimos un abrazo fraternal.

—Me gustaría ser como usted, sargento.

—La hierba siempre es más verde en el campo del vecino, escritor.

—Ya lo sé... pero envidio la pareja que hace con Helen. Se los ve tan a gusto juntos...

—Vivir en pareja exige mucha dedicación, escritor. Tiene usted toda la vida por delante. Por ahora confórmese con ir de flor en flor, que tampoco está mal.

Me estuvo mirando un buen rato, como si quisiera recalcar lo serio que era lo que me estaba diciendo.

—¿Cuál es su drama, sargento? —le pregunté entonces—. Esta tarde, en la playa, me mencionó un drama que ocurrió hace exactamente once años, el día en que nació Lisa.

Eludió la pregunta devolviéndomela.

—¿Y cuál es el suyo, escritor?

—Lo que les pasó a mis primos Woody y Hillel.

—Nunca lo había mencionado.

—Acabo de hacerlo. Ahora le toca contestar a usted: ¿qué ocurrió el 6 de abril de 1999, sargento?

—¿Sabe, escritor? Las heridas de verdad son secretas. Solo cicatrizan si uno se las guarda.

—No estoy yo tan seguro.

Siguió a mis palabras un prolongado silencio, y luego Gahalowood hizo esta misteriosa reflexión:

—¿El bosque de White Mountain le suena de algo, escritor?

—No. ¿Por qué?

—Ese es mi drama. Venga, no estropeemos esta bonita velada con viejos recuerdos. Conduzca con cuidado y mándeme un mensaje desde Nueva York para decirme que ha llegado bien.

—Sí, mamá.

Sonrió y se metió en casa. Ya en el coche tiré de teléfono para buscar en internet. Tecleé «White Mountain» y la fecha del 6 de abril de 1999, pero no me salió nada. ¿A qué se refería el sargento Gahalowood?

Me interrumpió la búsqueda un mensaje de Raegan. Le había mandado por la tarde un correo electrónico con su billete de avión y un enlace a la página web de Harbour Island. Me decía que estaba loco. La llamé en el acto.

—¿Vamos a las Bahamas? —exclamó, incrédula y alegre a la vez.

Yo lo había organizado todo para que pudiéramos viajar juntos desde Montreal: iría a pasar unos días en el rodaje de la película y luego alzaríamos el vuelo hacia nuestro pequeño paraíso.

—¿Te van bien las fechas? —pregunté—. Todavía estoy a tiempo de cambiar las reservas para más tarde si hace falta.

—Las fechas son perfectas. Todo es perfecto. Eres el tío perfecto, Marcus Goldman. Tengo mucha suerte por haber dado contigo.

Sonreí. Me sentía feliz.

—Salimos dentro de diez días —dije—. Se me van a hacer eternos.

—A mí también, Marcus. Te echo de menos.

—Yo también te echo de menos. ¿Te vas a acostar?

—Sí, ya estoy en la cama. ¿Has llegado a Nueva York?

—No, he hecho una parada en New Hampshire. He cenado en casa de unos buenos amigos. Creo que te he hablado de ellos.

—¿Los Gahalowood?

—Eso mismo. Me gustaría mucho que pudieras conocerlos.

—Me encantaría.

—Que duermas bien —le dije—. Hablamos mañana.

Colgamos.

Raegan no estaba en la cama. Raegan mentía. Andaba vagando por una calle desierta de su barrio con la excusa de pasear al perro. Cuando acabamos la conversación, apagó su móvil, o más bien el móvil de prepago con el que me llamaba y que solo usaba para hablar conmigo, lo escondió en el fondo del bolsillo y volvió a su casa. Su marido estaba viendo la televisión en el salón; fue a sentarse a su lado. Él la notó rara.

—¿Todo bien, cariño?

—Todo bien.

Se quedó un momento mirando fijamente la televisión sin verla; luego subió al primer piso para arropar a sus dos hijos.

Extracto del informe policial
Declaración de Robert y Donna Sanders
[Robert, conocido como Robbie, y Donna son los padres de Alaska Sanders, su única hija. La conversación se grabó en los locales de la brigada criminal de la policía estatal de New Hampshire el domingo 4 de abril de 1999].

¿Pueden ustedes presentarse brevemente?
Robbie Sanders: Me llamo Robert Sanders. Tengo cincuenta y tres años. Soy propietario de una tienda de electricidad.
Donna Sanders: Yo me llamo Donna Sanders. Tengo cuarenta y ocho años. Soy secretaria médica.
Robbie Sanders: Vivimos en Massachusetts, en Salem. Allí nació y creció Alaska. Somos una familia de clase media. Alaska estudió en la enseñanza pública. Todo muy normal.

¿Cómo describirían a su hija?
Robbie Sanders: Alaska era una chica encantadora. Siempre sonriendo. Feliz.
Donna Sanders: Le caía bien a todo el mundo. La gente la admiraba mucho. Soñaba con ser una actriz famosa. Le auguraban una gran carrera.

¿Llegó a trabajar en alguna película?
Donna Sanders: No, pero participó en muchos castings. Estaba bien encarrilada. Tenía incluso una agente. Iba en serio.

¿Cuál fue la trayectoria de Alaska?
ROBBIE SANDERS: Estudió en Salem. Durante la época del instituto empezó a participar en concursos de belleza juveniles y no tardó en tener mucho éxito. Era muy guapa y tenía mucha personalidad. Siguió por ese camino, le iba bastante bien. La llamaron para participar en anuncios de marcas locales.

¿Así que era modelo?
ROBBIE SANDERS: En cierto modo.
DONNA SANDERS: No le gustaba que se dijera eso. Consideraba los concursos de belleza y los anuncios como un trampolín para su carrera de actriz. Tenía razón: así fue como encontró a su agente en Nueva York.

Ha mencionado varias veces Nueva York. ¿Cómo es que acabó en Mount Pleasant y no allí?
DONNA SANDERS: Lo de Mount Pleasant era provisional. El verano pasado se encaprichó de un chico, Walter Carrey, que es de allí. Se conocieron en un bar de Salem. Walter ha sido militar, un chico de pueblo con un toque aventurero. Supongo que eso sedujo a Alaska, porque decidió irse con él de un día para otro. Creo que se sentía muy presionada por culpa de su carrera.

¿No le iban bien las cosas?
DONNA SANDERS: ¡Al contrario, iba de maravilla! Acababa de ganar su primer concurso de belleza profesional, la habían elegido Miss Nueva Inglaterra. Creo que todo eso la tenía agobiada. Mi marido y yo nos dimos cuenta de que había empezado a fumar marihuana. Para relajarse, supongo. Creo que irse a Mount Pleasant fue una oportunidad para alejarse un poco de Salem, para salir de ese torbellino. Para volver a encontrarse consigo misma. Pero era algo temporal. De hecho, hablé con ella por teléfono la semana pasada. Decía que quería mudarse a Nueva York muy pronto.

¿Fue una conversación normal?
DONNA SANDERS: Sí, bueno... Yo diría que sí.

¿No mencionó preocupaciones, amenazas?
Donna Sanders: No, nada de eso.

Robbie Sanders: Sargento, debe usted saber que desde que se había ido nuestras relaciones no pasaban por su mejor momento. Yo encontré marihuana entre sus cosas y discutimos. Aprovechó la ocasión para soltar amarras, para cortar el cordón umbilical. Lo necesitaba.

Donna Sanders: A pesar de todo, seguíamos estando muy unidos. Diré incluso que la distancia nos había sentado bien a todos.

¿Cuándo la vieron por última vez?
Donna Sanders: En febrero; fuimos a verla a Mount Pleasant.

¿Y qué relación tenían ustedes con Walter Carrey?
Robbie Sanders: Cordial.

Donna Sanders: Al principio le guardábamos rencor. Cuando Alaska se mudó a Mount Pleasant para trabajar en una gasolinera, pensamos que la estaba controlando de alguna manera. Era mayor que ella, más maduro, con más experiencia. Pero nos dimos cuenta de que ella era feliz allí.

Todo apunta a que el idilio entre Alaska y Walter había terminado. Ella cortó con él el día antes de su muerte. ¿No les comentó nada?
Donna Sanders y Robbie Sanders: No.

¿Tendrían una foto reciente de Alaska?
Donna Sanders: Sí, claro. La he traído como usted me pidió.

Robbie Sanders: ¿Para qué la quieren?

Nos gustaría mandársela a la prensa para que la difundiera. Tenemos la esperanza de dar con testigos que puedan aportar algo de luz al caso.
Robbie Sanders: ¿Tienen alguna pista?

Por ahora, ninguna.

Al día siguiente del asesinato por la mañana
Domingo 4 de abril de 1999

Tras concluir la declaración de los padres de Alaska Sanders, Gahalowood y Vance los acompañaron a la puerta de entrada del cuartel general de la policía estatal.

—Hemos cogido una habitación en un hotel de aquí cerca —dijo Robbie Sanders—. Ahora mismo no tenemos ánimos para estar en casa.

—No duden en llamarnos para lo que sea —les dijo Vance.

—Tienen nuestros números de móvil, estamos a su disposición —insistió Gahalowood.

—Necesitamos respuestas —susurró Donna Sanders, reprimiendo un sollozo—. Necesitamos saber qué ocurrió. ¿Quién ha podido hacerle eso a nuestra niña?

—Durante el fin de semana los equipos funcionan a medio gas, pero el forense me ha asegurado que recibiríamos su informe mañana al mediodía como muy tarde. Los pondremos al tanto en cuanto haya algo nuevo, se lo prometo.

—Así que lo mejor es que te asesinen entre semana —dijo con amarga ironía Donna Sanders.

Los padres se fueron, Gahalowood y Vance los miraron alejarse; se les notaba la tristeza en la forma de andar. Gahalowood tenía en la mano la foto de Alaska que acababa de darle Donna Sanders, y también un artículo de periódico que ella le había confiado, con fecha del mes de septiembre. Se veía a Alaska con un vestido de muselina, entre sus padres. El titular rezaba: «Alaska Sanders elegida Miss Nueva Inglaterra».

—Qué desperdicio —dijo, clavando la vista en la sonrisa de Alaska—. Voy a mandársela ahora mismo a la prensa.

Subieron al primer piso, donde estaban las instalaciones de la brigada criminal, y volvieron a su despacho, en el que se había instalado desde por la mañana un tercer miembro del equipo, Nicholas Kazinsky, que Lansdane les había enviado para ayudarlos. Un tercer investigador no estaría de más y, en particular, uno con las características de Kazinsky, que dominaba la informática y las tecnologías.

—Os ha llamado un tal Lewis Jacob —anunció Kazinsky a sus compañeros al verlos entrar—. Le gustaría que pasarais a verlo.

—¿Para qué? —preguntó Vance.

—Quiere enseñaros algo, no me lo ha concretado. Solo me ha dicho que estaría todo el día en la gasolinera.

—Iremos a verlo. Hablando de la gasolinera, ¿has conseguido abrir los archivos de las cámaras de seguridad?

Kazinsky sonrió triunfalmente.

—Un juego de niños. Venid a ver.

En la pantalla de su ordenador, Kazinsky había abierto en paralelo sendas ventanas que correspondían a las dos cámaras de que disponía la gasolinera: una de ellas exterior, que grababa los surtidores, y la otra dentro de la tienda, que grababa a los clientes en la caja. Kazinsky reprodujo a velocidad acelerada el vídeo del viernes 2 de abril.

Los policías pudieron comprobar la visita de una familia de mapaches a las seis de la mañana. Luego, a las siete, Lewis Jacob llega a la gasolinera y abre la tienda. Se lo ve trajinando y preparando café. Durante la siguiente hora atiende a varios clientes. A las ocho aparece en el aparcamiento el descapotable azul de Alaska Sanders. En efecto, es la joven la que sale del vehículo. Entra también en la tienda. Saluda a Lewis y están un rato de cháchara. Se mete en la trastienda, seguramente para cambiarse, y vuelve vistiendo un polo con los colores de la gasolinera. Se instala detrás del mostrador. Empieza entonces una jornada de trabajo de apariencia monótona y sin nada de particular. Alaska, por turnos, cobra la gasolina y despacha café en un bar pequeño que hay al fondo de la tienda. Los clientes entran y salen, no se entretienen. En dos ocasiones, Alaska hace una pausa de diez minutos en el aparcamiento, tomando un café. Aprovecha para teclear en el móvil. A eso de las doce, se mete en la trastienda durante treinta minutos, seguramente para el almuerzo. Luego, vuelve a su puesto. Prosigue la rutina. De repente, a las cinco menos cuarto, después de cruzar unas palabras con Lewis Jacob, sale de la gasolinera y se va en su descapotable. Vuelve un poco antes de las cinco y media. Sale del coche con una bolsa de viaje de cuero marrón que se lleva consigo a la tienda. La deja en la trastienda y sigue con el trabajo.

—Cuadra perfectamente con lo que nos dijo Walter Carrey —comprobó Gahalowood repasando sus notas—. Se la encontró en el piso a eso de las cinco y cuarto y a los pocos minutos se marchó con una bolsa de cuero marrón.

En el resto de la grabación se ve el final de la jornada, semejante a todo lo anterior. Alaska detrás de la caja, Alaska detrás de la barra del bar, Alaska colocando las bolsas de patatas fritas en un expositor. A las siete y veinte, Lewis Jacob se mete en la trastienda. A las siete y media vuelve a salir con corbata. Charla unos momentos con Alaska, se arregla la corbata en el reflejo de una luna del escaparate y luego se va. La cámara exterior lo graba mientras se aleja, al volante de su coche. Está a punto de hacerse de noche. Está oscuro y ya no se ve gran cosa, salvo los surtidores, que están iluminados. A las ocho en punto, Alaska se mete en la trastienda y vuelve a salir metamorfoseada: viste pantalón de cuero con una blusa elegante y calza botines. Va arreglada para salir.

—¡Para! —le dijo Vance a Kazinsky para que congelara la imagen—. Va vestida como cuando la encontraron.

Una ojeada a la pizarra magnética donde estaba expuesto el cadáver de la joven confirmó esa afirmación.

—Va arreglada para esa «cena romántica» que nos mencionó Lewis Jacob —dijo Gahalowood—. Ahí es donde iba.

—¿Con quién había quedado? —preguntó Kazinsky.

—Esa es la pregunta del millón —contestó Gahalowood.

Se reanuda la grabación: en la tienda, Alaska apaga el interruptor general y todo se queda a oscuras. Solo las luces de los refrigeradores iluminan ya el local. Sale, cierra la puerta con llave. Lleva la gran bolsa de cuero. Mete la llave de la tienda en el buzón, se sube al coche y se va.

—¿Por qué mete la llave en el buzón? —se extrañó Kazinsky.

—A lo mejor es el protocolo para cerrar la tienda —opinó Gahalowood—. Lo comprobaremos luego con el dueño.

—Así que se marcha de la gasolinera. ¿Y adónde va? —preguntó Vance.

—Misterio —dijo Gahalowood—. El campo de la cámara no permite ver qué dirección toma. Nicholas, ¿has podido hablar con alguien de la compañía telefónica?

—Sí —contestó Kazinsky—. Pero, por desgracia, Alaska tenía un número de prepago. Es imposible seguirle la pista o recuperar las comunicaciones. Todo está en la memoria del teléfono.

—¡Mierda! —despotricó Vance—. ¡Habría sido demasiado fácil! Así que es imposible saber con quién habló el día de su muerte. Pero, si su móvil ha desaparecido, podemos suponer que conocía a su asesino y que seguramente hablaron por teléfono. Cogió el móvil después de matarla para que nadie pudiese tirar del hilo hasta él.

—¿Y es el asesino quien le enviaba las amenazas? —preguntó Kazinsky.

—Probablemente —asintió Gahalowood—. Tendría su lógica.

—«Sé lo que has hecho». —Vance volvió a leer el texto de las amenazas expuesto en la pizarra magnética—. ¿Qué habría hecho Alaska?

La experiencia de los policías los incitaba a no perderse en conjeturas. Había que empezar por las hipótesis más probables y más evidentes, y a Gahalowood de inmediato le vino la cabeza una de ellas: en este punto de la investigación, el sospechoso más probable era el novio.

—Walter Carrey se huele que Alaska lo engaña. Le manda esos mensajes para que le entre el pánico. Cuando ella lo deja, no consigue aceptarlo. Queda con ella en Grey Beach y la mata. Lo tiene todo previsto. Ha aparcado en el camino forestal para que no lo vean. Tras cometer el crimen se deshace del jersey cubierto de sangre, vuelve a subirse a su coche para huir, pero, con las prisas, choca contra un árbol.

—Para que tu teoría se sostenga, Walter Carrey tendría que haber conducido un coche negro —comentó Vance.

—Vamos a consultar ahora mismo la base de datos de la policía —decidió Kazinsky—. A ver si Walter Carrey tiene un coche matriculado a su nombre.

Kazinsky tecleó en el ordenador. Después de unos cuantos trámites, anunció: «Walter Carrey tiene un Ford Taurus negro».
—¡Bingo! —exclamó Vance—. Deberíamos ir ahora mismo a Mount Pleasant para comprobar si al coche de Walter Carrey no le falta un piloto trasero.

*

—Intactos —constató Kazinsky.
Los tres policías contemplaban el Ford Taurus negro aparcado delante de la tienda de caza y pesca. Los dos pilotos traseros estaban intactos y en la carrocería no había rastro de ningún choque.
—¿Seguro que este es su coche? —preguntó Gahalowood.
—Sí, es su matrícula —aseguró Kazinsky.
—Mi teoría se va al garete —se lamentó Gahalowood.
En ese momento, Walter Carrey, que acababa de ver a los policías delante de su casa, los llamó por la ventana.
—Buenos días, caballeros. ¿Hay novedades?
—¿Podemos subir? —preguntó Gahalowood.
—Naturalmente.
Pocos minutos después, los investigadores estaban acomodados en el salón de Walter Carrey. Sus padres también estaban presentes, habían regresado a toda prisa de sus vacaciones en Maine para arropar a su hijo. En la mesita baja del salón había, desperdigadas, unas fotos de Alaska. La madre de Walter, Sally Carrey, las amontonó y colocó encima de un mueble.
—De nada sirve andar dándole vueltas —le dijo a su hijo, que parecía destrozado.
—Me noto tan vacío —se sinceró con los policías—. Todo esto es irreal...
—Ya lo supongo —le dijo Gahalowood.
—¿Tienen alguna pista?
—Aún no. Pero nos estábamos preguntando por los motivos de su ruptura. Nos dijo ayer que su relación estaba de capa caída. Por lo visto, el jefe de Alaska, Lewis Jacob, también se había fijado.
—Alaska tenía grandes sueños. Se veía actriz, rodando películas, ¡una vida de estrella, vamos! Yo estoy bien aquí. Así que,

lógicamente, surgían tensiones. Y, además no siempre era fácil sacar tiempo para estar juntos: a menudo los sábados yo tenía cosas que hacer en la tienda, y los domingos ella se iba a tomar el aire. Decía que necesitaba tiempo para ella.

—¿Dónde iba?

—No tengo ni idea, pero estos dos últimos meses echaba una mano a Lewis Jacob en la gasolinera porque la otra empleada se había largado de la noche a la mañana.

—Hemos hablado con los padres de Alaska. Al parecer los pilló por sorpresa que ella decidiera afincarse en Mount Pleasant.

—Supongo que les han hablado de Nueva York.

—Efectivamente.

—Alaska necesitaba alejarse un poco de ellos. Por eso se marchó de Salem.

—Se habría alejado más yéndose a Nueva York —comentó Vance.

—No necesariamente; en Nueva York, sus padres habrían ido a darle la lata. Los tenía siempre encima. Aquí estaba conmigo, sabía que sus padres no impondrían su presencia.

—¿Cree usted que se veía con alguien? —preguntó Gahalowood.

—¿Que si me engañaba? ¡No! Bueno... No lo sé. ¿Creen que se fue porque había otro tío?

—Yo tenía mis sospechas —intervino Sally Carrey—. Creo que se traía algo con Eric Donovan. De hecho, fue lo primero que le dije a Walter cuando me llamó ayer para anunciarme que Alaska acababa de dejarlo.

—¡Para ya, ma, que hablas sin pensar! Nunca ha habido nada entre Eric y Alaska.

—Te digo que los he visto.

—Qué vas a haber visto.

—¿Qué fue lo que vio, señora Carrey? —preguntó Gahalowood.

—Fue hace dos semanas. Walty estaba fuera. Se había ido unos días a una convención de material de pesca a Quebec. O sea, que estaba yo en la tienda y vi a Eric y a Alaska en la acera. Estaban discutiendo.

—¿Qué tipo de discusión?

—Una discusión de pareja —afirmó Sally Carrey—. Alaska le dijo a Eric algo así como: «Después de lo que hemos vivido...». Y él le contestó: «¿Quieres que se lo digamos a Walter?». Volví a sorprenderlos al día siguiente y seguían discutiendo. No es cualquier cosa...

—¡Para ya, ma! —insistió Walter.

Vance recuperó el hilo de la conversación:

—Walter, sé que ya hablamos de esto ayer, pero ¿puede volver a contarnos la noche del viernes?

—Cerré la tienda a las siete. En lo que recogí e hice caja, subí a casa a eso de las siete y media. Me sentía completamente perdido. Desamparado. Me llamaron mis padres y les conté que Alaska me había dejado.

—¡El pobre Walty está hecho polvo! —volvió a intervenir su madre, que a todas luces necesitaba meter baza—. No quería que estuviera solo, así que le dije que llamase a un amigo y que saliera.

—Y eso fue lo que hizo usted —le dijo Gahalowood a Walter—, ya que fue a ver el partido de hockey al bar National Anthem, si no recuerdo mal nuestra conversación de ayer.

—Exactamente.

—¿Quién era ese amigo?

—Eric Donovan.

—¿El mismo que según su madre tenía un lío con Alaska?

—¡Nunca ha habido nada entre ellos! —dijo, irritado, Walter—. Eric es mi mejor amigo, lo conozco de toda la vida. Sus padres son los dueños de la tienda de alimentación de al lado. Ayer por la tarde, entre cliente y cliente, fui a verlo para contarle lo que acababa de pasar. Me dijo que fuera esa noche a ver el partido al National Anthem para quitármelo de la cabeza. Así que eso fue lo que hice. Ir al bar.

—¿Cómo fue?

—Andando. Está a cinco minutos.

—¿Qué hora era?

—Salí de aquí alrededor de las ocho. Las ocho y cuarto quizá. No lo tengo ya muy claro. El partido había empezado ya.

—¿Había alguien más con ustedes?

—La hermana de Eric, Lauren. Estudia en Durham, pero había vuelto a Mount Pleasant a pasar el fin de semana.

Gahalowood y Vance cruzaron una mirada: Lauren Donovan era la joven que había descubierto el cuerpo cuando salió a correr.

—¿Hasta qué hora se quedó en ese bar?

—Hasta que cerraron, pasadas las dos de la madrugada. No tenía nada mejor que hacer.

—¿Y luego?

—Me fui a casa y me acosté enseguida. Estaba fatal. Esta mañana, nada más abrir la tienda, todos los clientes hablaban de una mujer a la que habían encontrado muerta en Grey Beach.

—¿No pensó en Alaska?

—Ni por asomo. Creía que estaba en Massachusetts, en casa de sus padres.

Walter no pudo seguir conteniendo las lágrimas. Gahalowood le puso una mano en el hombro.

—Perdóneme por complicarle aún más la vida, Walter, pero ¿podría ir mañana a declarar al cuartel general de la policía estatal? Necesitamos grabar de forma oficial sus declaraciones.

—De acuerdo. Estaré allí a primera hora, si les viene bien.

Los investigadores se preguntaban por qué Lauren Donovan había omitido que pasó la velada con el novio de la víctima. Al salir de casa de Walter Carrey decidieron ir a preguntárselo.

La tienda de alimentación cerraba los domingos, de modo que los policías fueron al domicilio de Janet y Mark Donovan, los padres de Eric y Lauren. Vivían en una bonita casa de madera en el barrio residencial de Mount Pleasant. Toda la familia estaba reunida alrededor de un almuerzo que los policías interrumpieron. No obstante, les dispensaron un cálido recibimiento y tuvieron que lidiar muy en serio con Janet Donovan para rechazar el plato de chili con carne que quería servirles.

—No los molestaremos mucho rato —prometió Vance—. Tenemos unas cuantas preguntas relacionadas con Alaska Sanders y la noche del viernes. —Se volvió hacia Eric—. Walter Carrey dice que estuvieron juntos en el National Anthem para ver el partido de hockey.

—Es correcto —contestó Eric—, también estaba mi hermana.

Vance se dirigió entonces a Lauren:

—Cuando la interrogamos ayer en la gasolinera, ¿por qué se calló que había pasado la velada con el novio de la víctima?

—Estaba muy impresionada con la noticia, supongo. Solo podía pensar en el espectáculo atroz del oso encima del cadáver. Durante toda la mañana fue Peter Philipps, el policía que mató al oso, quien nos tuvo al tanto de la situación. Llamaba a sus compañeros y nos decía todo lo que le contaban y también todo lo que se le pasaba por la cabeza. Estaba espantado, no sabía si se había metido en un lío por haber matado un oso. Luego, por otra llamada que hizo, nos enteramos de que la que había aparecido muerta era Alaska Sanders. Lewis Jacob, el dueño de la gasolinera, se vino abajo. Yo no podía creerlo. Como les he dicho, estaba muy impresionada.

—¿Conocía bien a la víctima?

—Bien, no. Mount Pleasant es una ciudad pequeña y todo el mundo se conoce un poco. No paso mucho tiempo aquí, estudio Biología en la Universidad de New Hampshire, en Durham.

—¿Con qué frecuencia vuelve a Mount Pleasant?

—Según. Ahora mismo un poco más porque Eric y yo estamos entrenando juntos para el maratón de Boston, que es dentro de tres semanas. En general, llego los viernes y me marcho durante la mañana del lunes. Los lunes por la mañana no tengo clase.

—Volvamos a su velada de anteayer, el viernes.

—Llegué aquí tarde. El trayecto desde Durham fue interminable. Fui directamente al National Anthem.

—¿Qué hora era cuando llegó al bar?

—Las ocho y media.

Lauren había contestado muy rotunda.

—Qué precisión —dijo Vance—. ¿Está segura de la hora?

—Sí, porque llego tarde sistemáticamente. Le había dicho a Eric que estaría allí a las seis y media. Al entrar en el bar vi el reloj grande de pared, que tiene forma de botella de cerveza, y pensé que llevaba dos horas de retraso.

—¿Walter había llegado ya?
—No.

*

Dos días antes
Viernes 2 de abril de 1999 por la noche

Eran las ocho y media. El National Anthem, en la calle principal, estaba a rebosar. Unas pantallas gigantescas retransmitían el partido de hockey entre los Devils de New Jersey y el Tampa Bay. Sentado en la barra, Eric Donovan pugnaba por que siguieran libres las dos banquetas que estaban junto a la suya. Por fin llegó su hermana, abriéndose paso entre el gentío.

—Siento el retraso —dijo mientras le daba un rápido beso en la mejilla a Eric—, había un tráfico infernal.

Se sentó en una de las banquetas y llamó al camarero para pedirle una cerveza.

—¿Para quién es ese taburete? —preguntó Lauren al ver que Eric protegía celosamente el tercer asiento de la codicia de otros clientes.

—Para Walter. No sé qué demonios está haciendo, por cierto. Su chica acaba de largarlo, le he dicho que viniera para estar con nosotros y pensar en otra cosa.

—¿Alaska y él han roto?

—Por lo visto. De todas formas, no podía funcionar. Ella sueña con llegar a ser una gran actriz y él vende cañas de pescar en una población rural.

Se alzó un clamor entre los clientes: los Devils acababan de marcar. En ese momento llegó Walter. Tenía mala cara. Refirió brevemente la repentina marcha de Alaska, pero, cuando Lauren quiso hacerle una pregunta, contestó: «No me apetece hablar del tema».

Cenaron unas hamburguesas y bebieron bastante cerveza, sobre todo Eric y Walter. Lauren se andaba con cuidado: su hermano y ella tenían previsto salir a correr a la mañana siguiente y quería estar en condiciones.

Tras acabar el partido y después de una última cerveza, Eric y Lauren se fueron. Eran las once. Volvieron a casa de sus padres.

A las seis y cuarto del día siguiente, Lauren se preocupó al no ver a Eric en la cocina. Lo encontró todavía en la cama; la noche anterior había bebido de más y se sentía indispuesto. Ella decidió ir a entrenarse a pesar de todo. Se ató las zapatillas y se fue.

*

—Lo que pasó después ya lo saben —les dijo Lauren a los policías.

—Así que el viernes por la noche se fueron del bar a las once.

—Sí, a las once y cuarto como mucho —concretó Eric—. Llegamos a casa antes de las once y media.

—¿Y Walter Carrey se fue con ustedes?

—No, él se quedó. Dijo que no le apetecía nada estar solo en su casa.

Gahalowood miró detenidamente a Eric, un joven atractivo de unos treinta años como Walter Carrey, de buena planta y tirando a pelirrojo. Le preguntó:

—¿Vive aquí con sus padres?

—Sí —contestó Eric—, pero es algo provisional.

—Una provisionalidad que se va alargando —le tomó el pelo Lauren.

Eric sintió la necesidad de justificarse.

—Fui a la universidad en Massachusetts, luego encontré trabajo en Salem. Trabajaba en el desarrollo de una cadena de supermercados pequeñita. Mi jefe y yo no nos entendíamos y al final me despidió el otoño pasado. Aproveché la ocasión para volver a Mount Pleasant y ampliar el negocio de mis padres. Me gustaría crear una cadena regional basada en la calidad. Es algo que tiene demanda. Y, además, mi padre tiene sus achaques, me alegro de echarle una mano y aliviarle un poco la carga.

El padre de Eric, Mark Donovan, intervino entonces:

—He tenido un problemilla de salud, pero ahora está todo bien. En efecto, la presencia de Eric este otoño nos resultó de gran ayuda. Las cosas se habrían puesto complicadas sin él.

Gahalowood se volvió hacia Eric:

—Así que ha vivido en Salem.

—Sí, casi cinco años.

—¿Igual que Alaska?

—Desde luego. La conocí allí, la primavera pasada. Nos cruzábamos en los mismos bares. Hacía poco que era mayor de edad y solía moverse con el mismo grupo de amigas. Walter venía a verme de vez en cuando a Salem, una noche coincidieron y se gustaron.

—¿Así que fue usted quien presentó a Walter y a Alaska?

—Se presentaron solos, pero se conocieron por mediación mía, sí.

—¿Hubo algo entre usted y Alaska?

Eric pareció muy extrañado por la pregunta.

—Si lo que insinúa es si teníamos una relación, no, no pasó nada de eso. Entre ella y yo no había absolutamente nada. Era solo una chica que se salía de lo corriente y yo le tenía mucho cariño. ¿Por qué cree que podía haber algo entre Alaska y yo?

—A Sally Carrey le daba esa impresión —dijo Gahalowood.

—¿Sally? ¿Y a cuento de qué les dijo algo así?

—Por lo visto es lo que le sugirió su comportamiento. Dice que Alaska y usted discutieron en un par de ocasiones, hace unas dos semanas.

A Eric le hizo gracia ese comentario.

—No recuerdo ninguna discusión. Alaska tiene su carácter, ¿sabe? Dice lo que piensa... Bueno, decía...

—¿Tiene usted novia? —preguntó Gahalowood.

—No, tenía a alguien en Salem. Se acabó el otoño pasado. Entre la ruptura y el despido, ya era hora de que me fuera.

Al día siguiente del asesinato por la tarde
Domingo 4 de abril de 1999

La visita a casa de los Donovan arrojaba una nueva luz sobre la velada del viernes 2 de abril: Walter Carrey afirmaba que se había quedado en el bar hasta que lo cerraron, pero, como los Donovan se habían ido antes, no podían corroborarlo.

Gahalowood, Vance y Kazinsky fueron entonces al National Anthem. El local estaba en pleno servicio de comidas y Steve Ryan, el dueño, estaba hasta arriba con los preparativos para la noche, en que arrancaba la temporada de béisbol: en el partido inaugural, los Padres de San Diego recibían a los Rockies de Colorado.

—No lo molestaremos mucho rato —lo tranquilizó Vance—, solo queremos confirmar que un cliente estuvo aquí el viernes por la noche.

—Si supiera usted cuánta gente había el viernes por la noche... Pero díganme, a ver.

—Walter Carrey. ¿Lo conoce?

—Walter, claro que lo conozco. Pues sí, vino aquí el viernes por la noche. De eso sí que me acuerdo. No estaba bien. Alaska acababa de largarlo. Quería hablar, pero yo andaba fatal de tiempo. ¿Quién podía imaginar que iban a encontrarla muerta al día siguiente?... Espere, ¿no estarán acusando a Walter de haberla matado?

—No acusamos a nadie en esta fase. Solo investigamos.

—Walter no haría daño a una mosca. Bueno, a una mosca, sí: le encanta la pesca. Pero es un buenazo. Y no es la clase de tío que se carga a su novia. Y, además, quería mucho a esa chica.

—Walter asegura que estuvo aquí hasta la hora de cerrar.

—Es posible, no lo sé, había aún muchísima gente; mis seguratas tuvieron que recurrir a la policía para echar a los clientes.

—¿Podría preguntar a los empleados del viernes por la noche si vieron a Walter Carrey en el bar a la hora del cierre?
—Cuenten conmigo.

Al salir del National Anthem, los policías fueron a pie calle principal arriba hasta la tienda de caza y pesca de los Carrey. En ese momento un coche patrulla se detuvo a su altura. Al volante iba el jefe Mitchell.
—Ah, son ustedes —dijo al tiempo que salía del vehículo—. Hemos recibido una llamada para avisarnos de que tres individuos andaban deambulando por la calle principal. Desde ayer el personal está paranoico. También es verdad que motivos no faltan. ¿Tienen alguna novedad?
—Poca cosa aún —reconoció Vance—. Venimos del National Anthem, el dueño afirma que tuvo que pedir refuerzos de la policía el viernes por la noche para vaciar el bar a la hora del cierre.
—Es verdad. Menudo follón había montado, en el buen sentido. Steve Ryan recurrió a nosotros sobre todo para evitar que le plantasen una multa por saltarse los horarios legales. Es muy listo: llama a los polis y eso le da unos minutos de propina para servir las últimas consumiciones, que cobra sobre la marcha. ¿Qué querían ustedes de Steve Ryan?
—Intentamos saber si Walter Carrey estaba en su bar a la hora del cierre.
—¿Lo consideran sospechoso del asesinato de Alaska?
—Intentamos desenredar los hilos del caso.
—Si quieren mi opinión —siguió diciendo el jefe Mitchell—, esa intuición suya es buena. Walter es un tipo encantador, pero cuando lleva encima una copa de más puede ponerse agresivo y violento. Vayan a hablar con su anterior novia, Deborah Miles. Sigue viviendo aquí. Hace unos cuantos años tuve que intervenir en su casa..., bueno, en casa de sus padres, donde vivía por entonces.
—¿Qué tiene que ver con Walter Carrey? —preguntó Gahalowood.
—Ella lo dejó y él no pudo soportarlo: estuvo a punto de agredirla. Es relevante, sobre todo cuando se sabe que Alaska rompió con Walter el mismo día de su muerte.

Gahalowood anotó el nombre y las señas de Deborah Miles, antes de dirigirse de nuevo al jefe Mitchell:

—Mañana publicaremos en todos los periódicos de la región un llamamiento a testigos voluntarios. Puede que le refresque la memoria a alguien. Ténganos informados si le avisan de algo.

—Descuide. Ya sabe que la gente habla mucho, pero es más que nada para darse importancia. Hasta ahora la única indicación válida la ha proporcionado Cinzia Lockart, la librera. Pensaba contárselo.

—¿Qué vio?

—En la noche del viernes al sábado, alrededor de la una y cuarenta y cinco, divisó un coche azul con matrícula de Massachusetts que arrancaba a toda velocidad a la altura de la tienda de los Carrey.

—¿Un coche azul como el de Alaska?

—Sí.

La librería abría los domingos y a los policías les bastó con cruzar la calle para ver a Cinzia Lockart. Era un local pequeño pero bien surtido. Detrás de la caja, una pared llena de fotos daba fe de las celebridades literarias que habían pasado por allí para firmar ejemplares.

Cinzia Lockart explicó a los investigadores que vivía con su familia en un edificio pegado a la librería. Era un antiguo taller con mucho estilo. Se entraba por una calle paralela, pero el salón daba a la calle principal.

—La noche del viernes al sábado no conseguía coger el sueño. Como tantas otras veces. Por eso leo tanto. En cuanto tengo insomnio me instalo en el sofá del salón, me preparo una infusión y me dedico a los libros. Esa noche, alrededor de las dos menos veinte oí algo así como si se rompiera un cristal en la calle. Lógicamente, me llamó la atención. Llegué a la ventana a tiempo de divisar un coche que arrancaba a toda velocidad. Estaba demasiado lejos para poder leer la matrícula, pero me fijé todo lo que pude y reconocí la matrícula de Massachusetts. El coche era de color azul, lo vi a la luz de las farolas.

—¿Y dice que eran las dos menos veinte?

—La 1.39, para ser exactos. Lo sé porque fui volando a mirar la hora al reloj de la cocina. Por si acaso.

—¿Por si acaso qué?

—En mi opinión, era una escena un tanto sospechosa. En fin, cuando se lo conté a mi marido, me dijo que me estaba montando una película.

—¿Podría darnos alguna pista sobre el modelo de coche? —preguntó Gahalowood.

—Me temo que no —se lamentó Cinzia Lockart.

—¿Era un descapotable?

—No sabría decirle.

Al salir de la librería, Kazinsky sugirió:

—Un coche azul con matrícula de Massachusetts, ¿es posible que Alaska volviera a su casa para recoger algunas cosas?

—Tendría bastante sentido —reconoció Vance—. Según Walter, la sorprendió ese día, alrededor de las cinco, reuniendo algo de ropa. Debió de quedarse a medias y volvió luego a recoger lo que le faltaba.

—¿A las dos menos cuarto de la madrugada? —preguntó Gahalowood.

—Pensó que a esas horas Walter estaría durmiendo. En realidad, estaba en el National Anthem, o al menos eso es lo que asegura. ¿Subió finalmente al piso? ¿O alguien la interrumpió y tuvo que renunciar? En cualquier caso, se fue a toda velocidad. Poco después, la mataron en Grey Beach. ¿Qué demonios hacía a orillas de ese lago a las dos de la madrugada?

—Lo que sí sabemos ya —añadió Gahalowood— es que Alaska no salió de la región esa noche. ¿Estaba en esa famosa «cena romántica»? ¿Y quién es su amante, ya que sabemos que no se trataba de Walter Carrey? Habría que intentar hacer la ronda de los restaurantes de la zona y enseñar la foto de Alaska. A lo mejor alguien vio algo.

—Debe de haber cientos de restaurantes —comentó Kazinsky.

—No si nos limitamos a los restaurantes finos, los sitios de postín para una cena romántica. Hay que informarse en las oficinas de turismo. Empezando por la de Mount Pleasant.

Vance, Gahalowood y Kazinsky habían ido a Mount Pleasant en dos coches para poder separarse si surgía la necesidad. Eso fue precisamente lo que hicieron: Kazinsky se encargaría de recorrer los restaurantes mientras Gahalowood y Vance iban a visitar a Lewis Jacob, el dueño de la gasolinera, que había dicho que quería verlos, así como a Deborah Miles, la ex de Walter, de quien les había hablado el jefe Mitchell.

Cuando Lewis Jacob vio entrar a Gahalowood y a Vance en la tienda de la gasolinera pareció aliviado.

—Por fin —dijo—, por fin. Creía que no iban a venir nunca.

El motivo por el que Lewis Jacob había pedido a Gahalowood y a Vance que fueran se encontraba en la trastienda. «No he tocado nada», los avisó mientras tiraba de ellos. Los condujo a su despacho, un cuartito angosto con una gran caja fuerte al fondo, colocada directamente en el suelo.

—Miren lo que he encontrado esta mañana —dijo al tiempo que abría la puerta blindada.

Les indicó a los investigadores una prenda de ropa, una nota manuscrita y dinero. Gahalowood y Vance se pusieron unos guantes de látex. El primero cogió la prenda de ropa: era un polo con los colores de la gasolinera. Tenía prendida, a la altura del pecho, una chapa metalizada en que ponía «Alaska».

—Es lo que llevaba puesto el viernes. —Gahalowood recordaba las imágenes del vídeo.

Lewis Jacob asintió.

—Debió de dejarlo el viernes por la noche, cuando cerró la gasolinera. Ayer no lo vi porque con todo lo que pasó dejé el negocio cerrado y no toqué la caja fuerte. No la había abierto aún cuando Lauren, la jovencita que había salido a correr, entró como una loca en la tienda.

Vance leyó en voz alta la nota manuscrita:

Querido señor Jacob:
No he tenido valor para decirle cara a cara que me marcho. No voy a volver. Gracias por todo lo que ha hecho por mí. Le escribiré, se lo prometo. He dejado mi llave de la tienda en el buzón.
Con cariño,
Alaska

P. D.: No le diga nada a Walter, por favor.
P. D. 2: Perdone las preocupaciones que le he causado.

—En la cinta de vídeo se la ve dejar la llave en el buzón —recordó Gahalowood.

—Era su llave, sí —confirmó Lewis Jacob.

—Así que tenía previsto irse —dijo Vance—. ¿A qué preocupaciones se refiere?

Lewis Jacob se encogió de hombros.

—A ninguna, que yo recuerde. Es que era una perfeccionista y los perfeccionistas lo convierten todo en un drama. Alaska siempre estuvo al pie del cañón para ayudarme. Cuando Samantha, la chica que trabajaba aquí los domingos, lo dejó hace dos meses, no escatimó horas para echarme una mano. Cierto es que de vez en cuando se colaba un poco con algún pedido o en la caja, entonces me llamaba por teléfono y le fastidiaba molestarme: «Se supone que tengo que ayudarlo, pero no hago más que tonterías». Ya ve lo estupenda que era.

Gahalowood cogió los billetes y los contó.

—Este dinero, ¿fue Alaska quien lo puso aquí?

—Sí —contestó Lewis Jacob—. Nunca dejo dinero rodando por ahí. Lo pongo todo en la caja metálica pequeña. ¿Cuánto hay exactamente?

—Cuatrocientos dólares.

El veterano dueño de la gasolinera sonrió:

—Cuando hizo todas esas horas extra, después de irse Samantha, se negó a que se las pagase. Insistí, pero me decía que era lógico echar una mano. Acabé por meterle a escondidas cuatrocientos dólares en el bolso. Aquí están.

Al acordarse de Alaska se le escaparon unas lágrimas. Le dio apuro.

—Lo siento, siento mucho llorar como un niño, pero es durísimo pensar que está muerta.

—No se disculpe, señor Jacob —lo consoló Vance—. ¿Sospechaba usted que iba a irse?

—Ni por asomo. Por supuesto que a veces hablaba de Nueva York y de sus sueños de ser actriz. Ya me suponía que no iba a quedarse en Mount Pleasant toda la vida. Alaska era una chica que necesitaba las luces de la ciudad. Pero ¿por qué irse de la noche a la mañana? Podría parecer casi que estaba huyendo...

—En las grabaciones del viernes, Alaska se va del trabajo alrededor de media hora y vuelve con una bolsa de viaje.

—Me dijo que se le había olvidado coger unas cosas y que necesitaba acercarse un minuto a su casa. Le dije que sí, por supuesto.

—¿Solía ausentarse así?

—No, era la primera vez. Precisamente no tenía motivo para negárselo. Era una empleada modelo, motivada, dispuesta, trabajadora, sonriente, nunca estaba enferma, nunca se quejaba. Nada. Felicidad en estado puro.

—Y, cuando la vio volver con esa bolsa, ¿no se hizo preguntas?

—Lo cierto es que no me fijé mucho. No me dedico a espiar a mis empleados, ¿sabe? Se le habían olvidado unas cosas, volvió con una bolsa, tenía sentido.

—Ayer —siguió diciendo Gahalowood— nos contó que la pareja que formaban Alaska y Walter Carrey tenía sus más y sus menos.

—Sí, es cierto. Si les digo la verdad, creo que nunca lo quiso. Siempre me he preguntado qué hacía con él.

—¿Sabía que el viernes, durante su breve ausencia de la gasolinera, ella le anunció a Walter que iba a dejarlo?

—Me enteré ayer. Por aquí todo el mundo habla de eso.

—Mencionó usted una «cena romántica» —siguió Vance—. Alaska había quedado con alguien y ahora sabemos que no era con Walter. ¿Sabe de quién se trataba?

—Ni idea. Como puede suponer, en caso contrario, ya lo habría mencionado.

—¿Así que Alaska nunca le habló de un amante?

—Nunca.

—En la nota que le ha dejado, Alaska pone que no le diga nada a Walter. ¿Por qué cree usted que lo dice?

—Por no darle un disgusto, supongo...

Lewis Jacob dejó a medias la respuesta. De repente, parecía pensativo.

—¿Qué pasa, señor Jacob? —preguntó Gahalowood.

91

—¿Han oído hablar de Deborah Miles?
—Qué curiosa coincidencia que la mencione: el jefe Mitchell nos ha hablado de ella hace un rato, nos recomienda que vayamos a verla.
—Y tiene razón.

Deborah Miles no estaba en casa. Ese domingo trabajaba en el supermercado de Wolfeboro, que abría todos los días de la semana, de siete de la mañana a once de la noche. Gahalowood y Vance fueron a verla allí. La joven se tomó un rato libre y propuso a los investigadores ir a charlar en el aparcamiento para estar tranquilos. Era una treintañera de rostro demacrado y expresión cansada.

—¿Quién les ha hablado de Walter y de mí? —preguntó.
—El jefe Mitchell de la policía de Mount Pleasant —respondió Gahalowood—, por lo visto la cosa acabó mal.
—Estuvimos juntos hará unos cinco años. Walter acababa de volver a Mount Pleasant.
—¿Dónde estaba antes?
—En el ejército.
—¿Era militar?
—Sí. Al acabar el instituto ingresó en el cuerpo de marines. Estuvo en la guerra del Golfo y en Somalia. Después decidió volver a la vida civil, creo que le apetecía quedarse con la tienda de sus padres. Y, además, la caza y la pesca eran lo suyo. Walter y yo nos conocíamos desde el instituto. Me gustó volver a verlo. Saltó la chispa y empezamos a salir. Al principio estaba bien.
—¿Cuándo fue eso?
—En el otoño de 1994. No duró mucho.
—¿Qué les pasó?
—Le tenía cariño a Walter. En el fondo es un buen tío. Pero me di cuenta enseguida de que lo nuestro no nos iba a llevar muy lejos. Yo era todavía joven, pero quería casarme y tener hijos, y era consciente de que no iba a construir mi vida con él.
—¿Por qué?
—Tenía ganas de irme de Mount Pleasant, de ver otras cosas. Y, no sé ni cómo ni por qué, al cabo de cinco años sigo

viviendo en el mismo sitio, casada con uno de aquí, con dos hijos que seguramente pasarán aquí la vida igual que yo.

—Es una ciudad pequeña y bonita —comentó Vance.

—En las ciudades pequeñas y bonitas suelen vivir mentes estrechas —contestó Deborah Miles—. Llega un momento en que hay que saber marcharse.

—Así que tenía intención de irse de Mount Pleasant. ¿Por eso rompió con Walter?

—No, como acabo de decirle, no me veía acabando mis días con él. Pasados unos cuantos meses, me resigné a dejarlo. Fue poco antes de Navidad. Se lo tomó muy mal. Fue raro, porque de primeras en realidad no reaccionó. Habíamos ido a tomar un café al Season. Le anuncié que quería que nos separásemos y solo me contestó: «Vale». Parecía que le importaba un rábano. Volví a mi casa muy aliviada de que todo hubiera terminado así de bien. Esa noche mis padres habían salido. Yo estaba viendo la tele en el salón cuando de repente oí unos golpes en la puerta.

*

Mount Pleasant
Diciembre de 1994

De entrada, Deborah Miles se preguntó quién estaría dando golpes en vez de tocar el timbre, aunque no llegó a preocuparse. Mount Pleasant era una ciudad tranquila. Abrió la puerta y se encontró a Walter. Parecía aterido. Los Miles vivían en una zona aislada. Esa noche de invierno, en la propiedad cubierta de nieve reinaba la oscuridad.

—Walter, ¿qué haces aquí?

Tenía pinta de estar furioso. Con mirada aviesa.

—Estás con otro, ¿es eso? —le dijo a Deborah con cara de asco—. ¿Te estás tirando a otro tío, me has puesto los cuernos?

—¿Cómo? ¿Qué dices, Walter? Yo no te he engañado.

—¡No me mientas, zorra!

—Para, Walter, estás empezando a asustarme. ¿Se puede saber qué mosca te ha picado?

Pero Walter se empecinaba.

—¿Lo estás esperando a él?

—No estoy esperando a nadie.

—¿Te has puesto guapa para él?

Deborah nunca había visto a Walter en semejante estado. Lo que más le importaba era calmar las aguas y convencerlo de que se fuera.

—Walter, estoy viendo la tele, nada más. Te lo juro. Deberías irte a casa.

—¡Eres una zorra, Deborah!

Deborah sintió que le estaba entrando miedo. Tenía que librarse de él. Le habría gustado darle con la puerta en las narices, pero él se había colocado de forma tal que se lo impedía. Entonces decidió jugarse el todo por el todo.

—Walter, deberías volverte a casa. Mis padres están dentro y ya conoces a mi padre: este numerito no le va a hacer ninguna gracia.

Él se rio con sarcasmo:

—Tus padres están fuera. Hace lo menos media hora que se fueron.

Deborah perdió la calma:

—¿Me estás espiando?

—Estaba esperando a ver si se presentaba tu príncipe azul, pero hace demasiado frío. Venga, déjame entrar, tenemos que hablar.

Con un movimiento desesperado, Deborah empujó a Walter por sorpresa. Él no lo vio venir y se cayó en la nieve. A Deborah le dio tiempo a cerrar y echar el cerrojo antes de que él se incorporase. Se arrojó entonces contra la puerta y la aporreó con todas sus fuerzas. «¡Abre! —vociferó—. ¡Abre, zorra!». Deborah estaba ya en las escaleras y se refugió en el cuarto de sus padres. De pronto, oyó el estrépito de una ventana al romperse. Descolgó el teléfono y marcó el número de emergencias de la policía.

*

—Detuvieron a Walter cuando ya estaba saliendo de nuestra propiedad —les contó Deborah Miles a los policías—. Había bebido mucho.

—¿Le puso una denuncia?

—No, pagó el cristal que había roto y nos escribió una carta de disculpas a mis padres y a mí. Mi padre, que estuvo en Vietnam, siempre se ha compadecido de los veteranos. Y, además, el verdadero castigo de Walter fue que, después de aquello, ninguna chica de la zona quería ya saber nada de él. Estaba acabado. Por eso iba tan a menudo a Salem, a casa de su amigo Eric Donovan. Tenía la esperanza de conocer a una chica que no estuviera al tanto de su pasado. Cuando trajo a esa rubia tan guapa, Alaska, todos nos preguntamos por qué esa pobre chica había venido a un lugar tan apartado. En el fondo, siento no haber puesto una denuncia en su momento. Tendría que haberlo hecho, no por mí sino por las demás. Quizá podría haber evitado que pasara.

—Evitar ¿qué?

—Que matase a Alaska.

Mi estancia romántica en Harbour Island, la isla paradisiaca de las Bahamas, no transcurrió ni mucho menos como yo tenía previsto. Empezando por la salida, porque Raegan no se reunió conmigo en el aeropuerto de Montreal.

4. Paraísos perdidos
17 de abril de 2010

La esperé mucho rato en el mostrador de embarque de Air Canada. Intenté llamarla, pero tenía el móvil apagado. Por fin me envió un mensaje:

> Lo siento.
> No voy.
> Perdona.

Intenté volver a llamarla, pero el móvil ya estaba apagado. Era obvio que solo lo había encendido para enviarme esas pocas palabras lapidarias. Nuestro último contacto había sido la víspera, con mensajes de texto. Le había preguntado si había novedades, me decía que su vuelo Chicago-Montreal había aterrizado con mucho retraso y que estaba en casa haciendo la maleta. En realidad, nunca había tenido intención de ir conmigo a Harbour Island.

Al cabo de un tiempo, me dio explicaciones en una carta manuscrita que dejó en la recepción del Ritz-Carlton y que es inútil que oculte aquí: Raegan estaba casada y era madre de dos niños / yo no era sino una aventura extraconyugal a raíz de una escapada neoyorquina con unas amigas / sus dos estancias en mi casa habían sido con el pretexto de una abuela enferma que vivía en el campo, en Ontario / nunca había sabido cómo decírmelo / se había dejado arrastrar por sus sentimientos antes de caer en la cuenta de que no se veía dejándolo todo por un arrebato.

En ese momento en el vestíbulo del aeropuerto de Montreal, me quedé atontado, mirando la pantalla del móvil, hasta que una empleada de la compañía aérea me hizo salir de mi estupor.

—Caballero, vamos a cerrar la facturación. ¿Qué quiere hacer?

Decidí irme a pesar de todo. Seguramente, un intento de huir. Así que me encontré solo a bordo de un vuelo rumbo a Nassau durante el cual, para celebrar el reencuentro con mi amiga la Soledad, me liquidé una botella de champán y, acto seguido, varias de esas botellitas de whisky a las que nos ha condenado la aviación comercial.

Ya en las Bahamas, embarqué en una avioneta. Tras veinte minutos de vuelo, llegué a una islita posada en un agua turquesa. Había llegado a Harbour Island: ese pequeño paraíso iba a ser mi nuevo infierno. Y, sin embargo, imaginaos un hotel de lujo cobijado entre la vegetación tropical. El edificio principal estaba rodeado de un parque con trazas de jardín botánico, cuyos estanques cubiertos de nenúfares eran un reino de peces multicolores y de tortugas de agua. En cuanto a las habitaciones, consistían en bungalows aislados entre sí, a la orilla del agua, que brindaban una sensación de absoluta intimidad.

La clientela apreciaba el servicio de máxima categoría del establecimiento, pero sobre todo su extremada discreción. Pues nadie iba a Harbour Island solo. Yo estaba rodeado de parejas: amantes discretos, fogosos adúlteros, parejas antiguas que ronroneaban y parejas nacientes que se besaban a labios llenos en el restaurante, poniendo muy a prueba la paciencia de su camarero, que tenía que esperar a que tuvieran a bien recuperar sus respectivas lenguas para articular el pedido. Me fijé incluso en un trío amoroso totalmente desinhibido. Y en medio de ese vecindario estaba yo, comiendo solo. Debía de ser el primer imbécil en la historia del hotel que había ido desparejado.

Podría haber hecho las maletas en ese preciso instante y volver a Nueva York, sin embargo tuve la debilidad de creer que las palmeras y el mar me sentarían de maravilla. Pero con las decepciones sentimentales, tanto si las pasas repantigado en el sofá como en una tumbona, siempre acabas igual: deprimiéndote. Y la ociosidad de unas vacaciones en la costa no mejoraba las cosas. En mi playa particular, no dejaba de pensar en Raegan. Todo se me agolpaba en la cabeza. Necesitaba compañía y me puse a buscar un oído compasivo. Acabé en el bar del hotel, pero el camarero no tenía tiempo, mientras que su compañera me evitaba pensando que quería ligar con ella. Sentado en la barra en compañía de mi cerveza, me imaginaba a Harry Quebert, con una camisa de flores, acomodándose a mi lado. Me habría dado una palmada en el hombro y me habría cuchicheado: «Marcus... Marcus... Marcus...», lo que permitía augurar una de esas clasecitas de vida cuyo secreto poseía y que yo tanto necesitaba en esos momentos: «Marcus, ¿qué pinta usted de codos en este bar, pasándolo mal? El hecho de estar en una isla no implica que no pueda estar en compañía de alguien. ¿Sabe que ese aparato que tiene en la habitación y que se llama teléfono sirve para ponerse en contacto con las personas a distancia? Con amigos, por ejemplo. Un amigo, Marcus, es alguien que no es ni su psiquiatra ni su madre. Así que deje en paz a ese pobre camarero, haga el favor, y váyase a llamar a un amigo, le sentará bien».

Solo había una persona con quien me apetecía desahogarme: el sargento Perry Gahalowood, pero hasta ese instante algo me había impedido llamarlo. Creo que me daba vergüenza que me hubieran dejado tirado de tan mala manera. Con los ánimos que me había dado el fantasma de Harry Quebert, decidí llamarlo.

—¡Escritor! —me contestó con una voz inusualmente risueña.

Debería haberme dado cuenta de que algo iba mal. Gahalowood nunca era jovial, y mucho menos conmigo. Formaba parte de su personaje. Si se daba el caso de que lo llamase dos veces en la misma semana me salía con: «Espero que sea algo muy urgente para molestarme tan seguido». Debería haber notado aquel día que ese saludo tan impropio de él revelaba la necesidad de sincerarse conmigo. Pero no lo pillé, me tenía demasiado obnubilado mi mísera historia.

—¿Qué tal, sargento, cómo está?

—Esa pregunta hay que hacérsela a usted, escritor. ¿Qué tal va por las Bahamas? Hágame soñar, aquí llueve a cántaros y hace un frío del demonio.

Miré el marco idílico en que me encontraba y de pronto me dio apuro quejarme. No me atreví a revelarle lo que había ocurrido con Raegan.

—Todo va a pedir de boca —mentí—. Calor tropical, lugar de ensueño. ¿Qué más se puede pedir? Estoy en el bar del hotel tomándome una cervecita. Me acordaba de usted y me han entrado ganas de llamar.

No hubo más reacción que un prolongado y extraño silencio. Luego Gahalowood me dijo con voz titubeante:

—¿Sabe, escritor? Cuando vino a casa la otra noche para el cumpleaños de mi hija...

Se interrumpió. Noté que le apetecía abrirme su corazón, pero recapacitó.

—Me gustó mucho que viniera.

—¿Va todo bien, sargento?

—Todo bien.

Colgamos. Esa llamada había sido una cita fallida a cuatro mil kilómetros: los dos nos necesitábamos el uno al otro, pero éramos incapaces de expresarlo.

Yo lo ignoraba en ese momento, pero Gahalowood me había contestado desde el coche. Estaba aparcado en una calle del centro de Concord y observaba a través de la luna de un restaurante a su mujer cenando a solas con un hombre. Le había vuelto a mentir, con el pretexto de que tenía que quedarse hasta tarde en la oficina. Gahalowood llevaba varias semanas sospechándolo, ahora tenía la confirmación: Helen lo engañaba.

*

Los días iban pasando y mi estancia en Harbour Island llegaba a su fin. Pasé la última sobremesa de la cena en mi bungalow. Mientras recogía mis escasas pertenencias, encontré, en el fondo de la bolsa de viaje, una libreta de notas que hacía tiempo que tenía olvidada. Al hojearla, apareció, enganchada en las tapas de piel, una foto de veinte años atrás. Se me veía en ella con mi familia de Baltimore: mi tío Saul (el hermano de mi padre), Tía Anita y mis primos Woody y Hillel.

Sonreí a esas personas congeladas en el papel satinado. Cuánto los había querido a todos. Pasé mucho rato mirando fijamente la foto, sin poder por menos que recordar el drama que se les había venido encima. Salí a la playa, en la oscuridad. En la arena podía vislumbrar los cangrejos de los cocoteros que corrían entre los árboles y el océano. En el horizonte, una serie de puntos luminosos; no podía ser Florida, que, incluso estando muy próxima, caía demasiado lejos. Aun así me gustó imaginar que era Miami, donde conservaba tantos recuerdos familiares. Allí seguía viviendo mi tío Saul, en su casita de Coconut Grove, rodeado de mangos. Iba a verlo con regularidad, pero entre la publicación de *La verdad sobre el caso Harry Quebert* y el rodaje hacía mucho que no lo visitaba. Me entraron ganas de oírlo y lo llamé enseguida. Sonaba animado.

—Tío Saul, hace una eternidad —le dije.

—Ya lo sé, el tiempo pasa volando.

—No has ido al rodaje de la película...

—Vale más así. Te vuelvo a dar las gracias por los billetes de avión. Espero que no me la tengas guardada por haberte dejado tirado.

—Lo comprendo. Tío Saul, me gustaría ir a verte.

—Encantado. ¿Cuándo?

—Mañana.

—Mañana... Bueno, vale —me dijo, un tanto sorprendido—. De hecho, sería maravilloso.

Mi tío y su familia habían tenido mucha importancia para mí. Los llamábamos los Goldman-de-Baltimore, los que habían tenido éxito, al contrario que nosotros, mis padres y yo, los Goldman-de-Montclair. La vocación de estas páginas no es contar el destino de los Goldman-de-Baltimore, pero tengo que mencionarlos aquí porque hoy me doy cuenta de que fue probablemente esa noche, en Harbour Island, cuando anidó en mi cabeza de escritor la idea de dedicarles un libro que escribí por fin dos años después: *El libro de los Baltimore*.

Extracto del informe policial
Declaración de Walter Carrey
[Testimonio grabado en las instalaciones de la brigada criminal de la policía estatal el lunes 5 de abril de 1999].

Walter, ¿el nombre de Deborah Miles le dice algo?
Sí, claro, salimos juntos hace cinco años. Pero si me lo preguntan es porque ya lo saben. Supongo que están enterados de que se me fue un poco la olla.

Efectivamente. ¿Puede hablarnos de esa noche de diciembre en que intentó meterse en su casa?
No intenté meterme en su casa; quería hablar con ella, me había dado con la puerta en las narices, eso me irritó y tiré una piedra a una ventana. Desde luego fue una estupidez por mi parte y no me enorgullezco de ello. Está claro que había bebido demasiado, lo que tampoco es excusa. Pero no tenía intención de hacerle daño o de meterme a la fuerza en la casa. Si me hubiera pedido que me fuese, lo habría hecho en el acto. En esta historia hice un ridículo espantoso. Por suerte tenía a mi amigo Eric, pude ir a pasar unos cuantos fines de semana a su casa, en Salem, y pensar en otra cosa.

Eric Donovan y usted parecen estar muy unidos.
Es mi amigo de la infancia. Crecimos juntos.

Y gracias a él conoció a Alaska, ¿no es así?
Eso es. Alaska formaba parte de un grupo de chicas con las que nos juntábamos en Salem. Eric salió con una de ellas. Él estaba

muy colado, pero ella se portó como una zorra y lo largó con un mensaje de texto. Se le partió el corazón al pobre. De hecho, esa ruptura es una de las razones de que volviera a Mount Pleasant.

Sí, ya nos lo comentó él. Así que, si no me equivoco, Eric volvió a Mount Pleasant antes de que Alaska se viniera aquí con usted.
Sí, no me acuerdo ya de las fechas exactas. Pero Alaska se vino a vivir conmigo unas semanas después.

¿Por qué decidió Alaska irse de Salem?
Ya hemos hablado de eso cien veces... Quería cambiar de aires.

Me preguntaba si lo que quería era reunirse con Eric.
Déjelo estar de una vez, no había nada entre Alaska y Eric. No sé quién les ha metido eso en la cabeza.

Su madre.
No hay que hacerle mucho caso a mi madre, si lo sabré yo.

Cuéntenos cómo conoció a Alaska.
La primera vez que la vi fue en la primavera de 1998. Fue en ese bar de Salem, El Lago Azul. Fue un flechazo. No podía dejar de mirarla.

¿Y el sentimiento era recíproco?
Me tuvo esperando una temporada. Yo me daba cuenta de que le gustaba, pero tuve que cortejarla un poco. Cosa que, por cierto, no me disgustaba. Me acuerdo de la noche en que por fin me besó. Se lanzó ella: estábamos en la calle, me agarró por el cuello de la chaqueta y me plantó un beso en la boca. Joder... no me puedo creer que esté muerta.

[*Sollozos*]
¿Quiere que hagamos un descanso?
No, no, estoy bien... Bueno, no estoy bien, pero no necesito parar.

¿Tenía Alaska un motivo para sentirse amenazada?
No.

Pero había recibido amenazas.
Eso lo he sabido por ustedes.

¿Nunca se lo mencionó?
Nunca.

¿Había notado algún cambio reciente en el comportamiento de Alaska?
Ya le he dicho que nuestra relación tuvo sus más y sus menos. Es posible que estuviera de mal humor, es posible que yo la irritase...

Pensaba más bien en si la había notado más nerviosa, más inquieta. Si le había visto reacciones que no fuesen propias de ella.
No.

Walter, al parecer la noche en que murió, Alaska volvió a su piso. Es probable que justo antes de ir a Grey Beach.
¿Qué me está contando?

Un vecino vio su coche a las dos menos veinte. ¿Puede que fuera a recoger algunas cosas?
No tengo ni idea.

¿Dónde estaba usted a las dos menos veinte de la madrugada en la noche del viernes al sábado?
En el National Anthem, como ya les he dicho.

El problema es que no hay testigos que lo identifiquen categóricamente allí a la hora del cierre.
No me extraña, estaba a reventar de gente. De hecho, ¿cómo iba a saber eso si no hubiera estado allí? La gente no quería irse, intervino la policía.

Con su permiso, necesitaríamos pedirle una muestra de ADN.
Por supuesto, no tengo ningún motivo para negarme.

Dos días después del asesinato
Lunes 5 de abril de 1999

La toma de la muestra de ADN se realizó en la sala de interrogatorios. Fue solo cosa de unos segundos, lo que tardó un técnico de la policía científica en frotarle a Walter Carrey el interior de la boca con un bastoncillo. Concluida la operación, Walter se puso la chaqueta y recogió el periódico que traía al llegar. Esa mañana Alaska salía en primera plana en todos los diarios de New Hampshire. Antes de irse, Walter les dijo por lo bajo a los policías: «Ella que soñaba con estar un día en la portada de los periódicos...».

El rostro sonriente de la joven estaba ahora en manos de todo el mundo, en las cocinas, en los cafés, en los autobuses, en las salas de espera. Su nombre estaba en boca de todo el mundo. Y esa exhortación a los lectores, que remataba todos los artículos: «Si vio a esta joven la noche del viernes 2 de abril o si tiene alguna información sobre ella, póngase en contacto con la brigada criminal [...]».

Los investigadores contaban con ese llamamiento a testigos para avanzar. La víspera, Kazinsky había recorrido los restaurantes de la zona, pero sin éxito. Nadie había visto a Alaska. Los policías tenían la esperanza de que una difusión masiva de su foto rescatase algún recuerdo. Eso fue lo que ocurrió: el gerente de un supermercado de Conway, un pueblo a veinte minutos al norte de Mount Pleasant, afirmó que había visto a Alaska discutir con un hombre. Su testimonio parecía convincente y Vance y Gahalowood fueron a Conway.

El supermercado formaba parte de un centro comercial en el que varias tiendas se agrupaban en torno a un aparcamiento común. El gerente explicó a los policías:

—Ya no me acuerdo de la fecha exacta, debió de ser hace más o menos dos semanas. Vi a esa chica. Espero que no me tomen por un pervertido, pero no voy a mentirles: me fijé en ella

por lo guapísima que era. No pensaba en nada malo, soy padre de familia, tenía edad para ser mi hija pequeña, pero había en ella algo pasmoso. De hecho, me daba la impresión de que todo el mundo la miraba. Poco después de que pasase por la caja, me avisaron de una pelea delante del local. Fui a ver qué estaba pasando. La chica lloraba frente a un mocetón que le decía: «No puedes hacerme algo así». Le pregunté a la chica si todo iba bien, pero fue el tipo quien me contestó y me dijo que los dejase en paz. En vista de lo cual, volví a entrar para llamar a la policía. Cuando salí otra vez, estaban en el aparcamiento. Ella le decía a voces: «¡Quiero irme!». El tipo se subió a un coche y ella se sentó en el asiento del acompañante. Era una escena rara, me pregunté si no se habría subido al coche a la fuerza. Y luego llegó la policía.
—¿Y qué...?
—Un control rutinario. El poli los dejó irse enseguida, dijo que no era nada. Pero yo tenía muy claro que sí que era algo.

Gahalowood alzó los ojos y vio unas cámaras que grababan la entrada del supermercado.

—¿Podríamos ver las grabaciones de ese día?
—Por desgracia, se graban encima de las anteriores cada cuarenta y ocho horas.

¿De verdad era Alaska la de ese aparcamiento del supermercado? ¿Y con quién discutiría? En la comisaría de Conway, y gracias al registro de la centralita, Gahalowood y Vance pudieron retroceder hasta el incidente ocurrido aquel día y que databa del lunes 22 de marzo. El agente que había intervenido no tenía unos recuerdos muy nítidos de aquel suceso.

—Si no me acuerdo —les dijo a los investigadores— es que no fue nada del otro mundo. Ya saben, llamadas por cosas sin importancia; son el pan nuestro de cada día. Como nos pasamos el tiempo diciéndole a la gente que «más vale una llamada de más que llamar cuando ya es demasiado tarde», recibimos llamadas por cualquier nadería.

Gahalowood volvió a enseñarle al policía la foto de Alaska.

—Mírela otra vez, ¿está seguro de que no la reconoce? Por lo visto discutió con un hombre en el aparcamiento del supermercado...

Por toda respuesta, el agente se instaló delante de un ordenador que estaba libre. Preguntó, mientras tecleaba:

—¿La centralita les ha dado el informe?

—¿Qué informe? —dijo Vance.

—Cada llamada al número de emergencias tiene que quedar registrada en un informe de intervención —explicó el agente—. Aunque no sean más que dos líneas, que hacemos directamente en el ordenador que hay a bordo del coche patrulla.

—¿Y tiene ese informe? —reclamó Gahalowood.

El agente pinchó varias veces con el ratón y fue a la impresora para coger la hoja de papel que acababa de expulsar.

—Aquí está, es este —dijo, recorriendo las páginas con la vista—. Una discusión en la vía pública, ahora me viene a la memoria. Un joven al volante, una chica en el asiento del acompañante. Tenía los ojos enrojecidos. Había llorado. Los interrogué: la chica me aseguró que habían tenido unas palabras, pero que todo iba bien. Ahora me acuerdo, me dijo: «¿Usted no se pelea nunca con su mujer, señor agente?». Y luego hasta dijo en plan chistoso: «Si ya no puede uno discutir en público sin que se presente la policía...». Estaba claro que había sido una falsa alarma. Comprobé que el conductor tenía el carnet en regla y veo en el informe que hasta fui tan meticuloso que comprobé el vehículo en la base de datos para tener la certeza de que no era robado y que tenía el seguro en regla.

—¿Puedo ver el informe? —preguntó Gahalowood.

—Claro.

Lunes 22 de marzo de 1999 – 14.25 h

Motivo de la llamada: Discusión en la vía pública.

Nota: Pareja en un coche. Ninguna señal visible de violencia. No requiere intervención.

Actuación: Comprobación del permiso de conducir del conductor y comprobación del vehículo. Ford Taurus negro, matrícula de New Hampshire SDX8965. Seguro en regla, sin denuncia de robo. Fin de la intervención a las 14.33 h.

Con la vista clavada en la hoja, Gahalowood le preguntó a Vance:

—¿Sigues teniendo el número de matrícula de Walter Carrey?

Vance consultó su libreta de notas:

—New Hampshire SDX8965.

—Así que Alaska estaba con Walter Carrey.

*

—Walter Carrey y Alaska Sanders discutiendo mientras hacían la compra me temo que no es una pista muy prometedora —opinó Vance cuando salían de la comisaría.

—Nos demuestra, en cualquier caso, que la ruptura del 2 de abril no fue una sorpresa, contrariamente a lo que Walter nos dijo. Interpreta el papel de cándido enamorado, pero cuando riñes con tu novia tanto como para que alguien llame a la policía es que la cosa está en las últimas, ¿no?

Vance asintió.

—Estoy de acuerdo. Me da la impresión de que nos está tomando el pelo.

En Conway, Gahalowood y Vance iban a dar también con información importante sobre el camino forestal donde habían aparecido los restos del piloto trasero y el rastro de pintura. Pues era en Conway donde estaba la sección regional del Servicio Forestal de Estados Unidos, de la que dependía la de White Mountain, donde habían encontrado a Alaska. Se trataba de un bosque nacional y, por tanto, no dependía de las autoridades locales sino de las federales.

—Resumiendo, este bosque depende de Washington —les explicó por teléfono Kazinsky, que había estado bregando con los meandros de la administración federal.

—Todo muy práctico —dijo irónicamente Vance.

—En realidad, sí, porque son las secciones locales del Servicio Forestal las que gestionan en concreto las zonas que les corresponden. El responsable de la sección de Conway os está esperando, acabamos de hablar por teléfono. Conoce bien ese camino forestal, dice que lleva años quejándose de él. Lo ha llamado «la autopista de los cabrones».

Tales fueron las palabras literales del responsable de la sección de Conway, que había desplegado un mapa encima de su escritorio y enseñaba a Gahalowood y a Vance el camino en cuestión. Empalmaba con la carretera 21 en Mount Pleasant y cruzaba luego diez kilómetros de bosque para desembocar en la carretera 16.

—«La autopista de los cabrones» —explicó— se creó después de un gran incendio en Yellowstone en 1988. El Servicio Forestal consideró que había que prever accesos rápidos hasta el corazón de los bosques nacionales para que los servicios de emergencias pudieran acotar rápidamente un incendio. Era la oportunidad de permitir que los guardas forestales pudieran hacer talas de mantenimiento de envergadura en ese monte bajo que por lo general está abandonado porque no hay forma de llegar a él. Así que la idea era buena, pero ese camino, reservado a los bomberos y al Servicio Forestal, no tardó en utilizarlo todo el mundo. Es un no parar: coches, quads, motos, y no sigo... ¡Hay incluso tíos que llevan por ahí el barco al lago Skotam! De ahí esa caravana arrumbada hace años y que nunca han retirado. Mis chicos me lo comentan continuamente. ¿Y qué se supone que tengo que hacer yo? Ya he avisado al ayuntamiento de Mount Pleasant, que me contesta que no es competencia suya porque se trata de un bosque nacional y, por lo tanto, federal. Pero ya se imaginan que a Washington le importa un carajo una caravana que se está pudriendo a la orilla de un lago de New Hampshire. Quise poner una barrera en cada extremo del camino, pero no me dejaron para evitar que el día en que haya un incendio se queden bloqueados los bomberos por no saber quién tiene la llave. No tenemos más facultad que la de denunciar a los infractores. Les tomamos el número de matrícula, redactamos un parte y lo metemos en el sistema con un informe detallado. Luego es Washington quien lo gestiona y quien manda una multa. ¿Se dan cuenta qué follón? ¡Y además mis chicos son guardas forestales, no guardias de tráfico!

—O sea, ¿que tiene un fichero donde están todos esos atestados?

—Sí.

Al cabo de un rato, Gahalowood y Vance estaban sentados ante la pantalla de un ordenador, viendo la lista de los atestados que habían levantado durante las últimas semanas los guardas forestales. Efectivamente, había muy pocos, y enseguida les llamó la atención un vehículo denunciado el 20 de marzo. Un coche que ya estaban empezando a conocer bien: un Ford Taurus negro con matrícula de New Hampshire SDX8965. El coche de Walter Carrey. Una nota indicaba: «KM1, vehículo estacionado sin ocupante».

—¿KM1? —preguntó Gahalowood al responsable de la sección—. ¿Qué quiere decir?

—Quiere decir que el coche estaba en el primer kilómetro del camino. Eso permite orientarse en caso de recurso. Sí, porque, una vez que Washington envía una multa, el afectado puede recurrir y vuelve a ser cosa nuestra. Tenemos que aportar «aclaraciones». Les digo que es un invento del demonio.

—¿A qué punto corresponde el primer kilómetro? —preguntó Vance.

El representante de la sección le dio la vuelta al mapa y señaló con el dedo el primer tramo kilométrico, marcado con una señal discreta. Indicó a los investigadores:

—Es el mismo tramo donde está la caravana abandonada.

El registro indicó que habían denunciado otro vehículo ese mismo 20 de marzo y en ese mismo trecho: un Pontiac Sunrunner negro. Vance llamó a Kazinsky para que buscase el número de matrícula en el fichero nacional de vehículos.

—¡Mira tú por dónde! —exclamó Kazinsky al descubrir el nombre del dueño en la pantalla—. Es el coche de Eric Donovan.

Gahalowood y Vance fueron en el acto a Mount Pleasant para interrogar a Eric Donovan sobre su coche. Lo encontraron trabajando en la tienda de alimentación. Se llevó a los policías a la trastienda para hablar con tranquilidad.

—¿Qué ocurre? —preguntó, visiblemente incómodo.

—Conduce usted un Pontiac Sunrunner, ¿es correcto? —arrancó Gahalowood.

—Sí. ¿Por qué?

—Le levantaron atestado en el camino forestal cerca de Grey Beach, ¿no?

—Sí, es cierto, me denunciaron los idiotas de los guardas forestales. Llevamos diez años usando ese camino para ir a pescar y, de la noche a la mañana, nos lo quieren prohibir. ¿Dónde está el problema?

—¿Qué hacía usted allí?

A Eric pareció sorprenderlo la pregunta.

—Walter y yo solemos ir al Paraíso de las Truchas, un lugar de pesca famoso. Cuando éramos unos críos íbamos en bici y a pie; ahora que han despanzurrado el bosque con ese camino inútil, ¿por qué no aprovecharlo? Podemos aparcar a dos pasos con el material. No vamos a renunciar a esa oportunidad.

—¿Así que Walter y usted conocen bien ese tramo del bosque?

—Todo el mundo conoce bien los alrededores de Grey Beach. Es un sitio muy popular.

—Eric —intervino Vance—, ¿ha tenido algún accidente con su coche hace poco?

—No, ¿por qué? Esperen, ¿es por lo de los restos de faro que aparecieron en el bosque?

—¿Cómo se ha enterado usted de eso? —quiso saber Gahalowood.

—Los polis de la ciudad se van de la lengua, ¿qué se creen ustedes? —contestó Eric—. Y la gente no habla de otra cosa... ¿No estarán pensando que tengo algo que ver con la muerte de Alaska?

—Eric, ¿podríamos echarle un vistazo a su coche?

Aunque aquella petición lo pilló por sorpresa, el joven llevó a los policías hasta su Pontiac Sunrunner negro, estacionado en el aparcamiento de la tienda. Estaba intacto.

Gahalowood y Vance acababan de separarse de Eric Donovan cuando recibieron una llamada de Kazinsky.

—Hemos recibido los primeros informes del forense y de la policía científica —les dijo—. A Alaska no la mató el golpe que recibió en la cabeza.

*

En el cuartel general de la policía estatal, Gahalowood, Vance y Kazinsky escuchaban con toda atención al forense, que les estaba presentando las conclusiones de su informe de la autopsia.

—Alaska Sanders murió estrangulada. Posiblemente con las manos, si tenemos en cuenta los hematomas en torno al cuello.

—¿Estrangulada? —repitió Vance extrañado—. Pero yo creía que le habían dado un golpe en la cabeza.

—Efectivamente, recibió un golpe en la cabeza —contestó el forense—, pero no fue la causa de la muerte. —Apoyó sus palabras con unas fotos—. Ya ven, hay un traumatismo clarísimo a la altura del hueso occipital. Pero no fue letal.

—Si lo he entendido bien —dijo Gahalowood—, primero le dieron un golpe en la cabeza y luego la estrangularon.

—Exactamente. A juzgar por las marcas, el asesino la estranguló de frente.

—Pero la encontraron boca abajo —observó Kazinsky.

—Por los zarpazos del oso, debió de ser él quien le dio la vuelta —indicó el forense.

—¿Con qué le dieron el golpe?

—A juzgar por la herida, recibió un golpe violentísimo, dado con mucha fuerza. Hubo una gran inercia, lo que quiere decir que el asesino la golpeó con un objeto pesado que fue como una prolongación del brazo. Con una barra de hierro, por ejemplo.

—¿O con un palo grueso? —preguntó Vance.

—No, porque no he encontrado rastros de madera en la herida. Diría más bien una barra de hierro o un objeto similar.

—¿Existe la certeza de que murió en esa playa? —preguntó Gahalowood.

—Sí, no movieron el cuerpo —explicó el forense—. Por una parte porque hemos encontrado rastros de su sangre *in situ*, lo que demuestra que la golpearan en la playa; pero, sobre todo, hemos encontrado en las fosas nasales y en las orejas larvas de moscas endémicas del lago Skotam. Y si había gusanos es que las moscas pusieron huevos justo después de la muerte. Lo que, de hecho, me permite confirmarles que el crimen se cometió entre la una y las dos de la madrugada en la noche del viernes al sábado. Más allá de eso, la toxicología es normal, no estaba drogada y solo había bebido un poco.

—¿La violaron? —preguntó Vance.

—No, ninguna señal de violación ni de relaciones sexuales.

Después del forense, le tocó el turno a Keith Benton, el responsable de la policía científica, de presentar su informe. Empezó por enseñar una foto del jersey gris en el que ponía «M U».

—La sangre del jersey que encontramos en la caravana era efectivamente de Alaska Sanders. Hemos hallado restos de otros dos tipos de ADN además del de la víctima.

—¿Quiere decir que podría haber dos asesinos?

—Es una posibilidad.

—Supongo que esos ADN no aparecen en la base de datos —dijo Gahalowood.

—Supone bien, sargento. Son perfiles de ADN desconocidos, pero en su secuencia hay cromosomas X e Y, de modo que son hombres. De hecho, el jersey parece un modelo masculino de talla XL.

—Así que ese jersey podría haberlo llevado puesto el asesino o uno de los asesinos.

—Es muy probable —confirmó Keith Benton—. El forense dice que a la víctima le dieron primero un golpe y que después la estrangularon. Bien podría ser que, al estrangularla, el asesino se manchase con sangre de la víctima.

—¿Alguna idea sobre lo que quiere decir «M U»? —preguntó Vance.

—Ninguna. Si le soy sincero, por ahora nos hemos centrado en todos los análisis que había que hacer.

—Esta mañana le hemos tomado una muestra de ADN a un varón llamado Walter Carrey —dijo entonces Gahalowood—. ¿Podría hacer una comparación y ver si su ADN coincide con alguno de los dos que han encontrado en el jersey?

—Por supuesto. Intentaré tenérselo para última hora de hoy. Como muy tarde para mañana por la mañana.

—Gracias.

Keith Benton prosiguió con una foto del descapotable azul de Alaska en el aparcamiento de Grey Beach.

—En el coche no hay más ADN que el de la víctima. Como ya saben, dentro localizaron su bolso y una bolsa de viaje con efectos personales que hemos reseñado en esta lista: algo de ropa, un neceser de aseo. Lo imprescindible para una escapada de unos días. Por desgracia no hay gran cosa que pueda servirles de ayuda. En cambio, de las notas amenazantes ha salido algo.

Keith Benton presentó entonces el informe de un análisis de la nota del bolsillo de Alaska y de las descubiertas en su domicilio.

—Estas notas son todas muy similares. El papel es siempre el mismo: se trata de un papel corriente de venta en los supermercados. No se ha encontrado ADN, sino huellas dactilares que corresponden en todos los casos a las de la víctima. Puedo afirmar que se imprimieron todas en la misma impresora. Tienen todas el mismo leve defecto de impresión, que casi no se aprecia a simple vista. Esa anomalía que vuelve a aparecer sistemáticamente en todas ellas; eso quiere decir que la impresora utilizada tiene un cabezal de impresión defectuoso.

—Si lo he entendido bien —intervino Gahalowood—, sería posible identificar la impresora utilizada para esas amenazas.

—Si tuviera el aparato delante, en efecto, podría identificar con certeza si se usó o no para imprimirlas. Encuéntrenme un sospechoso, puedo desenmascararlo gracias a su impresora.

—¿Y los restos del piloto trasero? —preguntó Vance.

A Keith Benton le hizo gracia y sonrió:

—Señores, he tenido trabajando a parte de mis equipos el fin de semana para traerles ya mismo esos resultados. Sé que el tiempo apremia, pero los análisis de restos de coches pueden requerir meses. ¿Se imaginan el trabajazo que supone buscar la correspondencia entre un fragmento de faro roto y un modelo específico de vehículo?

—Y si, a la inversa, le decimos el modelo y basta con que nos digan si los restos se corresponden o no con ese tipo de coche, ¿sería más sencillo?

—Mucho más sencillo. Para combatir los delitos de fuga en caso de accidente, las policías estatales de todos los países tienen una base de datos en común con todo un repertorio de muestras de pintura y de óptica de faros. Así que, si el modelo en que están pensando es un coche corriente en el mercado, solo llevaría unas horas averiguarlo.

—Necesitamos saber si se trata o de un Ford Taurus negro o de un Pontiac Sunrunner negro —especificó Gahalowood.

Keith Benton tomó nota de los detalles y luego miró el reloj de pulsera.

—Denme hasta mañana por la mañana y vuelvo con los resultados del ADN del tal Walter Carrey y con el análisis del modelo de coche.

Esa noche, por invitación de Helen, Vance y Kazinsky fueron a cenar a casa de Gahalowood. Fue un rato de alegre complicidad. Mientras duró la cena, los tres policías se olvidaron del caso Alaska Sanders. Helen había hecho un asado. Y, cuando repetía por tercera vez, Vance fingió que lamentaba el trabajo que se había tomado.

—Helen, ¡nos prometiste que ibas a pedir unas pizzas!

—¡Mentí para que vinieras! —dijo en guasa Helen—. ¡Estoy embarazada, Matt, no impedida!

Todos se echaron a reír.

—Vas a dar a luz de un momento a otro —insistió Vance.

—Hazme caso, Matt —aconsejó Gahalowood—, jamás discutas con una embarazada.

—En cualquier caso —dijo Kazinsky—, me gusta mucho el letrero de la entrada: «Alegría de vivir». Esta casa es el ejemplo perfecto. Está uno a gusto en vuestro hogar, familia Gahalowood. Debería venir con mi mujer a hacer un cursillo.

—¿Os peleáis mucho? —preguntó Vance.

—Sin parar —contestó Kazinsky.

—Perry y yo también discutimos —comentó Helen.

—Bueno, pues ya vemos cómo hacéis las paces —bromeó Vance, señalando su abultado vientre.

Volvieron a reírse.

—Helen se las trae —añadió Gahalowood.

—Es posible, Perry —le contestó Vance—. ¿Sabes? No me he casado nunca, nunca he tenido críos y no lo echo de menos... En fin..., salvo cuando os veo a Helen y a ti.

El ambiente siguió relajado hasta el postre. Gahalowood propuso unas cervezas, Kazinsky aceptó, Vance no abrió la boca. Tenía la mirada perdida. Parecía alterado.

—Matt —le llamó Gahalowood—, ¿qué te pasa?

—Acabo de acordarme de algo sobre Alaska.

Los rostros se ensombrecieron; el rato de tranquilidad había pasado.

—Los polis nunca dejarán de ser polis —suspiró Helen—. Ahí os quedáis. No quiero oíros hablar de esa pobre chica asesinada.

Dio un beso a sus invitados y a su marido y se fue al piso de arriba.

—¿Qué te preocupa? —preguntó Gahalowood.

—Llevo un rato pensando en lo que nos ha dicho el forense: a Alaska le dieron primero un golpe y luego la estrangularon.

—Sí. ¿Y qué?

—Y me pregunto por qué el asesino no se ensañó con ella.

—¿A qué te refieres? —Gahalowood no entendía dónde quería ir a parar.

—El asesino le da un golpe fuerte a Alaska. Tan fuerte que le hunde la parte posterior del cráneo. Tenía intención de matarla. Pero sobrevive. Y el asesino se da cuenta. Tiene que rematarla y la estrangula. ¿Por qué la estrangula en vez de seguir golpeándola con la barra de hierro? Acaba de darle un primer golpe a Alaska, ¿por qué no sigue hasta matarla? ¿Por qué se complica la vida estrangulándola en vez de seguir arreándole golpes hasta acabar con ella?

—Por norma, cuando hablas así es porque tienes la respuesta —comentó Gahalowood.

Vance asintió.

*

Sábado 3 de abril de 1999,
entre la una y las dos de la madrugada
(según la hipótesis del sargento Matt Vance)

Un precioso claro de luna inundaba la playa de Grey Beach y centelleaba en la superficie del lago Skotam. Alaska, sola en la playa, no oía a su asesino. Seguramente el chapoteo del agua, el croar de las ranas y los ruidos de la noche cubrían los pasos por los cantos rodados.

Cuando la pesada maza le golpeó en la cabeza, solo se oyó el crujido sordo del hueso. Ella ni siquiera gritó. Solo un sonido ahogado y luego el ruido del cuerpo al desplomarse en la orilla. Todo había ocurrido muy deprisa. El asesino miró el cuerpo antes de arrojar con todas sus fuerzas la barra a las profundidades del lago. Estaba demasiado oscuro para que el asesino la viera caer, pero la oyó hendir la superficie del agua. Todo había concluido. Ya era hora de salir huyendo. Pero, cuando se estaba alejando del cuerpo, oyó de pronto un estertor. Se volvió y descubrió, atónito, que Alaska se movía apenas. Un canto de agonía le brotaba de los labios. Un escalofrío de angustia y de pánico lo recorrió de arriba abajo; lo más probable era que ella acabase por sucumbir a la herida, pero ¿y si no lo hacía? Y, además, ahora Alaska lo había visto: clavaba en él los ojos abiertos. Debía terminar lo que había empezado.

Se arrepintió en el acto de haber tirado la maza. Miró a su alrededor, pero no vio ninguna rama lo suficientemente pesada para hacer las veces de garrote. Buscó una piedra con la que poder rematarla, pero los guijarros del suelo no eran sino modestos cantos rodados. No tuvo más opción que estrangularla. Se colocó encima de Alaska y le rodeó el cuello con las manos. Apretó con toda la fuerza que pudo. Era una maniobra torpe. Para asfixiarla no le quedó más remedio que arrimarse a ella. El jersey no tardó en mancharse de sangre.

Cuando Alaska por fin murió, él huyó a través del bosque. Al llegar cerca del camino forestal donde había aparcado el coche, vio aquella caravana abandonada. Se quitó el jersey y lo tiró dentro. Luego se subió al coche y arrancó pisando a fondo el acelerador. Al maniobrar a toda prisa, no se fijó en el árbol que tenía detrás y chocó contra él. Soltó una maldición y metió la marcha en el acto. Se esfumó en la oscuridad.

*

—Según tú, ¿el arma del crimen está en el lago? —dijo Gahalowood.

—Es una posibilidad —asintió Vance.

—¿Por qué se iba a desprender el asesino del arma cerca del lugar del crimen? —preguntó Kazinsky mientras abría su cerveza.

—Sabes tan bien como yo que en uno de cada dos casos de asesinato el arma del crimen aparece en un cubo de basura de los alrededores —contestó Vance—. ¿Por qué? Porque los asesinos no quieren arriesgarse a que los pillen en un control rutinario. Y pasa otro tanto con el jersey. En nuestro caso, el asesino de Alaska está cubierto de sangre; no lo tenía previsto. Así que se deshace de la prenda por una parte para no llamar la atención, pero sobre todo para no dejar rastros de sangre en el coche, por si resultase sospechoso y registrasen a fondo su vehículo.

—Como hipótesis, se sostiene —opinó Gahalowood—. Hay que sondar el lago Skotam para intentar dar con esa dichosa barra de hierro.

Al día siguiente, recién llegados al cuartel general, los tres policías se pusieron en contacto con la división de buceadores para que enviase inmediatamente un equipo a Grey Beach. En ese preciso instante Keith Benton, el responsable de la policía científica, se presentó en su despacho.

—Acabo de recibir sus resultados de ADN. —Blandió en el aire el documento con el análisis.

—¿Y? —preguntó Gahalowood.

—El ADN de Walter Carrey coincide efectivamente con uno de los dos ADN encontrados en el jersey gris.

Sin perder un segundo, los policías se pusieron en camino y pisaron el acelerador hacia Mount Pleasant. Subieron a toda velocidad por la calle principal, aunque tuvieron que pararse poco antes de la tienda de alimentación de los Donovan. El camino estaba cortado. En segundo plano, varios coches de bomberos. Gahalowood, Vance y Kazinsky salieron del coche de un salto y recorrieron el último trecho a paso de carga. Al llegar delante de la tienda de caza y pesca se frenaron en seco, pasmados: la primera planta, donde estaba el piso de Walter Carrey, había ardido durante la noche.

Solo cincuenta minutos de vuelo separan las Bahamas de Florida. Salí de Harbour Island durante la mañana para llegar antes de las doce al aeropuerto de Miami. Alquilé un coche para ir al barrio de Coconut Grove, donde vivía mi tío Saul.

5. Los Goldman-de-Baltimore
Miami, Florida
24 de abril de 2010

Por el camino, recibí una llamada de mi madre.
—A ver, cariño, ¿qué tal tus vacaciones?
—Estupendas.
—¿Estabas solo?
—Sí.
—Espero que le estés mintiendo a tu madre y que estuvieras en compañía de una joven encantadora que te pusiera crema solar en la espalda y no tarde en darte hijos. ¿Estás en Nueva York? ¿Quieres venir a cenar esta noche?
—He hecho una parada en Florida, mamá. Voy de camino para ver a Tío Saul.

Tras un silencio reprobador, mi madre me dijo:
—Esas estancias en Florida no son buenas para ti, solo sirven para que te hundas otra vez en el pasado y lo que les sucedió a tus primos.

Me entraron ganas de contestarle que a lo mejor me venía bien, pero preferí cortar por lo sano.
—No te preocupes, mamá. Vuelvo dentro de unos días, ya te llamaré desde Nueva York.

Según colgué, el teléfono volvió a sonar. Como estaba conectado al manos libres inalámbrico del coche, acepté la llamada sin ver el número entrante.

—¿Mamá? —dije, pensando que se le había olvidado comentarme algo.

—No —contestó la voz de mi editor, Roy Barnaski—, pero puede llamarme «mamá» si le hace ilusión.

—Perdone, Roy, estoy conduciendo, he contestado sin mirar el número.

—¡Usted sí que es todo un número, Goldman! Dígame que está en Nueva York. ¿Cenamos esta noche en Pierre?

—Estoy en Florida.

—En Florida —se lamentó Roy—. Es usted un culo de mal asiento insoportable.

—Necesito que me dé un poco el aire.

—¿Preocupaciones?

—Penas de amor.

—Muy oportuno, tengo un remedio infalible: dos millones de dólares.

—¿Por la adaptación de *La verdad sobre el caso Harry Quebert*?

—Sí.

—La respuesta es no. Ya se lo dije, no me apetece nada convertirla en película.

—¡Es usted insufrible, Goldman! ¿Quién le dice que no a dos millones de dólares?

—Yo.

Cuando remití a Barnaski al dicho según el cual el dinero no da la felicidad, me contestó: «¡La pobreza tampoco!».

Colgué dejándolo con la palabra en la boca.

En Coconut Grove, Tío Saul me estaba esperando en el porche de su casita. Nos dimos un largo abrazo. Lo encontré más delgado. Tenía más espesa la barba que se había dejado después del Drama. Tío Saul lo había tenido todo y lo había perdido todo. Cuando lo miraba, seguía viendo al gran abogado de Baltimore, rodeado por los símbolos de su éxito: la lujosa mansión del barrio de Oak Park, la casa de verano en los

Hamptons, su piso de invierno en un complejo residencial de lujo de Miami. En realidad, ahora era un hombre solo cuya única posesión era ese chalecito de madera, comprado cuatro años antes con los ahorros que le quedaban. Vivía con estrecheces trabajando de mozo en un supermercado de Coral Gables, donde metía la compra de los clientes en bolsas de papel después de pasar por caja.

La casa de Coconut Grove me gustaba mucho. Me agradaba el ambiente apacible que reinaba en ella a pesar de todo por lo que había pasado mi tío.

Nos quedamos buena parte de la tarde en la terraza, a la sombra de los mangos y de los aguacates.

—Anoche me encontré por casualidad esta foto —le dije a Tío Saul, al tiempo que se la enseñaba.

Representaba a los Goldman-de-Baltimore en su apogeo. Tío Saul miró atentamente la foto, luego pronunció estas palabras que no sé si iban dirigidas a mí o a sí mismo:

—La trampa del dinero, Marcus, es que puede comprar todas las sensaciones, pero nunca un sentimiento auténtico. Puede proporcionar la ilusión de ser feliz, sin serlo de verdad. El dinero puede comprar un techo, pero no la serenidad de un hogar.

Deslizó el dedo por la cara de quienes habían sido los suyos. Me pregunté qué recuerdos acudían a él en ese preciso momento. Detuvo la yema del índice en la que había sido su mujer y a quien había querido con locura, mi tía Anita.

—Qué guapa era —susurré.

—Era maravillosa —añadió él.

—En el fondo, eso es lo que busco en una mujer.

—¿Que sea como Tía Anita?

—Más bien que ella y yo formemos una pareja como la vuestra.

Me paré en seco, incómodo. Tío Saul se encargó de rectificar por mí:

—¿Quieres decir antes del trágico final?

—Ya sabes a qué me refiero, Tío Saul. Lo siento, yo...

—No te preocupes.

No volvimos a mencionarla. Pero esa noche, en el cuarto de invitados donde me había instalado, tenía a Tía Anita en el pensamiento. Con la vista clavada en aquella foto, me quedé mucho rato despierto. El sueño me rehuía. Hacía un calor bochornoso y el aire acondicionado funcionaba mal. ¡Cuántos recuerdos me asaltaban! En plena noche, acabé en la cocina. Y ese momento no dejó de recordarme mis visitas a los Goldman-de-Baltimore.

*

Baltimore, Maryland
Septiembre de 1995

Eran las cinco de la mañana cuando el relojito despertador que llevaba en la muñeca empezó a sonar discretamente. Con un gesto reflejo paré la alarma para no despertar a mis primos Hillel y Woody, que dormían en el mismo cuarto que yo.

Era el fin de semana del Labor Day y, como en todas las vacaciones escolares, había ido a casa de los Goldman-de-Baltimore. Siempre sentía la misma fascinación al verme entre ellos, notaba la misma felicidad al convertirme, en lo que dura un fin de semana, en un miembro de esa familia que me parecía tan perfecta.

Mi llegada se atenía siempre el mismo ritual: Tía Anita iba a buscarme a la estación de Baltimore. Toda la vida conservaré el recuerdo emocionado de su silueta esperándome en el andén: la belleza de su rostro, la dulzura de sus rasgos, su forma de abrazarme, el olor de su perfume.

De ahí me llevaba a su casa, su inmensa casa de Oak Park, un barrio residencial de lujo donde todo me parecía más bonito y más impresionante que en otros sitios: los árboles, las aceras, los paseantes, las portaladas. Allí me reunía con los que yo consideraba los hermanos que la vida no había querido darme: Woody y Hillel. Y con uno de los hombres que, junto con Harry Quebert, más me han influido: mi tío Saul. Siempre guapo, elegante, de buen humor e ingenioso.

Mis estancias en Oak Park me parecían en todas las ocasiones demasiado cortas. Para no desperdiciar tan valioso tiempo, me despertaba al alba. Iba a la cocina sin hacer ruido. Me portaba como alguien a quien le correspondiera estar allí: exprimía unas cuantas naranjas, encendía la cafetera de filtro e iba a recoger el periódico que dejaban delante de la puerta todos los días, de madrugada. Luego me sentaba en la barra de la cocina y desplegaba el *Baltimore Sun* que acababa de traer, le echaba una ojeada a lo más destacado mientras comía tostadas con mantequilla de cacahuete. Y me imaginaba viviendo allí para siempre.

La felicidad de esas mañanas era compartir un rato singular con Tía Anita, que era madrugadora. Se reunía conmigo en la cocina, me pasaba la mano por el pelo y me hacía el regalo de un «buenos días, Marcus, cariño». Se ponía una taza de café y se acomodaba en la barra, a mi lado, hojeando los diferentes cuadernillos del periódico. A veces se adjudicaba, para mayor dicha mía, una de mis tostadas.

Concluida la lectura, Tía Anita se ponía a hacer tortitas o un bizcocho para el desayuno. Nunca he sido un gran cocinero y siempre admiré su capacidad para hacer sin receta todo tipo de dulces. Hay uno muy fácil que acabó por enseñarme: su famoso bizcocho de plátano, que solo requiere mezclar harina, huevos, una pizca de sal y, sobre todo, plátanos muy maduros.

*

Ya había amanecido en Coconut Grove cuando Tío Saul se presentó en su cocinita atraído por el olor del bizcocho de plátano que salía del horno.

—¿Es la receta de tu tía? —me preguntó con ojos chispeantes.

—Es el único bizcocho que sé hacer —contesté.

Se echó a reír y se sirvió una taza de café.

—¿Llevas mucho rato levantado?

—No —mentí—, he dormido como un tronco.

Se sentó a la mesa con una rebanada de bizcocho y su taza. Luego hizo lo que siempre le había visto hacer en Oak Park: mojó una esquina del bizcocho en el café.

—He hecho amistades gracias a esta receta —le conté entonces.

—¿Cuáles?

—El poli con quien investigué el caso Harry Quebert y su familia, una gente muy maja.

Coincidencia, casualidad o guiño del destino, justo ese día iba a encontrarme con los Gahalowood. A la hora de comer, cuando estaba dando una vuelta por las redes sociales, me topé con una foto que Malia Gahalowood acababa de publicar en Facebook. Se veía a toda la familia comiendo en la terraza de la Cheesecake Factory del centro comercial de Aventura, al norte de Miami.

Llamé enseguida a Perry. Cuando contestó aún tenía la boca llena.

—¿Está bueno el filete, sargento? —le pregunté sin más rodeos—. ¿Y ha probado los buñuelos de queso? Están para morirse.

—¿Escritor? —me preguntó con tono desconcertado—. ¿Cómo diablos puede usted saber que...?

—La magia de las redes sociales, sargento.

Se puso a refunfuñar contra su hija antes de volver a dirigirse a mí con el tono que solía tenerme reservado, es decir, un mal humor fingido.

—¿Tiene usted que comunicarme algo además de lo que ya sé, es decir, que estoy comiendo un filete?

—Sobre todo no se mueva de ahí, sargento, que ahora voy.

Me reuní con los Gahalowood justo a tiempo para el postre. Volver a verlos fue una inmensa felicidad.

Habían aprovechado las vacaciones de primavera para pasar unos días en Florida. «Su viaje a las Bahamas fue una inspiración, escritor —me confesó Gahalowood—. Teníamos ganas de sol».

Acabado el almuerzo, las chicas querían ir de tiendas. Acompañé a toda la familia por los pasillos del centro comercial, hasta que Gahalowood se hartó y él y yo nos sentamos a tomar un café.

—Me tiene usted preocupado, escritor —me dijo entonces.

—¿Que yo le preocupo?

—Primero me lo encuentro en Aurora, en casa de Harry Quebert, luego en Florida, en casa de su tío.

—¿Y qué?

—Nunca está en su casa. ¿No está a gusto?

—Sí, muy a gusto.

—Alguien que está a gusto en su casa no se pasa la vida autoinvitándose en casas ajenas.

Me puso la mirada de policía, esa mirada que quería decir «lo sé todo, ha llegado el momento de que confiese», esa mirada que invitaba a descargar la conciencia y que seguramente había hecho cantar a generaciones de criminales. Así que me decidí a hablarle de Raegan y del fracaso de mi estancia en Harbour Island. Me escuchó con ese don que tenía para hacerlo. Así era Perry Gahalowood: la clase de individuo que, en cuanto yo aspiraba a hablar de algo, aparecía como por arte de magia. El que te escucha con atención sin juzgarte nunca. Al que pude decirle que me sentía desesperadamente solo. Millones de personas se dormían conmigo, pero yo me despertaba sin nadie.

Se mostró tan solícito como de costumbre. Por mi parte, yo estaba a mil leguas de saber que a él le habría gustado hablar conmigo.

Conservo un recuerdo emocionado de ese día con los Gahalowood. Cuando se fueron, se me encogió el corazón. Como si me doliera. Como si mi inconsciente presintiera que había visto a la familia completa por última vez.

Volví a Nueva York. Transcurrió un mes más o menos sin tener noticias de los Gahalowood.

Luego llegó esa noche de mayo en que los golpeó la muerte.

Tres días después del asesinato
Martes 6 de abril de 1999

Las estadísticas establecen que los asesinatos que comete una persona cercana a la víctima se resuelven en setenta y dos horas. El de Alaska Sanders no iba a incumplir la norma.

Esa mañana, en Mount Pleasant, Gahalowood, Vance y Kazinsky descubrían que no quedaba gran cosa del edificio donde estaba Caza y Pesca Carrey. La mayor parte de la primera planta se había quemado. La tienda, en la planta baja, se había salvado de las llamas, pero el humo y el agua utilizada para apagarlas habían causado daños considerables. El jefe Mitchell resumió la situación a los tres policías.

—El incendio lo descubrió una patrulla a las cuatro de la madrugada y avisó de inmediato a los bomberos. No hay que lamentar víctimas, queda claro que Walter Carrey no estaba en casa.

—¿Cómo se originó el fuego? —preguntó Vance.

—Todavía no se sabe, pero un inspector del cuerpo de bomberos está dentro ahora mismo. ¿A ustedes quién los ha avisado?

—Nadie —contestó Gahalowood—. Veníamos a interrogar a Walter Carrey. Han encontrado su ADN en el jersey manchado con sangre de Alaska.

—Maldita sea —renegó el jefe Mitchell—. ¡No me lo puedo creer! Si Walter no es un mal chico. ¿Qué se le pasaría por la cabeza?

—Ya nos gustaría saberlo. Tenemos que localizarlo rápidamente.

—Hay que ir a interrogar a sus padres —dijo el jefe Mitchell.

Sally y George Carrey estaban en la acera, contemplando boquiabiertos lo que quedaba de su negocio. Gahalowood se les acercó:

—Siento muchísimo lo que les ha pasado —les dijo.

Sally parecía atontada. George, más pragmático, calculaba los seguros.

—Estamos buscando a su hijo —señaló entonces Gahalowood.

—No sé dónde está —contestó Sally—. A Dios gracias no estaba en casa cuando se declaró el incendio.

—Eran las cuatro de la madrugada, ¿dónde podía estar?

—No tengo ni idea. He intentado llamarlo, pero tiene el móvil apagado.

—¿Cuándo lo vio por última vez?

—Anoche. Vino a cenar a casa.

—¿Y después de cenar? ¿Qué hizo?

—No lo sé, sargento. Discúlpeme, pero estoy completamente perdida.

A pocos metros de allí, delante del negocio familiar, Eric Donovan observaba el ballet de los bomberos. Gahalowood fue a hablar con él, pero Eric tampoco sabía nada de Walter. Se había cruzado con él de pasada el día antes.

—¿Cómo estaba? —preguntó Gahalowood.

—No estaba muy allá, como puede imaginarse. Por lo de Alaska.

En ese momento, Vance llamó a Gahalowood.

—Perry, tienes que venir a ver esto.

Los dos policías fueron al edificio del siniestro. Las escaleras habían aguantado, y subieron al primer piso, donde los aguardaba ya Kazinsky. Unas pintadas enormes cubrían las paredes del corredor:

Puta infiel

Los investigadores entraron en el piso. El salón estaba calcinado y arrasado. Todo un paño de la fachada de madera había ardido por completo. Encontraron en el suelo fotos de Alaska que las llamas habían retorcido. Una cinta de plástico impedía el acceso al dormitorio: el suelo estaba demasiado deteriorado para arriesgarse a andar por él. Por lo que podía verse, era la habitación más afectada. No quedaba casi nada de la cama.

Un inspector del cuerpo de bomberos les comunicó sus primeras conclusiones:

—El incendio fue provocado; con lo deprisa que ardió el edificio ya nos lo imaginábamos. Está claro que usaron un acelerador, probablemente gasolina.

—La puerta de entrada parece intacta —comentó Gahalowood—. ¿Cómo entraron los bomberos?

—Iba a decírselo —confirmó el inspector—. Cuando llegaron los bomberos estaba abierta y está claro que no forzaron la cerradura.

—No se forzó, luego quien provocó el incendio tenía la llave.

—¿Walter? —sugirió Kazinsky.

—A lo mejor —asintió Vance—. Pero ¿por qué?

—Hay un elemento que me intriga —dijo entonces el inspector del cuerpo de bomberos—. El incendiario le prendió fuego a la cama.

—¿Prendió fuego a la cama?

—Sí, es algo que nunca había visto. Por lo general, prenden fuego a las cortinas y el incendio se extiende a partir de ahí. Pero, miren, no queda nada de la cama. Es un gesto simbólico: quería destruirla, no cabe duda, y sobre todo viendo lo que escribió en la pared.

Una inscripción igual que las otras ensuciaba la pared del dormitorio:

PUTA INFIEL

—Alaska lo engañaba y Walter Carrey lo sabía —dijo Vance.

—Pero ¿por qué escribir eso ahora que ya está muerta? —preguntó Kazinsky.

—Walter la mató en un arrebato de ira y está trastornado.

—Hay que emitir una alerta general para encontrarlo —decidió entonces Gahalowood—. No podemos perder ni un segundo.

Arrancó una operación a gran escala. Se movilizaron todas las policías de New Hampshire y de los estados vecinos. Sally Carrey tuvo que proporcionar una foto reciente de su hijo, que se repartió junto con su descripción y sus datos. No había transcurrido ni una hora cuando las cadenas de televisión local de New Hampshire interrumpían la programación para emitir un boletín informativo: la policía había desplegado un dispositivo de busca y captura de Walter Carrey, cuya foto aparecía a toda pantalla, como sospechoso de la muerte de Alaska Sanders.

Mount Pleasant era un hervidero.

Los investigadores estaban saliendo del piso de Walter Carrey cuando Gahalowood recibió una llamada de Keith Benton, de la policía científica.

—Su intuición era buena. Los restos de piloto que aparecieron en el bosque proceden de un Ford Taurus, de una serie fabricada a partir de 1995. En cuanto al rastro de pintura, lo hemos pasado por el espectrofotómetro y efectivamente es negra. Así que fue un Ford Taurus negro el que chocó contra el árbol.

Gahalowood colgó y les comunicó de inmediato la información a sus compañeros.

—¿Así que al final va a ser el coche de Walter Carrey el que estaba en el bosque? —preguntó Vance.

—Pero en su coche no había ninguna señal de haber chocado —comentó Kazinsky—. Parachoques impecable y pilotos traseros intactos.

—Pondría la mano en el fuego por que lo mandó arreglar a escondidas —dijo Gahalowood—. Hay que hablar con todos los talleres de la zona. Ocurrió durante el fin de semana. Tiene que ser algún conocido suyo quien le hiciera el favor sobre la marcha. Hay que empezar por los talleres de Mount Pleasant, no tardaremos en saber a qué atenernos.

Los policías no perdieron tiempo. El jefe Mitchell los acompañó en el recorrido de los pocos talleres con que contaba la ciudad.

Las dos primeras visitas no dieron ningún resultado. El tercer taller era un concesionario de Ford. El jefe Mitchell se presentó al dueño y pidió que le dejasen interrogar a los mecánicos. Pasó revista a los trabajadores y se acercó a uno de ellos, Dave Burke, un larguirucho con un mono de trabajo demasiado ancho. Era de la edad de Walter.

—Dave —le espetó el jefe Mitchell al joven, que parecía muy incómodo—, más de una vez te he visto andar por ahí con Walter Carrey, ¿no?
—Puede.
El jefe Mitchell replicó con dureza:
—¿«Puede»? ¿Eso quiere decir que sí o que no?
—Que sí —contestó Dave Burke con la cabeza gacha.
—¿Y no te pediría Walter que le echases una manita este fin de semana?
—No lo sé...
—Atiende bien, Dave —dijo irritado el jefe Mitchell—. Seguramente ya sabes que estamos buscando a Walter por asesinato. Así que, si no quieres meterte en líos, es el momento de hablar.
Tras un leve titubeo, el mecánico confesó a los policías:
—Walter vino aquí a verme el sábado.

*

Tres días antes
Sábado 3 de abril

Era media tarde. Dave Burke estaba fumando un cigarrillo delante del taller cuando oyó que lo llamaban discretamente: «¡Dave! ¡Pssst, Dave!». Miró en todas direcciones antes de divisar a Walter Carrey en la acera de enfrente, medio oculto tras un coche aparcado. Walter le hizo señas para que se acercase.
—¿Qué haces ahí, Walter? —preguntó Dave.
—Necesito pedirte un favor.
—A ver, dime.
—Esta mañana he dejado el coche delante de la tienda. Tenía que descargar material, quise retroceder hasta la entrada y me tragué uno de los postes de la marquesina.
—Vaya. ¿Ha sido mucho?
—Un piloto roto y el parachoques hundido. Mis padres vuelven mañana de vacaciones, me gustaría evitar que relacionasen mi coche con los daños. Mi madre aprovechará para volver a pintar toda la fachada y me lo descontará del sueldo.

Dave se echó a reír.

—Te entiendo, chico. ¿Por qué no traes tu cacharro al taller y miro a ver qué puede hacerse? Esto está bastante tranquilo hoy.

—No puedo traerlo aquí. A mis padres les llegaría el soplo enseguida. Te recuerdo que mi padre juega al póquer con tu jefe.

—¿Y qué sugieres?

—¿No tienes existencias de esas piezas?

—Para un Ford Taurus, ¡por piezas no va a ser!

—¡Genial! Coge lo que necesites y ven a casa de mis padres esta noche. He metido el coche en su garaje. Podrás hacer la reparación sin que nadie se entere.

*

—¿Así que fue allí? —le preguntó Gahalowood al mecánico.

—Sí, fue cosa de media hora. Cambié el piloto, volví a colocar el parachoques y retoqué la pintura y el barniz. Era poca cosa. El coche quedó como nuevo.

—¿No le pareció sospechoso?

—Sospechoso ¿por qué?

—Habían encontrado a su novia muerta esa misma mañana.

—No veo la relación entre su coche y el asesinato —se defendió el mecánico—. Le hice un favor a un colega y listo. En cambio, lo que sí me sorprendió fue que no me mencionase a Alaska. Su novia se había muerto y no parecía muy hundido que digamos.

Al salir del taller, Vance estaba hecho una furia.

—Walter se ha quedado con nosotros por todo lo alto. Tendríamos que haberlo detenido mientras lo teníamos a mano.

—Cualquier abogado lo habría sacado en una hora —comentó Gahalowood—. Aún no teníamos nada contra él.

Pero ese día todavía les tenía reservadas más sorpresas. A última hora de la mañana, un equipo de buceadores de la policía estatal llegó a Grey Beach para explorar el lago Skotam y sus alrededores. Gahalowood, Vance y Kazinsky observaban desde la playa los remolinos de los hombres rana en el agua. No llevaban ni media hora buscando cuando sacaron un objeto a la superficie. Un policía, a bordo de una Zodiac, volvió a la orilla y les llevó a los investigadores lo que acababan de encontrar: una porra extensible.

—Acertaste —le dijo Gahalowood a Vance—. El asesino se deshizo del arma nada más golpear a Alaska. No le quedó más remedio que rematarla estrangulándola.

*

Siete de la tarde. El dispositivo policial para localizar a Walter Carrey seguía sin dar fruto. En el cuartel general de la policía estatal, Vance, Gahalowood y Kazinsky no paraban de andar en círculos por su despacho.

—Más nos valdría volvernos a casa —sugirió Vance—. No vamos a pasarnos la noche aquí.

En ese momento llamaron a Gahalowood al móvil. Sus compañeros se quedaron quietos y aguzaron el oído; desde primera hora de la tarde, en cuanto sonaba un teléfono, tenían la esperanza de que fuera para anunciar la detención de Walter.

—Es Helen —comunicó Perry a sus dos compañeros—; siento aguaros la fiesta.

—¿Por qué vas a aguarles la fiesta? —preguntó Helen al otro lado del teléfono.

—Hemos identificado al asesino de Alaska, pero es imposible echarle el guante. ¿Cómo estás?

—Me encuentro bien, pero creo que esto ya no va a tardar.

Gahalowood les dijo a voces a sus compañeros: «¡Helen está de parto!».

Vance se abalanzó hacia el abrigo y las llaves.

—No es inminente —enmendó Helen—, pero noto contracciones leves.

—¿Has roto aguas? —preguntó Gahalowood.

—¡Ha roto aguas! —exclamó Vance, que no podía quedarse quieto.

135

—Que nadie pierda la calma —dijo Helen—. No he roto nada. Voy a darme un baño y a relajarme.

—Salgo enseguida —le prometió Gahalowood—. Te veo en casa.

Colgó.

—Vete enseguida con Helen —dijo Vance—. Y tennos al tanto, queremos ser los primeros en ver al bebé.

Pero Gahalowood iba a tener que retrasar la marcha, pues volvió a sonar su teléfono, y al instante sonaron los de Vance y Kazinsky. Walter Carrey acababa de entregarse en la comisaría de Wolfeboro.

Una hora después, llegaba debidamente escoltado al cuartel general de la policía estatal. Lo llevaron directo a las instalaciones de la brigada criminal, donde Gahalowood y Vance procedieron a interrogarlo.

—Están delirando —protestó Walter—. ¡Yo jamás le habría hecho daño a Alaska!

—Hemos encontrado tu ADN en la escena del crimen. Al huir, chocaste marcha atrás y mandaste arreglar urgentemente el coche el sábado por la tarde. ¡Lo sabemos todo!

—¡No estaba en Grey Beach! Pasé la velada en el National Anthem, ¿cuántas veces tengo que repetírselo? Lo del coche fue una idiotez mía. El sábado por la mañana me fijé en que tenía el piloto trasero roto. No sé cómo ocurrió, alguien me golpeó por detrás, supongo. ¡No me paso la vida mirando el coche por detrás! Y resulta que el sábado por la tarde, hablando con un amigo que es poli, me entero de que han encontrado en Grey Beach unos trozos de faro y un rastro de pintura negra. Me empezó a entrar el pánico y empecé a obsesionarme con que me iban a culpar a mí. Así que le pedí a mi colega Dave que me echase una mano.

—¿Y por qué hizo algo así, si no tenía nada de lo que arrepentirse? —preguntó Gahalowood.

—¡No lo sé! ¡Me acojonaron ustedes! Por la forma en que me interrogaron noté que me estaban tendiendo una trampa.

—¿Una trampa?

—Todos hemos oído esas historias de polis que esconden droga en el coche de un tío inocente para inculparlo.

—¡Deje de desbarrar, Walter! —dijo con voz atronadora Vance—. ¿También va a acusarnos de haber incendiado su casa?

Walter Carrey acusó el golpe.

—No —dijo—, lo del incendio ha sido cosa mía.

—¿Por qué lo ha hecho?

—Quería que el maldito sitio ardiera hasta los cimientos... Que ardiera la cama donde la muy zorra dejó que se la follaran.

—¿Quién? ¿Alaska? Tenía un amante, ¿es eso? ¿Tenía un amante, usted no lo soportaba y la mató? ¿Eso fue lo que ocurrió?

—¡Yo no la maté!

—¿Entonces por qué salió huyendo?

—Me pasé la noche bebiendo y, de madrugada, me entró la vena de destruirlo todo. Pinté las paredes, luego le prendí fuego a la cama. No pensaba que fuera a arder todo tan deprisa. Cuando me di cuenta de que la situación se me iba de las manos, me escapé. Encontré un motel en la carretera 28. Cogí una habitación y me desplomé en la cama. Al despertar, ya eran las doce pasadas y, al poner la tele, he visto mi cara por todas partes. Me ha entrado el pánico, me he quedado escondido. ¿Qué se suponía que tenía que hacer? Al final, como no tengo nada de lo que arrepentirme, he decidido entregarme. Si fuera culpable, ¿por qué iba a entregarme?

—Porque está acorralado y cree que hacerse el tonto va a salvarlo.

—Me han dicho que tenía derecho a un abogado, quiero uno —exigió Walter Carrey.

Walter no tenía abogado, pidió uno de oficio. Gahalowood y Vance salieron de la sala. Kazinsky, que había seguido el interrogatorio desde una habitación contigua a través de un espejo sin azogue, se reunió con ellos en el pasillo.

—Supongo que quiere ganar tiempo —opinó Vance—. Más vale que llame ahora mismo al turno de oficio, por si hay alguno y viene enseguida.

Salió a hacer la llamada.

—He hablado con el turno de oficio —dijo al reunirse con sus dos compañeros en el pasillo—. Mandan a alguien «lo antes posible». ¡Dios sabe lo que querrá decir eso! Tenemos dos horas por delante por lo menos.

—¿Y si aprovecharnos para pedir algo de comer? —sugirió Kazinsky.

Vance tenía otra idea:

—¿Y si llamásemos al despacho del fiscal? —sugirió—. Podríamos meterle el miedo en el cuerpo a Carrey diciéndole que su única oportunidad de librarse de la pena de muerte es confesarlo todo ya mismo.

—No sin que esté presente un abogado —objetó Perry—, si no, vamos a acabar con un vicio de forma.

Gahalowood miró el reloj de pulsera. Hacía ya un buen rato que Helen había notado las primeras contracciones. No quería esperar más.

—Lárgate —le dijo Vance como si le hubiera leído el pensamiento—. No te pierdas el nacimiento de tu hija por un asesino. Y, además, es inútil que estemos aquí los tres de plantón.

—¿Estás seguro?

—¡Segurísimo! —insistió Vance—. Ya cuidamos la casa Kazinsky y yo.

—De acuerdo —dijo Perry—. Tenedme informado.

—No —replicó Vance sonriendo—. ¡Tennos informados tú!

Gahalowood salió de los locales de la brigada criminal y bajó a toda prisa las escaleras para llegar al aparcamiento y a su coche. Sin imaginar el drama que iba a ocurrir en el primer piso del cuartel general de la policía estatal.

El entierro de Helen Gahalowood se celebró el jueves 27 de mayo de 2010. Hacía una tarde espléndida. Brillaba el sol. En los árboles del cementerio cantaban los pájaros a más y mejor. La naturaleza nos castigaba con la insolente promesa del buen tiempo.

6. Penas
Concord, New Hampshire
Mayo de 2010

Frente al ataúd, que custodiaban unos ramos de rosas blancas, la familia y los amigos de los Gahalowood, sentados en sillas plegables puestas en hilera, escuchaban la oración del pastor. Perry, en primera fila, rodeaba a sus hijas con los robustos brazos. A petición suya, me había colocado detrás de él; no podía verle las lágrimas, pero las intuía por los movimientos del cuerpo. Le tenía puesta la mano en el hombro como si pudiera con ese gesto irrisorio aliviar su dolor.

Lo que más me impresionó durante esas honras fúnebres fue la ruidosa pena de los asistentes. Era la alabanza más vibrante. El homenaje más elocuente. Revelaba todo el amor que había inspirado la difunta: no tanto lo que había sido cuanto lo que ya no volvería a ser sin ella.

A continuación, las hijas de Perry y de Helen, Malia y Lisa, entonaron con acento desgarrador *Amazing Grace*. Luego estaba previsto que Perry tomase la palabra. Pero, en vez de ponerse de pie para subir a la reducida tarima, se volvió hacia mí y me alargó un papel arrugado. Era incapaz de articular ni una palabra. Fui yo, pues, quien se apostó ante el ataúd de Helen, de cara a los asistentes. Al abarcar con la mirada ese cementerio florido, pensé que aquel era un momento hecho a la medida de Helen, esto es, de una perfección abrumadora, algo sublime y apabullante. Luego miré el texto, salpicado de rastros de lágrimas que habían corrido la tinta.

Al pronunciar las palabras de Perry, tuve que agarrarme al atril de madera para no flaquear. Evocar la reciente tragedia de Helen me remitía brutalmente a un capítulo muy difícil de mi propia vida: la muerte, pocos años antes y en circunstancias desgarradoras, de mi tía Anita.

Después del sepelio, había un ágape en el domicilio de los Gahalowood. La casa estaba a rebosar. Como el servicio de catering estaba un poco saturado, acudí en su ayuda. Con una fuente de entremeses en una mano y una botella de vino en la otra, deambulaba por las habitaciones de la planta baja, donde los invitados habían formado corrillos.

Tuve ocasión de presentarme a la familia de Helen y a sus compañeros de trabajo. Me emocionó descubrir que todos me conocían, no como a Goldman, el escritor, sino como a Marcus, el amigo de los Gahalowood. Hacía mucho tiempo que no me sentía tanto yo mismo, liberado por unas horas de mi atavío de Goldman.

Poco a poco, las conversaciones desperdigadas acabaron teniendo el mismo tema: Helen. Todos la rememoraron con algún recuerdo suyo que les había dejado huella. Cuando me llegó el turno, me pidieron que contase en qué circunstancias la había conocido. Para sobreponerme a mi aflicción me esforcé en recurrir al humor:

—Helen era una mujer extraordinaria. Para tener el privilegio de tratarla tuve primero que apechugar con Perry. —Una risa cundió entre los asistentes—. La primera vez que vi a Perry fue hace dos años y medio, al principio de la investigación del caso Harry Quebert. Todavía me acuerdo de la fecha: el 18 de junio de 2008. Un día difícil de olvidar: Perry me había sorprendido cargándome la escena del crimen y me apuntó con su arma reglamentaria. Ni más ni menos. Luego se quejó de que mi libro era espantosamente malo y me exigió que le devolviera los quince dólares que le había costado.

—Es verdad —confirmó Perry, dando pie a una carcajada general.

—Le di cincuenta dólares y no tenía cambio.

—¡Tenía cambio, pero era usted muy irritante, escritor!

Los asistentes se reían.

—Poco después de ese episodio —seguí contando—, Perry, que por fin había caído en la cuenta de que yo era buen tío, me invitó a cenar a su casa.

—¡Era solo porque me daba pena! Estaba sufriendo amenazas.

—Me acuerdo de esa noche de verano, aquí mismo, en esta casa, la noche en que Helen entró en mi vida. Me abrió su corazón como poca gente lo ha hecho. Era toda dulzura y cariño. Era la generosidad personificada. Volvía mejor el mundo. Hoy, amigos míos, al recordar a Helen ante vosotros, estoy a un tiempo desesperado por haberla perdido y agradecido por haberla tratado. Aún no hemos domesticado del todo la muerte. No olvidemos que es inherente a la vida. Hay que hablar de los que se van para que sigan vivos. Si, por pudor, evitamos recordar su memoria, entonces es cuando los enterramos de verdad. Hace unas semanas tuve el placer de encontrarme con los Gahalowood en Florida. Cenamos en casa de mi tío Saul, que es un hombre al que quiero de verdad. Me hizo muy feliz que mi tío conociera a Helen. Y, si me lo permitís, me gustaría mencionarlo aquí y repetir las palabras que pronunció en el entierro de mi tía Anita: «El gran fracaso de la muerte es que solo puede acabar con la materia. No tiene nada que hacer contra los recuerdos y los sentimientos. Antes bien, los reaviva y nos los ancla para siempre, como para pedirnos perdón diciendo: "Es verdad, os quito mucho, pero fijaos en todo lo que os dejo"».

Lo que me intrigó ese día en casa de los Gahalowood fue no ver a ningún compañero de Perry. El único representante de las fuerzas del orden era el jefe Lansdane, de la policía estatal de New Hampshire, a quien yo había conocido durante el caso Harry Quebert. Contaba con encontrar allí a decenas de policías, solidarios del compañero de luto, todos de uniforme de gala. Me desconcertó tanto que me desahogué con el jefe Lansdane.

Probé a trabar conversación con sutileza ofreciéndole una fuente de canapés de salmón de la que él ya había picado en dos ocasiones.

—Aparte de usted, no veo a ningún policía —le comenté mientras se comía el pan tostado.

Tragó antes de responderme:

—¿Y eso lo sorprende, Marcus?

—Sí, lo reconozco... ¿Dónde están los compañeros de Perry?

El jefe Lansdane clavó en mí una mirada circunspecta.

—¿Durante el caso Harry Quebert no le llamó la atención que Perry investigase solo? —me preguntó.

—Le confieso que en aquel entonces no, la verdad, pero ahora que lo dice...

—Normalmente, los policías trabajan de dos en dos, nunca solos. Menos Perry Gahalowood.

—¿Por qué? —inquirí.

—¿Nunca le ha contado lo que ocurrió hace once años?

—No.

—Da igual —decretó Lansdane—. El hecho es que Perry no tenía ya mucha afinidad con los demás miembros de su brigada y que el caso Harry Quebert no mejoró las cosas.

—¿Qué relación tiene eso con el caso Harry Quebert?

—Déjelo estar, Marcus. Este no es momento ni lugar.

—Ahora que lo ha dicho, no me puede dejar así.

Lansdane miró a su alrededor; estábamos lejos de cualquier oído indiscreto. Acabó por decirme en tono confidencial:

—Perry peleó para que le asignaran el expediente de Nola Kellergan, que, en principio, les había correspondido a otros dos policías. Era un caso delicado, Harry Quebert era una personalidad de primera fila. Perry me convenció para que le pusiera a él al frente de la investigación. Él y yo nos conocíamos bien. Por entonces yo era su superior en la brigada criminal antes de convertirme en jefe de la policía estatal. En resumen, lo arreglé para que pasara a él ese expediente y sus compañeros no se lo perdonaron nunca.

—Pero ¿por qué tenía tanto interés en investigar él el asesinato de Nola Kellergan?

—Creo que veía en ello la oportunidad de redimirse. ¿Sabe, Marcus? En el fondo por eso es por lo que me cae usted bien. Con el caso ese de Harry Quebert montó un follón tremendo, pero ayudó a Perry a curar una herida que seguía abierta.

—¿Qué herida?

—No puedo decirle más. Si Perry nunca le ha mencionado nada de eso, seguramente será por una buena razón. Le corresponde a él contárselo.

Dicho lo cual, Lansdane se dio media vuelta y me dejó plantado.

*

Cuando los últimos invitados y el servicio de catering se marcharon, me quedé para recoger la casa. Estaba solo en la planta baja. Las chicas habían ido a acostarse y creía que Perry había hecho otro tanto. Me afané en ordenarlo todo para que por la mañana se encontrasen las cosas en su sitio: vacié el lavavajillas, fregué un cenicero olvidado, guardé las fuentes que se habían quedado secándose. Apagué las últimas luces y me disponía a esfumarme. Tenía previsto pasar la noche en un hotel vecino para estar a disposición de Perry al día siguiente si me necesitaba, pero sin estorbarlo con una presencia continua.

Ya me estaba marchando cuando Perry se presentó en la cocina como si subiera de los infiernos. Pálido, desmadejado. Le asomaba el corazón a los ojos. Nos miramos. Supe en ese momento que iba a quedarme una temporada en su casa. Perry se limitó a susurrar: «Ya sabe dónde están las sábanas del sofá cama».

Luego agarró una silla y se sentó. Eso quería decir, en su idioma, que necesitaba hablar. Serví dos buenos vasos de whisky. Con voz cavernosa me contó la muerte de Helen. Ya me había referido parte de los hechos. En realidad, seguramente había repetido esa historia decenas de veces y seguiría haciéndolo. Durante mucho tiempo, en todas sus conversaciones, incluso las más anodinas —en la peluquería, en el supermercado, con un antiguo conocido con quien se topaba por la calle—, le infligieron el daño de revivir esa tragedia: «¿Que Helen ha muerto? Pero ¿qué ha ocurrido?». Había ocurrido que una noche, al volver tarde del trabajo, Helen se había parado en el aparcamiento del restaurante de una cadena de comida rápida, probablemente para cenar. Aparcó el coche, pero nunca se bajó de él. Dos horas después un transeúnte se había fijado en el cuerpo de Helen dentro del coche, caído en una postura rara encima del volante, y había llamado a emergencias. Pero esa intervención fue en vano. Ya era demasiado tarde.

Helen había muerto de un ataque al corazón. El infarto había empezado de hecho unas horas antes: se había quejado a sus compañeras de que le dolía la espalda y tenía náuseas. Una de ellas incluso había bromeado diciéndole que ya no tenía edad para estar embarazada y Helen se había reído de buena gana. Pensó que era un poco de cansancio pasajero, algo de agotamiento.

—Llevaba ya algún tiempo sin encontrarse bien del todo —me explicó Perry—. Se suponía que el viaje a Florida iba a ser para que recargara un poco las pilas. Hubo que hacerle la autopsia, es lo que dice la ley. El médico me dijo que una de cada dos mujeres que tienen un infarto no se da cuenta de los síntomas.

Me dio la impresión de que Perry se sentía culpable por algo.

—No tuvo usted ninguna culpa, sargento —le dije—. Probablemente no habría podido hacer nada.

Hizo una mueca.

—No es tan sencillo, Marcus. —Nunca lo había oído llamarme por mi nombre de pila—. La noche de su muerte, Helen estuvo intentando desesperadamente localizarme por el móvil.

—Estoy enterado —lo tranquilicé—, me lo han dicho las niñas. Se había quedado traspuesto y no oyó el teléfono. Le puede pasar a cualquiera.

—¡No estaba dormido, Marcus! ¡Le he mentido a todo el mundo! Esa noche estaba aquí mismo, en esta cocina, y me quedé mirando cómo vibraba el móvil encima de la mesa. No hice caso de sus llamadas a sabiendas.

Me quedé atónito. Gahalowood añadió:

—Como no contestaba, al final me dejó un mensaje de voz.

Trasteó en el móvil. Un aviso electrónico indicó primero que el mensaje se había recibido el 20 de mayo a las 21.05 h, y, de repente, se oyó la voz de Helen: «Perry, ¿dónde estás? Llámame, llámame, por favor. Es urgente».

—No me lo perdonaré nunca —sollozó Gahalowood—. Si hubiera contestado a Helen, si hubiera escuchado el puñetero mensaje...

—Sargento, ¿qué les pasaba a Helen y usted?

—Me estaba engañando.

—¿Cómo? ¿Está seguro?

—Casi.

—No puedo imaginarme a Helen teniendo una aventura, sargento.

—Eso es porque es usted un sentimental.

Perry había notado que desde hacía varias semanas su mujer tenía un comportamiento inusual.

—Faltaba mucho de casa —me explicó—. Volvía tarde de la oficina, cosa que no le había pasado nunca. Cuando me extrañé, me explicó que su nuevo jefe era mucho más exigente que el anterior. Se notaba a la legua que no me estaba diciendo la verdad. Que me rehuía. A raíz de eso, la relación se tensó.

—¿Cuándo empezó la cosa?

—En abril, poco después de que viniera usted al cumpleaños de Lisa.

—Así que en Florida, cuando los vi, ¿estaban en plena crisis?

—En plena crisis.

—¡Pero si los vi a partir un piñón!

—Las apariencias, escritor. Las apariencias son el cemento de nuestra vida social. Pero, de puertas para adentro, todo se viene abajo. De hecho, fue justo antes de irnos a Florida cuando descubrí el pastel. ¿Se acuerda de esa famosa noche en que hablamos por teléfono? Estaba usted en su isla paradisiaca, tan melancólico...

—Y usted parecía igual de hecho polvo, sargento —comenté.

—Ese día Helen me había avisado de que tenía que quedarse hasta tarde en la oficina para terminar una presentación. Me entraron dudas y me planté en su despacho. Debían de ser las nueve. Al llegar a la primera planta, todo estaba apagado, solo estaban las limpiadoras, a punto de irse.

—Eso no demuestra nada —objeté.

—Llamé a Helen, pero no me contestó —siguió contando Perry—. Entonces fui a dar una vuelta por el barrio; no tuve que andar mucho para encontrarla sentada en un restaurante, a solas con su jefe.

Me quedé desconcertado.

—¿Y qué hizo usted? —pregunté.

—Nada. Me quedé en blanco. No quería creerlo. Me volví a casa. Helen regresó ya de madrugada. Al día siguiente, cuando le pregunté qué tal la noche, me contestó tan tranquila que la había pasado ante la pantalla del ordenador.

—¿Y luego?

—Teníamos que irnos a Florida a los dos días y decidí no decir nada. Quizá por cobardía, o porque tenía la esperanza de que el viaje sirviera para recomponer lo que se había roto.

—Pero, vamos a ver, sargento, ¿por qué no me contó nada cuando nos vimos a los pocos días en Miami?

—Demasiado difícil. Ni siquiera habría sabido por dónde empezar. Ya sabe, uno suele jurar que, si su pareja le engañase, la dejaría en el acto. Pero en realidad no es tan fácil. Estás solo, con ese nudo en el estómago, con la esperanza de que todo desaparezca. Y además están los hijos... En resumen, al volver de Florida, Helen y yo estábamos más distanciados que nunca, tanto más cuanto que tenía la prueba de que me mentía.

—¿A saber?

—Hacía muchos kilómetros. Soy poli, así que empecé a vigilar el kilometraje del coche para intentar entender qué se traía entre manos. Si pasaba de verdad las primeras horas de la noche en la oficina, como aseguraba, no tenía que recorrer mucho más de la distancia de ida y vuelta de aquí al centro de Concord.

—Pero supongo que no era así...
—Supone bien, escritor.
—Y entonces ¿qué ocurrió la noche de su muerte?
—Supuestamente estaba en la oficina. Me avisó a última hora. Cené solo con las chicas, y me quedé en la cocina esperando a que volviera. Incluso me prometí que esta vez le plantaría cara para acabar con esa mentira. Por eso no contesté cuando me llamó. No quería que volviera a contarme una patraña. No quería que justificase que iba a volver aún más tarde, que me dijera que tenía que terminar un expediente y que no la esperase despierto. No quería que tuviera la oportunidad de escaquearse. Así que no contesté. Miré cómo vibraba el teléfono. Ni siquiera escuché el mensaje. Más tarde, el jefe Lansdane llamó a la puerta. No fue un transeúnte quien descubrió a Helen, como le he contado a todo el mundo. Helen llamó a Lansdane, no sé por qué a él. Probablemente porque ya no sabía qué hacer, pero llegó demasiado tarde. Esta es la verdad, Marcus: ¡estuve mirando cómo sonaba el puto móvil mientras dejaba que Helen se muriera!

—¡No piense en eso, sargento!
—¡Pero en qué quiere que piense, maldita sea!

Con un gesto iracundo tiró el vaso contra una pared de la cocina y luego se desplomó encima de la mesa, con la cara entre las manos. Le dije con suavidad:

—Vaya a acostarse, sargento. Necesita dormir. Ahora lo recojo todo.

Obedeció. Sin decir palabra subió a su cuarto como una sombra. Esa noche no pude conciliar el sueño. Volvía a pensar en el mensaje que había mandado Helen. Le decía a Perry: «Es urgente». En mi opinión no daba a entender que se tratase de una urgencia médica, sino más bien la necesidad de compartir una información. ¿Qué había ocurrido esa noche en la vida de Helen Gahalowood? ¿Y qué había descubierto?

A la mañana siguiente, mientras intentaba recuperarme de una noche casi en blanco tomando una taza de café en el porche de la casa, una cartera dejó el correo en el buzón. Me hizo una seña amistosa. Me acerqué.

—¿Es usted familiar de Helen Gahalowood? —me preguntó.
—Como quien dice.
—Qué historia tan terrible. Una mujer tan joven, tan simpática. Era la única en el barrio que me saludaba siempre y que se acordaba de darme el aguinaldo a final de año. Deles mi más sentido pésame a su marido y a sus hijas, por favor. Me llamo Edna...
—Cuente con ello, Edna.
Tras un titubeo, preguntó:
—¿Helen les habló del sobre?
—¿Qué sobre?

*

Unas semanas antes

Esa mañana, mientras estaba haciendo el reparto cotidiano, Edna se encontró a Helen Gahalowood plantada junto al buzón, esperando a que pasara. Parecía nerviosa y la cartera se fijó en que tenía en la mano un sobre azul.
—Edna —la llamó Helen—, ¿fue usted quien dejó esto en mi buzón ayer?
Se le notaba en el tono cierta contrariedad.
—Reparto cientos de cartas al día —explicó Edna, un tanto desconcertada—, no puedo acordarme de cada sobre que me pasa por las manos. Pero déjeme echarle una ojeada.
Al darle la vuelta al sobre, se fijó en que no llevaba nada escrito e iba sin franquear.
—No puede ser de un reparto de correos, Helen —dijo—. De hecho, no hay ni nombre ni señas. ¿Cómo íbamos a saber que iba dirigido a usted? ¡Ni que fuésemos adivinos!
—Y, si no es usted quien lo ha dejado en el buzón, ¿quién ha sido?
—Alguien que la conoce y que vino a dejarlo en mano. ¿A lo mejor un vecino? ¿O un admirador secreto? —bromeó Edna.

*

—No le hizo gracia —aclaró Edna—. Parecía irritada de verdad.

—¿Y qué había en el sobre? —pregunté.

—Helen no llegó a decírmelo. Fue la última vez que la vi.

—¿Y eso cuándo fue?

—No me acuerdo con exactitud, el tiempo pasa tan deprisa... Debe de hacer por lo menos dos meses.

—¿Sería capaz de concretar algo más? Algún detalle que le volviera a la memoria sobre ese día...

Se quedó pensando y luego me dijo con una repentina iluminación:

—¡Fue el mismo día que la amenaza de bomba en el Capitolio de New Hampshire! ¡Vaya caos de mañana! Toda la ciudad colapsada. Iba retrasada con el reparto. Sí, ahora estoy segura. Fue el mismo día.

Bastó una búsqueda rápida en internet para encontrar la fecha de esa amenaza: fue el 7 de abril. Helen se había quejado el 7 de abril de una carta recibida la víspera, es decir, el 6. Es decir, el día en que fui a casa de los Gahalowood y, sobre todo, el del cumpleaños de Lisa. ¿Era una coincidencia? ¿Y qué contenía ese sobre? ¿La llamada de Helen a Perry la noche de su muerte tenía que ver con la carta?

Mi primera hipótesis fue relacionar las sospechas de adulterio con esa carta. ¿Alguien la estaba chantajeando? Tenía que aclarar todo eso y la primera persona a quien tenía que preguntarle era al jefe de Helen.

Así que fui a su lugar de trabajo, en el centro de Concord, sin decirle ni palabra a Gahalowood. El jefe de Helen era un tal Mads Bergsen, un danés simpático a quien había conocido en el funeral. Me recibió en su despacho.

—Marcus, ¿qué lo trae por aquí? —me preguntó amablemente, mientras me invitaba a tomar asiento en un sillón de cuero.

—Quería hablarle de Helen.

—Soy todo oídos.

No me apetecía preguntarle sin más por una eventual relación entre ellos y opté por marear un poco la perdiz.

—A su marido le parecía que últimamente estaba distante —expliqué—. Tenía un comportamiento extraño, por lo visto se pasaba las primeras horas de la noche en la oficina. Tenía que terminar un proyecto importante, ¿es eso?

Mads Bergsen dejó escapar un suspiro que parecía apurado.

—Como sabe, Marcus, soy danés. Y en Dinamarca no somos partidarios de ese tipo de estupideces.

Había caído en mi propia trampa: Mads Bergsen aludía a algo que yo no captaba. Me vi en la obligación de preguntar:

—¿A qué estupidez se refiere?

—A la estupidez de quedarse en la oficina hasta las tantas. Eso es un invento de los estadounidenses. Como si, para demostrar lo que vale, uno tuviera que salir el último de la oficina o enviar correos electrónicos en plena noche y durante el fin de semana. No tiene ni pies ni cabeza. En realidad, si tienes que hacer horas extraordinarias es porque no has conseguido hacer el trabajo que te piden en el tiempo que te han asignado y, por lo tanto, hay que despedirte. Es lo que siempre les he dicho a mis equipos, y a Helen también. Soy el último que se va de esta oficina a eso de las siete, sistemáticamente. Aquí nadie acaba tarde. No tengo esa mentalidad.

—¿Insinúa entonces que Helen no estaba en la oficina por las noches y que le mentía a su marido?

Asintió con la cabeza.

—¿Y qué hacía entonces?

—Ni idea.

Me daba la impresión de que Mads Bergsen no me decía toda la verdad y me decidí a jugar mi baza.

—En cualquier caso, sí lo sabe en lo referido a cierta noche —dije tajante—, puesto que llevó a Helen a cenar a solas. Su marido los vio a los dos. ¿Hace lo mismo con todas sus empleadas? A lo mejor está de moda en Dinamarca...

Por toda respuesta, Mads se levantó para coger un marco encima de su escritorio y me lo alargó. Era una foto suya, vestido de novio, besando a otro hombre en toda la boca.

—Benjamin y yo nos casamos hace dos meses. Fuimos de las primeras parejas de hombres en darse el «sí, quiero» desde que se legalizó el matrimonio homosexual en New Hampshire.

—Soy un idiota —suspiré.

—No, Marcus, es un amigo que se preocupa por la gente a la que quiere. Helen me hablaba de usted a menudo, ¿sabe?

—¿Qué le decía?

—Que era un buen tío. Y ya lo estoy viendo. Se alegraba de que hubiera entrado en la vida de su marido. Helen tenía problemas, Marcus. En efecto, la invité a cenar una noche porque me tenía preocupado.

*

19 de abril de 2010

Eran las siete cuando Mads Bergsen cerró la puerta de su despacho. Como todas las tardes, antes de irse dio una vuelta rápida por las oficinas. Saludó a las limpiadoras que empezaban su jornada laboral y se encaminó a los ascensores. Fue entonces cuando, al pasar delante del despacho de Helen, la vio por el panel acristalado. Estaba en su puesto de trabajo, llorando. Él asomó la cabeza por la puerta entornada:

—Helen, ¿qué te pasa?

Ella se secó las lágrimas.

—Nada, Mads. Perdona, todo va bien.

—No tienes que disculparte; salta a la vista que no estás bien.

—No sabía que aún andabas por aquí.

—Mejor —dijo Mads—. Así puedes contarme lo que te preocupa.

Ella se levantó y fue a por el abrigo.

—No te preocupes. Tengo que irme corriendo.

—¿Adónde?

Ella se quedó parada delante de Mads y de pronto rompió a llorar.

—Estoy al límite, Mads —susurró mientras descansaba la cabeza en el hombro de él.

La abrazó con ademán reconfortante.

—No voy a dejar que te vayas en semejante estado. Ven, te llevo a cenar.

Entraron en un restaurante italiano a pocos pasos de la oficina. Estaba claro que Helen necesitaba sincerarse, aunque aún no estuviera del todo lista. Lo primero que pensó Mads fue que tenía problemas en el trabajo. Sacó a colación el tema, pero Helen le aseguró que en ese aspecto todo iba bien.

—Tiene que ver con Perry —dijo por fin.
—¿Qué le pasa? —preguntó Mads.
—Todavía no lo sabe.

*

—¿«Todavía no lo sabe»? —repetí después de que Mads Bergsen me contara esa escena.
—Esas fueron sus palabras exactas —me aseguró—. No quiso decirme nada más. Nunca he sabido dónde quería ir a parar. Lo que sí hizo esa noche fue pedirme que la cubriese si Perry venía a la oficina a preguntarme por sus horarios. Pero no vino.
—Perry pensaba que Helen tenía un amante. Y que era usted.
—Aunque así fuera, no era yo, ya se habrá dado cuenta. Pero dudo que Helen tuviera una aventura. Sus preocupaciones tenían que ver con Perry. Al menos eso me pareció. Después de esa cena ya no volvió a surgir el tema.
—¿En algún momento mencionó una carta? —pregunté.
—¿Una carta? No, ¿por qué?
—Por nada. ¿Me daría permiso para echarle un vistazo a su despacho?

El despacho de Helen estaba tal cual. Mads había tenido la elegancia de no tocar nada hasta que Perry no hubiera ido a recoger los efectos personales de su mujer. Yo había tenido la esperanza de que Mads me dejase a solas un minuto, pero se quedó en el umbral, mirándome fijamente mientras abría los cajones y revolvía los documentos colocados encima del escritorio. Estaba menos simpático, se preguntaba qué pintaba yo allí y se arrepentía de haberme dejado entrar en el despacho.
—¿Se puede saber qué es eso tan importante que está buscando? —acabó por preguntar, irritado.

—Algún documento personal que Helen podría haber dejado aquí.
Pero no encontré nada. No tenía la menor pista.

*

Tras la visita a Mads Bergsen, fui al aparcamiento donde Helen había muerto. Era el aparcamiento del restaurante de una cadena de comida rápida, Fanny's, cerca de una salida de la autopista. Fue más una peregrinación que un intento de encontrar lo que fuera, y estuve una hora larga mirando las filas de coches anónimos, tratando de imaginar el sitio exacto en que Helen se había sentido desesperadamente sola mientras le fallaba el corazón. Antes de irme, entré en el Fanny's para pedir un café.

—¿Es usted policía? —me preguntó el empleado que me atendió.

—No. ¿Por qué?

—Por nada. Lo he visto fuera, dando vueltas por el sitio en que se murió esa señora el mes pasado y se me ha ocurrido que a lo mejor tenía algo que ver.

Ese comentario me intrigó: ¿por qué iba a volver la policía, un mes después de los hechos, al lugar en el que alguien había muerto de un simple ataque al corazón? Me di cuenta de que allí había un hilo del que tirar.

—De hecho, sí que soy un allegado de la mujer a la que se refiere —le expliqué—. Quería ver el sitio donde murió.

—Lo acompaño en el sentimiento.

—Gracias. ¿Le tocaba trabajar esa noche?

—Sí, incluso llegué a hablar con ella, con esa señora. Pobre, se notaba que no se encontraba bien.

—¿Quiere decir físicamente?

—No, de ánimos. Me acuerdo muy bien de esa noche. ¿Cómo olvidarla? No había casi nadie, yo esperaba detrás de la barra. La vi entrar y sentarse a una mesa sin pedir nada. Parecía desesperada. Como si se hubiera enterado de una noticia terrible o si tuviera miedo. Me acerqué porque las normas de la casa son «sin consumición, no hay mesa». Pero, en fin, la norma me fastidiaba un poco. Estaba jugueteando muy nerviosa con el móvil. Parecía totalmente perdida. Le expliqué que tenía que pedir una consumición para sentarse. Me dijo: «Tráigame lo que quiera». Le indiqué que tenía que pedir en la barra, que yo no podía servir mesas porque había cámaras y, si el encargado lo veía, podía quedarme sin trabajo. Masculló algo y acabó por irse.

—¿Qué hora era?
—Las diez más o menos.
—¿Y después?
—Después se presentó ese poli.

El empleado no parecía referirse a la policía en general, sino a alguien en particular.

—¿Qué poli? —pregunté.
—Un buen rato después de haberse ido la señora llegó un tipo al restaurante. Recorrió las mesas con la mirada, se acercó a la barra y enseñó una placa de policía. Me dijo que había quedado con una mujer y me describió a la señora en cuestión. Le conté lo que acabo de contarle a usted, luego fue a mirar al aparcamiento y supongo que se la encontró sin vida en el coche.

—¿Y por casualidad sabe cómo se llama ese poli?
—Sí, me dejó su tarjeta por si acaso... Creo que además es un jefazo. Espere...

El empleado se alejó para consultar el cuadrante de los turnos y cogió una tarjeta de visita. Descubrí el nombre que figuraba en ella: era el jefe Lansdane. Me quedé estupefacto.

—¿Ese hombre le dijo que había quedado aquí? —pregunté.
—Tal cual —me confirmó el empleado.

Algo no encajaba. Perry me había contado que Helen había llamado a Lansdane la noche de su muerte. Pero si Lansdane se había presentado en este restaurante fue porque ella lo había citado allí. Así que no lo había llamado porque se encontrase mal. Tenía que hablarle de algo. Pero, antes de que llegase Lansdane, el camarero la había echado y ella se había vuelto al coche, donde le había dado un ataque al corazón. Lansdane sabía algo de Helen que Perry y yo ignorábamos.

Llamé a Lansdane en el acto. Tras unas pocas palabras me interrumpió: «Preferiría que hablásemos de todo esto cara a cara. ¿Está libre dentro de una hora?».

Me reuní con el jefe Lansdane en un parque del centro de Concord. Era un día caluroso, de verano adelantado. El sol inundaba la explanada. Me estaba esperando en un banco de piedra delante de una gran fuente.

—Para empezar, debo decirle que no estoy enterado de gran cosa —se sinceró de entrada Lansdane—. Me cae muy bien Perry, pero no puede decirse que seamos íntimos. Sin embargo, hace unas semanas Helen dijo que quería verme. Tomamos un café. Le vi muy mala cara. Si he de ser sincero, lo que decía no era muy coherente. Me dijo que estaba pasando por una mala racha, que tenía preocupaciones que no podía compartir con Perry.

—¿Por qué no podía decirle nada?

—Eso mismo dije yo —me contestó Lansdane—. ¿Y sabe qué me respondió? «Para protegerlo».

—Pero protegerlo ¿de qué? ¿De esa carta que había recibido?

Lansdane clavó en mí una mirada perpleja.

—¿Está al corriente de lo de la carta?

—He sabido por la cartera que Helen había recibido un sobre que la puso muy nerviosa. Pero está claro que usted ya lo sabe.

—No lo descubrí hasta la noche de su muerte. Después de ese encuentro no volví a saber nada de Helen. Hasta aquella noche trágica. Me llamó por teléfono, era tarde. Yo le había dado mi número de móvil para un caso de necesidad. Y estaba claro que lo era. Estaba muy trastornada. Me dijo que no conseguía localizar a Perry y que necesitaba ayuda. Que había recibido una carta anónima y que había descubierto la identidad del remitente. Me citó en el Fanny's a la salida de la autopista. Cuando llegué, ni rastro de Helen dentro del local. Por fin di con ella en su coche. Estaba muerta.

—¿Y esa famosa carta? —pregunté—. ¿Pudo usted encontrarla?

—No. Registré el coche, los portaobjetos, la guantera. Nada.
—¿Sabe al menos de qué trataba esa carta?
—Todo cuanto me dijo Helen fue que tenía que ver con el caso Alaska Sanders.
—¿El caso Alaska Sanders?
—Hace once años, en la primavera de 1999, encontraron a una joven asesinada en un bosque de New Hampshire. La investigación la llevaba Perry con uno de sus compañeros, además de amigo, el sargento Vance. Detuvieron enseguida a un sospechoso, el novio de la muchacha. Pero ocurrió una tragedia.

Lo que me contó el jefe Lansdane me dejó sin habla.

Tres días después del asesinato
Martes 6 de abril de 1999

Las once menos cuarto de la noche. Perry Gahalowood era padre por segunda vez desde hacía una hora. En un pasillo desierto de la maternidad del hospital de Concord llamó a sus suegros para anunciarles el nacimiento de Lisa. Helen estaba muy bien, descansando. Y la chiquitina había venido al mundo sanísima.

Sacó de una máquina expendedora un café en un vasito de plástico y una chocolatina que hicieron las veces de cena. Luego quiso llamar a Vance para hacerlo partícipe de la buena noticia y también para saber qué había ocurrido con el interrogatorio de Walter Carrey. Pero, antes de que pudiera hacerlo, sonó su móvil: era Lansdane. Convencido de que llamaba para darle la enhorabuena, Gahalowood contestó con tono alegre:

—¡Se llama Lisa!

En el otro extremo de la línea, Lansdane mantuvo un prolongado silencio. Luego dijo con voz cavernosa:

—Perry, tiene que venir inmediatamente al cuartel general. Ha ocurrido algo muy grave.

Cuando llegó ante el edificio de la policía estatal, Perry se encontró con un batallón de vehículos de emergencias que alumbraban la noche de azul y rojo con las luces giratorias. Furgones de la unidad especial de intervención, ambulancias y camionetas de la policía científica.

Dejó atrás un primer cordón policial que controlaba el acceso al edificio. A la pregunta «¿Qué ha ocurrido?», todo el mundo le contestaba: «En los locales de la brigada criminal». Subió de cuatro en cuatro los escalones hasta el primer piso y se abalanzó pasillo adelante, presa de los nervios. Se reunió con Lansdane, que bloqueaba el acceso a la sala de interrogatorios. «¿Qué ocurre?», preguntó. Lansdane permaneció mudo y Gahalowood, con el corazón desbocado, asomó la cabeza por la puerta abierta. Lo que descubrió lo dejó horrorizado: en el centro de la habitación, el cadáver de Vance yacía en un charco de sangre, con la cabeza destrozada por el impacto de una bala. Junto a él, el cuerpo de Walter Carrey, en el mismo estado.

Sintió que le fallaban las piernas. Lansdane, anticipándose a su reacción, lo llevó aparte e hizo que se sentase. Fue preciso mucho rato para que Gahalowood, conmocionado, consiguiera recobrarse.

Más tarde, aquella misma noche, Kazinsky le contó cómo había transcurrido esa terrible velada. Todo empezó cuando Vance y él estaban esperando al abogado de Walter Carrey para proseguir con el interrogatorio, como disponía la ley.

—Walter Carrey estaba solo y esposado en la sala de interrogatorios —explicó Kazinsky—. Vance y yo lo observábamos desde la habitación de al lado, detrás del espejo falso. El abogado tardaba en llegar y aprovechamos para ultimar nuestra estrategia. Con un abogado enfrente había que ver quién hilaba más fino. Yo tenía que meterme en el papel del poli malo y Vance haría de poli bueno con Walter Carrey. Así que, cuando Carrey pidió agua, fue Vance quien se la llevó, una ocasión para crear un vínculo con él. Entró en la sala con un vaso de agua y le quitó a Carrey las esposas. En ese momento fue cuando le noté a Vance, debajo de la chaqueta, la culata del arma reglamentaria. Se le había olvidado dejarla antes de entrar. Pero, bueno, no es que sea una norma que se cumpla a rajatabla, lo sabes tan bien como yo. En ese mismo instante, Carrey empezó a hablar. Dijo: «Me cargué a esa puta». Vance reaccionó con mucha calma, lo tenía a punto de caramelo para una confesión voluntaria. Como buen conocedor del procedimiento, Vance dijo entonces: «Tu abogado está de camino, ¿renuncias a su presencia?». Carrey no parecía el mismo, estaba como poseído. Se burlaba: «La dejé tiesa a la muy guarra, a esa puta infiel que me engañaba en mi propia cama. ¿Qué quieres que haga por mí un abogado? No voy a librarme de la pena de muerte». Dicho lo cual, Carrey se echó a llorar. De pronto parecía un niño. Mencionó a sus padres, que iban a asistir a su ejecución. Entonces Vance le aseguró que podría evitarle todo eso, incluso le dio una palmada amistosa para animarlo a proseguir con la confesión. Le preguntó si podía grabar la conversación y Carrey aceptó. Vance encendió la cámara colocada en su trípode, frente a la mesa. «¿Puedes repetir lo que acabas de decirme, Walter?». Carrey rompió a sollozar: «Yo la maté. Yo maté a Alaska». Hizo una pausa y luego añadió: «*Matamos* a Alaska. No estaba solo. Eric Donovan estaba conmigo». Vance y yo nos quedamos de piedra. «¿Eric Donovan participó en el asesinato?», repitió Vance. «Sí, no seré el único en caer. La matamos Eric y yo. El jersey que encontraron... es suyo. Las iniciales M. U. son de Monarch University, la universidad donde estudió. Compruébenlo y ya verán que digo la verdad». Vance apagó la cámara y se volvió hacia el espejo falso para mirarme. Y, de repente, Carrey se le echó encima y le quitó la pipa. Todo ocurrió muy deprisa, ni siquiera me dio tiempo a intervenir. Vance se aferraba a su pipa y hubo un primer disparo. El espejo falso estalló. Yo me puse a cubierto en lo que sacaba el arma. Me incorporé, vi que Walter llevaba las de ganar y, antes de que yo pudiera reaccionar, le pegó un tiro en la cabeza a Vance. Empecé a pegar voces y apunté a Walter para dispararle, pero él se apoyó en el acto la pipa de Vance en la sien y apretó el gatillo. Se hizo un silencio de muerte. Pulsé el botón de emergencia y me abalancé hacia el cuerpo de Vance. Intenté prestarle los primeros auxilios aunque veía de sobra que estaba muerto. Y grité más y más para que vinieran a ayudarme. ¿Dónde estabais todos, maldita sea?

Era ya tarde cuando ocurrió la tragedia. El edificio estaba casi desierto. Kazinsky tuvo que esperar un rato a que llegaran los refuerzos.

Recordando lo que acababa de vivir, Kazinsky se tocó maquinalmente la ropa cubierta de sangre. Se miró los dedos sucios y le sobrevino una arcada.

Gahalowood estaba aterrado. Espantado. Lo primero que pensó fue que podría haber sido él quien estuviera esa noche tendido en el suelo de la sala de interrogatorios, con los sesos reventados. Luego lo invadió un sentimiento de culpabilidad: si hubiera estado allí, a lo mejor podría haber evitado la tragedia. Había dejado tirado a su compañero. Nunca se lo perdonaría.

*

Al día siguiente, al alba, una columna de vehículos policiales cruzó Mount Pleasant y rodeó la casa de Janet y Mark Donovan. Los miembros de la unidad de intervención derribaron la puerta a golpes y en el acto la policía invadió la casa. Detuvieron a Eric Donovan en la cama.

A los vecinos del barrio los despertó el revuelo. Todos habían de recordar durante mucho tiempo la imagen de Eric, desconcertado, mientras lo llevaban a rastras por la calle, esposado, expuesto a la vista de todos antes de que lo metieran sin miramientos en un coche patrulla. Janet Donovan, a quien sujetaban a duras penas unos robustos agentes, vociferaba para que soltasen a su hijo.

Eric Donovan salía de la casa familiar para no regresar nunca a ella. No volvería a ver esa calle, no tomaría nunca más café en el porche florido, no volvería a coincidir con sus vecinos, todos tan encantadores y todos ellos pasmados esa mañana al enterarse de que Eric, aquel joven tan simpático, era un asesino. Eric, siempre amable, siempre elegante, y ahora con el pelo alborotado, aturdido, muerto de miedo como un animal acorralado, con el chándal que se había puesto deprisa y corriendo y que ya no se quitaría más que para ponerse un mono naranja de preso.

Estaba prendado de la libertad, le gustaba el bosque, pescar con mosca y los horizontes despejados; iba a pasar del coche de la policía a una sala de interrogatorios, y de ahí a una celda, y de ahí a un furgón penitenciario que lo llevaría a la cloaca de una cárcel donde tendría que pasar el resto de su vida por el asesinato de Alaska Sanders.

*

De entrada, Eric Donovan negó que estuviera implicado en la muerte de Alaska Sanders. Para refrescarle la memoria, Gahalowood le puso la grabación de la confesión de Walter Carrey. Eric se quedó de una pieza al ver en la pantalla la cara de su amigo, en primer plano, que confesaba el crimen y lo incriminaba en él de lleno.

—¿Qué cuento es ese? —protestó Eric—. Yo no maté a Alaska.

—¿Este jersey no es suyo? —preguntó Gahalowood, enarbolando la prenda metida en una bolsa de plástico transparente.

—No sé si es mío, pero sí, tengo uno parecido, igual que miles de estudiantes de la Universidad de Monarch.

—Walter afirma que es suyo.

—Si él lo dice es que se trata del jersey que le presté.

—¿Eso cuándo fue?

—Hace quince días. Fue el sábado 20 de marzo, me acuerdo porque era el día en que a Walter y a mí nos multaron los guardas forestales. Ese día fuimos a pescar juntos a ese río que desemboca cerca de Grey Beach. Ya sabe, ese rincón del que le hablé el lunes. Total, que estábamos pescando y se torció el tiempo. Creímos que sería un chaparrón corto y, de primeras, nos metimos debajo de un árbol. Walter tardó en ponerse a cubierto, se caló y se estaba quedando tieso. Tiritaba que daba pena. Yo no es que tuviera mucho frío y, de todas formas, soy menos friolero que él. Así que le presté el jersey que llevaba. ¡Era ese! No dejó de llover y recogimos el material. Nos volvimos corriendo a los coches. Todavía estoy viendo a Walter en el suyo quitándose mi jersey, que ya estaba chorreando, echarlo al asiento trasero y decirme: «Lo lavo y te lo devuelvo limpio». Le dije que no hacía falta que lo lavara, pero él insistió.

—¿Y se lo devolvió?

—No.

—Muy bonita su historia —dijo Gahalowood—. Pero no me la trago.

—¡Joder, sargento, es la verdad! Incluso intenté recuperar ese jersey unos días después. Se lo dije a Alaska, y a ella le sentó fatal, por cierto. Creo que es la supuesta pelea de la que le habló Sally Carrey.

—¡Ah, así que sí se habían peleado los dos! ¿Por qué nos mintió?

—¡No les mentí, sargento, ni siquiera fue una pelea! Quería recuperar mi jersey. Walter estaba fuera de Mount Pleasant por unos días, le insistí a Alaska para que me lo devolviera y le sentó mal mi insistencia, y punto. Me dijo que lo que tenía que hacer era llamar a Walter, cosa que hice. Él me dijo que había metido el jersey en el maletero del coche antes de irse, y como el coche se había quedado en Mount Pleasant le pedí a Alaska que me dejase echar una ojeada al maletero. Pero el jersey no estaba.

—Lo siento, Eric, pero no me creo ni una palabra de esa historia del jersey que desaparece por arte de magia. ¿Por qué no nos lo dijo el otro día?

—¿Y cómo iba yo a saber que ese jersey tenía algo que ver con el crimen?

Como Gahalowood no parecía convencido, Eric añadió:

—¡Le estoy diciendo la verdad, sargento! ¡Se lo juro! Pregunte a Walter, no le quedará más remedio que confirmar que todo lo que acabo de decirle es cierto.

—Walter está muerto —anunció abruptamente Gahalowood.

—¿Cómo que Walter «está muerto»?

Los interrogatorios se prolongaron. Eric persistía: él no había matado a Alaska Sanders y no tenía nada que ver con ese asesinato. Reclamó su derecho a un abogado y entró en contacto con Patricia Widsmith, una joven penalista de Boston, para que lo asistiera. Pero las pruebas en su contra se iban acumulando: primero, su ADN encajaba con el segundo ADN que aparecía en el jersey. «Como se trata del jersey de Eric —alegó la letrada Widsmith—, es de lo más lógico que tenga su ADN. Mi cliente les ha dicho que lo llevaba puesto antes de dejárselo a Walter».

Además, Eric no tenía coartada para la noche del crimen. Había vuelto a casa de sus padres con su hermana a eso de las once y media. Según decía él, se había ido directo a la cama, pero bien podría haber vuelto a salir luego, cuando su familia estuviera durmiendo, sin que nadie notase su ausencia.

El remate fue un mensaje escrito con ordenador que descubrieron en el cuarto de Eric:

SÉ LO QUE HAS HECHO.

Ese mensaje era idéntico a los que había recibido Alaska. Tras examinar la impresora de Eric, descubrieron un defecto muy específico: el cabezal de impresión estaba estropeado y dejaba una marca similar a la que aparecía en los mensajes dirigidos a Alaska.

—Cualquiera pudo meterse en casa de mis padres y usar mi impresora —alegó Eric—. ¡Ni siquiera cerramos las puertas con llave durante el día! ¡En Mount Pleasant no lo hace nadie, somos confiados! Es una ciudad tranquila.

Pero esos argumentos no lograron contrarrestar el peso de las pruebas incriminatorias, y a su abogada le costaba trabajo exculparlo. Abrumado por las circunstancias, Eric se encerró en el silencio. Por fin, poco antes del juicio, se declaró culpable del asesinato de Alaska Sanders. Lo condenaron a cadena perpetua no revisable.

El día en que condenaron a Donovan, Gahalowood fue a ver a Lansdane a su despacho. Le alargó una carta.

—¿Qué es? —preguntó Lansdane.
—Mi dimisión.

Lansdane se le quedó mirando, perplejo.

—No la acepto —dijo por fin—. No cabe duda de que es usted el mejor policía con quien me he encontrado en mi carrera.

—Solo me quedaré con una condición.
—Ya sabe, Perry, que no soy muy amigo de los chantajes.
—No es un chantaje, es una condición previa para seguir en la brigada.
—Suéltelo...
—No quiero volver a tener un compañero —anunció Gahalowood.
—Vamos, Perry, ¡no puede investigar solo!
—Es mejor hacerlo solo. No corres el riesgo de matar a tu compañero.
—Perry, usted no tuvo la culpa de...
—Quiero investigar solo —insistió Gahalowood—. Lo autoriza el reglamento.

Lansdane accedió de mala gana, pensando que seguramente no se trataba más que de un capricho pasajero.

Cuando Gahalowood iba a salir por la puerta del despacho, Lansdane lo retuvo:
—Por cierto, Perry, lo felicito a pesar de todo: el caso Alaska Sanders está oficialmente cerrado.
—Un caso nunca está cerrado del todo —contestó Gahalowood.
—¿Qué insinúa?
—Que me perseguirán siempre. Los muertos y los vivos.

El relato del jefe Lansdane sobre los acontecimientos del 6 de abril de 1999 me dejó pasmado. Después de nuestra conversación, solo pensaba en una cosa: encontrar la famosa carta que Helen había recibido.

7. Carta anónima
Sábado 29 de mayo de 2010

Esa mañana, aproveché que Perry había ido con sus hijas al cementerio para registrar la casa. ¿Dónde habría podido esconder esa carta Helen? En una habitación de uso compartido seguro que no, sino en un lugar más íntimo. Así que fui a revolver sus armarios, sus efectos personales, su neceser de maquillaje. Me disgustaba proceder así, pero no tenía alternativa. La búsqueda fue en vano, cosa que no me extrañó del todo; si Helen había querido ocultarle esa carta a su marido el poli, no podía haberla dejado a su alcance. Como en su despacho no encontré nada, la única hipótesis que me quedaba era el coche. Lansdane había tenido oportunidad de registrarlo la noche en que murió Helen, pero ¿pudo hacerlo en condiciones en medio del barullo que seguramente habría? Debía asegurarme.

Fui al garaje, donde había bicicletas, un aparato de musculación y el Toyota Camry gris de Helen. Me quedé un rato mirando el vehículo; me imaginaba a Helen caída en el asiento del conductor. Al final, me resigné a abrir la puerta y subí a bordo. ¿Dónde podía estar esa carta? Empecé por la guantera, luego el portaobjetos central. Nada. Comprobé los portaobjetos y las rendijas entre los asientos. Seguía sin haber nada. A la desesperada, levanté las alfombrillas. No sé por qué no se me había ocurrido antes. Debajo de una descubrí el sobre azul del que me había hablado la cartera. Dentro había una hoja doblada en dos en la que se veía un mensaje hecho con letras de periódico recortadas y pegadas.

CARREY Y DONOVAN SON INOCENTES.

*

Cuando le enseñé la carta al jefe Lansdane, se quedó de una pieza. La examinó atentamente sin que pudiera yo descubrir si su rostro expresaba asombro o circunspección.

—¿Le ha hablado de esto a Perry?
—Todavía no.
—«Carrey y Donovan son inocentes» —leyó en voz alta, como para entender qué quería decir.
—¿Inocentes del asesinato de Alaska? —sugerí—. Por lo visto esa carta llegó a casa de los Gahalowood el pasado 6 de abril, o sea, justo once años después de la muerte de Walter Carrey.
—Para ser sinceros, estoy tan perplejo como usted —me confesó Lansdane—. Me esperaba cualquier cosa menos esto.
—Podría ser obra de un graciosillo —comenté.
—Lo dudo mucho —replicó Lansdane.
—¿Por qué está tan seguro?
—Porque esta carta se la enviaron a Perry. La encontró antes Helen, pero es obvio que el mensaje era para él. Y no es ninguna tontería. Por una parte, porque Perry está vinculado al caso Alaska Sanders y, por otra, porque es un policía temible. Quien haya enviado esta carta quería que Perry reabriera la investigación. No se trata ni mucho menos de una broma.
—Pero ¿por qué desenterrar ahora este caso que tiene ya once años? —pregunté.

Lansdane sonrió casi como si le hiciera gracia.

—Es usted un hombre muy inteligente, Marcus, pero no por ello deja de ser también un tanto ingenuo. Parece olvidarse de que, desde que se publicó su libro, *La verdad sobre el caso*

Harry Quebert, el país entero ha descubierto a un policía un poco brusco pero muy buen sabueso. Por su culpa, o gracias a usted, millones de lectores conocen ahora al sargento Perry Gahalowood. Creo que alguien se ha despertado, Marcus. Y quizá sea usted el responsable indirecto.

El comentario de Lansdane me dio que pensar. Me había estado preguntando hasta ahora por qué Helen no me había pedido ayuda. La respuesta era sencilla: probablemente deseaba evitar que yo me metiera también en esto. Le dije a Lansdane:

—Helen sabía que si Perry tenía noticias de esta carta iba a reabrir la investigación y no quería que volviera a sumergirse en un caso que ya lo había afectado tanto. Pero al mismo tiempo Helen era como era y no podía hacer caso omiso de ese mensaje. Probablemente intentó saber más para decidir si debía mencionárselo a su marido, a pesar de los pesares. Y de tanto investigar acabó desenterrando un indicio lo bastante concluyente para querer avisar a Perry. Pero murió antes de poder hacerlo. La noche de su muerte, Helen había descubierto algo, estoy seguro. Pero ¿qué? La respuesta está en esta carta.

Lansdane asintió con la cabeza.

—¿Por dónde empezamos? —me preguntó.

—El poli es usted —le hice notar—. Podría mandar analizar la carta...

—Es inútil que intentemos encontrar huellas. Aparte de nosotros dos, la cartera, Helen y a saber quién más, la habrá tocado media ciudad. Y, además, creo que deberíamos adelantar algo por nuestra cuenta antes de hablarles del asunto a otros policías, si no quiere que llegue a oídos de Perry. De hecho, ¿está usted seguro de que quiere mantenerlo al margen?

—Lo estoy.

No era ni mucho menos el mejor momento para darle a Perry más quebraderos de cabeza. Había pedido un permiso «de al menos varias semanas», según decía él, y se pasaba el día vagando sin rumbo por la casa. Necesitaba centrarse en sí mismo y en su familia. Antes que nada, tenía que rehacerse, y no enfrentarse con los fantasmas de un caso antiguo. Así que, durante los tres días siguientes, aproveché las ausencias de Perry y sus hijas para investigar con la máxima discreción. Estudié el GPS de Helen para comprobar los últimos destinos, pero por desgracia no había quedado registrado nada. Hurgué en la bandeja de entrada del correo del ordenador familiar, sin éxito. Recompuse sus días revisando la agenda que apareció en su bolso, y no salió nada de interés.

En paralelo, hice también mis propias investigaciones sobre el caso Alaska Sanders, pero en internet no había gran cosa. Descubrí, sin embargo, que existía una asociación a favor de la liberación de Eric Donovan. En un cibercafé de Concord (no quería arriesgarme a hacerlo en casa de los Gahalowood) imprimí unos cuantos artículos y también una foto de Alaska Sanders, que escondí en mi cuarto, en una rendija del sofá cama. No sé por qué sentía la necesidad de conservar una foto de Alaska. Quizá para acordarme de que el auténtico objetivo en esta investigación era esa mujer joven y guapa, brutalmente asesinada a los veintidós años. A lo mejor también porque de forma inconsciente la relacionaba con Nola Kellergan, la joven víctima del caso Harry Quebert. El jefe Lansdane me había dicho en confianza que esta investigación había sido una especie de redención para Gahalowood. Quien hubiera enviado la carta anónima lo sabía.

Cuando no estaba enfrascado dándole vueltas al caso Alaska Sanders, me dedicaba a lo que quedaba de la familia Gahalowood. Perry era una sombra de sí mismo: él, que ya solía ser callado, se había atrincherado en un mutismo total. Las chicas, por su parte, se esforzaban en poner buena cara. Yo procuraba arroparlas, hablaba por los codos, velaba por ellas. Intentaba animar esa casa, antes tan alegre, que se había vuelto lúgubre. Me embarcaba en lo que no sabía hacer: cocinar. Al principio hubo muchos bizcochos de plátano de Tía Anita. Pero tuve que subir de nivel y aventurarme a preparar comidas completas. A solas en la cocina de los Gahalowood, invocaba a Tía Anita. Me inspiraba en mis tareas culinarias. No tardé en tener junto a mí a un nuevo fantasma: el de Helen Gahalowood. Ya no sé si me dirigía a ella en voz alta o en mi fuero interno, pero le repetía esta frase, desconcertante de tan ingenua: «Helen, cómo me gustaría que no te hubieras muerto».

Y, de recuerdo en recuerdo, volví a vivir el día en que la había conocido.

*

Dos años antes
2 de julio de 2008

Fue en pleno caso Harry Quebert. La investigación no iba por buen camino. Gahalowood y yo habíamos ido a interrogar al padre de Nola Kellergan y la conversación acabó bastante mal, más que nada por culpa mía. Delante de la casa del reverendo Kellergan, Perry y yo tuvimos un vehemente cruce de palabras, tras el cual me invitó a cenar en su casa. Cuando estábamos delante de la puerta, dije:

—Espero que para su mujer no sea un engorro que me presente sin avisar.

—No se preocupe, escritor; tiene un sentido de la compasión muy desarrollado.

—Gracias, sargento, usted sí que sabe darme ánimos.

Helen Gahalowood acababa de volver del supermercado y estaba sacando la compra de unas grandes bolsas e intentando colocarla en la nevera.

Perry anunció mi llegada con su habitual delicadeza.

—Cariño, perdona que te imponga un comensal más, pero he recogido a este pobre hombre por la calle. Me recuerda mucho al tío feo ese que aparece en la cubierta del libro que anda rodando por la mesilla de noche, ¿a que sí?

Helen desplegó una sonrisa extraordinaria que reflejaba toda su dulzura. Me tendió la mano.

—¡Qué placer conocerlo por fin, Marcus! ¡Me gustó tanto su libro! —me dijo—. ¿Es cierto que está investigando con Perry?

—No formamos equipo —dijo, irritado, Perry—. Solo es un aficionado que ha venido a amargarme la existencia.

—Su marido me ha exigido que le devuelva el dinero que le costó su ejemplar de mi libro —me sinceré con Helen.

—No le haga ni caso —contestó ella—. En el fondo es buena gente.

Me ofrecí a ayudarla y me puse a sacar verduras de una bolsa. Perry me miró con guasa:

—Ya lo ves —le dijo a su mujer—, parece que ayuda, pero se dedica a enredar. Si supieras el follón que me ha montado en la investigación.

Helen se volvió hacia mí.

—Eso quiere decir que se le da a usted bien.

—Ya ve, escritor, vuelve a ser la compasión la que habla.

—Perry trabaja sin compañero —siguió diciendo Helen—. No aguanta a nadie. ¿Cuántos compañeros ha traído a casa en los últimos años? Ninguno.

—Eso es porque con mi familia me basta —se justificó Perry, sacando dos cervezas de la nevera y alargándome una.

Helen me hizo un guiño cómplice:

—Ya ve, Marcus, le cae usted muy bien.

—¡No me cae bien, escritor!

—Llámeme Marcus, sargento, somos casi amigos.

—¡No somos amigos! Usted me llama «sargento» y yo lo llamo «escritor», es una relación puramente profesional.

Helen alzó los ojos al cielo.

—¡Bienvenido a la familia Gahalowood, Marcus!

Esa noche, después de cenar, cuando estaba a solas en el porche con Perry, le dije:

—Sargento, tiene una mujer maravillosa. Su único defecto es haberse casado con usted.

Gahalowood soltó una carcajada.

*

Malia y Lisa, a quienes acababa de contar cómo conocí a su madre, se echaron a reír. Estábamos terminando de cenar. Mi osobuco estaba tan malo que habíamos pedido unas pizzas. Solo estábamos nosotros tres, Perry no había bajado. Cuando por fin se nos unió, lo vi más sombrío que nunca. Las chicas tenían que volver a clase al día siguiente. Al ver la cara de su padre, pensé que era lo mejor para ellas.

Perry se sirvió un trozo de pizza y se la comió en silencio. Luego las chicas subieron a su cuarto y nos quedamos los dos a solas en la cocina. Yo tenía la sensación de que me estaba evitando. Metí los platos en el lavavajillas mientras él se esforzaba en encajar las cajas de pizza en el cubo de la basura.

—Eso va al reciclaje —le comenté.

—No he reciclado en la vida.

—Siempre hay una primera vez, sargento.

Dejó las cajas en la encimera de la cocina y se esfumó, refunfuñando. Cuando hube recogido, bajé a mi cuarto. Tendido en la cama, miré la foto de Alaska Sanders, luego saqué la carta anónima que había conducido a Helen a un descubrimiento. ¿Cuál?

Clavé la mirada en la hoja, como si fuera a brotar de ella un indicio repentino. Hasta que, de golpe, caí en la cuenta de un detalle en el que no me había fijado hasta ahora: la tipografía del mensaje era armoniosa. Y eso que se trataba de un collage hecho con las letras necesarias para componer esa breve frase («Carrey y Donovan son inocentes»), pero el conjunto no resultaba molesto a la vista. Fue entonces cuando me percaté de que el montaje se había hecho con letras recortadas de un mismo periódico. Resultaba curioso: ¿por qué no liar las pistas usando materiales distintos?

Como estaba tumbado y sujetaba el mensaje con los brazos estirados hacia el techo, acabé por colocarlo sin querer delante del plafón. Entonces, por transparencia, apareció algo escrito en una de las letras. La despegué y descubrí en el reverso esta secuencia de números y letras que en un principio me parecieron enigmáticos:

10 Nor...

Los caracteres estaban impresos en perpendicular. ¿A qué podían corresponder? No tardó en imponerse la respuesta: se trataba del fragmento de una dirección. Las señas de un suscriptor de ese diario al que le habían recortado un trozo para escribir el mensaje a Gahalowood.

Por fin tenía una pista.

*

Al día siguiente quedé con Lansdane en un café del centro de Concord para informarlo de mi descubrimiento.

—Si encontramos al suscriptor, encontraremos al autor del mensaje —le dije.

Frenó mi entusiasmo.

—No cantemos victoria antes de tiempo, Marcus. Ni se imagina la cantidad de cafés, restaurantes, consultas médicas y a saber quién más están suscritos a periódicos para sus clientes. Quien haya compuesto esta carta ha podido coger un periódico en cualquier sitio, incluso en la calle o en la basura. ¿Piensa que alguien va a mandar una carta anónima con sus señas?

—Apenas si se nota —comenté—. No podemos descartar un descuido.

—Vamos a ver, Marcus, ¿quién iba a usar un periódico al que está suscrito para escribir un anónimo? No tiene sentido.

—Pues, mire usted por dónde, ya lo había pensado. Podría ser alguien que no tuviera a mano otros periódicos. Alguien que estuviera encerrado, por ejemplo.

—¿Encerrado?

—Alguien que estuviera en la cárcel —sugerí—. Su compañero de celda, detenido por algo que no tiene nada que ver, le confiesa el asesinato de Alaska Sanders. Y nuestro hombre le escribe un mensaje anónimo a Gahalowood.

—Los presos no reciben periódicos —me hizo notar Lansdane.

Insistí:

—Ha recibido un paquete envuelto en papel de periódico y lo ha usado para componer el mensaje.

—El correo que envían los presos está controlado. Habrían interceptado la carta.

—No si la envió por mediación de su abogado —comenté.

—¿Y el abogado acepta hacer de cartero y deja esa carta en casa de los Gahalowood? No lo creo, Marcus. Pero no por eso dejo de celebrar su fértil imaginación.

—Pues, diga lo que diga, estoy convencido de que esas señas llevaron a Helen Gahalowood a alguna parte.

—Puede ser —admitió Lansdane—. Por eso hay que intentar averiguarlas antes de que se pierda usted en conjeturas.

Lansdane tenía una actitud muy ambivalente en lo que a implicarse se refiere: estaba claro que a una parte de sí mismo no le apetecía nada mojarse. Pero tampoco podía hacer como si no estuviera pasando nada. Así que, cuando se levantó y dijo: «Buena suerte con sus investigaciones, téngame al tanto», me supo fatal.

—¿Buena suerte? ¿Cómo que «buena suerte»? ¿Va a dejarme tirado sin más?

—Marcus, me pone en una situación imposible: soy el jefe de la policía estatal, no puedo implicarme en una investigación civil paralela.

—Entonces ¿por qué no asigna el caso a uno de sus departamentos?

—Porque está usted empeñado en que Perry no se entere de nada —se justificó—. Y, además, usted quedaría inmediatamente al margen de la investigación. Pero salta a la vista que toda esta historia le importa demasiado.

—Jefe Lansdane, lo conozco lo bastante para saber que usted no se anda con tantos miramientos. Hay una razón para no tratar este caso de forma interna. ¿Cuál es? O me lo dice o lo aireo todo en la prensa.

Lansdane volvió a sentarse y suspiró:

—Marcus, ¿sabe usted cómo lo describe siempre Perry? Como un tocapelotas muy majete. Tengo que darle la razón. No quiero sacar a la luz este asunto de la carta anónima, Marcus, porque, de momento, prefiero no agitar las aguas y evitar rumores inútiles. Si existe una duda sobre la culpabilidad de Walter Carrey, eso quiere decir que hay que reabrir toda la investigación del asesinato de Alaska Sanders. Antes de llegar a ese extremo, necesito identificar al autor del anónimo con total discreción. Y sé que usted es muy capaz de hacerlo.

—Jefe Lansdane, no irá a dejarme solo en mitad de este follón, ¿verdad?

Intentó escaquearse otra vez.

—Soy el jefe de la policía, estoy hasta arriba de obligaciones.

—Precisamente, es usted el jefe, no tiene que rendirle cuentas a nadie. ¡Venga, manos a la obra!

Para encontrar las señas, Lansdane y yo no teníamos más opción que localizar todas las que empezasen por «10 Nor...». Lo bonito de la tecnología moderna es que unas cuantas búsquedas en internet más tarde ya teníamos la lista hecha. Lo malo es que resultó interminable. La incontable cantidad de calles, caminos, avenidas y bulevares que empezaban por «Nor» en todo el país nos tendría ocupados varios meses.

Lo primero que necesitábamos era acotar la zona de búsqueda, y Lansdane sugirió un sistema que dio resultados. Sabíamos que Helen estaba a eso de las diez de la noche en el Fanny's de la salida oeste de la autopista 1. Si pudiéramos fijar a qué hora había salido de la oficina, el tiempo transcurrido entre ambos hechos nos permitiría circunscribir la búsqueda a ese perímetro.

Solo Mads Bergsen, el jefe de Helen, podía pedir al encargado de la seguridad de su oficina que nos proporcionase la lista de entradas y salidas de Helen. Como es habitual en los edificios de oficinas, todos los empleados tenían una tarjeta que les permitía cruzar el arco de seguridad que daba paso a los ascensores. Era fácil, pues, seguir la pista de sus idas y venidas.

Aun así, tuve que insistirle mucho a Mads.

—¿Para qué necesita ese tipo de información? —me preguntó con expresión circunspecta.

—Todo lo que puedo decirle es que es importante.

—No me gusta lo que está usted haciendo. Y, encima, a espaldas del marido de Helen. Yo creía que eran amigos.

—Precisamente porque somos amigos estoy intentando mirar por él. Por favor, Mads, le prometo que luego desapareceré de su vida.

Fue el argumento definitivo. Me dejó solo un minuto y volvió con una lista de entradas y salidas de Helen durante las últimas semanas.

El día de su muerte se había ido de la oficina a las seis de la tarde.

Fue en el salón de Lansdane donde reconstruimos el final del último día de Helen. Teníamos un mapa de New Hampshire extendido encima de la mesa baja. Enumeré lo que ya sabíamos.

—A las seis, Helen sale de la oficina; a las nueve y cinco llama por teléfono a Perry; a las diez se presenta en el Fanny's de la salida oeste de la autopista 1.

—Es la salida más lógica para volver a su casa —comentó Lansdane.

—Así que va de camino a casa. Pero está muy afectada. Está claro que ha descubierto algo que la ha alterado mucho. Perry no le coge el teléfono. Helen nota los primeros síntomas del ataque al corazón. Ve el Fanny's y decide pararse allí para serenarse. No sabe qué hacer con la información que tiene en su poder y lo llama a usted.

—Si esa noche descubrió algo tan importante —empalmó Lansdane— es muy probable que quisiera avisar a Perry enseguida.

—Lo llamó a las nueve y cinco —dije—. ¿Significa eso que estaba más o menos a una hora de camino del Fanny's?

—Exacto —asintió Lansdane—. Lo que encaja perfectamente con que saliera de la oficina a las seis. Si se cuenta el tiempo necesario para ir por el coche al aparcamiento y también el tráfico en hora punta, tardaría más o menos hora y media en llegar a su destino, o sea, a eso de las siete y media. En ese momento sigue yendo a tientas, seguramente está estudiando listas de direcciones igual que estamos a punto de hacer nosotros. Así que pasa otra hora y media recorriendo las diferentes calles que podrían encajar. Hasta que la descubre.

Basándonos en esa hipótesis, Lansdane trazó un círculo en el mapa de carreteras, que delimitaba un radio de una hora de camino. En esa zona iba a arrancar nuestra labor de hormigas.

*

Durante los diez días siguientes, prácticamente a diario, después de dejar a Lisa en el colegio, me dediqué a recorrer New Hampshire en coche. Ciudad tras ciudad, pueblo tras pueblo, fui peinando los 10 North Street, 10 Norton Street, 10 Nordham Boulevard, 10 Norfolk Avenue y demás.

Tenía que dedicar el tiempo necesario para detenerme delante de cada dirección, vigilar un rato con la esperanza de atisbar a un ocupante o de descubrir algo, pero sin saber exactamente qué. Mis jornadas de investigador acababan cuando Malia y Lisa volvían a casa. Reanudaba entonces mi existencia de padre sustituto. Perry no tardó en hacerse preguntas sobre mis ausencias. Claro está, yo tenía unas cuantas coartadas: un recado que pillaba lejos, una caminata por el campo, una visita al centro comercial... A modo de prueba, llegué a llevar a casa un zapatero que no hacía ninguna falta, comprado deprisa y corriendo. Pero Perry no se tragaba el engaño: sospechaba que me traía algo entre manos. Cuando hacía preguntas, yo procuraba salir con evasivas, lo cual resulta ser una pésima estrategia frente a un policía tenaz.

Después de diez días de búsquedas infructuosas, llegó ese lunes por la mañana en que fui a Barrington, una ciudad pequeña y tranquila a cincuenta minutos de Concord. La ciudad contaba con una Norris Street.

Como ya había hecho en todas las anteriores direcciones, aparqué cerca del número 10. Era un bonito chalet de ladrillo rojo, igual que los demás de la calle, separados entre sí por unas franjas de césped bien cuidado. Me había provisto de unos prismáticos y, con los ojos pegados a los binoculares, observaba el interior del salón. Lo que vi me dejó estupefacto. Quería llamar a Lansdane, pero, en ese preciso instante, oí un golpe en el cristal; era un policía. Por señas, me indicó que bajase la ventanilla.

—¿Puedo ayudarlo, caballero? —me preguntó.

El agente acababa de aparcar su coche detrás del mío con las luces giratorias encendidas. Yo estaba tan absorto en lo que acababa de descubrir que no había visto llegar el coche patrulla.

No podía explicar los verdaderos motivos de mi presencia en Norris Street y el policía estimó, por lo confuso de mi relato, que quizá era un ladrón de casas localizando objetivos. Me llevaron a la comisaría de Barrington para un control exhaustivo.

Del asunto se encargó el jefe de la policía, el capitán Martin Grove, un buen señor barrigudo con un bigotito que bailaba cuando movía los labios.

—Tomo yo el relevo porque es usted una celebridad —me comunicó—. Por lo que hemos averiguado, es usted un escritor famoso y toda la pesca. ¿Qué lo trae a Barrington? Por aquí no somos amigos de los problemas.

—Tampoco yo, capitán —lo tranquilicé—. No he venido a su ciudad para causarlos.

—Me dicen que estaba vigilando a los vecinos. Es usted como esos chalados de Hollywood que se dedican a robar en las casas porque les parece excitante.

—Estoy aquí para una investigación confidencial.

Se echó a reír.

—Creo que está usted tomándome el pelo.

—Si con eso quiere decir que estoy mintiendo, le sugiero que llame ahora mismo al jefe Lansdane, de la policía estatal de New Hampshire.

—Vamos a empezar extrayéndole sangre para ver si ha tomado drogas o alguna otra sustancia.

—Capitán Grove, le recomiendo muy en serio que se abstenga de clavarme una aguja en el brazo. Coja el teléfono y llame al jefe Lansdane.

Lansdane tuvo que ir en persona a Barrington para sacarme del aprieto. Cuando salimos de comisaría, me llevó a Norris Street.

—Mire por la ventana del salón —le dije cuando aparcó detrás de mi coche—. ¿Se acuerda de que le hablé de alguien que podía estar encerrado en alguna parte?

Miró un momento y luego susurró:

—Le pido disculpas, Marcus.

En el salón, un hombre en silla de ruedas leía el periódico. Como estaba de espaldas, Lansdane no pudo verle la cara. Un hombre que no podía salir de casa o, si podía, era con muchas dificultades, teniendo en cuenta los peldaños que mediaban entre la puerta de la calle y la acera.

En ese momento dieron unos golpecitos en la ventanilla. Esta vez se trataba de una anciana. Bajé el cristal.

—Lárguense —nos dijo— o llamo a la policía.

—Somos de la policía —le contestó amablemente Lansdane, que iba de uniforme.

La mujer pareció horrorizada por la equivocación.

—Lo siento —dijo—, lo siento mucho. No me había fijado. ¿Han venido por lo que pasó la otra noche?

—¿Qué pasó la otra noche? —pregunté.

—Una mujer negra se presentó en casa de los vecinos. Era un poco antes de las nueve. Yo ya me había fijado en ella, mientras examinaba la casa desde su coche, un Toyota Camry gris. No es que yo tenga nada en contra de los negros, pero me pareció raro, y pensé que era mejor tenerla vigilada. Y la negra al final fue a llamar a la puerta. Y se montó un escándalo. La negra gritaba. La vecina también gritaba. Yo estaba a punto de llamar a la policía, pero entonces se fue.

—¿Y eso cuándo ocurrió?

—Hará cosa de un mes.

Miré de arriba abajo a la vieja, despectivamente.

—Es usted un poco racista, ¿no?

—No, solo soy precavida. Quiero que mi barrio siga siendo tranquilo. Últimamente hay tantos robos... Además, usted es blanco y aun así he llamado a la policía. No tengo nada en contra de los negros, pero no quiero jaleos, eso es todo.

Aunque la bruja de la vecina seguía hablando, subí la ventanilla para dejar de oírla. Mientras ella continuaba con su monólogo, me volví hacia Lansdane.

—Era Helen. Conducía un Toyota Camry gris. Helen estuvo aquí la noche en que murió.

Cuando la vecina se volvió a su casa, Lansdane salió del coche y se acercó al chalet en cuestión. Miró el nombre del buzón y regresó en el acto. Estaba pálido.

—Pero bueno, jefe Lansdane, ¿qué ocurre? —le apremié.

—El apellido del buzón... es Kazinsky.

—¿Kazinsky? —pregunté, sin entender dónde quería ir a parar.

—Kazinsky es la única persona que sigue viva de las que estaban presentes en la sala de interrogatorios la noche en que murieron Vance y Walter Carrey.

En cuanto descubrí que Nicholas Kazinsky era probablemente el autor de la carta anónima, volví de Barrington a Concord para contárselo todo a Perry. Pero, cuando llegué a casa de los Gahalowood, este acababa de recibir una llamada de Mads Bergsen.

8. Riñas
Concord, New Hampshire
Lunes 14 de junio de 2010

Cuando entré en la casa, Gahalowood estaba de pie en el pasillo, como si me estuviera esperando, con expresión sombría. El letrero ALEGRÍA DE VIVIR que acababa de dejar atrás nunca me había parecido tan fuera de lugar.

—Sargento, ¿va todo bien? —pregunté, incómodo.

—¿Así que anda usted husmeando en la vida de Helen? ¿En eso se le van los días?

Me arrepentía amargamente de mis secretos. Me percataba ahora de lo furioso que estaba Gahalowood y me esforcé en apaciguarlo.

—Sargento, es más complicado de lo que pueda usted suponer.

Me tiró un manojo de papeles a la cara: mis artículos sobre el caso Alaska Sanders y la foto de la joven. Los había encontrado.

—Maldita sea, Marcus, dígame que tiene un buen motivo...

Que Gahalowood me llamase por mi nombre no era buena señal.

—Helen no le estaba engañando, sargento. Si las últimas semanas tenía un comportamiento extraño era solo por protegerlo. Interceptó una carta anónima que era para usted, y no quiso contárselo hasta averiguar algo más. La noche de su muerte, la noche en que intentó localizarlo, había descubierto algo. Y sé lo que había descubierto.

Saqué el sobre del bolsillo de atrás del pantalón y se lo alargué a Gahalowood. En el preciso instante en que descubrió el mensaje anónimo, pude leerle la estupefacción en la cara.

—Quien envió ese mensaje fue Nicholas Kazinsky, el policía que...

—Sé de sobra quién es Kazinsky —me interrumpió Gahalowood.

—Y supongo que Helen lo sabía también. Esa carta la escribió él, estoy casi seguro.

—¿Casi?

—Hay una serie de indicios que convergen, sargento. Sobre todo su dirección en un trozo del periódico que se usó para componer el mensaje. ¡No puede ser una casualidad! Ya solo falta ir a interrogarlo. Venía precisamente a contárselo todo. Hay que ir a ver a Kazinsky y preguntárselo.

Gahalowood se quedó callado, mirándome con desdén. Me sentí obligado a llenar ese silencio.

—Sargento, si no le hablé antes de esto fue por protegerlo. No quería hundirlo aún más, con todo lo que le está pasando...

Al cabo de otro silencio muy desagradable, Gahalowood me soltó con voz sorda:

—Fuera de aquí, Marcus. Fuera antes de que las niñas vuelvan de clase.

No era cosa de pararse a pensarlo. Fui al cuarto de invitados, recogí mis escasos efectos personales y los metí de mala manera en mi maletita. A los cinco minutos ya me estaba subiendo al coche. Gahalowood me miraba desde el porche como si quisiera asegurarse de que me largaba de verdad. Antes de cerrar la puertezuela, le dije a voces:

—¡Investigue! ¡Investigue, sargento! Tiene que descubrir por qué Kazinsky le mandó ese mensaje.

—¿Quién le dice a usted que fue Kazinsky? Cualquiera podría haber cogido un periódico suyo para componer esa carta ridícula. Y usted cae en la trampa como un principiante. ¿Se le ha subido su libro a la cabeza? ¿Ahora se las da de gran detective? ¡No es usted más que un pelele, Marcus!

Le planté cara:

—¿Por qué alguien iba a querer que Kazinsky pasara por ser el autor de ese anónimo? Su teoría no tiene sentido, sargento.

—Aún tendría menos sentido pensar que de buenas a primeras Kazinsky considera a Walter Carrey inocente. Carrey confesó. Su confesión está grabada en vídeo. ¿Por qué iba a replantearse todo esto al cabo de once años?

—Porque hace once años que lo tiene obsesionado, porque está en una silla de ruedas, seguramente palmándola, y quiere aliviar la conciencia.

—No sé qué está insinuando, Marcus, pero ya es hora de que se vaya.

Me dio la espalda para meterse en casa. Fue entonces cuando exclamé:

—¡Helen no estaría nada orgullosa de usted!

Gahalowood se dio la vuelta, furibundo. En un acceso de ira, arrancó de la pared el letrero ALEGRÍA DE VIVIR y me lo tiró con todas sus fuerzas. Cayó en el capó de mi Ranger Rover y lo abolló.

Antes de salir de Concord, pasé a despedirme de Lansdane.

—¡No se vaya en un arrebato, Marcus! —me instó cuando le conté lo que acababa de suceder.

—Es un caso que me viene grande —dije—. Y, además, Perry tiene razón: ¿con qué derecho me he metido en todo esto?

—¡Tiene que llegar hasta el final!

—¡Hágalo usted! ¡Al fin y al cabo, es policía!

—No puedo.

—¿Cómo que no puede?

—No puedo abrir una investigación así como así. ¿Se imagina la que se iba a liar dentro de la policía? No puedo hacer nada sin pruebas concretas.

Me quedé pasmado con esta última frase.

—Entonces ¿para esto me animó usted a investigar? ¿Para que hiciera el trabajo sucio bajo cuerda? ¿Para que usted no se ensuciase las manos? Pues ¡bravo! ¡Premio Nobel de cobardía!

—¡Se metió en esto usted solito, Marcus!

Según me daba la vuelta, me soltó:

—¿Sabe qué habría dicho Helen?

—A Helen no la meta...

—Habría dicho que el Marcus Goldman de *La verdad sobre el caso Harry Quebert* no se rendiría nunca.

—Los novelistas siempre adornan la realidad. Lo sé de primerísima mano.

Cinco horas de carretera más tarde llegué a Manhattan, a los atascos, a las luces y al alboroto del despertar nocturno. Volví a mi piso tres semanas después de haber salido de él. Me di una ducha, pedí comida, luego me asomé a la ventana y contemplé la efervescencia de Nueva York en una noche de verano. Pensaba en Perry. Clavé la mirada en el teléfono con la esperanza de una llamada suya, en vano. Me preguntaba si podríamos recomponer lo que se había roto o si había perdido definitivamente a mi último amigo.

*

Transcurrieron varios días. No tuve noticias de Gahalowood. Intenté llamarlo en varias ocasiones sin resultado. Esa frialdad entre nosotros me resultaba insoportable; al final, cogí el coche con intención de volver a Concord y que nos entendiéramos los dos, pero me rajé mientras cruzaba Massachusetts. Y, sin saber ni cómo ni por qué, acabé en la Universidad de Burrows, donde había estudiado y conocido a Harry Quebert.

Volví a pisar sus escenarios con una pizca de nostalgia. Fui en peregrinación a la sala de boxeo, al anfiteatro donde me había lucido delante de Harry Quebert un día de 1998, y caminé por esos pasillos que tantas veces había recorrido con Jared, mi compañero de cuarto. Y, de paso, me pregunté qué habría sido de Jared.

Había terminado el semestre y por allí no había un alma. Fui al departamento de Literatura y me paré delante del despacho de Harry. Habían quitado la placa con su nombre. No pude por menos de abrir la puerta; la habitación parecía desocupada. Olía a cerrado. Solo estaban los muebles reglamentarios: estanterías y un escritorio de contrachapado. De modo que nadie había sustituido a Harry desde que lo despidieron en junio de 2008. Abrí los cajones del escritorio. Los dos primeros estaban vacíos. En el tercero encontré un periódico viejo y, encima, la figurita de una gaviota. Me sobrevino un escalofrío, ¿qué hacía eso allí? Cuando iba a cogerla, una voz me hizo dar un respingo:

—Este despacho podría ser suyo, Marcus.

Era Dustin Pergal, el decano de la Facultad de Letras.

—He... He venido de visita —tartamudeé.

Pergal sonrió:

—Me hago cargo.

—¿Qué tal está, decano?

—Ya no soy decano. Ahora soy el rector de esta universidad. Ya ve, he ascendido, aunque no tanto como usted. Y pensar que estuve a punto de expulsarlo en 1998, y ahora es la estrella de las letras americanas y el orgullo de esta universidad.

Pergal me invitó a cenar en su casa. Acepté y poco después estábamos en la coqueta vivienda que ocupaba en el campus. Conocí a su encantadora mujer y debo reconocer aquí que pasé una velada muy agradable.

—Gracias a su Residencia para Escritores, la Universidad de Burrows ha adquirido cierto prestigio —me contó Pergal durante la cena—. Muchos estudiantes vienen a la Facultad de Letras con la esperanza de conseguir una estancia en Aurora.

—Lo celebro.

—Y ese Ernie Pinkas que lleva la relación con la universidad es estupendo.

—Desde luego.

—¿Es a él a quien ha venido a ver a la universidad?

—No.

—No me ha dicho qué lo trae por aquí. ¿Busca a alguien en particular?

—Sí, a mí.

Pergal no pudo reprimir una sonrisa.

—¿Sabe, Marcus? Mi propuesta de hace un rato iba muy en serio: podría ocupar el despacho de Harry. ¿Por qué no viene a dar clase de escritura? Tengo una plaza para el semestre de otoño.

—Tengo que pensármelo.

—Podríamos hacer una prueba de seis meses. Para ver si le gusta la enseñanza. Por supuesto, esto no es Columbia, pero tenemos nuestro encanto. En fin, ya lo sabe.

Recogí el guante al vuelo:

—¡Muy bien, cuente conmigo! —me comprometí.

Pergal soltó un sorprendente gritito de alegría y sellamos el trato con un apretón de manos.

A la hora de irme, me acompañó hasta el coche y me atreví por fin a hacerle la pregunta que me llevaba abrasando los labios desde hacía un buen rato:

—¿Ha tenido noticias de Harry Quebert?

—¿De Harry Quebert? No, ¿por qué iba a tenerlas?

—No lo sé. Lo preguntaba por si acaso.

—Le enviaré una propuesta de contrato por correo. Entretanto, ¿puedo anunciar la buena nueva al jefe del departamento de Letras?

—Desde luego.

Era ya tarde, no me sentía con ánimos para volver a Nueva York. Mejor que parar en una birria de motel de carretera, conduje hasta Boston. Cogí una habitación en el Boston Plaza, donde, con la mejor de las intenciones, me subieron de categoría y me dieron una suite gigantesca en la que me sentí perdido. Me quedé un buen rato a oscuras mirando el río Charles y la ciudad de Cambridge que se perfilaba en lontananza.

Boston, por supuesto, me recordó a Emma Matthews. Conservaba de esa ciudad los recuerdos de nuestra relación, que, aunque apasionada, solo duró unos meses. Como habría dicho mi madre, Emma podría haber sido «la definitiva». La había conocido poco más de un año antes del seísmo de mi éxito, mientras escribía el libro que esperaba que me hiciera famoso.

*

Marzo de 2005
Universidad de Burrows, Massachusetts

—¿Qué tal va su libro? —me preguntó Harry, sirviéndome una taza de café en su despacho.

—En la vida había escrito tanto.

—¿Ya tiene un título?

Asentí.

—*Con G de Goldstein.*

—Suena bien. Siento curiosidad por leer lo que escribe.

—Pronto —le prometí.

Ese día Harry me propuso que lo acompañase a una representación teatral en el salón de actos: una adaptación de *El jardín de los cerezos* de Chéjov. Así fue como me encontré en la primera fila de un espectáculo insufrible. Los actores eran pésimos y la dirección catastrófica. El descanso me dio una tregua. Harry y yo tomamos una copa en el bar, pero, cuando llegó el momento de volver a la sala, le dije que entrase solo. Todos los espectadores regresaron a sus asientos y pronto no quedamos en el ambigú más que dos personas: esa chica de ojos verdes que me miraba y yo.

Fue una atracción irresistible.

—Qué función tan mala —me dijo.

—¡Chéjov asesinado! —me escandalicé.

Se echó a reír y me tendió la mano.

—Me llamo Emma.

—Marcus, Marcus Goldman.

Pareció sorprendida:

—¿Tú eres Marcus Goldman?

—¿Nos conocemos? —pregunté.

—No. Pero el profesor Quebert nos ha hablado de ti en su seminario.

—¿Ah, sí?

Por un momento pensé que Harry había ensalzado mis méritos. Pero Emma me comunicó:

—Eres el señor Mamada.

Me sentía humillado. Siete años antes, en primero de carrera, di la nota durante la clase de Harry Quebert al declararme ferviente partidario de la felación. Fue en pleno caso Lewinsky, el famoso escándalo de la mamada al presidente Clinton. Mi salida de tono estuvo a punto de costarme mis estudios en Burrows y me llevaba persiguiendo desde entonces. Emma se fijó en mi expresión decepcionada y se acercó para susurrarme al oído:

—No he dicho que no me gustasen las mamadas.

Acto seguido la invité a tomar algo. Emma cursaba el último año de Literatura. Eso es más o menos todo lo que se me quedó de nuestra conversación, pues estaba demasiado ocupado admirando su cara, mirando sus labios, imaginándolos pegados a los míos. Hasta que interrumpió mi ensoñación:

—¿Y a ti qué te parece? —preguntó.

Como yo no tenía ni la menor idea de a qué se refería, le eché morro:

—Que tienes razón —contesté con cara de estar muy seguro de mí mismo.

—¡Por fin alguien que me da la razón! El profesor Baxter da una visión sesgada de la cronología. ¡Hay que tener en cuenta el contexto! Es algo tan obvio, ¿a que sí?

—De lo más obvio. ¡La cronología es elemental!

—Es como el seminario del profesor Quebert. Es muy interesante, desde luego. La semana pasada fuimos a Lennox, a ver la casa de Edith Wharton. Gran novelista, no digo que no. ¡Una obra magistral! Pero, una vez más, solo leemos a autores muertos. Echo en falta que el profesor Quebert haga intervenir a escritores; aparte de él, quiero decir. Tener la oportunidad de hablar con ellos, de comprenderlos. Me gustaría tanto conocer a un escritor.

Me faltó tiempo para contestarle:

—Qué oportuno, porque yo soy escritor.

Emma abrió unos ojos como platos. Sonrió. Y con esa sonrisa se puso aún más guapa.

—¿Eres escritor?

—Sí, estoy con mi primera novela. A mi agente le parece muy prometedora.

Solo era una mentira a medias: había enviado los primeros capítulos de *Con G de Goldstein* a un agente neoyorkino, Douglas Claren, pero todavía estaba esperando que me dijera algo.

La mención de mi supuesto agente causó su efecto. Emma me miraba ahora con una intensidad que no resultaba nada desagradable.

—¿Podría leerla?

—No.

—Por favor...

—Prefiero que no...

—Me gustaría tanto —volvió a suplicar.

—Ya veremos...

Sonrió, victoriosa.

—¡Vaya locura, eres el primer escritor que conozco! Me parece apasionante.

Empezó a bombardearme a preguntas: ¿cómo escribía? ¿Cómo se me ocurrían las ideas? ¿Me inspiraba en mi propia vida? ¿Cuánto tiempo se necesitaba para redactar una página y cuántas páginas se escribían al día? ¿Se escribía mejor por la mañana que por la tarde?

Justo entonces una amiga de Emma salió de la sala.

—Emma, ¿estás aquí? ¿Qué narices haces? Ya ha empezado la función.

Emma suspiró y se puso de pie. Como yo seguía sentado en el bar, me dijo:

—¡No irás a dejar que aguante sola ese bodrio!

La seguí dócilmente. Quedaba una butaca libre en la fila de su amiga y ella. Nos sentamos juntos. Puso la mano encima de la mía. Al notar el contacto de su piel me estremecí. La segunda parte del espectáculo era aún más atroz que la primera, pero me lo compensaron con creces: Emma acabó por quedarse dormida con la cabeza apoyada en mi hombro.

*

En ese anochecer de junio de 2010, mientras contemplaba Boston, me entraron ganas de volver a verla. De tener noticias suyas, saber qué había sido de ella. Internet me ayudó a localizarla: regentaba una tienda de decoración en Cambridge. Fui a la mañana siguiente. Cuando me vio entrar por la puerta de su local se quedó cortada.

—¿Marcus...?

—¡Emma! Pasaba por aquí y te he visto por el escaparate. ¡Es de traca!

Me preguntó qué estaba haciendo en Boston. Le contesté que había ido a ver a unos amigos. Cuando me propuso que tomásemos un café, miré el reloj como si tuviese la agenda hasta arriba. «Sí, con mucho gusto —contesté por fin—. Tengo un ratito...». Dejó la tienda a cargo de una empleada y nos sentamos en un bar vecino.

La última vez que había visto a Emma se remontaba al 30 de agosto de 2005, el día que rompimos. Ahora estaba casada y tenía una niña.

—¿Todo eso en cinco años? —dije.

—Tú en cinco años te has convertido en una estrella.

—No sé muy bien en qué me he convertido.

Se echó a reír.

—¿Y la tienda? —pregunté—. Por entonces acababas de terminar los estudios de literatura.

—Fui a la universidad por darles gusto a mis padres. Ya sabes que a mí lo que me encantaba desde siempre era la moda. Tener mi propia tienda, ese era mi sueño.

—Nunca me lo dijiste.

—Me di cuenta después de que tú y yo... En fin, que me inspiraste.

—¿Yo?

—Sí, tú y tu forma de montarte la vida según tus aspiraciones, de salirte de la fila. Tus ganas de vivir más deprisa y con más intensidad que el resto.

Al mirar a Emma, volví a pensar en los pocos meses que había durado nuestra relación. Meses felices, que pasamos esencialmente en Boston.

*

Boston, Massachusetts
Junio de 2005

Cada vez que quedaba con Emma, teníamos el ritual de vaguear al sol en el césped del Boston Common, el parque emblemático del centro de la ciudad. Tumbado boca abajo, escribía apoyándome en un libro. Ella leía con la cabeza apoyada en mi espalda. Y no fallaba, al final, siempre acababa rodando encima de mí para que dejase lo que estaba haciendo y nos abrazábamos en la hierba mullida, nos besábamos con la despreocupación de dos jóvenes enamorados. Llevábamos saliendo tres meses.

La noche que nos conocimos, después de la función, Emma me propuso que tomásemos algo en Boston, donde vivía, y que estaba a solo treinta minutos en coche de Burrows. Acepté, por supuesto, y tras hacer ronda por los bares, me invitó a su casa. Emma pertenecía a una familia muy pudiente: vivía en un piso en Beacon Hill. Charlamos, nos reímos, bebimos tequila, acabamos la noche en su cama y dormimos más bien poco.

A partir de ahí, mi vida se transformó en un ballet en tres tiempos: 1. Escribía mi libro, *Con G de Goldstein*, en Montclair, en casa de mis padres, en la que fuera la habitación de invitados y que habían convertido en despacho. 2. Cada vez que le daba un buen empujón al libro o, si no, cada diez días, le mandaba el texto por correo electrónico a Harry y también a quien en adelante iba a ser mi agente: Douglas Claren. 3. En cuanto enviaba las páginas, saltaba a mi viejo Ford y partía rumbo a Aurora, para comentar mi trabajo con Harry. Me paraba en Boston a la ida y a la vuelta para ver a Emma.

Ese día de junio de 2005, Emma y yo estábamos tendidos en la hierba del parque. De repente, inclinó la cabeza un poco hacia atrás, clavó los ojos en los míos y me pasó los dedos por el pelo con ternura:

—¿Qué te preocupa? —me preguntó.

—Nada...

—Cuando estás alterado por algo, te lo noto.

A esas alturas, ya me conocía bien.

—Me ha llamado Roy Barnaski —dije.

Abrió de par en par los ojos.

—¿Roy Barnaski? ¿El jefazo de Schmid & Hanson?

—En persona.

—¿Y qué? ¡Cuenta, cuenta!

—Ha leído los primeros capítulos de *Con G de Goldstein* que le ha pasado mi agente. Le han encantado. He quedado con él el martes que viene. En Nueva York.

—¡Ay, Marcus! ¡Es genial!

Se acurrucó contra mí antes de alzar la cabeza con expresión circunspecta.

—¿Cuándo has hablado con él?

—Anteayer.

—¿Anteayer? Pero ¿por qué no me has dicho nada?

—No lo sé... Por superstición, imagino. De aquí al martes habrá leído otros capítulos, a lo mejor cambia de opinión y mi libro le parece una mierda.

—¿Te da miedo fracasar o triunfar, Marcus?

—Es una buena pregunta.

Me cogió la cara entre las manos.

—Todo va a ir bien, cariño. No pierdas la confianza.

Esa noche, como todos los domingos, Emma cenaba en casa de sus padres. Y, desde hacía poco, yo iba con ella.

Michael y Linda Matthews, los padres de Emma, vivían en Chelsea, en las afueras de Boston, en una finca grande con un jardín impecable, piscina, pista de tenis, setos tallados, paseos de gravilla y un perrito apestoso. Los domingos organizaban cenas familiares con sus tres hijas —Emma, Donna y Anna— y sus respectivas medias naranjas. Donna, de veintiocho años, iba a casarse en septiembre con un informático aburridísimo que se llamaba Theodor pero que insistía en que lo llamase Teddy. Anna, que tenía treinta y un años, se había casado con un tipo llamado Chad, que, según él mismo aseguraba, era un abogado de talento y con un futuro prometedor por delante. Teddy y Chad, como buenos parches familiares, rivalizaban por quedar bien delante de sus suegros. Aprovechaban esas cenas para enfrentarse cortésmente haciendo gala de sus logros. Mi llegada a la familia era una bendición: un supuesto escritor sin un céntimo, no habría sido posible encontrar mejor contraste.

El duelo de los cuñados empezaba nada más llegar a casa de los Matthews: los dos aparcaban el coche delante de la entrada. Chad el deportivo descapotable y Theodor el todoterreno de lujo. Llevaban la carrocería reluciente y los tapacubos lustrados.

Luego Emma y yo nos presentábamos en mi viejo Ford, un poco abollado y con el polvo de los kilómetros recorridos por la autopista. Teddy y Chad se daban discretos codazos cómplices, satisfechos de sí mismos, rebullendo en su camisa de primero de la clase.

Recuerdo que, en esa velada de domingo de junio, a Teddy y a Chad les costaba lucirse. Chad se jactaba de un nuevo caso que acababa de conseguir y al que iba a «sacarle un buen pico», y Teddy se congratulaba de «unas oportunidades increíbles en un mercado emergente y muy jugoso». Y, mientras seguían pujando por quedar por encima, papá Matthews, que hasta entonces había estado asintiendo con la cabeza como si le interesara muchísimo, se volvió hacia mí:

—Y usted, Marcus, ¿qué novedades tiene?

—Voy progresando en mi libro —contesté sin más.

Deliberadamente, me callé lo de la cita con Roy Barnaski. Emma, siempre alerta para lanzarse en mi defensa, quiso mencionarlo, pero le apreté con disimulo la mano para disuadirla.

—¿Tiene un plan B? —me preguntó papá Matthews.

—¿«Un plan B»? ¿A qué se refiere? —pregunté, aunque sabía de sobra dónde quería ir a parar.

—La mayoría de los escritores no viven de la pluma. Se dedican a la docencia o algo así. Podría ser profesor de secundaria, o apuntar a algo más alto, hacer un doctorado y ser profesor de universidad. Un poco de ambición, vamos.

Hubo un silencio embarazoso. Emma acabó por venir al rescate:

—Marcus es demasiado modesto para contároslo, pero está citado con Roy Barnaski el martes que viene.

Como ese nombre no parecía decirles nada a los reunidos, especificó:

—Barnaski es uno de los editores más poderosos del país. Le encanta el libro de Marcus. Si quiere verlo es para hacerle una oferta.

Papá Matthews me miró entonces con aire condescendiente.

—Sin intención de ofender, Marcus, ¿cuánto va a sacar de eso? Unas migajas. Lo honra aspirar a ser artista, ¡pero escribir un libro requiere muchísimo tiempo y no renta nada! Es usted un joven ambicioso. Puedo encontrarle un trabajo en la administración de uno de mis grupos, con un sueldo digno y un horario decente. Ofrecerle seguridad, vamos. Hay que pensar un poco en el futuro. En la estabilidad. Construir algo para Emma y para usted. Supongo que no se conformará con pasarse la vida emborronando páginas.

Emma se vino abajo. Por consideración hacia ella, encajé el golpe sin inmutarme. Pero, para entretener al personal, a Chad le pareció oportuno insistir:

—Es verdad, Marcus, no vas a pasarte la vida conduciendo ese Ford viejo.

*

En ese café de Boston, cinco años después de nuestra ruptura, me preguntaba cómo habría sido mi vida de haber seguido Emma y yo juntos. ¿Me habría mudado a Boston? ¿Sería hoy un joven padre de familia que vive el sueño americano en un bonito chalet de las afueras? Todo eso me remitía a la eterna pregunta: ¿ahora me sentiría en paz?

Emma me sacó de mis pensamientos al hacerme por fin la pregunta que debía de estar reconcomiéndola desde que me había visto entrar por la puerta de la tienda.

—¿Qué pasa, Marcus? ¿Qué haces aquí? Sospecho que no has venido por casualidad.

—Me preguntaba qué fue lo que no funcionó entre nosotros.

Estuvo a punto de atragantarse.

—¿Hablas en serio, Marcus? —contestó, divertida—. ¿Ese es el tipo de preguntas que te sigues haciendo a estas alturas?

—Solo quería entender qué he hecho con mi vida.

Me dijo entonces con un tono a la vez triste y trascendental:

—Has triunfado, Marcus. Fue ese éxito el que nos separó.

Al salir del café anduvimos un trecho por la calle. Llegamos hasta mi coche; torció el gesto al ver mi Range Rover.

—Me gustaba el Marcus del Ford —me dijo—. ¿Sabes por qué? Porque esa chatarra tuya era la señal de que, a pesar de tu talento y a todo el éxito que yo presentía para ti, eras un ser aparte. Te dejé porque ese libro ocupaba ya demasiado espacio. Ibas a ser famoso, lo sabía. Lo tenías todo para triunfar. Te dejé porque sabía que iba a perderte.

Guardé silencio. Se fijó en la abolladura de la carrocería que había hecho el cartel de hierro forjado de los Gahalowood.

—Tienes que arreglar eso —me ordenó con tono burlón—. Da mala imagen.

—No tiene arreglo. Es una cicatriz.

Abrí la portezuela del coche.

—¿Tienes un trozo de papel y algo para escribir? —me preguntó.

Le di una libreta de notas y un bolígrafo de hotel que andaban rodando por la guantera. Garabateó unas cuantas líneas.

—Estas son mis señas. La próxima vez que te apetezca verme no hace falta que te inventes una historia para presentarte en la tienda. Ve directamente a casa.

Según salía de Cambridge, me vi por un momento en el pellejo del Marcus del Ford, ese al que ella había querido. Habría sido profesor de secundaria en Boston, según el destino que me atribuía su padre. Emma, feliz en su tienda. Una vida familiar formal. Una vida sin éxitos literarios, pero, quizá precisamente por eso, más serena.

Enfilé hacia Nueva York. Antes de tomar la decisión de seguir por la autopista 95 rumbo al sur y Florida. Como había demasiada distancia hasta Miami para recorrerla de un tirón, me detuve a pasar la noche en Virginia, en Richmond. Llegué al día siguiente, a media tarde, a casa de mi tío Saul. Se alegró cuando me vio presentarme de improviso.

Aproveché mi estancia para apuntar unos cuantos recuerdos de los Goldman-de-Baltimore. Tío Saul sentía curiosidad por saber en qué estaba trabajando. No me sinceré con él, pero debió de entender que tenía algo que ver con su familia. Pocos días después me trajo una foto que acababa de encontrar mientras ordenaba sus cosas. Databa de 1995. Se me veía de niño en Baltimore, rodeado de mis primos Woody y Hillel y también con Alexandra, una chica que llegó a ser muy importante para mí y a quien durante un tiempo consideré el amor de mi vida, pero a la que perdí a la vez que a mis primos.

Tras contemplar la foto, quise devolvérsela a Tío Saul, pero me animó a quedarme con ella. Nunca supo la incidencia que tendría esa foto más adelante en mi vida.

Ese mismo día, una llamada que ya no esperaba me trastocó el verano. Era Gahalowood. Le noté en la voz un ánimo recobrado:

—No soy más que un pobre hombre que le debe una disculpa. Tenía usted razón, escritor: hace once años que un asesino anda suelto.

Segunda parte
DE LAS CONSECUENCIAS DE UN ASESINATO

Recorrí en coche toda la Costa Este en dos días y medio para subir desde Florida hasta New Hampshire. En resumen, 2.400 kilómetros, veintiséis horas al volante, cruzar doce estados, siete paradas en gasolineras, tres litros de café, dieciséis dónuts, cuatro paquetes de M&M's y tres bolsas de patatas con queso.

9. Reconciliación
Concord, New Hampshire
30 de junio de 2010

Eran las cinco de la tarde cuando llegué a casa de los Gahalowood. El sargento me esperaba en el porche, como si no se hubiera movido desde que discutimos. En cuanto bajé del coche, las chicas salieron de la casa y se me echaron en los brazos. «Tío Marcus —exclamaron a dúo—, ¡has vuelto!». Luego Lisa me preguntó:

—¿Qué tal el problema ese con la peli? ¿Has podido solucionarlo?

Comprendí que su padre se había inventado un cuento para justificar mi marcha precipitada.

—Todo arreglado —me limité a decir.

Las chicas volvieron a meterse en casa. Gahalowood y yo nos sentamos en los peldaños del porche. Sacó dos cervezas de una nevera que me estaba esperando y las abrió.

—Escritor... —empezó con tono apurado mientras me tendía una botella.

—No hacen falta explicaciones, sargento.

Apuntó con el dedo el Range Rover.

—Lo siento por la carrocería.

—No se disculpe, creo que odio ese coche.

—¿Y eso?

—Es una larga historia.

Después de un trago de cerveza, Gahalowood habló de nuevo:

—Hace unos once años, en una noche de abril, estaba sentado en estos mismos escalones con Vance, mi compañero. Acababa de mudarme aquí, Lisa estaba a punto de nacer. Fue el día que murió Alaska Sanders. Vance me anunció que iba a ser su último caso. Quería dejarlo. Tres días después, me lo encontré muerto en una sala de interrogatorios. ¿Qué pasó realmente?

La pregunta del sargento no pedía respuesta. Al menos aún no. Pero era su forma de indicarme que estaba dispuesto a abrir la puerta del pasado.

—¿Qué lo ha convencido por fin de que los acontecimientos del 6 de abril de 1999 quizá no ocurrieron como había creído todos estos años? —pregunté.

—Me ha convencido usted, escritor. Usted y su puñetera abnegación. Su insoportable sentido de la justicia. Su espectacular cabezonería de tocapelotas. Al final, acabé mirando otra vez el expediente.

—¿Y?

—Me fijé en algo que nadie vio por entonces. Venga.

Me llevó dentro y me sentó en la cocina. Extendió encima de la mesa fotografías del sumario policial.

—¿Es legal hacer copias del expediente de una investigación? —pregunté.

—No —refunfuñó Gahalowood—, ¿va a denunciarme a la inspección general?

—Solo quería evaluar su estado de ánimo, sargento —repliqué con una sonrisa divertida.

—Un ánimo resuelto —me aseguró Gahalowood.

—¡Hombre, por fin vuelve por sus fueros, sargento! ¡*El caso Alaska Sanders*, la nueva investigación de Perry Gahalowood y de Marcus Goldman!

—¿No irá usted a convertirlo en un libro, escritor?
—No prometo nada, sargento.

Gahalowood empezó por pasar revista a los elementos de la investigación: las conclusiones de los expertos confirmaban en todos los aspectos el relato de Kazinsky. La cantidad de balas en el cargador del arma de Matt Vance, los tres casquillos que se encontraron en la sala, el disparo en el espejo falso, los restos de pólvora en la mano de Walter Carrey. También se habían encontrado partículas de pólvora en la mano de Matt Vance, pero estas corroboraban el forcejeo entre ambos hombres, que había desembocado en el primer disparo.

—¿Nada anómalo, entonces? —le pregunté a Gahalowood, interrumpiendo sus explicaciones.

—Déjeme acabar, escritor. Ahora es cuando la cosa se pone interesante.

Me resumió la declaración en la que Kazinsky explicaba que a Vance, al llevarle agua a Walter Carrey, se le había olvidado dejar el arma.

—Fíjese bien, escritor. —Me puso delante de los ojos unas fotos tomadas esa nefasta noche—. ¿Ve lo que yo veo? O, más bien, lo que no veo...

Miré atentamente las fotografías. Mostraban la misma escena desde distintos ángulos. Tendidos en el suelo, en un charco de sangre, los dos cadáveres, ambos con la cabeza destrozada. Incluso sin rostro, era fácil saber quién era quién. Vance llevaba en el cinturón una placa de policía y una pistolera vacía. Walter Carrey tenía en la mano el arma de Vance. No vi nada que me llamase la atención y acabé por rendirme. Gahalowood esbozó entonces una sonrisa de satisfacción:

—No hay agua, escritor. Ni botella ni vaso. Nada. Ahora bien, es el escenario de un crimen: nadie ha tocado nada aún cuando la policía científica toma estas fotos. Por fuerza, en alguna parte de la sala tendría que estar el vaso o la botella que Vance le llevó a Walter Carrey.

—Lo que quiere decir...

—Que es muy posible que Kazinsky mintiera.

No acababa de convencerme la solidez de esa observación.

—No tiene mucho peso como elemento probatorio, ¿no?

—Lleva razón, escritor, no tiene mucho peso. Pero es lo que me ha escamado. Ahora, vuelva a mirar estas fotos.

Busqué algo.

—Mire bien los dos cadáveres —fue la consigna que me dio Gahalowood—. ¿Qué le sugieren?

—Asco.

—¡Mire mejor!

—¡Ya está bien de adivinanzas! —dije, irritado—. Dígame lo que tengo que ver.

—Walter Carrey tiene un tiro en la sien izquierda.

—Sí, y tiene el arma en la mano izquierda. Es coherente —comenté.

—Salvo que Walter Carrey era diestro —me dijo Gahalowood—. Lo he comprobado. Era diestro y ese detalle se nos escapó de lleno. De hecho, como el testimonio de Kazinsky lo corroboraban todos los informes de la policía científica, no había razón alguna para dudar del desarrollo de los acontecimientos. Entonces me acordé de una confidencia que me hizo Vance la noche en que apareció el cadáver de Alaska Sanders. Quería concluir su carrera resolviendo esta investigación. Había hallado un paralelismo con un crimen sin resolver que le había hecho mella cuando era detective de la policía de Bangor, en Maine: el asesinato de una chica de diecisiete años llamada Gaby Robinson. Pues resulta que he localizado a uno de sus antiguos compañeros. Me contó que el asesinato no resuelto de Gaby Robinson le había dejado una huella indeleble a Vance. La investigación se cerró por falta de pruebas, pero Vance siguió con ella de tapadillo. Acabó deteniendo a un tipo al que le metió la pipa en la boca para obligarlo a confesar. Le había dicho: «Por fin voy a poder mirar a la cara a los padres de Gaby y decirles que se ha hecho justicia». El individuo en cuestión no tenía nada que ver con el asesinato. A los superiores de Vance les llegó el soplo del episodio y se libraron de Vance sin hacer ruido. A la policía no le gustan demasiado los escándalos. Así fue como recaló en New Hampshire.

Me quedé de piedra:

—Pero entonces —dije—, si Walter Carrey no se disparó un tiro en la cabeza, eso quiere decir...

—Que fue una ejecución.

No había sino una persona que pudiera aclararnos las cosas: Nicholas Kazinsky. Por fuerza, tenía que haber mentido. Perry y yo fuimos a verlo al día siguiente a su casa del 10 de Norris Street, en Barrington. Cuando abrió la puerta, sentado en la silla de ruedas, y tuvo a Perry delante, se limitó a decir:

—Llevo mucho tiempo esperándote.

*

Kazinsky se empeñó en prepararnos un té. Fue una ceremonia rara. Los tres en la cocina, sin cruzar palabra, mirábamos el hervidor mientras se calentaba el agua. El silbido fue una liberación. Luego nos sentó en el salón y nos sirvió en unas tazas de porcelana. Hecho esto, nos dijo con tono horrorizado: «¡Se me han olvidado las galletas! Mi mujer hace unas galletas deliciosas». Fue rodando a la cocina y volvió con una lata antes de soltarle a Perry a bocajarro:

—Así que recibiste mi carta...

—¿De qué va todo esto, Nicholas?

—No puedo más, Perry. Mírame. Soy un puñetero inválido. Me paso los días en esta casa, atrapado como una rata. Ya no lo soporto. Hace años que le estoy dando vueltas.

—¿Vueltas ¿a qué?

—A pegarme un tiro.

Nicholas nos contó que, a principios de 2000, menos de un año después del drama en la sala de interrogatorios, había salido de la policía para meterse en la empresa de seguridad de su cuñado.

—Era el pretexto que estaba esperando para dejar la policía. Ya te imaginarás que vender sistemas de alarma no era mi vocación. Pero mi cuñado aseguraba que no hay nadie como un poli para encasquetarle alarmas a la gente. Es verdad. Les decía: «Con un chisme como este pueden dormir a pierna suelta». Las colocamos a montones e hicimos bastante dinero. La cosa duró dos años, hasta que tuve el accidente.

—¿Qué te pasó? —preguntó Gahalowood para animar a Kazinsky a que siguiera hablando, porque estaba claro que esta digresión sobre la vida personal no era sino el calentamiento antes de sincerarse.

—El 30 de enero de 2002, a eso de las seis de la mañana, salí a correr. Todavía era noche cerrada y llovía a cántaros. Un asco de tiempo. Lo irónico de todo esto es que siempre he aborrecido correr. Pero el imbécil de mi cuñado nos había apuntado a una media maratón. No me apetecía nada participar, pero me sentía obligado. Y, lo que es peor, tenía a mi mujer venga a dar la lata con que un poco de ejercicio no me vendría mal. Así que me entrenaba para esa mierda de carrera, y por eso esa mañana, como todas desde hacía unas semanas, fui a dar la vuelta al barrio. Ese día tocaba recogida de basuras y, para evitar los cubos que los capullos de los vecinos habían dejado en mitad de la acera, decidí correr por la calzada. Como ya he dicho, todavía era de noche; pasó un coche, no me vio y me dio de lleno. Luego ya no me acuerdo de nada. Me desperté en una ambulancia, no me notaba las piernas. No he vuelto a notarlas. Nunca más he vuelto a empalmarme ni a controlar las meadas. Como un puñetero tullido. No creo en Dios, eh, pero aun así me pregunto si esto no será un castigo divino.

Calló.

—¿Un castigo por qué? —preguntó Gahalowood.

Kazinsky se encogió de hombros.

—Por lo que hice... Me ha estado torturando todos estos años, Perry. De haber sido más valiente, te habría escrito antes.

—¿Por qué te decidiste a hacerlo?

Kazinsky me lanzó una mirada que me sobresaltó:

—Fue su libro. *La verdad sobre el caso Harry Quebert*. Lo compró mi mujer. Estaba tan enfrascada en él que me entraron ganas de leerlo. Y también porque sabía que salías tú, Perry. Al leer ese libro, ¿sabes?, me dio la impresión de que volvía a encontrarte. Como si otra vez estuvieras conmigo. Me pareció hermosa la determinación que le echaste para descubrir quién había matado a esa niña, Nola Kellergan. Y, claro, no pude evitar acordarme de Alaska Sanders. Después de la muerte de Vance, no volviste a ser el mismo, Perry. Te encerraste en la soledad. Exigiste no volver a tener ningún compañero. Por las mañanas, te veía irte solo después de la reunión informativa, llevar las investigaciones solo, ir en tu coche solo, comer solo. Encontré toda esa soledad tuya en ese libro, *Harry Quebert*. Y me llegó al alma. Te encerraste en ti mismo porque durante todos estos años te has sentido culpable de algo de lo que no fuiste responsable nunca. —Se volvió hacia mí—. ¿Sabe lo que me gustó en *Harry Quebert*? La idea de que la redención nunca llega demasiado tarde. Me entraron ganas de liberarte de ese peso, así que te escribí. Al principio fue una carta en la que te lo contaba todo. Pero acabé por quemarla. ¡Me faltaron huevos, vamos! Entonces compuse ese mensaje con letras recortadas del periódico. Quería que pudieras desentrañar todo eso sin tener yo nada que ver. Después de una vida de cobardía, es un alivio confesarlo. Ese mensaje lo empecé varias veces, tenía que ser corto y claro, no iba a escribir un mamotreto. Cuando lo tuve listo, le di cien dólares a la asistenta para que dejase el sobre en tu casa. Pero resulta que Helen se presentó una noche. No sé cómo llegó a relacionarme. Me pregunto si la asistenta se fue de la lengua. O si no sería tan gilipollas que llamó a la puerta, tu mujer abrió y le dijo: «Aquí tiene una carta de Nicholas Kazinsky».

—Se veía parte de tu dirección detrás de uno de los trozos del periódico que usaste —le dijo Gahalowood.

Kazinsky se dio una palmada en la frente.

—¡Seré idiota! Así que por eso me encontró tu mujer... Se presentó aquí hecha una furia. Abrió la puerta mi mujer, yo estaba en el salón. Oí a Helen decir a voces: «¿Está Nicholas Kazinsky? Soy la mujer de Perry Gahalowood. Su marido le ha mandado un anónimo». Mi mujer la tomó por una loca, y yo tuve buen cuidado de no asomar la cabeza. Tuvieron un altercado en el umbral y por fin Helen se marchó. Luego me hice el tonto con mi mujer, claro. Le dije que no entendía nada de esa historia. En fin, Perry, discúlpame con Helen, por favor.

—Helen ha muerto —dijo Gahalowood.

—¿Cómo? ¿Cuándo ha sido?

—La noche que vino aquí. Le dio un ataque al corazón según volvía a casa.

A Kazinsky pareció afectarlo mucho la noticia:

—Joder, chico, de verdad que lo siento.

Gahalowood se apresuró a cambiar de tema:

—Nicholas, ¿qué pasó el 6 de abril de 1999?

—No pienso testificar oficialmente —advirtió de entrada Kazinsky—. Nada de grabaciones.

—De acuerdo. Y ahora habla. Sé que Walter Carrey no pudo pegarse un tiro en la cabeza. Así que, maldita sea, ¿qué pasó esa noche?

Kazinsky guardó silencio un momento. Tomó un sorbo de té y mordisqueó una galleta. Luego hizo rodar la silla hasta la ventana. Clavó la vista en la calle, seguramente para no enfrentarse con nuestras miradas. Y empezó a hablar.

*

6 de abril de 1999

Eran las nueve menos veinte de la noche.

Kazinsky y Vance estaban solos en los locales de la brigada criminal. Gahalowood acababa de irse del cuartel general para reunirse con Helen, que estaba a punto de dar a luz. Ambos policías se hallaban en la sala de observación y miraban a través del espejo falso a Walter Carrey, que esperaba en la sala de interrogatorios.

—Espero que el abogado no tarde siglos en llegar —rezongó Kazinsky.

—No te preocupes, no hay ningún abogado —le anunció entonces Vance.

—¿Qué? ¿Cómo que no hay ningún abogado? Nos has dicho que venía para acá.

—No he hablado con el turno de oficio. No necesitamos tener por medio un abogado palurdo durante mi interrogatorio. Ya es hora de que el puñetero Carrey desembuche.

—¿Qué piensas hacer?

—Voy a aprovechar que estamos solos para que este amiguito nos lo cuente todo. Esta planta está vacía, no habrá nadie que lo oiga gritar. Perry me cae muy bien, ¿sabes?, pero para mi gusto le tiene demasiado respeto a las normas. A veces hay que saber cuándo aplicar recursos drásticos.

—¿Qué recursos drásticos? —preguntó Kazinsky, pálido.

A modo de respuesta, Vance se limitó a dar unos golpecitos en la culata de la pistola que llevaba en el cinturón.

—Espera, ¿qué vas a hacer? —balbució Kazinsky, aterrado—. No pensarás amenazarlo con un arma.

—¿Qué? ¿No hay huevos? ¿Te vas a chivar?

Kazinsky, que era cobarde, no quería tener problemas con nadie.

—No me opongo, pero no quiero líos.

—No te preocupes, no te vas a implicar. Y compartirás los laureles con Perry. Quédate aquí tranquilito, disfrutando del espectáculo. Y, ya puestos, guárdame esto, por favor.

Vance cogió su pistola semiautomática, sacó el cargador y se lo entregó a Kazinsky. Luego enfundó el arma y, al ver la mirada de temor de su compañero, le aclaró:

—Tranquilo, solo voy a darle el susto de su vida.

—¿Y si te acusa de obligarlo a confesar bajo coacción?

—Dirás que es mentira. Es lo único que vas a tener que hacer.

—Esto no me gusta, Vance.

—Si no te gusta, no deberías estar en la criminal, muchachote. Mira y aprende.

Vance salió de la habitación. Por el espejo falso, Kazinsky lo vio entrar en la sala de interrogatorios.

—¿Puede quitarme las esposas? —preguntó Walter Carrey—. Me duelen las muñecas.

—No.

A Walter lo sorprendió que el policía usara un tono tan duro.

—¿Ha llamado a un abogado?

—No —contestó Vance, mirando al joven con expresión aviesa.

—¿Cómo que no? —se indignó Walter—. ¡Tengo derecho a un abogado! ¡Está incumpliendo la ley!

Vance no perdió la calma y siguió callado. Miraba fijamente a Walter, que empezaba a asustarse. Vance se le acercó entonces despacio y acto seguido, con un gesto rápido, lo agarró y lo pegó a la pared. Sin aflojar la presión, desenfundó el arma y se la hundió en los genitales. Empezó a gritar:

—¡A esto es a lo que tienes derecho, a mi pipa!

—¡Pare! —vociferó Walter—. ¡Está mal de la cabeza!

—¡Confiesa! ¡Confiesa y la cosa no irá más allá!

—Pero ¿confesar qué? —imploró Walter, aterrado.

—¡Confiesa que mataste a Alaska Sanders, cacho mierda!

—¡Pero si no he matado a nadie, joder! ¿Cuántas veces voy a tener que decírselo? Estuve en el National Anthem hasta que cerraron...

—¡A mí no me tomes el pelo! ¡Nadie puede confirmarlo! ¡Sé que estabas en el bosque! Tenemos las pruebas: tu coche, tu ADN. ¡Estás jodido, Walter, harías bien en cantar de una vez!

Walter, desesperado, se echó a llorar. Como ya no veía cómo salir del paso, intentó amenazar:

—¡Se lo voy a contar todo a mi abogado y a usted lo pondrán en la calle! ¡No tiene derecho a tratarme así!

—¿Ah, no? ¿No tengo derecho? ¿Porque tú sí que tenías derecho a cargarte a Alaska? Créeme, chico, si me denuncias te arrepentirás. Con o sin confesión, te condenarán y te hará falta tener un amigo como yo en la cárcel: me las apañaré para que te pudras en el calabozo de aislamiento en lugar de acabar en una celda de seis para que te den por culo todo el santo día. Estarás bajo mi protección.

Según decía esas palabras, Vance le apoyó el arma en la sien a Walter. Este soltó un grito de espanto y rompió a llorar. Vance notó que estaba a punto de conseguirlo.

—¡Confiesa! ¡Confiesa ahora! Pronto ya no podré hacer nada por ti.

—Yo..., yo...

—¡Confiesa el asesinato! —repitió Vance, como un poseso—. ¡Confiesa y se acabó!

Kazinsky asistía a la escena petrificado. Desde la sala de observación, veía a Walter llorar como un chiquillo.

—Quiero que vengan mis padres —suplicó.

—Nadie podrá salvarte —contestó Vance, sin apartar el cañón del arma de la cabeza de Walter—. No después de lo que has hecho. Esto tiene que acabarse.

—¡Sí, tiene que acabarse! —imploró Walter, hecho un mar de lágrimas.

—Entonces dime que la mataste. Y se acabó.

Walter parecía titubear. Vance le obligó a abrir la boca y le metió dentro el cañón. Aterrado, Walter lanzó un grito ahogado.

—¿Estás intentando decirme algo? —preguntó Vance con tono cínico.

Retiró el cañón y Walter exclamó:

—Sí, de acuerdo. ¡De acuerdo! ¡Yo la maté! ¿Ya está satisfecho?

Kazinsky vio cómo se dibujaba una sonrisa victoriosa en la cara de Vance. Este se volvió hacia el espejo falso para dirigirse a su compañero:

—¡Kazinsky, ven! ¡Ven y graba!

Pero Kazinsky se quedó clavado detrás del cristal. Vance le había dicho que no se vería mezclado en todo aquello. ¿Por qué lo hacía entrar en escena? ¿Y por qué decir su nombre? Vance se impacientó al ver que su compañero no llegaba. No quería aflojar la presión y necesitaba poner en marcha la cámara colocada en un trípode junto a la mesa. Se oyó entonces la voz de Kazinsky en la sala de interrogatorios:

—Estás yendo demasiado lejos, Vance —dijo por el interfono.

—¡No me jodas, Kazinsky! ¡Ven ahora mismo y pon en marcha la puta cámara!

—¡No, Vance, es ir demasiado lejos!

Vance soltó una blasfemia. Mantuvo controlado a Walter apuntándolo con el arma, retrocedió hasta la cámara y la puso en marcha, teniendo buen cuidado de quedar fuera de campo. Dijo con voz del todo reposada y serena:

—Walter, de entrada aclaro que has aceptado que se grabe esta conversación. ¿Puedes repetir lo que acabas de decirme?

Walter Carrey rompió a llorar.

—Yo la maté. Yo maté a Alaska. —Pausa—. *Matamos* a Alaska. No estaba solo. Eric Donovan estaba conmigo.

A Vance lo dejó pasmado esta revelación. Repitió, como para tener la seguridad de que había oído bien:

—¿Eric Donovan participó en el asesinato?

—Sí, no seré el único en caer. La matamos Eric y yo. El jersey que encontraron... es suyo. Las iniciales M. U. son de

Monarch University, la universidad donde estudió. Compruébenlo y ya verán que digo la verdad...

Tras decir estas palabras, Walter se deshizo en lágrimas.

—Ya ves, sienta bien quitarse un peso de encima —lo consoló Vance antes de apagar la cámara.

Walter se quedó de pie, pegado a la pared, muerto de miedo. Vance se acercó y le dijo con expresión satisfecha:

—Vas menos de listillo cuando tienes una pipa en la sien, ¿eh? Creíste que no lo contabas, ¿eh? Ahora ya sabes lo que sintió Alaska esa noche, cuando la estrangulaste... En fin, no, no lo sabes del todo...

Vance volvió a agarrar al joven y le puso otra vez el cañón en la sien.

—¡Ya está bien, joder! —chilló Walter, aterrado—. He hecho todo lo que usted quería.

—Iba de farol —le susurró Vance, triunfal—. ¡Ni siquiera tengo cargador en la pipa, capullo! Si hubieras mirado bien, en vez de cerrar los ojos como un pringado, lo habrías visto. Curras en una tienda de caza, deberías entender de armas...

Para darle un último susto a su víctima, Vance, pensando que su arma era inofensiva, apretó el gatillo. Pero, en vez del clic metálico que se esperaba, le estalló en el oído una detonación.

Transcurrieron unos segundos de pasmo. Kazinsky entró a la carrera en la sala de interrogatorios y se encontró a Vance estupefacto, salpicado de sangre y de sesos. Walter Carrey yacía en el suelo con la cabeza destrozada.

—Joder, Vance, ¿qué has hecho? —gritaba Kazinsky, histérico.

—No había cargador, maldita sea —susurró Vance, incrédulo y conmocionado—. No había cargador, lo sabes perfectamente porque te lo di.

—¡Quedaba una bala en la recámara! ¿Por qué no descargaste del todo la maldita pistola?

—¡Y yo qué sé! —vociferó Vance de repente, como si estuviera reaccionando—. ¿Por qué no me dijiste que lo hiciera?

—¿Y cómo coño iba a saber yo que simularías una ejecución para que confesara?

Los dos policías se miraron, espantados, tras contemplar el cadáver de Walter.

—¡Joder, joder! —vociferó Vance—. Hemos matado a este tío.

—*Tú* has matado a este tío —aclaró Kazinsky, que tenía toda la intención de dejar que su compañero asumiera solo su arrebato de locura.

—Si yo me voy a pique, tú también —le dijo Vance—. No es momento de andar lloriqueando, hay que actuar.

—¿Actuar? Pero ¿qué quieres hacer? ¿Cómo quieres deshacerte discretamente de un cadáver aquí?

—No vamos a deshacernos de él; vamos a decir que Walter me quitó la pipa y se suicidó.

—¡Estamos en las mismas! —se lamentó Kazinsky—. El reglamento prohíbe entrar armado en una sala de interrogatorios.

—¡Créeme, una amonestación de los jefes vale más que un juicio por asesinato! Diremos que Carrey fingió un mareo, fuimos corriendo a atenderlo y me quitó la pipa.

—¡Nadie nos va a creer!

De repente Vance se acordó de la confesión que acababa de obtener.

—¡La confesión va a salvarnos! —exclamó—. ¡Carrey es culpable, podemos demostrarlo con la grabación! Al fin y al cabo, la vida de un asesino no vale nada. Ahora tenemos que actuar deprisa; puede que alguien haya oído el disparo y se plante aquí a toda leche. Devuélveme el cargador y quítale las esposas.

Kazinsky le devolvió a Vance el dispositivo. Después se inclinó asqueado sobre el cadáver. Le quitó las esposas y le dejó las manos libres.

—¿Qué hago con ellas? —preguntó como un niño desorientado, sacudiendo las esposas manchadas de sangre.

—¡Escóndelas, coño! —ordenó Vance, que ya se había recuperado del todo—. De momento, métetelas en el bolsillo y luego vas a limpiarlas al baño. Lo primero es arreglar esta cagada.

—¡*Tu* cagada, Vance, mierda! ¡La idea fue tuya!

Vance volvió a cargar el arma y se la puso en la mano izquierda a Walter para que encajase con la herida de la sien izquierda. Le cerró los dedos al muerto alrededor de la culata y le puso el índice en el gatillo. Tras rematar la escenificación, Vance soltó un taco:

—¡Mierda!

—¿Y ahora qué pasa? —se lamentó Kazinsky.

—Si decimos que Carrey se ha pegado un tiro, la policía científica tendrá que intervenir. El forense le hará la autopsia al cadáver y los análisis de rigor. Y como mete las narices en todo se fijará en que el supuesto suicida no tiene rastros de pólvora en los dedos. Y llegará a la conclusión de que no tenía el arma en la mano en el momento del disparo. ¡Maldita sea, estamos jodidos!

Vance, ese hombre de acción y luchador, de ordinario tan resistente, se estaba desmoronando. Kazinsky entendió en ese momento que Vance no los iba a sacar del lío. Iba a tener que apañárselas solo. Lo invadió la desesperación: siempre había contado con los demás para no tener que tomar decisiones. La otra noche, sin ir más lejos, había cenado con su mujer en ese restaurante indio de Lincoln Boulevard y fue su mujer quien escogió por él. «Venga, cordera, pide por los dos». Ay, su mujercita, su cordera, como la llamaba, cómo se acordaba ahora de ella. Quería irse con ella. Acurrucarse pegado a ella. De hecho, ya no quería ser policía. Sí señor, estaba decidido. Si salía de este maldito lío dejaría el cuerpo. Demasiado estrés. Y, además, no le gustaban las responsabilidades inherentes a la profesión. No le gustaba tener que responder de los informes, ni dirigir interrogatorios. Le gustaba ser compañero de Johnson, un gallina como él. Paraban ratos muy largos para almorzar y pedían refuerzos sistemáticamente si la cosa se ponía un poco fea. ¿Por qué había aceptado la propuesta del cantamañanas de Lansdane de unirse a Gahalowood y a Vance para investigar ese asesinato? ¿Por qué no se había quedado con Johnson, sin pegar clavo en todo el día y mirándose los zapatos cuando pedían voluntarios? ¡Se había acabado la policía! Su cuñado le daba la brasa para que se fuera con él a su empresa de material de seguridad. ¡Amén! Venderles alarmas a los caguetas le iba como anillo al dedo. Sí, llevar una vida tranquilita con su mujer, que le elegía la ropa por las mañanas y decidía lo que iban a comer en el restaurante por las noches.

—Kazinsky, joder, ¿te has quedado frito?

La voz de Vance devolvió a Kazinsky a la realidad. Se concentró. Había llegado la hora de tomar las riendas de su destino y de dar con una idea para salir del paso.

—¡Ya sé! —gritó de repente Kazinsky, que tuvo una iluminación—. ¡Haremos que dispare! Haremos que dispare con tu pipa y así tendrá pólvora en las manos.

—Habrá que explicar el impacto de la bala —repuso Vance—. ¿Por qué iba a disparar?

—Cambiamos el guion —sugirió Kazinsky—. Esta es la nueva versión: Walter confiesa el crimen, tú apagas la cámara y él finge un mareo. Te acercas y te quita la pipa. Tú le agarras las manos, tenéis un forcejeo y hay un disparo sin consecuencias. Luego Walter se suelta y se suicida.

—¿Por qué se iba a suicidar? —preguntó Vance.

—Porque siente remordimientos. Lo clásico.

Vance perdió la compostura.

—¡Nadie se lo va a creer! Y, cuando le da el mareo, ¿por qué no ibas a estar tú también en la sala de interrogatorios? Resulta raro que esté yo solo, ¿no?

—Puedo estar yo también, pero la historia tiene más sentido si estás solo en la sala, por lo del forcejeo, digo. Si estuviéramos los dos, podríamos reducirlo sin mucha dificultad. Venga, tenemos que espabilarnos, es un milagro que nadie se haya plantado aquí todavía.

Kazinsky le cogió la mano armada a Walter. Apuntó al techo y apoyó el dedo de Walter en el gatillo. Sonó un disparo. El gesto había sido torpe y la bala fue a parar al espejo falso, que se rompió con un estruendo espantoso.

—¡Mierda! —soltó Kazinsky.

—¡Joder! —vociferó Vance—. ¡Ahora sí que la hemos cagado del todo!

—No te preocupes, no cambia nada. —Kazinsky no se podía creer que tuviera él que tranquilizar a Vance—. Al contrario, le da credibilidad a la historia. Venga, ahora ve a pedir refuerzos.

Kazinsky se inclinó sobre el cadáver para colocarlo en una postura plausible. Notó de pronto que le metían una mano debajo de la chaqueta. No le dio tiempo a reaccionar. Vance acababa de quitarle el arma y ahora la estaba apoyando en su propia sien, dispuesto a suicidarse.

—¡Para, Vance! —chilló Kazinsky, espantado—. ¿Qué estás haciendo?

—¡Estamos jodidos, Kazinsky! ¡Abre los ojos, coño!

—¡Suelta esa pipa! Te digo que saldremos de esta.

—¡Estamos jodidos! ¡Tu historia no encaja! ¿Por qué iba a estar yo cubierto de sangre y de sesos? ¡Cuando el tío me disparó, tendría que haberme puesto a cubierto! Si estaba lo bastante lejos de él para evitar su disparo, ¿cómo pudieron alcanzarme sus sesos en toda la cara?

—Diremos que quisiste socorrerlo. ¡Devuélveme la pistola, por favor!

—¡No, no, nadie va a creerse eso!

—¡Suelta esa pipa! ¡Te digo que nos vamos a librar!

—¡Y yo te digo que estamos jodidos! —voceó Vance, apretando más el cañón contra la sien—. ¡Vamos a acabar en el trullo para lo que nos queda de vida! ¿Sabes lo que les hacen a los polis en el trullo?

Nada más decirlo, Vance cerró los ojos y apretó el gatillo.

Sonó una detonación.

*

—Me sentía aturdido, mirándole la cabeza destrozada —nos contó Kazinsky, desde la ventana de su salón, once años después de los hechos—. De pronto, me pareció que aún se movía. No sé si fue una alucinación mía o un movimiento reflejo, pero me tiré encima de él como si aún pudiera hacer algo. Tenía la cara a pocos centímetros de la suya, en fin, de lo que quedaba de ella, y acabé potando. Me quedé completamente anestesiado unos segundos, y luego me entró una especie de instinto de supervivencia; ahora que la había palmado, Vance ya no tenía que preocuparse de que le metieran un puro. Y yo no iba a hundirme por culpa de ese capullo. Le arranqué mi pistola de la mano, la limpié de sesos y me la volví a meter en el cinturón. Me dejé las esposas en el bolsillo y fui a pedir ayuda. En ese momento, otro ataque de pánico: el número de balas que quedaba en el cargador del arma de Vance no coincidía con los disparos. Tenía que quitar una bala, así que fui corriendo a la sala de interrogatorios. Le quité el cargador al arma que tenía Walter Carrey, saqué una bala y luego volví a colocar el cargador en la culata. Justo a tiempo, antes de que llegasen los compañeros. Me inventé una historia para explicar ese desastre. Y todo el mundo se la creyó. Nunca se duda de la palabra de un policía. Si me hubieran registrado esa noche, me habrían encontrado en el bolsillo las esposas y la bala que había sacado del cargador.

—¿Por qué no contó la verdad? —pregunté.

Kazinsky, que se había quedado pegado a la ventana durante todo el relato, acabó por dignarse girar la silla y me sostuvo la mirada.

—¡Me la habría cargado de cualquier forma! Me habrían echado en cara que dejase actuar a Vance, no haber intervenido, no haber pedido refuerzos inmediatamente para detener su ataque de locura.

—Preferiste mentir —le espetó Gahalowood.

—Pues sí, no soy más que un cobarde, Perry. No todos podemos ser como tú. Cada cual sobrevive como puede en esta mierda de mundo.

Hubo un prolongado silencio. Luego, Kazinsky susurró:

—Dejadme, por favor. Largaos antes de que vuelva mi mujer; no quiero que te encuentre aquí, Perry.

Gahalowood se puso de pie sin decir palabra. Yo lo imité. Al salir del 10 de Norris Street, le pregunté:

—¿Está bien, sargento?

—No tengo ni idea.

A la mañana siguiente de la visita a Kazinsky fuimos a ver al jefe Lansdane. Gahalowood había preferido no dar detalles sobre el motivo de esa cita urgente para no cargarnos el factor sorpresa. Por desgracia, la sorpresa nos la llevamos nosotros.

10. Empieza la investigación
Concord, New Hampshire
Viernes 2 de julio de 2010

—¿Usted también viene? —se extrañó Lansdane al verme aparecer detrás de Gahalowood.

—No haga como que se escandaliza. Fue usted quien me empujó a participar en la investigación.

—¿La investigación? ¿De qué me habla? Creía que Perry venía a decirme que se reincorporaba al servicio —contestó Lansdane.

—De eso se trata —confirmó Gahalowood—. Y quiero encargarme del caso Alaska Sanders.

—¿El caso Alaska Sanders? Queda descartado por completo que se reabra oficialmente una investigación. Ya se lo expliqué a Marcus.

—Pero es que la situación ha evolucionado —le comuniqué—. Contamos con un hecho nuevo y de primerísima importancia. ¡La confesión de Walter era falsa! Kazinsky nos confesó ayer que a Walter Carrey lo amenazó y lo mató Matt Vance durante el interrogatorio. Y Vance se descerrajó un tiro inmediatamente después.

—Es imprescindible que reabra el caso, jefe —insistió Gahalowood—. También tenemos que conseguir de la oficina del fiscal una orden de escucha para Kazinsky. No querrá testificar de manera oficial, pero nada nos impide volver a verlo y grabar su confesión sin que se entere. Hay que darse prisa. Ayer estaba charlatán, pero me temo que no le dure mucho.

Lansdane nos miró atentamente:

—¿Así que no están al tanto?

—¿Al tanto de qué? —pregunté.

—Kazinsky ha muerto. Se suicidó anoche en su casa, se pegó un tiro en la cabeza. Supongo que poco después de haber descargado la conciencia.

Gahalowood descargó un puñetazo rabioso sobre la mesa.

—¡Ese tío ha muerto como vivió! Como un cobarde.

—Vivo o muerto, el sargento y yo podemos hacer una declaración jurada de lo que le oímos decir.

—Tengo algo mejor. —Gahalowood sacó el móvil del bolsillo.

Lo había grabado todo en el dictáfono que tenía integrado. Lo puso en marcha: el sonido estaba ahogado, pero se reconocían perfectamente las voces.

SARGENTO GAHALOWOOD: Nicholas, ¿qué pasó el 6 de abril de 1999?

NICHOLAS KAZINSKY: No pienso testificar oficialmente. Nada de grabaciones.

SARGENTO GAHALOWOOD: De acuerdo. Y ahora habla. Sé que Walter Carrey no pudo pegarse un tiro en la cabeza. Así que, maldita sea, ¿qué pasó esa noche?

Lansdane escuchó, estupefacto, la confesión de Kazinsky.

—Sabía que Vance tenía la mecha muy corta —se sinceró con nosotros—. Antes de venir a New Hampshire, estaba en la policía de Bangor, en Maine, donde metió mucho la pata. Pero era un buen policía y estar emparejado con Perry lo animaba a controlarse. Precisamente por eso asigné a Kazinsky a esa investigación. Lo del exceso de trabajo era un pretexto: sabía que Helen iba a dar a luz y no quería que ese exaltado de Vance se quedase investigando solo. La presencia de un cobarde como Kazinsky debía garantizar un buen equilibrio.

—¿Qué hacemos con esta grabación? —preguntó Gahalowood.

—Nada —dijo Lansdane.

—¿Nada? —me atraganté yo.

—Saben los dos que ese testimonio no es admisible. Se obtuvo de forma ilegal.

—No fui a verlo como policía en funciones —aclaró Gahalowood—. Es acción ciudadana.

—Kazinsky lo consideraba un policía, lo quisiera usted o no.

—Diremos que la grabación la hizo el escritor —sugirió Gahalowood.

—¡Con o sin escritor, es policía, Perry! No puede hacer una grabación sin un acuerdo previo o sin una orden judicial.

Me irrité:

—¡Qué fácil es ampararse en el procedimiento cuando le conviene!

—¡A ver, Marcus, es inútil insistir, la oficina del fiscal le echará por tierra esa grabación! Y, además, que la confesión de Walter Carrey se obtuviera en circunstancias perturbadoras no demuestra que fuera inocente.

—¿«Circunstancias perturbadoras»? No estará hablando en serio, jefe Lansdane. Vance le metió el arma en la boca. Está claro que confesó bajo coacción.

—¡Pero, incluso sin confesión, iba a acabar en la silla eléctrica! Ya conoce el expediente: todos los indicios apuntan a él. ¡Su coche! ¡Su ADN! ¡Tiene móvil y no tiene coartada! ¡Y otro tanto con Eric Donovan, que, de propina, se declaró culpable! ¿Qué más quiere?

—Hay una duda razonable sobre su culpabilidad, jefe —insistió Gahalowood.

Lansdane era categórico:

—No se puede reabrir la investigación sin divulgar lo que Vance y Kazinsky le hicieron a ese chico. ¿Se imaginan qué escándalo? ¡Y la prensa, relamiéndose!

—Al contrario, dar reparación a esta tragedia honra a la policía.

Yo notaba que algo frenaba a Lansdane, y al final acabó por reconocerlo.

—Miren, caballeros, no les voy a ocultar que el gobernador y yo tenemos unas relaciones tirantes ahora mismo.

—¿Y eso qué tiene que ver con nuestro caso?

—Corre el rumor de que el gobernador anda intentando destituir al jefe de policía. No puede quitarme de en medio sin un motivo de peso porque soy muy popular en el cuerpo. Pero aprovechará lo que sea para librarse de mí. Y este escándalo, que me afecta directamente (porque les recuerdo que era el jefe de la brigada criminal por entonces), será la ocasión soñada para largarme.

—¿Así que en esas estamos? —dije—. ¿Tanto tejemaneje porque quiere salvar su carrera?

—Así es la política, Marcus. Y, además, Walter Carrey está muerto.

—¡Pero Eric Donovan lleva once años pudriéndose en una cárcel estatal! —protesté—. ¡Se trata de poner en libertad a un inocente y rehabilitar a dos hombres!

—¿Y si en realidad fueran culpables? —hizo notar Lansdane.

—¡No va a descubrirlo jugando al golf con el gobernador para ganarse su favor!

—¿Es que se piensa que esto no me preocupa? —se defendió Lansdane—. Según usted, ¿por qué le pedí que investigase esa carta anónima?

—Porque usted no tuvo el coraje de hacerlo. Necesitaba saber más, pero sobre todo al margen de los cauces oficiales para no levantar la liebre. Me manipuló por completo. Me habló de Perry y de Helen, pero solo estaba atendiendo a sus propios intereses. Es usted majo, jefe Lansdane, pero no temerario.

—Y usted es majo, Marcus, pero un tocapelotas redomado. Me parece que ya se lo había dicho, por cierto. Le propongo lo siguiente: si me encuentra una prueba irrefutable (irrefutable, ¿me oye?) de la inocencia de Walter Carrey y de Eric Donovan, reabriré oficialmente la investigación. Y aguantaré el chaparrón que me caerá encima.

—Si reabre la investigación, me la asigna a mí y también al escritor —exigió Gahalowood.

—No puedo autorizar que investigue un civil...

—¡Eso no le impidió utilizarme para seguirle la pista al anónimo! —me indigné.

—Entonces acabe el trabajo, Marcus. Demuéstreme que se merece estar en el ajo. Demuéstreme que se merece que me arriesgue por usted cuando los sindicatos me pregunten por qué he autorizado al divo de la literatura a intervenir en una investigación criminal. Tráigame esa prueba, Marcus. No quiero que sea usted, Perry: no quiero que vaya exhibiendo la placa por todo Mount Pleasant para hacer preguntas y dar que hablar a todo el mundo. La gente no es idiota. ¡Si me llega el mínimo rumor al respecto, si la policía de Mount Pleasant me llama para quejarse de que uno de mis hombres está investigando, cierro este caso para siempre jamás!

—¿Y con qué motivo voy a presentarme en Mount Pleasant? —pregunté—. ¿Pasaba por allí?

Lansdane se quedó pensando un momento antes de contestar:

—Seguro que en Mount Pleasant hay alguna librería decente. Organice una firma de ejemplares. Y, ¿quién sabe?, puede que le apetezca pasar un par de días en una localidad tan encantadora.

—¿Y? —le pregunté sin ver dónde quería ir a parar.

—A lo mejor resulta que alguien le habla de un caso bastante sórdido que ocurrió allí en 1999. Y, de buenas a primeras, se encuentra usted con el principio de su próximo libro. Nadie sospechará nada.

Una semana después, siguiendo el consejo de Lansdane, me presenté en Mount Pleasant para firmar ejemplares en la librería local. Me disponía a pasar unos cuantos días en la localidad.

11. Firmas
Mount Pleasant, New Hampshire
Jueves 8 de julio de 2010

Gahalowood me había preparado para esa estancia como quien entrena a un comando de intervención. Me contó con todo detalle la investigación que se llevó a cabo en su momento. Según él, mi presencia en la librería de Cinzia Lockart me serviría para entablar relaciones más fácilmente con los vecinos.

—Lo único que tiene que hacer, escritor, es apañárselas para que le hablen de Alaska Sanders. Se hace el sorprendido y empieza a profundizar.

—¿Y cómo lo hago? —planteé en tono sarcástico—. ¿Le pregunto a la librera si sabe de un crimen lo bastante sórdido como para convertirlo en novela?

—Pegue la hebra con los lugareños. Diga que Mount Pleasant le recuerda a Aurora, hable de Nola Kellergan y seguro que el tema de Alaska sale a relucir. Luego puede ponerse a profundizar más abiertamente porque ya le han hablado del tema.

—¿Me sugiere algunos nombres?

—Pruebe en la gasolinera donde trabajaba Alaska. El dueño la nombrará, puede estar seguro.

—¿Y qué hago? ¿Me presento y le digo: «Buenas, vengo a llenar el depósito, tomar un café y sonsacarle información sobre Alaska Sanders»?

—Invéntese algo, Goldman. Ese es su oficio, ¿no?

Qué fácil resulta decirlo.

Mientras conducía rumbo a Mount Pleasant, me iba preguntando cómo ingeniármelas para encontrar una prueba infalible que exculpase a Walter Carrey y a Eric Donovan. Casi había llegado a mi destino cuando recibí una llamada de mi editor, Roy Barnaski.

—Diga, Roy.

—Goldman, me he enterado de chiripa de que va a estar firmando mañana en una librería de Mount Pleasant.

—Exacto.

—¿Qué mosca le ha picado para irse a firmar libros en pleno verano a un pueblo de mala muerte en medio del campo? ¡Si quiere hacer una gira, le montamos una de las gordas, a escala nacional! ¡No un recorrido por todas las covachas de América!

Tenía que hilar fino con Roy: si sospechaba algo, se iría de la lengua con la prensa para conseguir publicidad por la cara.

—Es una librería encantadora —dije.

—¡Hay miles de librerías encantadoras, Goldman!

—Eso es cierto, pero la de aquí está pasando apuros.

—¡Goldman, una librería pasa apuros por definición! Me da que hay gato encerrado... ¿Qué me está ocultando?

—Nada, se lo aseguro.

En ese momento sonó una sirena detrás de mí. En el retrovisor vi que me perseguía un coche de policía con las luces giratorias en marcha.

—Tengo que dejarlo, Roy.

—¿Qué pasa?

—La policía.

—Es usted una calamidad, Goldman.

Cualquiera que vaya algún día a Mount Pleasant comprobará que el último tramo de la carretera 21, antes de llegar a la ciudad, es una recta que invita a saltarse el límite de velocidad. Siguiendo las indicaciones del coche patrulla, me detuve en el arcén. El coche de policía se paró detrás de mí y se bajó una joven. Miré por el retrovisor cómo se acercaba; estaba muy guapa con el uniforme negro entallado y las gafas de sol caladas. Debía de tener más o menos mi edad.

—Carnet de conducir y documentación del vehículo, por favor.

Obedecí. Era a la vez encantadora y autoritaria.

—Marcus Goldman —leyó en el carnet de conducir.

—Soy yo —contesté sonriente.

—¿Viene de Nueva York?

—Sí, pasando por Concord.

—¿Qué hace en Nueva York?

—Vivo allí.

—Eso ya lo supongo. Le pregunto a qué se dedica.

—¿A qué me dedico? —repetí.

—Sí, en qué trabaja. Su profesión. De qué come.

—Soy escritor.

No se inmutó.

—¿Escritor de qué?

—Soy novelista.

Se encogió de hombros.

—No debe de ser muy conocido...

—Un poco.

—En cualquier caso, nunca he oído hablar de usted. ¿Son sus libros los que le han pagado un coche como este?

Sonreí.

—No, es el tráfico de drogas.

Noté que se relajaba. Sacó una libreta y escribió algo.

—¿Qué lo trae a Mount Pleasant, señor Goldman el escritor?

—Mañana voy a firmar ejemplares de mis libros en la librería Lockart. Usted también debería ir.

—Quién sabe —me contestó, alargándome una octavilla.

—¿Es su número de teléfono? —pregunté.

—Es una multa de ciento cincuenta dólares por exceso de velocidad. ¡Conduzca con prudencia!

Volvió a subirse al coche y se fue. Nuestro encuentro, a pesar de los ciento cincuenta dólares que me había costado, me dejó una grata sensación. Miré enseguida su nombre en la parte de abajo de la multa, al lado del número de placa: «Oficial L. Donovan».

Al principio, distraído seguramente por mi coqueteo, no me fijé en la coincidencia. Lo hice una hora después, en la habitación del hotel.

En Mount Pleasant me había instalado en un hotel con mucho encanto que daba a una glorieta florida. La habitación, cómoda y amplia, tenía un escritorio colocado de cara a la ventana. Me acomodé allí para estudiar el expediente del caso Alaska Sanders que me había entregado Gahalowood. Al hojearlo fue cuando me volvió a la memoria el apellido de la policía: «L. Donovan». ¿Tendría algo que ver con Eric Donovan?

Quise comprobarlo de inmediato. Encendí el ordenador y me metí en internet. Localicé la página web de la asociación Libertad para Eric Donovan que había encontrado pocas semanas antes, cuando hice las primeras búsquedas sobre el caso Alaska Sanders. En esta ocasión dediqué tiempo a consultarla con calma. En la portada de la página había varias fotos. En una de ellas reconocí a la oficial de policía de hacía un rato: Lauren Donovan. Era la hermana de Eric. La foto era reciente, tomada durante una manifestación de apoyo a Eric delante de la cárcel de hombres de New Hampshire. Era un sitio que yo conocía bien, por desgracia: Harry Quebert había estado encerrado allí en el verano de 2008.

La asociación Libertad para Eric Donovan pedía que se revisara la condena, argumentando que era víctima de un error judicial. Lauren Donovan y Patricia Widsmith, una abogada penalista militante, la habían fundado en el año 2000, poco después de que condenasen a Eric a cadena perpetua. Una vez al mes, la asociación organizaba una concentración delante de la cárcel. Lauren, por su parte, realizaba multitud de actos en defensa de su hermano; estuve viendo varios vídeos, se expresaba bien y tenía respuesta para todo. Como claramente me había caído en gracia, me puse a examinar con detenimiento las fotos que ilustraban la página web, sin saber si lo hacía por las necesidades de la investigación o movido por el deseo de seguir contemplándola.

Una sección de la página, llamada «La vida de antes», rebosaba de fotos de Eric tomadas durante salidas de pesca, en la tienda de la familia, entrenándose con Lauren para el maratón de Boston, o también con sus padres, celebrando su vigesimonoveno cumpleaños, que había sido pocos meses antes de la detención.

A la hora de comer, me dirigí a la calle principal. Mount Pleasant tenía un toque pintoresco. Los escaparates de las tiendas eran primorosos y los lazos y las banderas colocados con motivo de la fiesta nacional adornaban aún las farolas. Almorcé en un café pequeño que, por pura casualidad, resultó estar al lado del *Mount Pleasant Star*, el periódico local. A duras penas podía imaginarse mejor fuente de información para revivir los sucesos de 1999. Fui después de comer. Detrás del mostrador de recepción un joven me miró atentamente y me dijo:

—¿Es usted Marcus Goldman?

—Sí —contesté, halagado por que me reconociesen en los cuatro puntos cardinales de América.

—Lleva la misma camisa que en la foto. Tenga cuidado, van a creer que no se la cambia nunca. —Indicó con la mirada un cartel colocado en la puerta de entrada, que anunciaba mi visita a la librería local—. Mi madre trabaja en la librería —aclaró—. Adora sus novelas. Yo no le he leído.

—Nunca es tarde para descubrir un buen libro —le comenté.

—Mi madre me ha dicho que es un poco de estilo policíaco. Yo no leo esas chorradas.

—Gracias, a uno siempre le agradan los cumplidos.

—De todas formas, tenga cuidado con la camisa. Me refiero a que se la cambie de aquí a mañana.

Asentí con la cabeza para concluir con esa conversación absurda. El joven me preguntó en qué podía ayudarme.

—Me gustaría consultar el archivo del periódico —le dije.

—¿Está suscrito?

—No.

—Hay que estar suscrito.

—Entonces me gustaría suscribirme, por favor.

—Son cuatrocientos dólares al año.

Saqué la tarjeta de crédito y pagué la cantidad que me pedía.

—Ya está —dije—. ¿Puedo tener acceso al archivo?

—Necesita su tarjeta de suscriptor, que le enviaremos de aquí a un par de días.

—¡Pero si acabo de suscribirme!

—Sin la tarjeta de suscriptor no puedo hacer nada. A menos, claro está, que me ceda la propiedad del billete de cien dólares que le he visto en la cartera.

Intenté argumentar antes de resignarme. Le di el dinero y unos minutos después estaba instalado en la sala del archivo. Como todo estaba digitalizado, gracias al programa de búsqueda localicé enseguida los artículos en los que se mencionaba a Alaska Sanders, Walter Carrey y Eric Donovan. Los imprimí y me los llevé para leerlos en el hotel.

Al irme, omití un detalle que acabaría perjudicándome: no borré el historial de búsqueda. Y así fue como, después de irme, el joven de la recepción —sin que pueda tener la seguridad de que fuera él— llegó detrás de mí y no le costó nada averiguar qué andaba yo buscando. El motivo de mi presencia en Mount Pleasant no tardaría en divulgarse.

Ese mismo día, ateniéndome a las recomendaciones de Gahalowood, fui, so pretexto de llenar el depósito, a la gasolinera de la carretera 21. En la tienda aneja me recibió un hombre de unos sesenta años y enseguida me di cuenta de que era Lewis Jacob, el propietario.

—Muy buenas, caballero —me saludó con tono afable.

—El surtidor número 2, por favor —le indiqué.

Presentarse en una gasolinera para hablar de una joven muerta once años antes tenía mucho de número de equilibrista.

—¿Algo más? —me preguntó.

Sentía deseos de contestarle: «Todo cuanto sepa sobre Alaska Sanders», pero, en vez de eso, cogí un puñado de las chocolatinas que había delante del mostrador. Lewis Jacob las metió en una bolsa de plástico y me dijo:

—Ochenta y cinco con veinte.

Le alargué la tarjeta de crédito y se le iluminó el rostro al leer mi nombre.

—¡Pero si es usted Marcus Goldman, el escritor! Ya decía yo que me sonaba su cara. Pensaba ir a la librería mañana para que me firmase sus libros.

Era la oportunidad que estaba esperando:

—Si los tiene aquí, puedo incluso hacerlo ahora.

—¿No será una molestia? Los tengo en la trastienda.

Me llevó por las interioridades de la tienda, hasta un sitio estrecho que le hacía las veces de despacho.

—Mire, aquí están. —Señaló mis libros colocados encima de una mesa—. Quería estar seguro de que no se me iban a olvidar.

Le puse, en ambas obras, unas palabras amistosas; luego, abarcando la habitación con la mirada, me fijé en una foto en que se veía a Lewis Jacob, más joven, en compañía de una muchacha rubia: Alaska Sanders. ¡Bingo!

—¿Es su hija? —pregunté con tono inocente, al tiempo que señalaba la foto.

—No, no tengo hijos. Era una empleada de la tienda. Una chica estupenda.

—¿Era?

—Murió hace años.

—¡Qué lástima! Lo siento mucho. ¿Un accidente de tráfico?

—Asesinada. La asesinaron dos individuos de la zona. Uno está muerto, el otro en chirona para el resto de su vida. No debería decir esto, pero, si algún día saliera, se las vería conmigo. Alaska (así se llamaba esta joven) era una persona maravillosa. Cariñosísima. ¡Fíjese qué guapa! La estrangularon a la orilla de un lago, en plena noche. Cuando una mujer encontró su cuerpo, un oso estaba despedazando el cadáver. Pero, bueno, no quiero resultar pesado con estas historias viejas y sórdidas. Seguro que tiene usted cosas mejores que hacer.

—Tengo tiempo de sobra. Mi próxima cita es en la librería mañana a las cuatro.

—¿Un café?

—Con mucho gusto.

*

9 de octubre de 1998

La primera vez que la vio fue un día que llovía a cántaros. Aún era por la mañana temprano, pero una pantalla de nubarrones tenía la zona de Mount Pleasant en penumbra.

Ella empujó la puerta de la tienda sin atreverse a entrar del todo.

—Buenos días, señorita —la saludó Lewis Jacob, pensando que era una clienta.

—Vengo por lo del empleo... Eric Donovan es amigo mío. Me ha dicho que están buscando a alguien. Aquí estoy. —Terminó la frase con una sonrisa desconcertante.

—Me llamo Lewis Jacob, soy el dueño.

—Alaska Sanders, soy ¿su futura empleada?

Lewis Jacob cedió en el acto al hechizo de aquella preciosa joven. La entrevista de trabajo se convirtió en una breve charla. Era oriunda de Salem, en Massachusetts, y acababa de instalarse con su novio en Mount Pleasant.

—¿Quién es su novio? —preguntó Lewis—. Seguramente lo conozco, esta es una ciudad pequeña.

—Se llama Walter Carrey; lleva la tienda de caza y pesca con sus padres.

—Los Carrey, por supuesto. ¿Ha trabajado antes en una gasolinera?

—Lo primero que tengo que decirle es que estoy muy motivada, señor Lewis. Y que soy muy voluntariosa.

—No tiene ninguna experiencia, ¿verdad?

Hizo un mohín suplicante.

—Trabajé en una heladería un verano, con dieciséis años.

Lewis Jacob decidió darle una oportunidad. Era indudable que necesitaba a alguien y los pocos candidatos que se habían presentado no lo habían convencido. Notaba que Alaska atendería bien a los clientes. Y, en efecto, la joven no tardó en convertirse en el ojito derecho de todos. Para los clientes habituales, pasar por caja era un ratito de conversación en el que Alaska les preguntaba por la familia, por los niños, de cuyo nombre se acordaba, y si «¿solucionó ese problema de fontanería que le quitaba el sueño?». Siempre estaba de buen humor. Y esa sonrisa... Lewis Jacob pensaba en ella a menudo. Por las noches, en la cama, al lado de su mujer, que ya dormía, se quedaba mucho rato mirando el techo. En la oscuridad resaltaba ese rostro sonriente que tanto le gustaba.

Pero Lewis Jacob no tardaría en descubrir que esa sonrisa luminosa no era sino un telón tras el que se ocultaba un hondo desvalimiento.

*

—Tenía un punto débil —me confió Lewis Jacob mientras se acababa la taza de café.

—¿Un punto débil?

—Un secreto, algo que la atormentaba. Nunca se abrió tanto conmigo como para contarme de qué se trataba, pero una tarde, cuando le comenté que parecía triste, me dijo sin más: «Es por lo que pasó en Salem». Nunca supe a qué se refería. Pero, ¿sabe?, daría para escribir un libro sobre ella.

Lo interrumpió el sonido de un timbre. Un cliente acababa de abrir la puerta y Lewis Jacob se levantó de la silla.

—Ahora mismo estoy solo en la tienda —me dijo mientras salía del despachito para ir a atender al mostrador—. Solo tengo ayuda los sábados. Son tiempos difíciles.

Aquí acabó la conversación. Me fui; cuando estaba a punto de subirme al coche, Lewis Jacob me alcanzó.

—¡Señor Goldman!

Primero pensé que se había acordado de un detalle sobre Alaska. Pero iba sacudiendo una bolsa de plástico.

—Se le olvidaban las chocolatinas —me dijo.

*

El viernes 9 de julio estuve firmando ejemplares en la librería de Mount Pleasant. Acudieron muchos lectores y, durante las tres horas que duró la firma, una larga cola empantanó la acera de la calle principal.

Eran las siete cuando terminé. Salí de la tienda un poco aturdido. El aire era templado, una agradable tarde de verano.

Ya me estaba encaminando al hotel cuando me interpeló una voz femenina:

—¿Le importaría echar una última firma?

Me di la vuelta y ahí estaba: Lauren Donovan. Llevaba en la mano un ejemplar de *Con G de Goldstein* y otro de *La verdad sobre el caso Harry Quebert*.

—No he podido llegar antes —me dijo—. Acabo de terminar el servicio.

—Creía que no me conocía.

—Los compré ayer, después de verlo. He empezado el primero, no está mal.

—¿Solamente no está mal?

—Ya no está mal que no esté mal.

—No está usted mal.

Se echó a reír.

—Definitivamente es usted un infeliz, Marcus. Pero me cae bien.

Me senté en un banco que había cerca y me saqué un bolígrafo del bolsillo.

—¿Cómo se llama? —pregunté, para que no se notase que había buscado información sobre ella.

—Lauren.

Puse unas palabras en ambos libros. Cuando se los devolví le echó una ojeada divertida a la portadilla donde había escrito:

Para Lauren,
de parte de un infeliz.
M. G.

Me dedicó una sonrisa y noté que, en parte, la reprimía. Le brillaban mucho los ojos.

—¿Puede aconsejarme un restaurante? —le pregunté—. Me muero de hambre.

—Luini —me contestó sin vacilar—. Un italiano estupendo. Mi preferido.

—Gracias, Lauren. Hasta pronto.

Le di la espalda, como para ir a ese restaurante, aunque en realidad no tenía ni idea de dónde estaba.

—Está en dirección contraria —me dijo ella, muerta de risa.

Di media vuelta. Añadió:

—De todas formas, estará lleno. Nunca conseguirá una mesa. Mientras que yo, sí.

—¿Las ventajas de ser poli?

—No, tengo una reserva.

—Puedo compartir mesa con usted si le parece bien —sugerí—. Le prometo que no tendrá que darme conversación.

Puso expresión traviesa:

—Me parece una proposición decente.

En el transcurso de mis viajes y mis giras he tenido la ocasión y la dicha de pasarle revista a cierta cantidad de restaurantes italianos: Luini, en Mount Pleasant, está, desde mi punto de vista, entre los mejores junto con Il Salumaio di Montenapoleone, en Milán. Justifica por sí solo que se dé un rodeo por New Hampshire. Situado en una calle tranquila, ocupa la planta baja de un edificio industrial que antaño debió de alojar una imprenta. Cuenta con un extraordinario patio interior adornado con hortensias y frondosos tilos de aromáticas ramas. Completa el decorado una fuente. Unas velas añaden un toque romántico al conjunto.

—¿Con quién tenía previsto cenar aquí? —le pregunté a Lauren mientras una recepcionista nos acomodaba en una mesa a la vera del pilón.

—No con usted. Bueno, contigo. Podemos tutearnos si no le ves inconveniente. Hubo un tiempo en que venía aquí a menudo con mi hermano.

—¿No está disponible esta noche? —pregunté con tono engañosamente ingenuo.

—Mi hermano está... Es complicado lo de mi hermano. En fin, todos los viernes por la noche, si no estoy de servicio, ceno aquí.

—¿Sola?

—Diría que conmigo misma. No es igual.

Dudaba si entrar de lleno en el tema de su hermano y tirarle de la lengua, pero no parecía dispuesta a sincerarse y no quería presionarla. Pedimos vino y pasamos enseguida a temas más intrascendentes. Nuestras aficiones en lectura, cine, series de televisión. Fue una velada agradable, un poco juguetona. Flirteábamos disimuladamente.

Acabada la cena, prolongamos mucho la sobremesa. La noche era tibia. Unas cuantas copas de propina dieron pie a las confidencias.

—¿Por qué te hiciste escritor? —me preguntó Lauren.
—Por mis primos.
—¿Por qué?
—Por lo que les ocurrió —me limité a contestar—. Y tú, ¿por qué te hiciste poli?
—Por mi hermano.
—¿Qué le pasó?
—Es una larga historia.

Bebió un sorbo de vino y me fijé de repente en el reloj que llevaba en la muñeca, un reloj de lujo de una marca suiza, con la caja de oro y la correa de caimán, de color verde.

—Bonito reloj —dije.
—Era de mi hermano. Bueno, lo sigue siendo.
—¿Tu hermano se ha muerto?
—Está en la cárcel —acabó por confesar—. Desde hace once años. No me apetece hablar de eso. ¿Quieres tomar un helado?

Estaba claro que eludía la cuestión. Tenía que ganarme su confianza. Me gustaba mucho, me inspiraba respeto y me daba apuro no ser del todo sincero. Pero ¿cómo explicárselo? ¿Cómo contarle esas coincidencias inverosímiles: Helen Gahalowood, la carta anónima, Nicholas Kazinsky, la investigación oficiosa que había emprendido, las pruebas que necesitaba para que Lansdane reabriera la investigación de la muerte de Alaska Sanders y, quizá, conseguir exculpar a su hermano.

Determiné no decir nada. Fuimos a comprar un helado a la calle principal, al Deer Cup Ice Cream. Nos separamos a la una de la madrugada, después de haber intercambiado los números de móvil y un abrazo más que amistoso.

Me volví al hotel, que estaba solo a unos pasos. Al abrir la puerta de mi habitación, vi encima de la mesa una cajita. Llevaba mi nombre. Al ver la letra, se me disparó el corazón. No podía ser.

Abrí el paquete y encontré dentro la figurita de una gaviota igual a la que había visto en un cajón del antiguo despacho de Harry Quebert, en la Universidad de Burrows. Iba acompañada de una nota:

> Sobre todo no vaya a dar clase a Burrows.

Estaba atónito: Harry Quebert había estado aquí. ¿Cómo podía haberse enterado? Me acerqué a la ventana. Me pareció divisar una silueta en la calle.

Salí a toda prisa de la habitación y bajé las escaleras de cuatro en cuatro para intentar alcanzarlo.

Durante el invierno de 2008, pocos meses antes del caso Harry Quebert y más o menos dos años antes de los acontecimientos de los que trata este libro, tuve un parón de escritura aterrador. Con la esperanza de recobrar la inspiración, pasé unas semanas en casa de Harry Quebert.

12. Con Harry Quebert
Aurora, New Hampshire
29 de febrero de 2008

Llevaba diecinueve días instalado en casa de Harry, esa impresionante casa a orillas del océano. Llevaba diecinueve días esforzándome en vano en poner en pie la trama de mi siguiente novela, pero era incapaz de escribir la primera línea. Tenía un contrato que me obligaba a entregar el manuscrito a finales de junio. Mi editor, Roy Barnaski, amenazaba con llevarme a los tribunales si no cumplía.

Me pasaba la mayor parte del tiempo en el despacho de Harry, en la planta baja. Esa mañana estaba mirando con desesperación las páginas vírgenes que tenía desparramadas delante. Y eso que el ambiente no podía ser más propicio para escribir: como música de fondo, la Callas interpretaba «Casta diva», mientras que por la ventana se veía una lenta y sedante nevada.

Teniendo buen cuidado de no hacer el menor ruido, Harry entró de puntillas y me puso delante una taza humeante de café y unos dulces.

—No se tome tantas molestias —dije, desalentado—, no estoy haciendo prácticamente nada.

—¡Entonces pruebe estas magdalenas! —exclamó con voz animosa—. Recién sacadas del horno. Están para caerse de culo.

—Más de culo de lo que voy ya... —comenté.

—¡Ay, Marcus, por el amor de Dios, no se ponga tan dramático! Hoy es un día de esperanza.

—¿Ah, sí?

—Estamos a 29 de febrero. Es un día que escasea tanto que ya ni sabe uno de verdad cuándo aparece en la agenda. En el fondo, es un día que no existe. ¡Aproveche para pensar en otras cosas! ¿Qué tal un poco de esquí de fondo? Le sentaría bien.

—No, gracias.

—¿Y si viéramos unas cuantas películas clásicas? Eso es bueno para la inspiración. Encendemos la chimenea y nos preparamos unas tazas de café aromatizado con whisky.

—Y luego ¿qué...? ¿Nos besamos?

Se echó a reír.

—Marcus, definitivamente está de un humor de perros. Vamos, al menos venga a andar un rato por la playa, así le da el aire.

Arrebujados en los abrigos, salimos a dar un paseo por la orilla. El aire era gélido, pero no resultaba desagradable. La nevada era ahora densa. La marea estaba baja y bandadas de gaviotas chillonas habían colonizado las zonas donde el océano se había retirado por completo. Harry se había llevado la lata donde ponía RECUERDO DE ROCKLAND, MAINE y en la que guardaba pan duro para las aves, que iba soltando según andábamos por la arena húmeda.

—¿Por qué se empeña en alimentar a las gaviotas? —le pregunté.

—Es una promesa que hice un día. Hay que cumplir las promesas que se hacen. En el fondo, no me gustan nada las gaviotas. Son unas aves escandalosas y perezosas. Hurgan en los cubos de la basura, merodean por los vertederos y van detrás de los barcos de pesca para robar peces. La gaviota es un ave que se niega a plantar cara a las dificultades. Me recuerdan a alguien.

—¿Se refiere a mí? —pregunté, un poco molesto.

—No, a mí. Pero no puede entenderlo. Todavía no...

En aquel entonces no capté el sentido de esa frase, claro está. Y distaba mucho de imaginar lo que iba a descubrir unos meses más adelante. Anduvimos un rato en silencio. Luego, de pronto, Harry me preguntó:

—¿Sabe, Marcus? Me alegro mucho de tenerlo en casa una temporada. Pero ¿por qué ha venido a Aurora?

—Porque tengo la esperanza de encontrar la inspiración —contesté, como si se tratase de algo evidente.

—¿Acaso cree que en alguna parte de mi casa hay una caja milagrosa?

—Pensaba que conseguiría escribir. Que el cambio de aires me vendría bien.

—Pero en realidad nunca ha escrito en Aurora. ¿Por qué no ha vuelto adonde escribió *Con G de Goldstein*?

—¿A casa de mis padres? Lo he intentado, pero es imposible... Mi madre no me deja en paz.

—Creo, Marcus, que ha venido aquí con la esperanza de que las cosas le llovieran del cielo. En el fondo se comporta igual que una gaviota. ¡Cuando resulta que usted debería ser un ave migratoria!

—¿A saber...?

—Las aves migratorias son aves que siguen su instinto. No aceptan las cosas, se anticipan.

—Disculpe, Harry, pero no sé si le estoy entendiendo.

—¡Encuentre su propio mundo, Marcus! Encuentre un espacio de escritura que le pertenezca. Ya no puede ser la casa de sus padres porque ha crecido. No puede ser en mi casa, ahora ya es usted un escritor con todas las de la ley. No es usted el joven Marcus, es Goldman, un escritor hecho y derecho. Asuma su éxito asumiéndose a sí mismo, si quiere salir de esta crisis de la página en blanco.

Pocos días después de esta conversación, Harry me dejó encima del escritorio un paquetito de regalo.

—¿Qué es esto? —pregunté.

—Ábralo. Había un mercadillo itinerante en el aparcamiento del supermercado. Vi esto y me acordé de usted. Para los días de duda.

Dentro del paquete encontré la figurita de una gaviota.

—Todos llevamos una gaviota dentro, esa tentación de la holgazanería y de la facilidad. Acuérdese de luchar siempre contra ella, Marcus. La mayor parte de la humanidad es gregaria, pero usted es diferente. Porque es escritor. Y los escritores son seres aparte. Que no se le olvide nunca.

Aunque el sistema de videovigilancia de mi hotel estaba más que anticuado, la cámara, colocada detrás del mostrador de recepción, me permitió identificar de forma casi inequívoca a la persona que había dejado allí un paquete para mí: Harry Quebert.

13. Primeras pistas
Mount Pleasant, New Hampshire
Sábado 10 de julio de 2010

De inmediato, llamé por teléfono a Gahalowood para contárselo.

—¿Harry Quebert? ¡Imposible!

Me extrañó que su reacción fuera tan categórica.

—¿Por qué? —pregunté.

Titubeó antes de contestar:

—Estaba seguro de que se había suicidado.

—¿Suicidado? De ninguna manera. Se nota que no lo conoce bien.

—Eso parece. ¿Está seguro de que es él?

Miré la captura de pantalla que el portero del hotel acababa de imprimirme. Era una imagen de mala calidad y llevaba gorra, pero yo habría podido reconocer esa cara entre mil.

—Segurísimo. Ha venido a eso de las cuatro y media, yo estaba en plena sesión de firmas. No puede ser una casualidad.

—Exacto. Si sabía que había ido a Mount Pleasant, sabía en qué momento iba a estar en la librería. ¿Qué había en el paquete que le dejó?

—La figurita de una gaviota.

—¿Otra vez la chorrada de las gaviotas? ¿De qué va eso? ¿Una especie de código entre ustedes?

—Harry me decía que no actuara como una gaviota. Está claro que me manda una señal. Algo así como un aviso...

—¿Un aviso sobre qué?

Titubeé. No le había contado a Gahalowood mi próxima colaboración con la Universidad de Burrows y ahora no me apetecía nada sacar a relucir el tema.

—No sabría decirle, sargento —contesté por fin—. ¿No podría investigarlo usted un poquito?

—Ya me lo pidió el año pasado, escritor, y ya sabe el resultado: nadie da razón de él. No encontré ni dirección, ni tarjeta de crédito, ni número de teléfono. No figuraba en ninguna lista de pasajeros de ningún aeropuerto del país. Un auténtico fantasma.

Un fantasma. Era exactamente eso. Hubo un silencio. Al reparar en mi perplejidad, Gahalowood añadió:

—El lunes, en el cuartel general, volveré a hacer comprobaciones. A lo mejor hay algo nuevo desde entonces.

—Gracias, sargento.

—Dígame más bien en qué punto está usted, escritor, después de cuarenta y ocho horas en Mount Pleasant.

—He interrogado al dueño de la gasolinera, Lewis Jacob. Por lo visto ocurrió algo en Salem, la ciudad natal de Alaska. No sé el qué.

—Es el principio de una pista. Habrá que ir a Salem a preguntarles a los padres de Alaska, en cualquier caso. ¿Algo más?

—He conocido a Lauren Donovan, la hermana de Eric Donovan. Es policía en Mount Pleasant.

—¿Se ha metido a policía? Por entonces estudiaba Biología.

—La condena de su hermano dio un vuelco a su vida. Ha fundado una asociación que pide que se revise el juicio. Es un grupo bastante activo, por lo que parece. No sé mucho más, ella es más bien arisca.

—Tiene que encontrar por narices una forma de tirarle de la lengua; seguramente habrá recopilado datos que podrían resultarnos útiles.

—¿Y cómo lo hago sin descubrirle nuestro juego?
—Cuéntele sus rollos de siempre —me dijo Gahalowood.
—¿«Mis rollos de siempre»? —me ofendí—. Sargento, que no soy ningún charlatán.
—Es un escritor, que viene a ser lo mismo. No tiene más que decirle que ha buscado en internet cosas sobre su hermano, que se ha enterado de su inculpación, que le parece interesante y que quiere ayudarla.

«He buscado en internet cosas sobre tu hermano». Dos horas después de la conversación con Gahalowood me reuní con Lauren para comer. Habíamos quedado en el Season. Nada más instalarnos en la terraza del café, entré en materia. Se quedó cortada, mirándome por encima de la carta, a la que estaba echando una ojeada.

—¿Qué dices que has hecho?
—No te lo tomes a mal, pero anoche me intrigó que me dijeras que te habías hecho policía por tu hermano. Me topé con la página web de la asociación que has fundado. No he investigado muy a fondo; tu foto aparece en el inicio.

Al principio, se puso seria.
—No deberías haberlo hecho...
—Lo siento... No veas ninguna malicia. Solo interés por ti.
Se encogió de hombros.
—De todas formas, es algo público. Y, además, aquí todo el mundo está enterado. A mi hermano lo acusaron de haber participado en el asesinato de una chica de veintidós años. Ocurrió en 1999. Lleva en la cárcel desde entonces. Sé que es inocente. Eric no le haría daño a una mosca. Todos los que lo conocen están convencidos de que se trata de un error judicial.

—¿Por qué lo detuvieron entonces?
—Alaska, la víctima, salía con un amigo de mi hermano, un tipo que se llamaba Walter Carrey, que confesó el crimen y lo implicó. Después de eso, Walter le quitó el arma a un policía y se pegó un tiro. Acto seguido detuvieron a mi hermano. Tuvo mala suerte. Entre otras pruebas, supuestamente abrumadoras, la policía encontró en el lugar del crimen un jersey que le había prestado a Walter, con manchas de sangre de la víctima.

—Pero, si tu hermano es inocente, ¿por qué se declaró culpable?

A Lauren se le puso una mirada inquisitiva.

—¿Eso cómo lo sabes? No se menciona en nuestra web.

—Lo he leído en internet —mentí con un aplomo que cortó de raíz sus dudas.

—No le quedó más remedio —me contestó—. Perdóname si te parezco un poco brusca, pero es un tema doloroso.

Había remediado por los pelos la metedura de pata, pero sabía que acabaría por pifiarla. Era una situación insostenible.

—No tememos por qué hablar de ello —dije.

—No, si no importa. De hecho, me vendrá bien hablar de esto.

Volví al asunto a pesar mío:

—¿Por qué dices que a tu hermano no le quedó más remedio que declararse culpable?

*

Concord, New Hampshire
Enero de 2002

Una lluvia glacial azotaba la lóbrega silueta de la cárcel de hombres del estado de New Hampshire. Era una tarde fúnebre. Todo parecía apagado para siempre.

En un locutorio húmedo y mal caldeado, Lauren asistía a una tensa conversación entre su hermano Eric y su abogada, Patricia Widsmith, una penalista joven pero muy resuelta. No pasaba de los treinta, pero Lauren notaba que pelearía hasta el final por Eric. Era una mujer de convicciones que, de hecho, no pedía sino unos honorarios simbólicos, consciente de que la familia Donovan no nadaba en la abundancia.

Faltaban cuarenta y ocho horas para que diera comienzo el juicio de Eric y saltaba a la vista que la abogada estaba inquieta. Hasta entonces, había apoyado a Eric en su decisión de declararse inocente del asesinato de Alaska Sanders, pero parecía a punto de cambiar de opinión. Eric se jugaba mucho: si se declaraba no culpable, se exponía a un juicio con desenlace incierto y que podía acabar en pena de muerte. Si se declaraba culpable, en cambio, se libraba de ella mediante un trato con la fiscalía.

—¿A qué te refieres con eso de «si llegamos a juicio»? —preguntó Eric con voz ahogada—. ¿De repente quieres que me declare culpable? ¿Qué te ha entrado?

—No quiero nada —contestó Patricia con voz suave—. Quedan cuarenta y ocho horas para el juicio y me gustaría estar segura de que has sopesado bien lo que te espera. Por eso le he pedido a Lauren que esté presente. Aún tenemos tiempo de pensárnoslo. Una vez que empiece el juicio, será demasiado tarde para dar marcha atrás. Como bien sabes, el caso lo lleva Mike Peters. Me he informado, es un juez partidario de la pena capital. Si el jurado te declara culpable, seguro que te condena a muerte.

—Pero soy inocente, ¡maldita sea! —exclamó Eric, exasperado—. ¿Hasta tú sospechas de mí ahora?

—Ni por asomo, Eric. Pero ¿qué clase de abogada sería si no compartiera mis dudas contigo? ¡Estamos hablando de tu vida! Dentro de cuarenta y ocho horas voy a enfrentarme a un jurado al que el fiscal va a explicar que han encontrado tu ADN en un jersey con manchas de sangre de la víctima, que una nota que la amenazaba salió de tu impresora y que no tienes coartada para la noche del crimen. Voy a poner toda la carne en el asador para defenderte, Eric. Pero llevo tres años bregando para desacreditar esas pruebas y, a cuarenta y ocho horas del juicio, no tengo nada lo bastante sólido para decirte, mirándote a los ojos, que voy a conseguir que te absuelvan. Si no te absuelven, eso quiere decir que te declararán culpable del asesinato de Alaska Sanders. No te librarás de la pena de muerte.

—¡Apelaremos! —protestó Eric.

—Por supuesto que apelaremos —le contestó Patricia—. Pero la ley del estado de New Hampshire es muy clara: la ejecución debe llevarse a cabo dentro del año siguiente a la condena. Así que no tendremos margen de maniobra para sacarte de ahí. Sobre todo, debo informarte de un elemento importante: la ley exige que a los condenados a muerte se los ejecute con una inyección letal, salvo en caso de que fuera imposible. Ahora bien, New Hampshire no dispone de sala de ejecuciones, ni siquiera de los productos necesarios.

—Entonces ¿será la silla eléctrica? —dijo Lauren, atragantándose de espanto.

Patricia Widsmith tardó un rato en responder:

—New Hampshire no tiene silla eléctrica. Tiene horca. A Eric lo ahorcarían en esta cárcel.

—¿Cómo? —chilló Lauren—. ¡Pero eso es imposible! ¡Ya no se ahorca a la gente!

—Se hacen cosas mucho peores —susurró Patricia.

Eric seguía impasible. Lauren rompió a llorar.

Siguió a esto un largo silencio. Se oían, de fondo, los ruidos inquietantes de la cárcel. Eric acabó por preguntar, con tono lúgubre:

—¿Y si aceptamos la propuesta del fiscal?

—La ley de New Hampshire exige que, en un delito capital, si no hay condena a muerte, se condene al autor a cadena perpetua, sin posibilidad de salir en libertad. Así que eso es lo que la oficina del fiscal pedirá en tu caso.

—¿Y a ti qué te parece? —le siguió preguntando Eric a Patricia.

—Eric —intervino Lauren—, ¡no vas a declararte culpable! ¡Eres inocente, no vas a aceptar ese acuerdo!

—Lauren, ¿estarás presente el día en que me ahorquen? —dijo Eric, airado—. ¿Tendrás valor para verme agonizar colgando de una soga?

El joven aparentaba frialdad y dureza. Lauren lloraba.

—Eric —siguió diciendo Patricia—, decidas lo que decidas, estaré de tu lado. Te defenderé con uñas y dientes. Sé que eres inocente, tengo esa íntima convicción. No estaría aquí, contigo, si no lo creyera. Pero hay una parte de mí que piensa que, si te declaras culpable, nos dará tiempo a encontrar pruebas que te exculpen. Confío en conseguirlo. ¡Pero para qué demostrar tu inocencia si ya te han ejecutado! Solo serás otro nombre que alimente el debate sobre la pena de muerte. Yo te quiero libre. Para eso necesito algo más de tiempo. Y ese tiempo solo tú puedes dármelo.

*

—Por eso se declaró culpable Eric —me explicó Lauren—. Era su única posibilidad de evitar la sentencia de muerte y poder exculparlo más adelante. Así que aceptó la oferta del fiscal y no hubo juicio. Pero le cayó la perpetua sin posibilidad de reducir la pena. Desde entonces, Patricia y yo nos movemos para sacarlo de ahí. Hemos organizado esa asociación, Libertad para Eric Donovan, para sensibilizar a la opinión pública. Y, sobre todo, hacemos nuestra propia investigación.

—¿Y en qué punto estáis? —pregunté.

—Tenemos datos. Pistas. Pero, después de once años de búsqueda, nada tan concreto como para reabrir el proceso. Es muy irritante. Hay días en que pierdo las esperanzas.

—¿Así que por culpa de la condena de tu hermano te hiciste policía?

—Sí, para poder cambiar el sistema desde dentro. Para estar al servicio de la auténtica justicia y no de una parodia que mete a los inocentes entre rejas. Pero, sobre todo, me dije: ¿quién mejor que un policía en la ciudad donde se cometió el crimen para entender lo que ocurrió esa noche de abril de 1999?

Un rayo de sol reverberó en el cristal del reloj de pulsera y brotó de él un destello. Como si ese objeto manifestase de pronto su presencia. Ella le echó una mirada nostálgica.

—Después de la condena de Eric, me juré no resignarme nunca. No dejarlo nunca en la estacada. Un día que lo visité en la cárcel, me contó cuánto le preocupaban nuestros padres. Sabía que todo este asunto había perjudicado a la tienda, que ahora los clientes eran reacios a ir. Yo lo tranquilicé: «Ya pasará, Eric, estate tranquilo». Pero no podía estarlo: «¿Y la minuta de Patricia? ¿Cómo se las apañan?». «Patricia trabaja gratis, es una práctica de su bufete. Todo va bien, de verdad, te lo aseguro». Acabó por hablarme de este reloj, que tenía guardado debajo de una tabla suelta del parquet de su dormitorio. Es un reloj muy caro que escondía precisamente para evitar que se lo robasen. Lo había comprado tres meses antes de que lo detuvieran, por un precio inmejorable, pensando en revenderlo y sacarse un buen beneficio. Ese día Eric me dijo que cogiese el reloj, con el que nunca iba a hacer ya nada, y lo vendiera para poder ayudar a mis padres. Él no lo sabe, pero no lo he hecho. Habría sido como aceptar que nunca iba a salir de la cárcel. En vez de eso, empecé a usar el reloj. Me lo pongo hasta que pueda devolvérselo el día que salga. Me recuerda mi lucha.

—Es como si llevases una cadena en la muñeca —comenté.

A Lauren la irritó esa observación, seguramente porque yo estaba en lo cierto.

—¿Por qué te interesa todo esto, Marcus?

—Hace dos años realicé una investigación. Detuvieron por asesinato a uno de mis mejores amigos. Todo apuntaba hacia él. Conseguí exculparlo y sacarlo de la cárcel.

—No lo sabía.

—De eso trata mi libro *La verdad sobre el caso Harry Quebert*.

—Tengo que leer esa novela.

No pudo por menos de echar una ojeada sobre la marcha, en el móvil, a lo que se decía en internet del caso que acababa de mencionarle. Lo que descubrió la dejó visiblemente impresionada.

—Hay que ver —me dijo—. Por supuesto que supe de la detención de Harry Quebert en su día, como todo el mundo. Lo conocía de oídas, nunca había leído su famoso libro. Pero no sabía que tú estabas detrás de toda la investigación. O sea, ¿que de la noche a la mañana te fuiste a New Hampshire para intentar demostrar su inocencia?

—Eso fue justo lo que ocurrió: una mañana de junio, al enterarme de la noticia, me fui de Nueva York en coche, le pesara a quien le pesara. Mi editor, mi agente, mi familia, todo el mundo intentó disuadirme...

—Pero no renunciaste...

—Sabía que Harry era inocente. Estaba convencido al cien por cien. Él no había podido matar a esa chica. Cuando uno sabe algo lo sabe. ¿Entiendes lo que quiero decir?

—Lo entiendo perfectamente, hace once años que estoy viviendo eso mismo con mi hermano.

Supongo que esta digresión sobre el caso Harry Quebert acabó de convencer a Lauren de que podía ayudarla en su cruzada. Así que, después de comer, me propuso que fuera a su casa a tomar un café y, sobre todo, a compartir los datos con los que contaba para exculpar a su hermano.

*

Lauren vivía en una casa preciosa de ladrillo rojo. Tenía una arquitectura clásica y una galería abierta que ofrecía un lugar idóneo para pasar las veladas veraniegas en sillones de exterior, mirando la calle tranquila. En torno al edificio había un jardín pequeño pero admirablemente cuidado.

Nos instalamos en la cocina. Lauren preparó dos cafés exprés en una cafetera italiana cromada y luego se sentó detrás de la barra de mármol, enfrente de mí. De un cajón sacó una carpeta: el expediente sobre el caso Alaska Sanders. Me la imaginaba, mañana y tarde, dedicando horas a leer esas páginas una y otra vez. Y, precisamente, me confesó:

—No pasa un día sin que me enfrasque en estos documentos. En vano. Según pasa el tiempo, ya ni siquiera sé lo que busco. Empiezo a desanimarme.

—¿Puedo echar una ojeada? —pregunté.

—Claro.

Me coloqué las páginas delante. Comencé por el asunto del jersey.

—Ese jersey era de mi hermano, sí —me explicó Lauren—. Pero, como ya te he dicho, se lo prestó a Walter Carrey una vez que fueron a pescar con mosca.

—Eran muy amigos, ¿verdad?

—Amigos de la infancia.

Pasé a los documentos siguientes y vi la foto de una impresora.

—¿Y esto? ¿Es la impresora de la que me has hablado?

—Sí. Resulta que Alaska Sanders había estado recibiendo notas amenazantes; una de ellas apareció en su cadáver. En esas notas había un fallo de impresión, lo que permitió a los expertos de la policía identificar sin lugar a dudas la impresora de mi hermano como la que se había utilizado para escribir las amenazas.

—¿Cómo se defendió tu hermano?
—Mi hermano vivía en casa de mis padres. Acababa de volver a Mount Pleasant después de vivir varios años en Salem. Cualquiera habría podido entrar en casa de mis padres y en el cuarto de mi hermano y usar su impresora. Pero lo más importante es que, poco tiempo antes del asesinato de Alaska, Walter había ido a usar la impresora de Eric porque la suya estaba estropeada.
—¿Walter pudo haber matado a Alaska y haberle tendido una trampa a tu hermano?

Lauren torció el gesto.
—Esa es la teoría que sostiene la abogada de Eric...
—¿Y a ti no te convence?

Por toda respuesta, Lauren cogió una foto del expediente. Mostraba a un grupo de chicas en un bar, con pinta de estar de fiesta. En el encuadre de la foto aparecía un hombre. Lo reconocí en el acto porque ya lo había visto en el sumario policial; se trataba de Walter Carrey.
—¿Quiénes son? —pregunté, porque tenía que dármelas de ingenuo.
—Él es Walter Carrey —me dijo Lauren—. Esta foto se hizo la noche del asesinato de Alaska Sanders, en un bar de la ciudad, el National Anthem.
—¿Y qué...?
—Esta foto exculpa a Walter Carrey.
—¿Cómo?
—La noche del crimen, Eric, Walter y yo estuvimos juntos en ese bar. Eric y yo nos fuimos a las once. Walter se quedó. A Alaska la mataron esa noche entre la una y las dos de la madrugada. Walter siempre aseguró que estaba en el bar a la hora del crimen, cosa que nadie pudo confirmar con seguridad. Esta foto es su coartada. Mira bien la pantalla de detrás de la barra.

Sacó una lupa del cajón y me la tendió. En la foto, en primer plano, el grupo de chicas apoyadas en la barra. En segundo plano, encima de una fila de botellas de bebidas alcohólicas, una pantalla gigante. Se intuía por la imagen que la emisión era de una cadena de información continua. Al mirar con la lupa pude incluso comprobar que se trataba de la previsión del tiempo para el fin de semana. En la parte inferior de la imagen, como ocurre en ese tipo de cadenas, iba pasando una banda de texto con noticias breves. Y, al final del texto, la hora de emisión. Ponía: «22.43 PT».

—La foto se tomó a las 22.43 —observé—, mucho antes del crimen.

—A las 22.43 PT —especificó Lauren—, es decir, «Pacific Time», la hora de la Costa Oeste. Aquí son tres horas más...

—¡La 1.43 de la madrugada! —exclamé.

—Exacto —asintió Lauren—. En el momento en que estaban matando a Alaska, Walter aún seguía en ese bar.

Me quedé pasmado.

—¿De dónde has sacado esta foto?

—La encontré poco después de que detuvieran a mi hermano, cuando estaba intentando ayudar a su abogada a reunir pruebas para exculparlo. El dueño del National Anthem solía hacer fotos para subirlas a su página web y alardear del ambiente del local. Y esa noche se prestaba a ello. Yo quería ir retrocediendo al hilo de la velada y le pedí que me dejase ver todas las fotos que había hecho esa noche. Había un montón, todas revueltas. Las revisé todas, hasta dar con esta.

Tuve que esforzarme por contener los nervios: era la prueba que Gahalowood y yo necesitábamos para que se reabriera oficialmente la investigación.

—¿Le has hablado de esta foto a alguien? —pregunté.

—Aparte de a Patricia Widsmith, no.

—¿Por qué no dijiste nada? Habría servido para limpiar el nombre de Walter Carrey.

—Porque hundía más a mi hermano.

Yo no estaba tan seguro. Lauren lo notó enseguida.

—¿Qué estás pensando, Marcus?

—Que vas descaminada.

—¿A qué te refieres?

—A que intentas demostrar a toda costa que tu hermano es inocente, pero salta a la vista que estás estancada. Si quieres exculpar a Eric, hay que resolver todo el caso. Hay que descubrir quién mató de verdad a Alaska Sanders. Y, al parecer, no fueron ni tu hermano ni Walter Carrey. Así que ¿quién?

Lauren se quedó un buen rato mirándome a la cara, con los ojos clavados en los míos.

—Marcus, no te conozco, pero, por alguna razón que no acabo de entender, me fío de ti. Por primera vez desde hace once años, de repente me siento menos sola. ¿Crees que puedes ayudarme?

El domingo, a última hora de la mañana, Gahalowood vino a verme al hotel. Para estar a salvo de oídos indiscretos, nos quedamos en mi habitación. Parecía preocupado. Le pregunté si era por algo de la investigación, me contestó que era, sobre todo, por las cosas de la vida. Como siempre, me daba largas.

14. Lauren
Mount Pleasant, New Hampshire
Domingo 11 de julio de 2010

Gahalowood se sirvió un café y se sentó en un sillón. Yo hice otro tanto, y me acomodé al borde de la cama.

—¿Sabe, escritor? En mi despacho del cuartel general de la policía hay un armario que no abro casi nunca. Quien más lo usaba era Vance. Guardaba ahí todos sus trastos. ¡Y Dios sabe la de trastos que acumulaba! A mí ya me conoce: soy más bien maniático. Él era todo lo contrario. Amontonaba todo tipo de cosas viejas. Cosas completamente inútiles de las que se resistía a separarse. «Nunca se sabe», decía. Y yo le contestaba: «Ojos que no ven, corazón que no siente». Puede decirse que hace once años que no abro ese armario.

*

16 de abril de 1999

Gahalowood, en su despacho, miraba al vacío. Tenía delante la mesa de Vance, empantanada con su desorden habitual:

documentos, notas y bolígrafos, la mayoría de ellos secos de tinta. Echaba muchísimo de menos a su compañero. Hacía diez días que había muerto. Todas las mañanas, al despertarse, era como un nuevo luto: Gahalowood no conseguía hacerse a la idea. Se pasaba el día mirando fijamente el escritorio de Vance. Lo veía cogiendo un bolígrafo, comprobando luego que no tenía tinta, soltándolo para probar con otro. Y con otro más. Gahalowood llamaba a aquello «el cementerio de los bolígrafos». Sabía que tenía que ordenar, que debía tirar las cosas de Vance. Lansdane se lo había pedido. Pero no reunía el valor.

Unos golpes en la puerta lo sacaron de su ensimismamiento. Kazinsky entró en el despacho con un abultado sobre en la mano.

—Hemos recibido esto para Vance —dijo.

Gahalowood abrió el sobre: era el informe de la inspección de los bomberos en el incendio del piso de Walter Carrey. Presentaba las conclusiones de la investigación: incendio provocado, con tres focos diferentes. Uso de un acelerador, sin duda gasolina. El envío incluía unas fotos: se veía en ellas las habitaciones arrasadas por las llamas, y sobre todo el dormitorio, en cuyas paredes habían pintado en mayúsculas: PUTA INFIEL.

—De verdad que ese tío estaba mal de la azotea —dijo indignado Kazinsky—. ¿Quieres que meta esto en el expediente de Alaska Sanders?

—No merece la pena —contestó Gahalowood—. El caso está cerrado.

—Entonces ¿se lo envío a la policía de Mount Pleasant, que llevó lo del incendio? Si me escribes un par de líneas para acompañarlo, lo mando.

Gahalowood, que no tenía ninguna gana de pensar ni de papeleos, le pidió entonces a su compañero:

—¿Sabes qué, Kazinsky? Hazme un favor. Vacía todo el escritorio de Vance. Mételo todo en una caja: el sobre y todos esos trastos; y la caja, dentro de su armario. Quiero perderlo todo de vista.

*

—Vance no tenía familia directa —me explicó Gahalowood—, pero yo suponía que alguien vendría a buscar sus cosas. Un hermano, un primo, un sobrino. Nadie vino nunca y el armario se ha quedado tal cual. Alguna vez, muy pocas, se me ha pasado por la cabeza vaciarlo, pero lo descartaba en el acto por miedo a encontrar recuerdos. No me gustan los recuerdos, escritor. Me dan nostalgia y ya sabe en qué poca estima tengo la nostalgia. No es usted el único que tiene problemas con los fantasmas.

—¿Por qué me cuenta todo esto, sargento?

—Porque sigo dándole vueltas a lo que hablamos ayer. Me pasé el día preguntándome qué habría podido suceder en Salem. Y, cuanto más lo pensaba, más me daba cuenta de que Vance y yo habíamos centrado la investigación en Mount Pleasant y descuidado Salem. Y me obsesioné tanto que fui al cuartel general y abrí el armario de Vance. Enseguida encontré la caja en la que Kazinsky había apilado sus cosas. Estaban los bolígrafos, una factura de restaurante, un recibo de la tintorería, el informe del inspector de los bomberos..., pero, sobre todo, esto.

Se sacó del bolsillo dos hojas. Dos fotocopias: una de una nota de Vance escrita a mano y otra de un artículo.

En la nota, entre observaciones varias, Vance había escrito en mayúsculas:

¿POR QUÉ FUE ALASKA A MOUNT PLEASANT?

El artículo estaba fechado en septiembre de 1998. Lo había publicado el *Salem News*, el periódico emblemático de la región de Salem. El título era elocuente: «Alaska Sanders elegida Miss Nueva Inglaterra».

Le pregunté a Gahalowood:

—¿Sabían que Alaska había participado en concursos de belleza?

—Por supuesto que lo sabíamos. De hecho, fue Donna Sanders, la madre de Alaska, la que nos dio ese artículo. Pero mire la fecha: septiembre de 1998. Alaska gana un concurso de belleza importante e inmediatamente después se larga a Mount Pleasant. Es raro, ¿no? Me doy cuenta de que entonces nos hicimos la pregunta al revés. No se trataba de saber por qué Alaska se había mudado a Mount Pleasant, sino por qué se había marchado de Salem.

Era una pregunta excelente.

—Hay que ir a Salem —dije.

—Esa intención tengo —aseguró Gahalowood—. ¿Y usted? ¿Ha seguido con la hermana Donovan?

—Sí, creo que hemos conseguido el indicio con el que obligar a Lansdane a reabrir la investigación: Lauren Donovan tiene una foto que exculpa a Walter Carrey.

A Gahalowood se le iluminó la cara.

—¿Y ahora me lo cuenta? Dígame que tiene una copia, escritor.

Enarbolé el móvil.

—Aproveché que estaba de espaldas para hacer una foto. No es que sea de gran calidad.

Le enseñé la pantalla a Gahalowood. Reconoció en el acto a Walter en el encuadre.

—Esta foto se tomó en el National Anthem cuando estaban asesinando a Alaska —expliqué—. Se ve la hora en el televisor, en segundo plano: la 1.43, hora de la Costa Este.

—¡Arrea! —exclamó Perry—. Ya tenemos la prueba. Mándemela, mañana a primera hora se la enseñaré a Lansdane. Ya sabe que se me despelleja la lengua cuando lo elogio, pero ¡es usted un hacha!

—Prométame hilar fino, sargento. Quiero proteger mi relación con Lauren. No debe enterarse de cómo ni de por qué se ha reabierto la investigación. Perdería la confianza que tiene en mí.

—Sí que le gusta, ¿eh?

—Puede.

En ese preciso momento llamaron a la puerta. Tras los golpes, llegó una voz femenina: «Marcus, soy Lauren».

Me quedé clavado en el sitio, el sargento también.

—¿Qué pinta aquí? —cuchicheó Gahalowood.

—No tengo ni idea —susurré.

—No estoy seguro de que le entusiasme verme aquí, nuestro encuentro de hace once años no debió de dejarle un buen recuerdo.

—¡Pues vaya a esconderse! —le ordené.

Se abalanzó hacia el cuarto de baño.

—En el cuarto de baño, no —lo disuadí en voz baja.

—¿Por qué no?

—¿Y si Lauren tiene una necesidad urgente?

Puso cara de asombro.

—¡Está fatal de la cabeza, escritor! A la chica le hace tilín, le cuenta sus secretitos. Créame, no viene a su habitación del hotel para usar su baño.

Más golpes. Y la voz de Lauren a través de la puerta.

—¡Marcus! ¿Estás ahí?

—¡Ya voy!

Cuando abrí, me encontré con que Lauren llevaba en la mano su ejemplar de *La verdad sobre el caso Harry Quebert*. Se saltó los saludos:

—¿Conoces a Perry Gahalowood? —me preguntó.

Presentí, por su tono, que «sí» no era la respuesta adecuada. Di preferencia a la segunda opción:

—No.

—¿Cómo que no? Te pasaste un verano entero investigando con él. He leído tu libro. Lo empecé ayer cuando te fuiste y me lo acabé anoche.

Intenté bromear:

—No te ha gustado y quieres que te devuelva el dinero, ¿es eso?

—Estoy hablando en serio, Marcus: ¿qué relación tienes con Gahalowood?

—Muy mala. Lo traté cierto tiempo durante la investigación, pero no es como si hubiera ido a cenar a su casa con su mujer y con sus hijas.

—¡Eso no es lo que cuentas en el libro!

—Es una novela, Lauren. Y la tarea de un escritor consiste en embellecer la realidad para que disfruten los lectores.

—Más te vale. Oye, ¿no estarás escribiendo un libro sobre mi hermano?

—No, claro que no. ¿A quién se le ocurre? ¡No sabía nada de ese caso hasta este fin de semana!

Pareció aliviada.

—¿Qué estabas haciendo?

—Nada..., nada de particular —contesté.

—¿Quieres dar una vuelta conmigo? Me apetece ver el océano.

—Encantado.

Dejé abandonado a Perry en el cuarto de baño y me fui con Lauren. Nos metimos en mi coche y nos encaminamos hacia la costa del Atlántico. Cruzamos la frontera de Maine y llegamos hora y media después a Kennebunkport. Paseamos por el centro histórico antes de comer. Luego Lauren me llevó a una playa que a ella le gustaba mucho. La marea estaba baja y deambulamos descalzos entre rocas y charcos donde pululaban cangrejos, quisquillas enormes y estrellas de mar. Lauren se maravillaba con cada descubrimiento. Al principio creí que era la bióloga la que volvía por sus fueros; en realidad, era una parte de su infancia la que renacía.

—¿Vienes mucho por aquí? —le pregunté mientras ella enarbolaba muy ufana un buey de mar enorme.

Volvió a dejarlo en el agua antes de contestar:

—Venía aquí con mis padres y mi hermano. Casi todos los fines de semana. Aquí fue donde pillé el virus de la biología. Quién iba a imaginarse que acabaría de poli...

Hubo un silencio. Miró al horizonte y luego prosiguió:

—Marcus, si no te importa, preferiría olvidarme de ese asunto por hoy. Me gustaría aprovechar un rato solo contigo. Sin fantasmas.

—Me parece muy bien.

Era media tarde cuando nos fuimos de Kennebunkport para regresar a Mount Pleasant. El sol de julio brillaba con mil fulgores, iluminando los paisajes sublimes de New Hampshire. Cerca ya de nuestro destino, Lauren me propuso sencillamente: «Vamos a decirles hola a mis padres». Asentí como si fuera lo más natural.

Janet y Mark Donovan, los padres de Lauren, vivían en una bonita casa a su imagen y semejanza; sencilla, modesta y sólida. Cuando llegamos, Mark estaba trajinando en el garaje y Janet ocupándose del jardín. Al alzar la vista de su arriate, al principio me dedicó una mirada circunspecta. Después, al reconocerme, sonrió: «Es usted más guapo en persona que en la televisión, señor Goldman».

Los Donovan eran unas personas encantadoras. Tomamos el té en la terraza, fue un rato delicioso. Luego, como Lauren y su padre se ausentaron un momento (Mark quería consultar a su hija sobre unos trámites administrativos que no entendía), Janet se permitió unas cuantas confidencias.

—Le agradezco que haya venido, señor Goldman. Lauren no suele traernos a nadie.

—Por favor, llámeme Marcus, señora Donovan.

—Llámeme Janet.

Esbocé una sonrisa. Ella prosiguió:

—¿Lauren y usted están juntos?

—No, pero me gusta mucho su hija. Es estupenda. ¡Y qué carácter!

—Es estupenda, efectivamente. Pero me gustaría que pensase más en sí misma y menos en su hermano. A veces, es como si se sintiera culpable de algo. Le ha hablado de Eric, supongo.

—Sí.

—Lauren es la hermana pequeña, pero siempre ha sentido la necesidad de protegerlo. Es cierto que él tenía muy buena pasta, siempre cedía, mientras que ella es todo lo contrario. Un día, en el instituto, se metió con él un grupo de grandullones. Lauren intervino y le partió la nariz a uno. La expulsaron dos semanas. ¿Puedo serle sincera, Marcus? Creo que Eric no saldrá nunca de la cárcel. Lauren debería vivir su vida. Me gustaría, por su bien, que se fuera a vivir lejos de New Hampshire. Que pudiera retomar su vida en el punto en que la dejó hace once años.

Me sentí lo bastante a gusto para preguntarle:

—¿Cree usted que Eric es culpable?

—¿Tiene hijos, Marcus?

—No.

—Para unos padres, un hijo sigue siendo un hijo. No se hacen nunca ese tipo de preguntas. Nuestro cerebro no es capaz de tomarlo en consideración. A eso se le llama el amor indefectible: es un amor que solo puede nacer de la filiación y que está por encima de todo.

Después de esa visita, llevé a Lauren a su casa. Me propuso que me quedase a cenar, cosa que acepté de muy buen grado.

Hicimos la cena juntos, bebiendo sorbitos de un cabernet californiano. Hablábamos de todo un poco. Era una conversación intranscendente. Lauren se había quitado la careta. Tenía una sonrisa luminosa y una risa irresistible.

Con la segunda botella de vino, la velada se volvió más romántica. Apenas si cenamos, demasiado pendientes de rozarnos con la mano. Por fin fue ella la que dio el primer paso. Se levantó, supuestamente para recoger la mesa, pero no llegó a tocar los platos. Pegó los labios a los míos y le devolví el beso.

Entonces susurró:

—Puedes dormir aquí si quieres.

—Es todo un detalle que no me pongas ahora de patitas en la calle.

Se rio.

—Mañana por la mañana entro de servicio temprano. Habría preferido un despertar más romántico... Pero me alegro de que te quedes.

—Entonces, me quedo. Y, de todas formas, no me perdería una ocasión de verte de uniforme.

Sonrió.

*

Al día siguiente, lunes, Lauren se despertó al alba. La oí ducharse y me levanté a mi vez. Cuando me reuní con ella en la cocina, estaba de uniforme, tomando un café. Me puso una taza y me besó. «Voy a buscar el periódico», me dijo antes de salir un momento de la habitación. Bebí un sorbo de café. Me sentía bien.

Lauren apareció en el hueco de la puerta. Al mirarla, vi que estaba pálida. Me acribilló con la mirada.

—¡Desgraciado! —gritó—. ¡Fuera de mi casa!

Yo estaba desconcertadísimo.

—Pero bueno, Lauren, ¿qué te pasa?

—¡Fuera, Marcus! ¡No quiero volver a verte nunca!

Con ademán resuelto, tiró de mí hacia la puerta de la cocina, la abrió y me echó fuera, lanzándome a la cara el periódico que acababa de recoger. Al entender que ahí estaba la explicación, abrí el ejemplar del *Mount Pleasant Star* para encontrarme, estupefacto, en primera plana:

Marcus Goldman reabre la investigación sobre Alaska Sanders

El famoso escritor, conocido por haber exculpado a Harry Quebert, está en Mount Pleasant posiblemente para investigar sobre la muerte de Alaska Sanders. Eso es al menos lo que se desprende de una reciente visita suya al archivo del *Mount Pleasant Star*. […]

Gahalowood fue la primera persona a la que avisé de la filtración en el periódico. Se irritó: «Escritor, que no es usted un principiante. ¿Cómo ha podido cometer un error así?». Era temprano, a la información no le había dado aún tiempo a circular; había que avisar a Lansdane lo antes posible.

15. Despiste culpable
Mount Pleasant, New Hampshire
Lunes 12 de julio de 2010

La verdadera razón de mi presencia en New Hampshire la aireó el historial de búsqueda que olvidé borrar tras pasar por el archivo del *Mount Pleasant Star*. El recepcionista había ido a cotillear después de marcharme, había descubierto el pastel y le había faltado tiempo para avisar a la redacción. ¿Cómo podía haber tenido semejante despiste? Estaba consternado. Por consejo de Gahalowood, volví enseguida a Concord. De todas formas, estaba deseando huir de Mount Pleasant. Pensaba en Lauren, en sus palabras. Sobre todo en su madre, que me había otorgado su confianza.

El sol asomaba despacio por el horizonte mientras yo corría hacia la capital de New Hampshire. Iba deprisa, no había tráfico, llegué antes de lo previsto a Concord. Por casualidad, al salir de la autopista, pasé delante del aparcamiento de Fanny's donde había muerto Helen dos meses antes. Me paré, sin saber si era una peregrinación o si necesitaba un café. Estaba un poco aturullado.

A medida que el país se despertaba, la noticia iba rodando por los medios de comunicación, que buscaban algo de sensacionalismo en esta época del año huérfana de noticias. No tardó en aparecer en los avances de titulares matutinos.

Roy Barnaski, mi editor, me llamó extasiado.

—¡Condenado Goldman! —se regocijó—. ¡Otro libro en perspectiva ya! ¡Y un caso criminal además! ¡Qué maravilla, es lo que todo el mundo estaba pidiendo! ¡Si hasta tenemos ya el título: *El caso Alaska Sanders*! ¿Cuándo cree que podremos publicarlo?

—Se lo repito: no hay libro, Roy...

—¡Bah, bah, bah, bah! ¡El señor Secretitos! Así que era eso lo que andaba tramando con la excusa de ir a firmar ejemplares.

—Roy, es solo que me ha pillado un capullo que trabaja en el periódico local.

—Se ha dejado pillar —matizó Roy—. Para que hablen de usted. ¡Porque le gusta, es usted todo un narcisista! ¡Y tanto mejor! Voy a reunir al equipo de marketing y hacemos una teleconferencia, ¿vale? ¡Esto es fantástico!

Le colgué dejándole con la palabra en la boca.

Saltaba a la vista que el jefe Lansdane estaba mucho menos entusiasmado que Barnaski. Según entramos Gahalowood y yo en su despacho esa mañana, estalló:

—¡Marcus, es usted un inconsciente o completamente idiota!

—¿Puede que un poco de cada? —sugirió Gahalowood.

—¡No estoy de humor para bromas, Perry! ¡Ya me ha llamado el gobernador y he tenido que dar explicaciones a la prensa hace un rato!

—He sido descuidado —admití—; no vea en esto ninguna mala intención por mi parte.

—¡Ah, no se preocupe, Marcus, no veo ninguna mala intención, veo estupidez!

—La buena noticia —intervino Gahalowood— es que tenemos la prueba de que Walter Carrey es inocente.

Le enseñó a Lansdane la foto tomada en el National Anthem a la hora del crimen.

—¿A eso lo llama una buena noticia? —refunfuñó Lansdane—. ¡Yo lo llamo un buen marrón en perspectiva!

Me enfrenté a Lansdane:

—Es la prueba que pedía para reabrir el expediente, ¿no?
—¡Eso lo decido yo! —vociferó.
—¡Pero desde que empezó este asunto no para de contradecirse! —me sulfuré—. Quería que investigase con el pretexto de escribir un libro: ¡pues ahí lo tiene!
—Calma —intervino Gahalowood—. No vale de nada perder los nervios, hay que actuar. Jefe, creo que esta situación, a pesar de las apariencias, le viene bien: no divulgamos ninguna información en esta etapa, y usted pone al escritor como pretexto; diga que, tras las noticias que han salido en los medios de comunicación, tiene que cumplir con la diligencia de enviar a un policía para las comprobaciones de rigor.
—Y ese policía es usted, supongo.
—Sí, Marcus y yo seguimos con nuestra investigación discretamente. Sin dar que hablar, se lo prometo. Parecerá que solo se trata del libro de Marcus, y la gente se irá de la lengua con facilidad. Las revelaciones llegarán cuando tengamos todas las respuestas a nuestras preguntas. Y entonces le será a usted mucho más fácil gestionar el asunto.
Lansdane se nos quedó mirando. Se intuía que estaba muy irritado, pero no tenía dónde elegir.
—El gobernador amenaza con destituirme si no hay resultados antes de finales de mes.
—Haremos cuanto esté en nuestra mano —aseguró Gahalowood.
—Usted también caerá, Perry. ¡Si yo caigo, todo el mundo cae!
Gahalowood dejó a Lansdane fuera de combate al contestarle con tono neutro:
—¿Sabe, jefe? He perdido a mi mujer. Así que perder el curro...

Al salir de la sede de la policía estatal, andaba de un humor sombrío. Gahalowood lo notó enseguida. Aunque ya estábamos dentro del coche, me quedé con las manos en el volante, un poco atontado, sin arrancar.
—En peores nos hemos visto, escritor —me reconfortó Gahalowood.

—Ya lo sé, sargento.

—Es la situación con Lauren lo que más le fastidia, ¿no?

—Exacto.

—Lo siento mucho, escritor. Pero, en fin, mírelo por el lado bueno: es usted una persona clave para una investigación con la que ella lleva once años. No le quedará más remedio que hablar con usted.

—Ya veremos, sargento.

—Venga, andando, no vamos a pasarnos la vida en un aparcamiento.

—¿Dónde vamos?

—Es el primer día de nuestra segunda investigación juntos, escritor. Hay que celebrarlo. Vamos a ir a comprar dónuts y café.

Sonreí.

—No imaginaba que llegara a decir eso algún día, sargento.

—¿El qué?

—Que se alegraría de volver a investigar conmigo. Dado cómo empezamos en el caso Harry Quebert...

—No se atribuya demasiado mérito, escritor. Desde que soy viudo, ya no me gusta la soledad. A nadie le gusta la soledad cuando se la imponen.

—Vaya, casi me creo que era una declaración de amistad.

—Ya le gustaría. Venga, arranque.

—Y, aparte de atiborrarse de dónuts, ¿tiene un plan de ataque, sargento?

—Pues claro. ¿Se acuerda de lo que le dije entonces, nada más empezar la investigación sobre Nola Kellergan?

Recordaba con exactitud el consejo de Gahalowood.

—Hay que centrarse en la víctima, no en el asesino —dije.

—Eso mismo. Vamos a la redacción del *Salem News*. Ya es hora de ahondar en el pasado de Alaska. Y de descubrir lo que ocurrió en Salem.

*

En contra de lo que su nombre da a suponer, la redacción del *Salem News* no se encuentra en Salem, sino en que Beverly, una ciudad limítrofe. Quince años antes, el periódico se había fusionado con el *Beverly Times*, cuyos locales, situados en el 32 de Dunham Road, en la zona industrial, compartía desde entonces.

Una lánguida recepcionista nos recibió con mucha calma. Cuando supo que queríamos localizar archivos de finales de la década de 1990, puso cara de espanto.

—Imposible remontarse más allá de 2000 —nos aseguró—. Sí que estaba previsto digitalizar los archivos, pero al final nunca lo hicieron.

Gahalowood le enseñó la copia del artículo que había aparecido entre las carpetas de Vance.

—Buscamos información sobre Alaska Sanders.

La recepcionista miró la página guiñando los ojos.

—No me suena de nada, pero puedo llamar a Goldie si quieren. Está aquí.

—¿Goldie?

—Goldie Hawk, veo que fue ella quien firmó este artículo. Sigue trabajando para el periódico.

Poco después se presentó una mujer elegante de unos cincuenta años. Me reconoció en el acto:

—¿Marcus Goldman?

Asentí.

—Encantado, señora, y este es el sargento Perry Gahalowood.

—¿Como en el libro?

—Como en el libro —suspiró Gahalowood.

Alaska había salido en el periódico en varias ocasiones. Goldie Hawk puso a nuestra disposición el conjunto de artículos que le habían dedicado: los había escrito ella. Nos sentó a su desordenado escritorio y sacó un clasificador donde estaban todos los artículos que había escrito desde que llegó al periódico.

—Mi madre lo ha guardado todo religiosamente. Cuando cumplí los cincuenta, me regaló esta recopilación. Al menos servirá para algo. Los artículos siguen un orden cronológico. Los de Alaska están al principio.

Los primeros artículos reseñaban competiciones de «minimiss», los concursos de belleza infantiles y juveniles.

—En esos años —nos explicó Goldie Hawk—, yo era muy joven. Era mi primer trabajo. El redactor jefe era un tipo de la vieja escuela, que opinaba que el *Salem News* era ante todo un periódico local. No aspiraba a ser el *New York Times*, quería un contenido regional: las ferias, los acontecimientos deportivos o también los concursos de misses jovencitas, que tenían mucho eco. Por supuesto, a todos los demás periodistas de la redacción les parecía indigno, pero yo me lo tomé muy a pecho. Resultado: veinticinco años después aquí sigo, pero vaya usted a saber si es algo bueno o malo. —Sonrió ante su propia reflexión—. En pocas palabras, cubrir esos concursos era también una jugada económica porque varias familias, cuyas hijas se presentaban, eran además anunciantes del periódico.

Por fin dimos con los artículos dedicados a Alaska desde 1993. A partir de los dieciséis años había ganado muchos concursos de belleza. Miré las fotos hechas año tras año. Salía radiante.

—¿Así que Alaska...? —pregunté.

—Alaska se incorporó tarde. Casi por casualidad. Como le iba bien, siguió en esa aventura. Alaska era diferente de las demás chicas.

—¿En qué sentido?

—Las superaba en todos los aspectos: más inteligente, más madura, más guapa. Y, además, no buscaba la fama. No tenía un auténtico ego, la verdad es que le importaba un rábano. Participaba en esas competiciones con dos finalidades: abrirse camino en el mundo del cine y ganar dinero. Todos esos premios tienen buenas dotaciones, iba juntando unos buenos ahorrillos. Me acuerdo de que me habló de eso un día, me sorprendió su madurez. Me dijo: «Les doy el dinero a mis padres, que meten mis ganancias en una cuenta a la que no tengo acceso. Serán mis fondos para el día en que quiera mudarme a Nueva York o a Los Ángeles». Me impresionó esa adolescente tan resuelta que ya tenía planificada su carrera. Estaba segura de que algún día la vería en los carteles. Jamás me habría imaginado que acabaría asesinada en un pueblucho de New Hampshire. ¿Qué demonios pintaba allí?

—Es una buena pregunta —dije.

—Notarán que no escribí nada sobre su muerte. Dejé que se encargara un compañero. Me habría sentido como si ensuciara su recuerdo al referir ese suceso tan sórdido.

El último artículo que Goldie Hawk había dedicado a Alaska era el que había aparecido en la carpeta de Vance: un retrato de la familia Sanders publicado en la edición del lunes 21 de septiembre de 1998. El sábado anterior Alaska había ganado el destacado concurso de Miss Nueva Inglaterra.

—Era un hito importante para su carrera: se trataba de su primer concurso de adulta. Todo el mundo estaba muy entusiasmado. Me entraron ganas de dedicarle un artículo entero, más allá del ámbito del concurso. Hacerles preguntas a sus padres y contar la vida cotidiana de esa familia, centrada en la carrera de la joven, de quien se esperaba que se convirtiera en la siguiente gran actriz estadounidense. En la foto los hicimos posar a los tres juntos.

Me incliné sobre esa foto: se veía a Alaska, con un vestido de muselina blanca, rodeada de sus padres, en el salón de su casa del barrio de Mack Park.

Casi doce años después, el salón de Robbie y Donna Sanders no había cambiado. Fue lo que comprobamos Gahalowood y yo cuando fuimos a verlos nada más salir de la redacción del *Salem News*. El mismo sofá de escay, la misma moqueta gruesa, los mismos adornos en las estanterías. Según Gahalowood, tampoco el matrimonio Sanders había cambiado.

Al abrirnos la puerta, Donna Sanders se limitó a susurrar:

—¿Así que es verdad? ¿Han reabierto la investigación?

Antes de hablar de Alaska, hubo un ceremonial. Nos sentamos en el sofá, Donna nos trajo café e insistió en que probásemos sus magdalenas caseras. Luego le pasó revista al contenido de una caja de cartón donde había recuerdos de su hija: un revoltijo con fotos, un cepillo del pelo, entradas de conciertos, una pulsera de plástico, varias diademas de bisutería, vestigios de los concursos de belleza.

Donna se inclinaba sobre la mesa baja, toqueteando esos tesoros, mientras Robbie, con los brazos cruzados, estaba arrellanado en el sofá.

—Nada de todo eso nos la va a devolver —dijo, irritado por la exhibición de reliquias—. Y reabrir el caso, menos aún. ¿Por qué no nos dejan en paz?

—Vamos, Robbie, ¿no quieres saber qué pasó? —protestó Donna—. El sargento Gahalowood dice que el asesino podría estar en libertad.

—Por ahora es solo una hipótesis —insistió Gahalowood—. Lamento que tengan que volver a pasar por esa prueba, pero, si existe una duda, hay que resolverla.

—¿Y qué cambiará para nosotros? —dijo con amarga ironía Robbie Sanders.

—Nada. No atenuará en absoluto su pena. Pero estoy convencido de que es importante descubrir lo que ocurrió de verdad. Y lo que es más importante: puede que un inocente lleve once años preso.

—¡Un «inocente» cargado de pruebas irrefutables y que se declaró culpable —se indignó Robbie—. ¿Qué quiere, sargento? ¿Viene a pedirnos nuestra bendición para volver a abrirnos las heridas?

—Vengo a buscar respuestas a preguntas, señor Sanders. Preguntas que quizá debería haberles hecho en su momento.

—¿Por ejemplo?

—¿Quién era Alaska en realidad?

—¿Qué quiere decir?

—Cuáles eran sus sueños, sus aspiraciones, sus pesadumbres, sus dudas. Me pregunto si en 1999 no dejé de lado unas cuantas cosas. Acabo de descubrir que Alaska, por entonces, se sinceró con su jefe en Mount Pleasant. Por lo visto, le habló de «algo que había pasado en Salem». Así que les pregunto, señores Sanders: ¿qué pasó en Salem que, claramente, tanto le influyó a su hija?

Donna y Robbie Sanders se miraron, confusos.

—Nada que nosotros sepamos —acabó por contestar Donna—. Alaska era una muchacha radiante. La vida le sonreía. A veces tenía preocupaciones, como todo el mundo, pero no recuerdo ningún acontecimiento en particular. ¿Ocurriría algo en el instituto? Habría que preguntarles a sus amigos de entonces, puedo darle sus nombres, si quiere. Era bastante reservada, ¿sabe?

Donna Sanders nos describió luego a una muchacha que despertaba la admiración de cuantos la rodeaban. Alaska, su única hija, la niña de sus ojos. Alegre, inteligente, divertida y dulce. Alaska, siempre de buen humor, a quien elogiaban sus profesores, a quien querían sus amigos. Perfecta y perfeccionista.

A Alaska, de pequeña, le gustaba divertir a los demás. Entretenía a la gente con payasadas que no tardaron en convertirse en imitaciones irresistibles. Desde las reuniones familiares hasta las funciones de fin de curso, tenía un éxito cada vez mayor.

—Tenía un don para los escenarios —nos contó Donna Sanders—, muchísimo talento. Cuando cumplió doce años, fuimos a pasar un fin de semana a Nueva York. Alaska soñaba con ir a ver una obra en Broadway y fuimos a ver *El mercader de Venecia*. Yo pensaba que se iba a aburrir como una ostra, pero le gustó tanto que decidió dedicarse al teatro. Se metió en una compañía local, en la que estuvo hasta que acabó el instituto. Había encontrado su vocación: ser actriz. Alaska era también muy presumida, le gustaba ir de tiendas. Para completar su paga empezó a trabajar de canguro. Los niños la adoraban, los padres también. Se hizo con una clientela. Pero hacia los quince o los dieciséis años cambió, quiero decir físicamente. Se metamorfoseó en pocos meses. La niña poco agraciada dio paso a una adolescente que parecía una mujer y estaba cada día más guapa.

*

Salem
Junio de 1993

—Entendido, señora Myers, no pasa nada. Hasta pronto.

Alaska colgó el teléfono de pared de la cocina. Se sentó con las piernas cruzadas en la banqueta y apoyó la cabeza en las manos, decepcionada. Era un viernes, a última hora de la tarde.

Donna Sanders entró en la cocina y se preocupó al ver a su hija abatida.

—¿Qué ocurre, cariño?

—Acaba de llamar la señora Myers. No tengo que hacer de canguro esta noche. Su marido no está bien y se quedan en casa.

—Son cosas que pasan. ¿Qué te preocupa?

—La señora Myers estaba rara por teléfono. Y es la tercera cancelación en quince días. ¡Que tengo que ganarme la vida!

Donna se echó a reír.

—Oye, cariño, ¿y si saliéramos las dos esta noche? Nos vamos de compras al centro comercial y luego cenamos y nos metemos en el cine.

—¿A papá le parecerá bien? —preguntó Alaska—. El otro día oí que se enfadaba por la tarjeta de crédito.

—Tu padre no está esta noche. Será una salida de chicas. Y nadie se va a enterar de nada. —Donna Sanders sonrió mientras cogía de la estantería un tarro de barro cocido del que sacó un puñado de billetes—. Una tiene su reserva secreta. Ya sabes lo que se dice: lo que no aparece en el extracto de la tarjeta de crédito no ha existido nunca.

A Alaska se le iluminó la cara: la idea de una velada con su madre le encantaba. Media hora después llegaban a un gran centro comercial que les pillaba cerca. Cumplieron el programa que había propuesto Donna: deambularon, fueron de compras, luego tomaron una pizza en New York Pizza y se fueron al cine. Querían ver *Parque Jurásico*, de la que todo el mundo hablaba. Mientras hacían cola para sacar las entradas, se dieron de bruces con los Myers.

—¿Señora Myers? —se extrañó Alaska—. ¿Al final han salido?

La tal señora Myers estaba visiblemente apurada; su marido no parecía saber de qué iba el asunto.

—¿Por qué no íbamos a salir? —preguntó.

—Su mujer me dijo que estaba usted enfermo —explicó Alaska, que se había dado cuenta de la jugada—. Parece que ya está usted mucho mejor, me alegro de que se haya recuperado tan deprisa.

La señora Myers estaba como la grana. La taquilla quedó libre y Donna Sanders aprovechó para poner punto final a tan embarazosa situación:

—Ya nos toca, Alaska. ¡Que se diviertan!
Se llevó a su hija, tirándole del brazo.
—¡Mamá, me ha mentido! —se indignó Alaska.
—Ya lo sé, cariño.
—Pero ¿por qué lo ha hecho? Cuido muy bien a sus hijos.
—Estoy completamente segura, cariño.
Donna Sanders sabía muy bien por qué la señora Myers no quería ya recurrir a los servicios de su hija. Ella también se daba cuenta de que Alaska atraía todas las miradas. Allá donde iba su hija, se volvían todas las cabezas. Alaska era probablemente la única que no calibraba el efecto que causaba en la gente, y en los hombres en particular, a pesar de sus dieciséis años. Y ni la señora Myers ni ninguna otra madre de familia iba a querer a esa joven tan sensual cerca de su marido.

*

—Pobre Alaska, fue un duro golpe. La señora Myers la dejó sin clientes. Es una comunidad pequeña, la gente habla. La señora Myers explicó a sus amigas que, como su marido ya la había engañado una vez, no estaba dispuesta a poner a Alaska a su alcance. Y resultó que todas esas idiotas empezaron a mirar a sus maridos como a unos depredadores incontrolables, ¡ese era el panorama! El mensaje que enviaban era «Cuidado con Alaska», como si mi hija fuera una vampiresa. Me asqueaba que le hicieran eso. Pero mi hija no era de las que se vienen abajo: ese verano, ya que no podía hacer de canguro, se buscó un trabajillo en una heladería. Y pasó lo mismo: muchos clientes y grandes propinas. Un día, uno de ellos le propuso participar en un concurso local de misses jóvenes que organizaba él. Le dijo que lo tenía todo a su favor; que hasta podría ser modelo. Alaska decidió lanzarse y, fíjese, ganó el concurso. Y, de paso, mil dólares. Para ella fue una revelación. Tomó conciencia de su aspecto físico. Empezó a empalmar concursos, siempre con éxito. Luego, enseguida, le pidieron que hiciera anuncios. Eran a escala regional: un concesionario de coches, un restaurante, una tienda de bricolaje. Pero no tardó en vérsela por todas partes en Salem. Era una celebridad local. La gente le decía: «¡Anda! ¿No eres la chica del anuncio de la pizzería?». Cuando acabó el instituto no quiso ir a la universidad. Quería darse una oportunidad para llegar a ser actriz. Se ganaba la vida con los concursos o con los anuncios y, al mismo tiempo, iba de casting en casting. Tenía incluso una agente en Nueva York. Iba en serio. Para presentarse a los papeles, se grababa en la cocina con la cámara de vídeo de mi marido. Lo tenía todo para poder cumplir sus sueños...

Donna se calló de pronto. Como si se hubiera quedado sin palabras. Se levantó y cogió un grueso volumen encuadernado que estaba encima de la chimenea.

—No merece la pena —le dijo Robbie, disimulando con esfuerzo la irritación.

—Así *ellos* la verán —le contestó su mujer—. Verán lo guapa que era.

Nos puso el libro delante, encima de la mesa, y lo abrió: era un álbum que le había dedicado a su hija. Todo estaba allí: fotos familiares, anuncios de una tienda de muebles de jardín, de una pizzería o de una liquidación de neumáticos. Vimos a Alaska, viva y hermosa.

Entre los recortes y las hojas sueltas de papel cuché, había un *book* profesional, obra, según decía el encabezamiento, de la agencia DM de Nueva York.

—Estaba tan orgullosa de él —nos dijo Donna Sanders—. Miren qué porte...

—¿Qué es la agencia DM? —preguntó Gahalowood.

—Agencia Dolores Marcado, era ella quien llevaba a Alaska. Decía que tenía un futuro prometedor. Creía mucho en ella. Dolores nos dijo: «Ya verán, su hija va a convertirse en una estrella». Alaska participó en bastantes castings para el papel principal. Se encerraba en su cuarto con la cámara de vídeo. Miren...

—Los vídeos, no —protestó Robbie Sanders—. ¡Estos señores no han venido a eso!

Donna hizo como si no oyera las objeciones de su marido y puso en marcha un vídeo tan viejo que cabía preguntarse cómo seguía funcionando. En el antiguo televisor analógico, que seguramente habían conservado para este cometido, apareció una imagen de mala calidad. Y, enseguida, la cara de Alaska, en primerísimo plano, que acababa de encender la cámara. Lanzó una sonrisa deslumbrante, se retocó el pelo y retrocedió unos pasos para aparecer de cuerpo entero. Y de pronto su voz: «Hola, me llamo Alaska Sanders, de Salem, en Massachusetts. Tengo veintiún años y me presento para el papel de Anna».

Miramos, subyugados, cómo recitaba el texto. Resultaba difícil no ceder a su magnetismo. Tras acabar la cinta, enturbió la pantalla una nevada de píxeles blancos. Donna apagó el televisor. Robbie Sanders se secó las lágrimas. Por un instante era como si Alaska Sanders existiera aún.

—Hace once años que se fue —nos dijo entonces Donna Sanders—. Once años y aún no he logrado aceptar su muerte. Nunca he podido hacerme a la idea de que ya no está. Pero ¿cómo podría resignarme a que una maldita noche de abril de 1999 alguien le quitase la vida a mi hija? Su cuarto sigue ahí, no he tocado nada. La está esperando.

—¡El cuarto, no! —suplicó Robbie Sanders.

Pero Donna ya estaba camino de las escaleras, animándonos a seguirla. Gahalowood y yo fuimos tras ella, algo incómodos. Nos enseñó su «museo del fantasma», un cuarto de adolescente idéntico al que habíamos visto unos minutos antes en las imágenes que Alaska había grabado para la audición. En el centro de la habitación, una cama redonda cubierta de cojines de color rosa. De cara a la ventana, un tocador de madera lacada. El armario estaba aún lleno de ropa. Las paredes seguían tapizadas de carteles de grupos de la época —Goo Goo Dolls, Smashing Pumpkins, Blink-182—, cuyos colores habían palidecido con el tiempo y el sol. En casa de los Sanders, daba la impresión de que todo se había detenido en 1999.

Acabé por hacerle a Donna Sanders la pregunta que me quemaba los labios:

—¿Qué pasó para que Alaska acabase en Mount Pleasant? Discúlpeme si soy un poco brusco, pero, por lo que cuenta usted, la siguiente etapa de su vida tendría que haber sido más bien Nueva York o Los Ángeles.

—Tiene usted toda la razón, señor Goldman —me contestó Donna, con una sonrisa triste.

—¿Qué pasó?

—Conoció a Walter Carrey. Ese fracasado de tres al cuarto. La trastornó. Era un hombre guapo, rudo, bastante atractivo. Tenía un lado salvaje. Un tipo fuerte y sin pulir, con su toque misterioso. O sea, todo lo que a una le puede gustar a esa edad.

—¿Cuándo lo conoció Alaska?

—En el verano de 1998. En un bar de moda en Salem. Desde que cumplió los veintidós salía con regularidad.

—¿Podría concretarnos en qué momento exacto de ese verano de 1998 se conocieron Walter y Alaska? —preguntó Gahalowood.

Donna Sanders se esforzó en concentrarse.

—Ya no lo sé. Quizá en junio o en julio... En cualquier caso, fue antes del gran concurso de Miss Nueva Inglaterra. El concurso era a finales de septiembre.

—¿En qué consistía ese concurso?

—Era una de las competiciones más famosas de la zona, reunía a candidatas de Massachusetts, de Vermont, de New Hampshire y de Maine. Un concurso profesional con un primer premio de quince mil dólares.

—Un concurso que Alaska ganó, ¿verdad? —dije, recordando el artículo del *Salem News* dedicado a la familia Sanders.

—Efectivamente. Fue una victoria muy sonada. Todo el mundo hablaba de eso. Su agente decía incluso que un director de Hollywood se había quedado prendado de Alaska.

—Y entonces ¿qué fue lo que pasó? —pregunté.

—Una semana después del concurso, más o menos, Alaska tuvo una discusión terrible —nos reveló Donna.

—¿Una discusión con quién?

—Con su padre.

—¿Por qué?

Una voz nos contestó desde el rellano: era Robbie Sanders, que había llegado sin hacer ruido.

—Le encontré marihuana en el bolso.

*

Salem
Viernes 2 de octubre de 1998

A Donna Sanders no se le olvidaría nunca aquel día en que volvió a Salem tras un viaje de dos días a Providence; su familia era de allí y había tenido que ir para hablar con sus hermanas sobre cómo vender la casa de su madre, fallecida unos meses antes. Mediaba la tarde cuando llegó al camino de entrada de la casa. Un Ford Taurus negro estaba subido en la acera; dentro, Walter Carrey. La saludó con un ademán amistoso.

—Hola, señora Sanders —le dijo por la ventanilla abierta.
—Hola, Walter. ¿No quieres pasar?
—No, gracias. Me marcho... Menuda tienen liada su marido y Alaska.
—¿Qué ocurre?
—Ni idea —contestó él, metiendo la marcha atrás—. Se supone que yo venía a recogerla, habíamos planeado un fin de semana romántico... Pero, cuando he llegado, Alaska estaba discutiendo con su marido y me ha dicho que me fuera, que ya iría ella con su coche a Mount Pleasant a encontrarse conmigo.

Donna se metió en casa a toda prisa. Una vez dentro, oyó que sonaban gritos en el primer piso. Subió las escaleras. En el cuarto de Alaska se estaban increpando su hija y Robbie. Alaska metía ropa a puñados en una bolsa de viaje.

—¿Qué está pasando aquí? —exclamó Donna.

Al intervenir ella, se hizo el silencio de inmediato. Alaska tenía la cara desencajada. Donna no había visto nunca a su hija en semejante estado.

—¿De verdad quieres saberlo? —preguntó llorando, con un deje de desafío.
—¡Pues claro que quiero saberlo!
Robbie Sanders tomó entonces la palabra:
—¡He encontrado marihuana entre las cosas de Alaska!
—¡Papá! —chilló Alaska.
—¡Alaska! —dijo su madre, desconsolada—. ¡No, tú no!
—¡Pues sí, ella sí! —escupió Robbie—. ¡Ha traicionado nuestra confianza! ¡No puedo creerlo!

—¡Alaska, me habías prometido que no la tocarías nunca! ¿Te das cuenta de las consecuencias? ¡Si se sabe, puedes perder el título de Miss Nueva Inglaterra! Y puedes despedirte de tu sueño de hacer cine.

Alaska fulminó a su padre con la mirada, agarró la bolsa y salió huyendo con los ojos llenos de lágrimas. Corrió escaleras abajo, agarró las llaves del coche y se fue dando un portazo. Se abalanzó dentro del descapotable azul y arrancó.

Donna Sanders salió precipitadamente de la casa, suplicando a Alaska que no se fuera.

—¡Espera, cariño, espera!

Corrió unos cien metros detrás del coche de su hija antes de resignarse a verla desaparecer.

*

—¡Habríamos podido solucionarlo todo! —nos aseguró Donna Sanders—. Claro que, sobre la marcha, reaccionamos un poco a la tremenda. Alaska había firmado unas normas éticas para el concurso de Miss Nueva Inglaterra: se comprometía a no beber, a no fumar, a no tomar drogas, a no posar desnuda. A montones de madres de familia envidiosas les habría encantado arrastrarla por el fango si la hubieran visto fumar un porro.

—Solo era un poco de hierba —objeté.

—Hoy puede parecerle una tontería, señor Goldman, pero a mi marido y a mí nos educaron de forma muy estricta. Para nosotros, fumar marihuana entraba en el consumo de drogas, no había diferencia. ¡De hecho, desde el punto de vista legal, era una sustancia de la misma categoría que la heroína! Y no olvide que era la época de esa política de «o porro o carnet»: si te pillaban fumando un porro sentado en un banco, la sanción implicaba automáticamente la suspensión del carnet de conducir durante seis meses.

—Así que las cosas no se arreglaron con Alaska...

—No, estaba demasiado resentida con nosotros. Como si con ese incidente hubiese aflorado la rabia que llevaba dentro. Creo que ese idiota de Walter Carrey la malmetió. No sé qué le contaría, ni con qué la quiso deslumbrar, pero se mudó a su casa, en Mount Pleasant. Se aferró a ese infeliz que vivía encima de la tienda de sus padres. La tenía completamente hechizada, esa es la verdad. Alaska era mayor de edad, ¿qué podía hacer yo? ¿Volver a traerla a la fuerza a Salem? Todo eso para ir a trabajar a una gasolinera y conseguir que la matasen.

—¿No intentó usted arreglar las cosas?
—Lo intenté todo. En vano. Pensé que con el tiempo... pero el tiempo no remedió nada, solo agravó los rencores y la falta de comunicación. Alguna vez fui a Mount Pleasant a comer o a tomar un café con Alaska. Pero algo se había roto. Ni siquiera se dignó venir para Acción de Gracias o para Navidad. Me pasé el día de Navidad llorando.

Después de visitar a los Sanders, nos quedaba aún mucho día por delante. Ya que estábamos en Massachusetts, fuimos a Boston, que estaba a media hora de camino, para ver a Patricia Widsmith, la abogada de Eric Donovan.

16. El Marcus del Ford
Boston, Massachusetts
Lunes 12 de julio de 2010

El bufete de abogados Cooper & Asociados estaba en un palacete de ladrillo rojo, justo detrás del Capitolio de Massachusetts. Estábamos en pleno barrio de Beacon Hill, donde vivía Emma Matthews cuando ella y yo salíamos juntos.

Cooper & Asociados era un bufete penalista, conocido por llevar casos difíciles con personalidades implicadas, pero también porque defendía sin costes causas justas. Hacía poco que habían conseguido que saliera en libertad un hombre, declarado inocente después de pasar treinta y dos años de cárcel.

Gahalowood y yo esperamos en una sala tapizada de artículos de periódico que elogiaban los numerosos casos que había ganado el bufete a lo largo del tiempo. Por fin vino una recepcionista a buscarnos.

—La señora Widsmith va a recibirlos.

Nos condujo a un despacho amueblado con elegancia donde nos aguardaba una mujer de unos cuarenta años: Patricia Widsmith. Gahalowood y ella no habían vuelto a verse desde que se cerró el caso.

—Por fin —le dijo—, ya iba siendo hora de que reabrieran la investigación. Llevo once años esperando este momento.

Nos sentamos en torno a una mesa de cristal donde nos sirvieron un café italiano en tazas de porcelana. Patricia Widsmith vestía con sencillez, pero se intuía que la camiseta era de diseño y que las deportivas costaban cuatrocientos dólares el par. También las joyas revelaban que se ganaba muy bien la vida. No pude por menos de comentárselo.

—La verdad es que no la imaginaba en un entorno como este.

Sonrió:

—¿Porque defiendo gratis a Eric Donovan? ¿Se imaginaba un despacho en un sótano?

Tartamudeé, apurado:

—En cualquier caso, no con este lujo.

—Siempre ha sido la filosofía de Sean Cooper, el fundador de nuestro bufete: las convicciones cuestan caras, hay que poder costeárselas. Precisamente, porque somos un bufete con prestigio y parte de nuestra clientela cuenta con grandes recursos, podemos defender a los más necesitados.

—¿Qué los impulsó a defender a Eric Donovan? —pregunté—. Tiene un expediente bastante abrumador. Cuesta encontrar un error judicial a simple vista.

—Eso es lo que usted opina. Yo conocía personalmente a Eric. Cuando lo conoces, sabes que no pudo matar a esa joven.

—¿Cómo lo conoció?

—En Salem. Por entonces íbamos a los mismos locales y nos hicimos amigos. Era un chico adorable, siempre de buen humor. Cuando mi relación de pareja empezó a ir mal y yo necesitaba pensar en otra cosa, me iba de bares con él. Luego se volvió a vivir a Mount Pleasant. Cuando lo detuvieron, recurrió a mí. Desde el primer momento, tuve la íntima convicción de que era inocente.

—¿Cómo explica ese puñado de pruebas inculpatorias?

—Cayó en una trampa —afirmó Patricia Widsmith.

—¿Quién se la tendió?

—No he conseguido descubrirlo. No tengo pruebas y, por desgracia, no las tendré nunca... pero creo que Walter Carrey se la jugó a base de bien.

—¿Por qué?

—Porque Walter siempre tuvo celos de Eric. Pensaba que Eric tenía una aventura con Alaska. Planificó el asesinato de Alaska pensando en encasquetárselo a Eric. Probablemente habría funcionado si no llega a darle ese golpe al coche en el bosque, permitiendo a la policía encontrar enseguida el rastro.

—Siento contradecirla —intervino Gahalowood—, pero hay dos argumentos que se oponen a su teoría. Para empezar, Alaska rompió con Walter Carrey unas horas antes de que la asesinasen, por lo que a él no le quedaba tiempo para organizar una trampa semejante. Y, además, sabemos, y supongo que usted también, que Walter tiene una coartada sólida para el momento del crimen.

—¿Se refiere a la foto que encontró Lauren, que lo sitúa en el National Anthem a la 1.43 de la madrugada la noche del crimen?

—Sí.

—Esa coartada no se sostendrá ni cinco minutos ante un jurado. Como bien sabe, el forense sitúa la muerte de Alaska Sanders entre la una y las dos de la madrugada. Walter Carrey bien podría haberla asesinado alrededor de la una y que lo fotografiasen luego a la 1.43 en el National Anthem.

No se me había ocurrido esa posibilidad. Miré a Gahalowood, que no se inmutó.

—Eso no cambia nada el hecho de que Alaska acababa de anunciarle a Walter que lo dejaba —objetó él—. Necesitaba un mínimo de tiempo para tenderle una trampa a Eric Donovan.

—Sé que Walter Carrey sospechaba que Eric y Alaska estaban liados antes de que ella lo dejase.

—Si se refiere a las sospechas que abrigaba Sally Carrey, solo se las contó a su hijo cuando este le anunció que Alaska lo había dejado. Así que su razonamiento no se sostiene.

—Walter lo sabía mucho antes.

—¿En qué se basa?

Patricia Widsmith sacó de un armario un abultado expediente: su propia investigación sobre la muerte de Alaska Sanders. Nos explicó:

—No se lo tome a mal, sargento, pero, en su momento, enseguida me di cuenta de que la investigación no iba a profundizar mucho; usted tenía a sus culpables, el caso estaba cerrado. Tuve que apañármelas, fui de puerta en puerta con Lauren. Así fue como hicimos amistad y, andando el tiempo, se nos pasó por la cabeza la idea de fundar una asociación. Interrogué a media ciudad. Entre los testimonios importantes, recogí el de Regina Speck, la dueña del Season, ese café tan mono de la calle principal, ¿lo conocen?

—Sí —asentí.

Patricia Widsmith hojeó su expediente hasta dar con lo que estaba buscando:

—Sally Carrey, la madre de Walter, se había desahogado con Regina Speck. Miren, aquí está:

> [Sally Carrey] viene todos los días al café. Más o menos una semana antes de la muerte de Alaska, me contó que Alaska y Eric estaban liados. Los había pillado por ahí juntos mientras su hijo estaba fuera. Decía que su hijo era demasiado ingenuo, que seguramente se lo olía, pero que prefería que lo engañasen a quedarse solo.

Patricia Widsmith nos dijo entonces:

—Si la madre de Walter iba diciendo por ahí que Alaska y Eric tenían una relación, a la fuerza tenía que haber compartido esas sospechas con su hijo antes de que Alaska lo dejase.

—¿Podría pedirle prestado ese expediente para echarle una ojeada? —preguntó Gahalowood.

—Pediré que le hagan una copia —le contestó Patricia Widsmith—. Puede comprobarlo todo, es muy fácil.

—Si por entonces tenía sus dudas con el trabajo de la policía, ¿por qué no nos avisó de esos nuevos testimonios?

Patricia Widsmith titubeó un momento antes de contestar:

—Lo cierto es que las sospechas de una relación entre Eric y Alaska no favorecían a mi cliente.

—¿Así que su teoría es que Walter Carrey actuó por celos, mató a Alaska y se las apañó para tenderle una trampa a Eric?

—Eso mismo.

—Tengo curiosidad por conocer sus argumentos.

La abogada nos colocó delante varias páginas de su investigación. Se trataba más que nada de datos acusatorios contra el expediente policial. Nos dijo:

—Walter piensa que Alaska y Eric tienen una relación. Quiere vengarse de los dos: a ella la mata y a él lo hace sufrir. Organiza entonces un día de pesca para hacerse con un jersey de Eric. Ya tiene una primera prueba contra él. Luego envía mensajes anónimos a Eric y a Alaska: SÉ LO QUE HAS HECHO, seguramente para asustarlos. Le encanta pensar que los está acojonando. Lleva el refinamiento hasta imprimir esos mensajes en casa de Eric, lo que le resulta muy fácil porque se pasa la vida allí metido. Sabe que así, tras la muerte de Alaska, la policía llegará hasta Eric. Me extraña que la policía no tuviera nunca en cuenta esa pista. Ahí están el móvil y la oportunidad, los dos elementos clave que los investigadores buscan en el contexto de un asesinato.

Gahalowood no reaccionó, pero tenía esa mirada que ya le conocía yo: estaba perplejo. Patricia Widsmith había marcado un tanto. Prosiguió:

—Al haber muerto Walter Carrey, por desgracia no se puede confirmar mi teoría. Pero, a pesar de todo, había confesado el crimen, así que puede considerarse legítimamente que quería que Eric cayera con él. No solo por lo de Alaska: Walter Carrey le tenía envidia a Eric de toda la vida.

—Pero ellos dos eran amigos, ¿no?

—Sargento, ¿nunca le ha tenido envidia a uno de sus amigos? Eric y Walter eran amigos de infancia: habían crecido juntos en Mount Pleasant. Hubo un tiempo en que eran inseparables. Y luego, al llegar a la edad adulta, aparecen los primeros rencores. Eric va a una buena universidad, mientras que Walter vive encima de la tienda de sus padres y trabaja con ellos. Su madre se pasa todo el día pinchándolo. Pregunte en Mount Pleasant lo que pasaba por entonces y ya verá. Y sé de qué hablo porque yo los vi juntos.

—¿A Eric y a Walter?

—Sí, una vez en Salem. En un bar. Walter había ido a ver a Eric. Ya por entonces su relación había empezado a enfriarse, pero

Eric nunca le negaba a Walter que pasase el fin de semana en su sofá, en nombre de su amistad de la infancia. No lo digo con mala intención, pero Walter era un poco burdo. Andaba buscando novia a la desesperada, y así fue como conoció a Alaska, por cierto.

—¿También usted conocía a Alaska de Salem?

—No, era mucho más joven que yo. A esas edades la diferencia de edad es como un abismo. ¿Ha hablado usted con Eric Donovan?

—Todavía no —contestó Gahalowood.

—Podemos ir a verlo juntos, si quiere —sugirió Patricia.

—Me parece muy bien.

—Vayamos mañana por la mañana, si le viene bien; de todas formas, tengo que ir a la cárcel porque toca manifestación.

—¿Manifestación? —preguntó Gahalowood—. ¿Qué manifestación?

—El segundo martes de cada mes, nuestra asociación, Libertad para Eric Donovan, se concentra delante de la cárcel estatal donde está Eric. Fue una sugerencia que le hice a Lauren hace dos años y la verdad es que funciona bien. Necesitamos movilizar a la opinión pública para que se conozca el caso de Eric y contribuir a que se revise su expediente. Por desgracia, es un caso típico de error judicial: si no se presiona a las autoridades, no mueven un dedo. Quien haga más ruido tendrá una oportunidad de salir, los demás se irán al otro barrio en silencio. Venga usted, será la ocasión de unirse a la causa.

—Actuamos en el marco de una investigación oficial —le recordó Gahalowood—. No tomamos partido.

—¿Quiere saber cuántos inocentes se pudren en una celda en Estados Unidos, sargento?

—No puede atrincherarse detrás de unos cuantos errores trágicos para desacreditar a todo el sistema judicial.

—¿Unos cuantos errores trágicos? —se escandalizó Patricia—. ¿Qué diría si un hijo suyo estuviera entre rejas por un crimen que no ha cometido? Cabe preguntarse en qué bando está usted, sargento.

—En el bando de la justicia.

—Haga lo que quiera. Yo estaré en la cárcel mañana a las diez. Venga si desea que lo lleve a ver a Eric.

Al salir del bufete de Patricia Widsmith, me esforcé en convencer a Gahalowood de que se reuniera con ella en la cárcel a la mañana siguiente. Me contestó con un sarcasmo:

—¿Porque estará allí su amiguita Lauren?

—¡Porque tenemos que hablar con Eric Donovan, sargento!

—Soy policía —me hizo notar—, podemos verlo cuando queramos, no necesitamos a nadie.

—Sí, pero, si las mediadoras son su abogada y su hermana, se sentirá en confianza. El objetivo no es tanto verlo cuanto hacerlo hablar.

—No va usted descaminado, escritor.

—Sargento, ¿por qué no le ha dicho a Patricia Widsmith que Walter Carrey confesó bajo coacción?

—Porque primero necesito saber si está dispuesta a plantearse, cuando concluyamos la investigación, la culpabilidad de su cliente. ¿Es posible fiarse de ella? ¿O va a faltarle tiempo para usar mis confidencias para alegar un defecto de forma y hacernos comparecer ante un juez como testigos?

Fuimos hasta mi Range Rover. Al llegar, le pregunté a Gahalowood:

—Sargento, ¿le importa coger mi coche y volver a Concord sin mí? Ya me reuniré con usted más tarde.

Me miró con suspicacia.

—¿Qué le pasa, escritor?

—Nada, sargento. Es solo que tengo que ir a un recado.

—Podemos ir juntos, si quiere. O, si no, lo espero. ¿Cómo va a volver luego a Concord?

—Ya me las apañaré. No se preocupe. Hasta luego.

Le di las llaves. No insistió. Me fui por mi lado y anduve hasta una agencia de alquiler de coches que había visto. En el mostrador de recepción, le dije al empleado:

—Necesitaría un Ford, ¿tiene algo así? El modelo más antiguo.

El único modelo de Ford de que disponía la agencia era de gama baja, lo cual encajaba justo con lo que yo buscaba. Ya al volante, me saqué del bolsillo el papel en el que Emma Matthews había apuntado sus señas en mi anterior visita a Boston, quince días antes.

Siguiendo las indicaciones del GPS, llegué a Cambridge. A ambos lados de la calle de Emma, casas bonitas, alineadas como con tiralíneas y separadas mediante jardines sin setos ni vallas. Aparqué discretamente cerca del número 24: me había colocado de forma tal que podía ver sin que me vieran. Al poco, vi aparecer a Emma acompañada de una niña que brincaba por el césped. Jugaron un rato en el jardín. Luego se presentó un coche delante del camino de entrada y se bajó un hombre con traje y corbata. La niña corrió hacia él, gritando «papá». El papá besó a la niña, y después besó a Emma. Me quedé mirando a esa diminuta tribu, nutriéndome con esa estampa feliz. Me preguntaba si yo también podría llegar a ser un día un padre de familia como es debido.

De repente se abrió la puerta del lado del acompañante. Me sobresalté. Era Gahalowood.

—Sargento, ¿qué está haciendo usted aquí? Menudo susto me ha dado...

—Permítame que le devuelva la pregunta, escritor —me dijo, sentándose a mi lado—. Supongo que existe un buen motivo para que esté en este coche de alquiler espiando a esa familia.

Sonreí a medias, con tristeza.

—Intento recordar al Marcus del Ford. Un escritor joven que no había triunfado, pero que rebosaba de sueños y de aspiraciones.

*

Nueva York
Principios de agosto de 2005
(tres semanas antes de romper con Emma)

En su despacho del último piso de la torre donde tenía la sede Schmid & Hanson, en Lexington Avenue, Roy Barnaski me había montado una acogida por todo lo alto: champán, canapés y elogios para dar y tomar. Mi agente, Douglas Claren, y yo estábamos sentados frente a él, en torno a una mesa grande de ébano. Delante de mí, el contrato y un bolígrafo. Solo faltaba firmar. Mi primer contrato como autor. A Barnaski le habían encantado los primeros capítulos de mi libro y me había ofrecido publicarlo.

—¿Sabe lo que significa este contrato, Marcus? —me espetó Barnaski—. ¡Dinero a espuertas! Porque tiene usted un don excepcional. ¡Su libro es maravilloso y tengo la sensación de que los siguientes van a ser aún mejores!

—Me gusta ese entusiasmo suyo —dije.

—No es mi entusiasmo lo que cuenta, sino lo que produzca su muñeca. Esto es solo el principio de una larga aventura, Marcus, va a tener que trabajar duro.

—Me muero de ganas —dije.

Barnaski señaló el contrato y recapituló las condiciones:

—Un adelanto de un millón de dólares, que se le abonará cuando entregue el manuscrito en septiembre. Se compromete también a escribir otros cuatro libros. El próximo debe estar listo por su parte antes de junio de 2008.

—No lo decepcionaré —prometí.

Dicho lo cual, firmé el contrato con un ademán despreocupado. Barnaski sonrió con aire triunfal. Cogió la botella de champán, la descorchó y llenó tres copas antes de decir:

—Por Marcus Goldman, la próxima estrella de la literatura estadounidense.

Tres semanas después, el 29 de agosto de 2005, acabé la última revisión del manuscrito de *Con G de Goldstein*. Había terminado entrada la noche: después de unas pocas horas de sueño, me metí en el Ford y fui del tirón a Aurora para llevarle mi texto a Harry.

—Es un gran día —me dijo él, mirando el manuscrito colocado encima de la mesa de la terraza.

Estábamos al aire libre, disfrutando de aquella mañana de verano. El océano estaba soberanamente tranquilo. Abajo, en la playa, unas gaviotas iban y venían.

—Todo esto se lo debo a usted, Harry.

Harry rechazó en el acto mis agradecimientos con un ademán de la mano.

—Marcus, solo hay una persona a quien le deba el ser un escritor: usted mismo.

Se levantó, cogió la lata que ponía Recuerdo de Rockland, Maine y sacó unos cuantos mendrugos para echárselos a las gaviotas.

Esa tarde había quedado en Boston con Emma para celebrar con ella que había rematado el trabajo. En el momento de separarme de Harry, cuando me estaba acompañando a la puerta, vi mi birria de Ford aparcado junto a su Corvette rojo.

—Harry —le pregunté—, ¿me presta su coche unos días?

—Pues claro —me contestó sin pensárselo un segundo.

Le dejé el Ford y me fui al volante de su bólido. En la autopista que iba hacia Massachusetts, noté una sensación de ingravidez. Era como si dejase atrás al Marcus de antes.

Emma, en cambio, se sintió mucho menos entusiasmada al ver el Corvette.

—¿Y ese coche? —me preguntó espantada.

—Es para ir a cenar a casa de tus padres —contesté.

Solo bromeaba a medias.

—Para ya, Marcus —se irritó—, no me hace gracia. ¿Qué le ha pasado a tu coche?

—Mi Ford es el Marcus de antes.

—¿«El Marcus de antes»? ¿Y esa chorrada? Ahora que has escrito un libro, ¿tienes intención de cambiar?

—Lo que va a cambiar no soy yo, sino la mirada de los demás.

No sabía con cuánta exactitud se iba a cumplir mi profecía.

—Prométeme que vas a devolverlo —exigió Emma.

—Te lo prometo. Tengo que volver a ver a Harry dentro de unos días, cuando haya leído mi manuscrito.

—Me gusta el Marcus que va en Ford —insistió ella.

—Ya lo sé.

Harry había prometido darme pronto noticias de mi libro. No sospechaba que iba a llamarme veinticuatro horas después, y además a una hora inoportuna. Era la noche del 30 de agosto de 2005, a eso de las diez y media, yo estaba tumbado, pegado a Emma, acariciándola en la oscuridad de su cuarto. Sin más claridad que las luces de Boston, que entraban por la ventana. Estábamos acostados pero vestidos aún, Emma llevaba una falda corta de la que yo tiraba muslos abajo. De repente, mi móvil, que me había dejado en el bolsillo del pantalón, empezó a sonar. Lo cogí para apagarlo, pero vi en la pantalla que era Harry quien llamaba.

—¿Quién es? —preguntó Emma, al ver mi expresión circunspecta.

—Harry.

—Ya lo llamarás mañana.

—Para que intente localizarme a estas horas tiene que ser algo importante.

El teléfono seguía sonando. Contesté. Emma suspiró y se subió la falda.

—¿Diga? ¿Harry?

—Marcus...

Tenía voz de ultratumba.

—Harry, ¿va todo bien?

—Lo llamo por su libro, Marcus. La situación es grave. He descubierto algo que me preocupa. Debo hablar con usted. Tiene que venir a Aurora.

—¿Ahora?

—Sí, ahora.

No parecía él mismo y le prometí que me pondría en camino inmediatamente.

—Ya voy, estaré ahí en cuarenta y cinco minutos.

Colgué. Emma me miró preocupada.

—¿Qué pasa, Marcus?

—Harry tiene que hablarme de mi libro.

—¿Qué? ¿Ahora? ¿Vas a ir a New Hampshire en plena noche para hablar de tu libro?

—Dice que es «grave».

—¿Grave? —repitió ella indignada—. ¡Lo que es grave es que te largues como un ladrón! ¡Tu libro puede esperar hasta mañana por la mañana! No vayas.

—Lo siento, Emma. Harry es un amigo, parecía que me necesitaba.

—¡No vas por Harry, vas por tu puñetero libro!

Me puse la camiseta y me calcé.

—Si sales por esa puerta... —me amenazó Emma, fuera de sí.

—Si salgo por esa puerta, ¿qué?

—Si sales por esa puerta, eso quiere decir que ya no eres el Marcus que conocí.

—Me conoces desde hace solo cinco meses.

—Si te vas, Marcus, se acabó.

—¿Y eso por qué? ¿Porque voy a ayudar a un amigo?

—No estás contestando a la llamada de Harry. Sino a la de tu ambición. Tu ambición va a ser tu peor demonio. Te consumirá. Si no puedes refrenarla, no seguiré contigo.

Me fui.

No volvería a ver a Emma hasta pasados cinco años, delante de su tienda de Cambridge, a finales de junio de 2010.

Esa noche del 30 de agosto de 2005, era casi medianoche cuando llegué a Aurora. Fui por la Ocean Road, sumida en la oscuridad, y llegué a Goose Cove. La casa de Harry parecía apagada, aunque mi Ford seguía aparcado delante, así que tenía que estar en casa. Llamé a la puerta, pero no hubo respuesta. Me decidí a entrar. Estaba preocupado. Nadie en el salón. Alcé la voz. Ninguna señal de vida. Salí a la terraza y entonces fue cuando vi una silueta en la playa contemplando una hoguera. Era él.

Bajé a su encuentro.

—¿Harry?

Me miró con una cara muy rara.

—¡Ah, Marcus! ¡Ha venido!

Comprendí, por su forma de vocalizar, que estaba completamente borracho. Había una botella de whisky en la arena. La recogió y me la alargó. Bebí un sorbo para no ofenderlo. Notaba que el corazón se me salía del pecho. Nunca lo había visto en semejante estado.

—¿Qué ocurre, Harry?

Me miró de arriba abajo con ojos vidriosos y luego me espetó:

—Es usted más que un simple escritor, Marcus: sabe querer. Lo sé, lo he leído en su libro. Es una virtud que escasea.

Repetí la pregunta:

—¿Qué ocurre, Harry?

—Es la noche del 30 de agosto de 2005, Marcus. Hoy hace justo treinta años.

—¿Treinta años de qué?

—Hace treinta años que estoy esperando.

—¿Que está esperando qué?

Eludió la pregunta:

—No puede imaginarse lo que sucede cuando alguien desaparece de repente de la vida de uno y no sabe qué ha sido de esa persona. ¿Ha muerto? ¿O está viva en algún sitio? ¿Se acuerda de ti como tú te acuerdas de ella?

—No estoy seguro de entender lo que me está diciendo, Harry.

—Es normal. ¿Sabe guardar un secreto, Marcus? Con los secretos, lo difícil no es tanto callarlos como vivir con ellos.

—¿Qué secreto es ese?

—No puedo decírselo, Marcus. Se quedaría espantado.

—No puede predecir mi reacción.

—He encontrado el libro, Marcus.

—¿Qué libro, maldita sea?

—El que estaba en la guantera de su coche.

Se sacó del bolsillo trasero del pantalón un ejemplar de *Los orígenes del mal*, su novela emblemática publicada en 1976. No pude por menos de preguntarme si el año 1975, ese que estaba rememorando Harry, tenía algo que ver con todo aquello. Reconocí al instante el ejemplar que tenía en la mano, era el que llevaba yo años paseando por todas partes y que había llenado de notas. Andaba por el asiento trasero de mi Ford cuando fui a Aurora y lo metí mecánicamente en la guantera cuando intercambiamos los coches. No entendía ya nada. Y menos aún cuando Harry arrojó su propio libro a las llamas.

—¿Qué está haciendo? —protesté.

Quise recuperar mi ejemplar, pero fue imposible. Las llamas me quemaban las manos. Solo pude mirar, impotente, cómo se consumía el libro. La cara de Harry, en la cubierta trasera, se retorció despacio antes de ennegrecerse y desaparecer. Al alzar la cabeza, vi al Harry de carne y hueso contemplando su imagen quemada. Me dijo entonces:

—¿Qué estoy haciendo? Hago lo que tendría que haber hecho hace treinta años con el manuscrito de ese maldito libro. Ojalá ese libro no hubiera existido nunca. Va a tener un éxito tremendo, Marcus. Va a convertirse en el escritor que yo nunca fui.

A los pocos meses de esa extraña velada, empleé una parte del anticipo que me había pagado Barnaski para deshacerme del Ford y comprarme un Range Rover negro. Harry era la primera persona a quien quería enseñar mi reciente adquisición. Mi primer recorrido fue, pues, para ir a verlo a Goose Cove. Estuvo un buen rato pasando revista al coche nuevecito que acababa de aparcar delante de su casa. Pero, en vez de darme la enhorabuena, me dijo:

—Todo eso para esto, Marcus. Esas horas, esos años escribiendo, ese afán de vivir volcado en el papel, todo eso para cambiar su Ford, que iba muy bien (lo sé porque lo he conducido en varias ocasiones), por un coche de lujo. No se lo censuro, no tiene usted la culpa, es que nuestra sociedad funciona así: lo único que impresiona ya de verdad es el dinero. Y, además, ¿sabe?, es el problema de todos los artistas: se los admira mientras no cuentan con un reconocimiento, y cuando triunfan se los desdeña pues se descubre que son como todo el mundo. Cuando los brókeres, que ganan dinero con el dinero, gastan dinero, nadie se escandaliza. Aunque los despreciemos por su codicia. Y se espera de los artistas que suban un poco el listón, que estén por encima. Pero, en el fondo, que a un artista que gana pasta le apetezca gastarla es completamente natural. Va a descubrir, Marcus, que el éxito es una clase de enfermedad. Altera el comportamiento. El éxito público, la fama, es decir, la forma en que lo mira la gente, afectan a su conducta. Le impiden vivir con normalidad. Pero no tema: al ser una enfermedad como las demás, el éxito crea sus propios anticuerpos. Se combate a sí mismo, desde dentro. Así que el éxito es un fracaso programado.

*

Cuando acabé mi relato, Gahalowood me miró con curiosidad:

—Así que el Marcus del Ford es en lo que se habría convertido sin el éxito, ¿es eso?

—Exacto —contesté.

—¿Y sería más feliz?

—No tengo ni idea.

—Pero ¿sigue queriendo a esa chica? —me preguntó, señalando a Emma de lejos.

—No, quiero a esa imagen ideal que encarna. Como pudo serlo mi tía Anita, o incluso Helen.

—Déjese de idealizaciones, escritor, y pase a la práctica. Una pareja no vive días felices más que durante unos cuantos meses. Después todo es cuestión de trabajo, compromisos, frustración, lágrimas. Pero merece la pena, porque el resultado es una unidad que no se debe ni a la química ni a la magia, es una unidad que hemos construido. El amor no existe por sí mismo, se edifica.

Asentí. Gahalowood me dio una palmada en el hombro con ademán fraterno.

—Vamos a devolver este coche —me dijo— y nos volvemos a casa.

—Primero tengo que decirle por qué estoy aquí.

—¿Por qué está aquí espiando a esa gente? Me lo acaba de explicar.

—No, sargento. Tengo que confesarle por qué me metí en esta investigación. He de ser sincero con usted. No sé ya si llevo esta investigación en memoria de Helen, o para descargarle a usted la conciencia, o, sencilla y muy egoístamente, para mí mismo. Porque, mientras estoy entregado en cuerpo y alma a este caso, no necesito pensar en mi propia vida.

Tras un largo silencio, Gahalowood me correspondió sincerándose:

—¿Sabe por qué fui a su hotel ayer por la mañana?

—Para hablar de los avances de la investigación, supongo.

—¿Un domingo por la mañana, escritor? ¿Cree que no tengo nada mejor que hacer un domingo por la mañana que plantarme en Mount Pleasant para charlar de una investigación en curso?

—Sí —contesté, sin saber dónde quería ir a parar—, es muy probable que tenga cosas mejores que hacer.

—Pues no, escritor. Esa es mi realidad. No me queda ya gran cosa en la vida. Aparte de esta investigación y aparte de usted.

—Tiene a las niñas.

—Se fueron el sábado por la mañana a un campamento en Maine, tres semanas. Malia es monitora; Lisa, participante. Estaba en el calendario desde hacía casi un año, no querían perdérselo. Y, además, creo que les sentará bien pensar en otras cosas después de todo lo que ha pasado. De modo que ahora me toca a mí serle sincero, escritor: sin este caso, estaría solo, deprimiéndome en mi casa, muriéndome de soledad. Así que déjeme decirle una cosa buena, que seguramente no repetiré: gracias.

Sonreí. Me devolvió la sonrisa. Luego, añadió:

—Líbrese de este coche y vámonos a New Hampshire. Por el camino, ya me contará más cosas de ese famoso Marcus del Ford.

—Ese Marcus, precisamente, no tenía nada de famoso, sargento.

Gahalowood se echó a reír y alzó la vista al cielo.

—Si no existiera usted, escritor, habría que inventarlo.

Conocía la prisión de hombres del estado de New Hampshire porque había ido a ver a Harry en varias ocasiones mientras estuvo internado, durante el verano de 2008. Así que esa mañana, al llegar al aparcamiento de visitantes, me asaltó la desagradable sensación de estar reviviéndolo.

17. El Paraíso de las Truchas
Mount Pleasant, New Hampshire
Martes 13 de julio de 2010

La concentración se celebraba frente a la entrada de la cárcel, sin estorbar el acceso. Una decena de manifestantes ocupaban, muy formales, un amplio tramo de acera, aislados tras dos barreras. Llevaban pancartas que pedían la liberación de Eric Donovan bajo la plácida vigilancia de dos policías que estaban tomando café en el coche, a todas luces más que acostumbrados a aquello.

Según iban pasando los meses y las estaciones, los incombustibles que prestaban su apoyo y acudían el segundo martes de cada mes y se quedaban allí una hora, con lluvia, frío, nieve, viento o un sol de justicia, eran siempre los mismos: Lauren Donovan, sus padres, Janet y Mark, la abogada Patricia Widsmith y unos cuantos amigos de la familia, sobre todo los jubilados. A diferencia de las manifestaciones anteriores, en esta ocasión habían acudido periodistas. Cuando nos vieron llegar a Gahalowood y a mí, se apresuraron a apuntarnos con un bosque de micrófonos y cámaras.

—¿Han venido para manifestarse a favor de Eric Donovan? —nos preguntaron.

—Estamos aquí solo para ver a Eric Donovan —anunció Gahalowood—. Nuestra presencia no tiene relación con ningún acontecimiento concreto.

—¿Cómo avanza la investigación? —preguntó una periodista.

—Se trata de una investigación oficial —recordó Gahalowood—. Como ya imaginarán, tengo que respetar el secreto de la instrucción.

Gahalowood había decidido de antemano qué camino tomar para evitar un encuentro incómodo con Patricia Widsmith y los Donovan, y también para no meterse en un lío con sus superiores ni faltar a la reserva debida. Entró inmediatamente por la puerta de visitantes y desapareció dentro del edificio de ladrillo, mientras que yo, por mi parte, me unía a Patricia Widsmith, que llevaba una camiseta con el eslogan «Libertad para Eric».

—Nos ha traído a los medios —me dijo—. Nunca habíamos visto a tantos y no será por no haber enviado un comunicado la víspera de cada manifestación. Gracias a usted está resucitando el interés general por Eric. Se lo agradezco.

—Solo estoy aquí para intentar descubrir la verdad —le contesté.

Lauren, que hasta ese momento había permanecido al lado de Patricia, se alejó en el acto.

—Se le pasará —me dijo ella—. En el fondo le cae usted bien.

—No estoy yo tan seguro.

—Fíese de mí, Marcus. La conozco bien.

Se me cruzó la mirada con la de Janet y Mark Donovan. Me acerqué a ellos.

—Lo siento —dije.

—¿Sentir qué? —me preguntó Janet con voz suave—. ¿Siente defender a mi hijo? Llevamos once años desesperados y por fin llega usted.

Me apretó la mano. Mark Donovan, por su parte, me obsequió con una recia palmada amistosa en el hombro y dijo púdicamente por lo bajo: «Gracias, hijo».

—Venga a vernos, Marcus —me dijo entonces Janet—. A casa o a la tienda. Cuando quiera. Nos alegraremos de poder charlar de todo esto con usted.

Asentí antes de preguntar:

—¿Creen que Eric aceptará abrirse un poco?

—Puede que resulte difícil romper el hielo —me avisó Janet—. Lleva once años en la cárcel, encerrado en un área de alta seguridad con asesinos y violadores, lo han vuelto un poco arisco.

—¿Por qué iba a confiar en usted? Estoy aquí por culpa suya.

Esas fueron las primeras palabras de Eric Donovan cuando vio a Gahalowood en el locutorio de la cárcel. Rondaba los cuarenta años, aunque aparentaba unos cuantos más. Se le veía corpulento, pero tenía la cara demacrada y su expresión denotaba que llevaba demasiado tiempo encerrado allí. Hizo ademán de querer ir hacia la puerta para que el guardia lo devolviese a la celda, pero Patricia Widsmith lo puso firme en el acto:

—Siéntate, Eric, y deja de hacer el tonto. El sargento Gahalowood y Marcus Goldman son tu oportunidad para poder salir de aquí por fin. Soy yo quien les ha sugerido que vinieran a hablar contigo.

—¿Hablar de qué? —preguntó Eric con un tono no exento de sarcasmo—. Cuando hablé con usted hace once años no parecía dispuesto a escucharme.

Gahalowood se limitó a responder:

—Quiero saber por qué Walter Carrey lo involucró en el asesinato de Alaska.

El tiro dio en el blanco. Eric buscó la mirada de Lauren, que se había quedado en un rincón de la sala. No decía esta boca es mía, pero su presencia hablaba por sí sola; si no hubiera tenido un mínimo de confianza en nosotros, nunca nos habría dejado hablar con su hermano. Gahalowood siguió diciendo:

—Estoy convencido de que Walter Carrey no mató a Alaska Sanders. Sobre todo porque ahora sé que su confesión ya no tiene valor alguno. Walter mintió. En lo referido a él y, por lo tanto, en lo referido a usted. Sé por qué Walter se incriminó. Lo que no sé es por qué lo implicó a usted. ¿Qué poderosa razón tenía para destruirlo?

—A lo mejor creía que Alaska y yo teníamos una relación —contestó Eric—. De hecho, fue usted quien habló del tema en su momento.

—Era lo que opinaba Sally Carrey —especificó Gahalowood.

—Le lavaría el coco —sugirió Eric.

—Algo no encaja —objetó Gahalowood—. Me acuerdo muy bien de que al día siguiente del asesinato de Alaska interrogué a Walter en presencia de sus padres. Su madre, efectivamente, mencionó una relación entre Alaska y usted, pero Walter descartó en redondo esa posibilidad.

—Precisamente —intervino Patricia Widsmith—. Fue al día siguiente del asesinato. A Walter Carrey, para apartar toda sospecha, no le interesaba que se notase que le guardaba rencor por haberlo engañado.

Gahalowood negó con la cabeza, poco convencido:

—Ya veo lo que quiere decir, pero hay algo que sigue sin encajar. Le estoy dando vueltas desde ayer. Y por eso me llevé a Marcus al cuartel general y nos tiramos allí hasta la noche. ¿Sabe lo que estuvimos haciendo? Sacamos casos considerados crímenes pasionales. Si Walter mató a Alaska porque lo engañaba, se puede considerar un crimen pasional. Es decir, ese momento en que la ira nos impulsa a cometer algo irreparable. En todos los expedientes que examinamos, pasar a la acción es algo que sucede casi de inmediato. Entra en el ámbito de los impulsos. Un marido pilla a su mujer en la cama con otro, o descubre unas cartas comprometedoras, y actúa presa de una emoción incontrolable. Pero no es el caso de Walter.

—Sí que lo es —objetó Patricia—. Parece olvidar que Walter Carrey mató a Alaska pocas horas después de que ella cortara con él.

—Walter no mató a Alaska —repitió Gahalowood—. Sabe tan bien como yo que una foto demuestra que estaba en el National Anthem en el momento del crimen.

—Y usted sabe tan bien como yo que esa foto no colará ante un jurado —dijo Patricia—. Walter pudo matar a Alaska y llegar al bar a tiempo para la foto. Voy a serle sincera, sargento. Me cuesta seguirle. Hace once años cerró la investigación en tres días. Consiguió la confesión grabada. Hasta ayer, que se presenta en mi despacho porque de pronto está convencido de que Walter Carrey en realidad era inocente. Tiene algo además de esa foto, ¿verdad? Ha descubierto algo que pone en entredicho aquella confesión. Y me gustaría mucho saber qué es.

—Por desgracia, no puedo decirle más ahora mismo; tengo que respetar el secreto de la investigación.

—Qué fácil resulta parapetarse detrás del deber.

Gahalowood movió los labios de una forma que yo conocía bien: estaba interpretando en todo su esplendor su numerito de poli. Llevaba a su interlocutor adonde él quería para así pillarlo mejor.

—Muy bien —reconoció—. Volvamos a su teoría. Según usted, Walter Carrey le preparó minuciosamente una encerrona a Eric para que una serie de pruebas abrumadoras lo señalaran a él. Vamos a darlo por bueno. Así que ese viernes 2 de abril de 1999, cuando Alaska corta con Walter, él no actúa dominado por la ira sino que ejecuta un plan preparado al milímetro. No es un impulso, es un asesinato planeado con mucha antelación hasta el mínimo detalle.

—Eso es justo lo que pienso —admitió Patricia—. Walter tenía previsto asesinar a Alaska y encasquetárselo a Eric. Contaba con todo lo necesario para que le saliera bien la emboscada: el jersey que Eric le había prestado, y esos mensajes que había impreso en su casa. Y, además, sargento, parece olvidar que se encontraron restos de su coche cerca del lugar del crimen, el coche que llevó corriendo a arreglar el mismo día del asesinato. ¡Si eso no es una confesión de culpabilidad...! Habría sido un crimen perfecto, si a Walter no lo hubiera traicionado su coche.

—¿Un crimen perfecto? —repitió Gahalowood.

—Un crimen perfecto no es el que se comete sin dejar rastro. Es precisamente el que da un hueso que roer a los investigadores y los lleva a sospechar de la persona equivocada.

Gahalowood puso encima de la mesa, delante de Eric, las fotos que había en el informe de los bomberos.

—¿Esto qué es? —preguntó Eric.

—En la noche del lunes 5 al martes 6 de abril de 1999, Walter Carrey le prendió fuego a su casa después de haber pintado esos mensajes en la pared. Y en particular este, «Puta infiel», encima de la cama.

—Lo del incendio en casa de Walter claro que lo sabía —manifestó Eric—. Los polis dijeron que había sido cosa suya. Pero no me había enterado de las pintadas.

—Yo tampoco —se extrañó Patricia—. ¿Por qué no figuran estas fotos en el expediente?

—Porque las recibimos después de cerrar la investigación. Y, además, para ser sinceros, sobre la marcha me parecieron un detalle. Pero qué detalle en realidad: a Walter Carrey se le había ido la cabeza. Ese lunes por la noche se le cruzaron los cables: puso perdidas las paredes del piso y luego le prendió fuego. Estaba perdidísimo. Seguramente se acababa de enterar de una noticia que lo descontroló por completo.

—¿La infidelidad de Alaska? —sugirió Patricia Widsmith.

—Es posible —asintió Gahalowood—. Pero eso demuestra, por lo tanto, que hasta ese lunes por la noche, es decir, después del asesinato, no sospechaba ni por asomo que su novia pudiera engañarlo. Así que no tenía razón alguna para matarla dos días antes ni para amañarlo todo, encasquetárselo a Eric y así castigar a los dos amantes, como usted parece creer. Y, aunque me venga con expertos en psiquiatría soltando rollos de que «la mató en estado de negación y solo tomó conciencia de la situación *a posteriori*», reconozca que algo falla en todo este asunto. Eso es lo que llevo intentando decirle desde hace un rato.

—¡No tuve ninguna relación con Alaska! —exclamó Eric—. Se lo juro. Y, si Walter hubiera tenido alguna sospecha, créame, yo lo habría sabido. Walter era impulsivo, pero no era de los que se andan con tapujos y organizan planes maquiavélicos. De haber creído que tenía una relación con Alaska, le habría faltado tiempo para partirme la cara de un puñetazo. Luego se habría arrepentido, pero él era así.

—Quiere decir que no habría ido tan tranquilo a comer hamburguesas con usted al National Anthem el viernes por la noche y acto seguido a cargarse a su novia y hacer que lo acusaran a usted.

—¡De ninguna manera! —aseguró Eric.

—Me lo creo a pies juntillas —le dijo Gahalowood—. Así que usted mismo contradice la línea de defensa de su abogada. Vuelvo a mi punto de partida: Walter no le tendió una trampa a Eric. Walter no tramó nada. Walter no mató a nadie. Y Walter no solo acaba confesando un asesinato que no cometió, sino que, encima, arrastra con él a su amigo de infancia. Yo a eso lo llamo una venganza. De ahí mi pregunta inicial, Eric: ¿qué ocurrió entre los dos para que Walter le guardara tanto rencor

Lauren y Patricia se quedaron mudas, alucinadas, igual que yo, con el talento de Gahalowood. Eric le lanzó una mirada de oveja perdida que busca al pastor. Articuló con voz inexpresiva:

—Walter y yo nos conocíamos desde que éramos unos críos. Fuimos juntos a clase hasta que acabamos el instituto. Nuestros padres tenían las tiendas casi pegadas, crecimos uno en casa del otro. Pasamos juntos toda una parte de nuestra vida. No sé qué relación podría tener eso con la muerte de Alaska.

—Hilar los hechos es cosa mía, Eric. Pero para eso necesito que me lo cuente todo.

El relato que comenzó Eric Donovan fue el de una infancia feliz en Mount Pleasant. Una vida agradable en una ciudad pequeña protegida del mundanal ruido. Fue en la década de los ochenta, a los diez años, cuando trabó amistad con un chico de su clase: Walter Carrey.

*

Mount Pleasant
Verano de 1980

Durante sus cuatro primeros años en la escuela primaria de Mount Pleasant, Eric Donovan había pasado casi todo el tiempo con otros tres chicos de su clase. Los días de fiesta recorrían Mount Pleasant en bicicleta, lo que le valió al grupo el apodo de la Pandilla de las Bicis.

En cuarto, recién acabadas las clases, la Pandilla de las Bicis, ansiosa de emociones fuertes, se propuso llevar a cabo unas cuantas tonterías sin mayores consecuencias, tales como hacer llamadas anónimas desde la cabina de la calle principal o grabar sus iniciales en los bancos de la calle. Pero resultó que una tarde, al no tener noticias del resto del grupo, Eric salió a dar una vuelta por Mount Pleasant hasta encontrarlos. Sus tres amigos estaban en el parquecito, haciendo algo a escondidas. Eric, intrigado, se reunió con ellos: se reían maliciosamente y se estaban repartiendo un botín de caramelos.

—¿Qué hacéis? ¿Por qué no me habéis dicho que habíais quedado? Estaba esperando en mi casa como un tonto.

—Mejor que te hubieras quedado allí —le contestó en tono antipático uno de sus amigos.

—¿De dónde habéis sacado todos esos caramelos?

—No te agobies, nos los hemos regalado —dijo uno de los otros dos.

—¿Me dais unos pocos? —preguntó Eric.

—No te va a gustar cómo saben —rio burlón el tercero.

Eric lo entendió enseguida:

—¿Dónde los habéis robado? ¿En la tienda de mis padres?

—¿Y a ti qué narices te importa? ¿Vas a chivarte? Y, además, tus viejos tienen un montón, no van a notar la diferencia.

A Eric se le subió la sangre a la cabeza: se echó encima de sus compañeros. Era uno contra tres, no tenía muchas posibilidades. Le dieron una paliza. Los tres chicos lo dejaron en el suelo, sangrando por la nariz, y lo amenazaron:

—¡Si hablas estás muerto! ¡Olvídate de nosotros, caraculo!

Eric se lavó la cara en la fuente antes de pasar por la tienda de sus padres. Justificó la sangre diciendo que se había caído con la bici.

—¿Buscas a tus amigos? —le preguntó su madre—. Estaban aquí hace un rato.

—Ya lo sé —masculló Eric.
—¿Algo va mal, cariño?
—Puf, estoy harto de esos idiotas. Me gustaría encontrar amigos nuevos. Me gustaría tener un amigo de verdad.
—¿Por qué no vas a jugar con Walter? He visto a su madre hace un rato, está desesperada, Walter se pasa el día dando vueltas por la tienda, no sabe cómo quitárselo de encima. Dice que no tiene amigos.

A falta de algo mejor, Eric fue a la tienda de caza y pesca, a pocos metros. Lo recibió la madre de Walter, Sally Carrey.
—¿Buscas a Walter? —dijo contenta—. Está en la trastienda, se alegrará mucho de verte.

Eric se aventuró por una puerta pequeña y llegó a una habitación mal iluminada y atestada de mercancía. En un rincón, un banco de trabajo tras el que estaba sentado Walter, afanándose con una máquina metálica muy rara.
—Hola, Walter —le dijo Eric.
—Hola —le dijo Walter sin apartar la vista de su tarea.

Manejaba unas pinzas pequeñitas con las que hacía girar sobre sí mismo un hilo de color.
—¿Qué haces? —preguntó Eric.
—Moscas. Para pescar.
—¿Moscas con un hilo? —insistió Eric, intrigado.
—Para la pesca con mosca.
—¿Puedo ayudarte?
—Puedes mirar si quieres.

Eric, fascinado, contempló cómo Walter forraba con hilo un anzuelo hasta crear la ilusión de que era una mosca. Según terminó, empezó a hacer otra. Eric descubrió así su impresionante colección de insectos. Después de pasar unos cuantos días mirando, Eric se puso también manos a la obra bajo el control de su nuevo amigo. Y, cuando por fin consiguió fabricar su primera mosca, Walter decidió:
—¡Hay que probarla!
—¿Vamos a pescar?
—Sí.
—Nunca he pescado con mosca.
—Voy a enseñarte.

Los dos chicos se equiparon en la tienda con el material necesario, luego cogieron las bicis y se encaminaron al lago Skotam. En las mochilas, las cañas plegadas y unas botas altas que les permitirían meterse en el agua hasta la cintura. Walter abría la marcha: conocía como nadie los rincones en que había peces. Pedalearon hasta el aparcamiento de Grey Beach, donde dejaron las bicis. Al principio Eric pensó que iban a pescar desde la playa, pero Walter le explicó que iban a la orilla de un río. Se internaron en el bosque. Walter andaba con paso resuelto, sabía exactamente dónde iba. Al cabo de un cuarto de hora llegaron a la desembocadura de un río. Fueron corriente arriba hundiéndose en helechos lujuriantes hasta una cascadita.

—¡Bienvenido al Paraíso de las Truchas! —exclamó Walter.

Los dos chicos prepararon las cañas y se metieron en el río hasta la cintura. Walter enseñó a Eric a echar el anzuelo. Los principios fueron torpes; con un movimiento experto de muñeca había que imitar el vuelo de un insecto que se posa en la superficie del agua. Eric iba a necesitar varios días para conseguir por fin que los peces picaran, porque las truchas se percataban del engaño antes de tragarse la mosca. Walter era extraordinariamente diestro. Empalmaba una captura tras otra, sacando del agua truchas moteadas que soltaba en el acto.

Eric y Walter pasaron el verano juntos en el Paraíso de las Truchas. Allí sellaron una amistad que iba a durar veinte años. Hasta que la muerte y la cárcel los separaron.

*

En el locutorio de la cárcel estatal de hombres, Eric Donovan nos contó emocionado sus recuerdos de infancia. Fue como si la descripción de ese río y de los peces que lo poblaban lo sacase por un momento del encierro.

—Ya no volvimos a separarnos hasta que acabamos el instituto. Todo lo hacíamos juntos, incluso meternos en el equipo de atletismo del instituto de Mount Pleasant y ganar el campeonato regional de relevos. Esa victoria fue milagrosa. Nadie habría apostado un céntimo por nosotros y conseguimos el título.

—¿Y luego?

—Después del instituto, nuestros caminos se separaron radicalmente. Yo me fui a estudiar a Massachusetts y Walter, al ejército. Luego llegó el año 1990: mientras yo andaba de paseo por el campus, a él lo mandaron a Arabia Saudí con su unidad para participar en la guerra del Golfo. Y, mientras yo me licenciaba, él combatía en Somalia. Ya ven qué diferencias. Pero todos esos años, a pesar de todas las cosas por las que pasamos (sobre todo él), la pesca con mosca siguió siendo nuestro vínculo. Cada vez que tenía un permiso, nos reuníamos en Mount Pleasant y volvíamos al Paraíso de las Truchas. Todo había cambiado a nuestro alrededor, menos ese rinconcito, que seguía intacto. De lo que pescábamos, nos quedábamos con dos peces y nos íbamos a encender una hoguera a Grey Beach, donde pasábamos parte de la noche comiendo, bebiendo y, sobre todo, arreglando el mundo. Esas noches teníamos la sensación de que nunca podría pasarnos nada malo.

—¿Walter se quedó mucho tiempo en el ejército? —preguntó Gahalowood.

—Varios años. Me acuerdo de que su regreso a la vida civil coincidió con el Mundial de Fútbol, que ese año se jugaba en los Estados Unidos... Estábamos en 1994. Ese verano fuimos juntos a un partido en Foxborough. Yo había conseguido unas entradas no sé ya ni cómo.

Hubo un silencio. Gahalowood reanudó el interrogatorio.

—¿Qué ocurrió entre el regreso de Walter a la vida civil y el año 1998?

—Después de dejar el ejército, Walter se volvió a vivir a Mount Pleasant. Al principio decía que era provisional. Se instaló en el piso de encima de la tienda, que sus padres tenían alquilado hasta entonces. Se encontraba a gusto. La tienda era lo suyo. Le gustaban la caza y la pesca, estaba en su elemento. A la tienda no le había ido nunca tan bien como cuando Walter se hizo cargo de ella. Iba gente de toda la zona por sus consejos, era *el* especialista. Y, además, cuando te gusta la vida al aire libre no hay nada mejor que Mount Pleasant. Diría que Walter era feliz.

—¿Y usted?

—Después de la universidad, me salió un buen empleo en Salem. Trabajaba para una cadena de supermercados. Estaba contento. Quería crear una cadena regional en New Hampshire siguiendo el modelo de la tienda de mis padres. Había condiciones para emprender algo, sobre todo al norte del estado.

—Y Walter iba a verlo a Salem, ¿no?

—Sí, iba con regularidad.

—Así que Walter conoció a Alaska a través de usted.

—Sí. Yo había hecho bastantes amistades en Salem, salía mucho. Walter aprovechaba sus estancias allí para ligar un poco. Había tenido unos cuantos problemas en Mount Pleasant con su última novia, Deborah Miles. Supongo que habrá oído hablar de ella.

—Así es.

—En resumen, Walter tenía poco que hacer en Mount Pleasant y Salem era su válvula de escape. A partir de la primavera de 1998, empecé a coincidir con regularidad con ese grupo de chicas en el que estaba Alaska. Acababa de cumplir la mayoría de edad, querían aprovechar para salir y divertirse. Cuando Walter las vio por primera vez, enseguida le echó el ojo a Alaska. Hay que decir que Alaska era algo aparte. Se la curró con el rollo de exmilitar, aficionado al aire libre y fotógrafo ocasional. Fotógrafo, ¡ja! Se paseaba con mi cámara para fardar. Me la quitaba, se la ponía en bandolera como si fuera un artista, y eso que muchas veces ni siquiera llevaba carrete.

Al recordarlo, a Eric Donovan se le escapó la risa. Como si por un momento estuviera en aquel bar ruidoso de Salem, bebiendo y fumando, mientras Walter enarbolaba la cámara fotográfica para conquistar a las chicas. Siguió diciendo:

—Por fin Alaska y Walter empezaron a salir. Tuvo que insistir bastante, pero creo que a ella le gustaba su lado aventurero. Él estuvo una temporada yendo y viniendo hasta que por fin Alaska se fue a vivir con él a Mount Pleasant. De entrada, se me hizo raro.

—¿Por qué «raro»? —preguntó Gahalowood.

Eric sonrió:

—Sargento, si hubiera conocido a Alaska, lo entendería. Tenía tanta clase como una princesa. Te quitaba el hipo. No solo por su físico. Resplandecía. Todavía me acuerdo del día en que apareció en Mount Pleasant. Por entonces yo acababa de dejar Salem para volver a casa de mis padres.

—¿Por qué se fue de Salem?

—Me habían despedido por discrepancias con mi jefe. Teníamos puntos de vista opuestos en cuestiones de estrategia. Pensé que trabajar en la tienda de mis padres sería una oportunidad para ver lo que daban de sí las teorías que quería poner en práctica más adelante. Además, mis padres no pasaban por su mejor momento, quería aliviarles algo la carga. Mi padre tenía cáncer, por suerte no muy grave; de hecho, se ha recuperado, pero estaba cansado. Me alegraba de estar con ellos. Así que llevaba unas cuantas semanas en Mount Pleasant cuando un buen día se presentó Alaska.

*

2 de octubre de 1998

Era media tarde. Eric Donovan ayudaba a una clienta a meter las bolsas con la compra en el maletero cuando le llamó la atención un descapotable azul que estaba aparcando delante de la tienda de caza y pesca de los Carrey. La puerta del conductor se abrió y, para mayor sorpresa suya, vio aparecer a Alaska. Como era la primera vez que iba a Mount Pleasant, la chica recorrió con la vista la calle principal. Era un día de otoño tristón: unas nubes negras anunciaban lluvia inminente. Cayeron las primeras gotas. Alaska se pasó la mano por el pelo ondulado que le caía por la cazadora de cuero y dio unos pasos.

—¿Alaska?

Se dio la vuelta y vio a Eric Donovan con un delantal que llevaba bordado el nombre «Comestibles Donovan». Le dedicó una sonrisa radiante.

—Hola, Eric.
—¿Qué te trae por Mount Pleasant? —preguntó él.
—Ver Mount Pleasant y morir —le contestó Alaska con una carcajada.
—¿Has venido a pasar el fin de semana?
—Unos días en todo caso. A lo mejor algo más. Creo que necesito cambiar de aires, y el del campo me sentará bien.

Al cabo de una semana, la mañana del viernes 9 de octubre, Eric se encontró con Alaska en el Season. Estaba tomando un café.
—¿Qué, te quedas? —bromeó él.
Ella sonrió con tristeza.
—Pues sí, cambio radical comparado con Nueva York.
—¿Y eso?
—He decidido instalarme aquí, al menos por un tiempo. Me vengo a vivir con Walter.
—¿Que te mudas a Mount Pleasant? Pero ¿qué vas a hacer aquí?
—Ni idea. He tenido problemas con mis padres, tenía que largarme.
—Vaya, lo siento. Si puedo hacer algo...
—Puedes. Necesito trabajar, estoy a dos velas. ¿Me cogerían tus padres?
—Por desgracia no pasamos por un buen momento. Además, acabo de llegar yo de refuerzo, no necesitamos más ayuda por ahora.
Pareció decepcionada.
—Walter les ha preguntado a sus padres. Les parecía bien que echase una mano, pero sin pagarme. ¡Menudos tacaños! Si te enteras de algo, dímelo.
Dejó el dinero encima de la barra y se fue. Eric la alcanzó en la acera.
—Espera, sé que el viejo Jacob, de la gasolinera, está buscando una empleada. Lleva meses con un anuncio en la puerta. Es la gasolinera de la carretera 21, justo antes de llegar a Grey Beach. No tiene pérdida.
—Pues luego me paso. Gracias.

Empezó a llover a cántaros. Alaska se alejó deprisa.

—¿En serio vas a trabajar en una gasolinera? —le gritó entonces Eric.

Ella se dio la vuelta para contestarle. Tenía una expresión fatalista.

—Cuando estás de mierda hasta el cuello, no puedes ponerte exquisita —le dijo antes de salir corriendo para resguardarse.

*

—«Cuando estás de mierda hasta el cuello, no puedes ponerte exquisita» —nos repitió Eric—. Fueron sus propias palabras. He estado mucho tiempo preguntándome qué habría ocurrido en Salem.

—La madre de Alaska nos habló de una discusión —indicó Gahalowood—. Por lo visto su marido y ella descubrieron que Alaska fumaba marihuana.

A Eric le hizo gracia el comentario:

—Alaska fumaba porros como cualquiera de su edad. De ahí a irse de Salem para enterrarse en Mount Pleasant... No, en mi opinión tenía que haber una razón más grave.

—¿Walter nunca le habló de eso?

—No, y bien que se lo pregunté, pero siempre salía por la tangente. Decía que lo suyo era Amor con mayúscula y acabé por creerme que Alaska estaba a gusto en Mount Pleasant. Es una ciudad donde es agradable vivir. No tiene nada que ver con la efervescencia de Nueva York ni con el esplendor de Los Ángeles, pero hay como una tranquilidad y una sencillez que no tienen precio. Ya ve, sargento, llevo ya un buen rato contándole mi vida y mis recuerdos de Walter, solo se me vienen a la cabeza buenos momentos. No veo dónde quiere ir a parar con ese asunto de la venganza. Me acuerdo muchas veces de Walter. Así es como me evado de aquí. En esta cárcel siniestra, me echo en la cama, cierro los ojos y paso de lo que me rodea: los ruidos, el olor, los gritos. Entonces soy capaz de oír risas de niños. Nos veo a Walter y a mí corriendo por la calle principal: quedamos delante de las tiendas de nuestros padres y nos retamos a llegar a la librería de Cinzia Lockart antes de que pase el siguiente coche. Y salimos como cohetes. Nos lanzábamos retos de ese tipo a menudo. Así fue como nos entró el gusanillo del atletismo. Cuando llegamos al instituto éramos como flechas. Por eso nos metimos en el equipo que me permitió conseguir una beca universitaria. Y así es como aquí, a diario, me salgo de mi celda y vuelvo a Mount Pleasant, con Walter. De modo que cuando pienso en él, sargento, no pienso en una venganza; pienso en nuestras excursiones de pesca, en las truchas asadas en una hoguera en Grey Beach, en noches de charla en la playa... Y, cuando me acuerdo de todo eso, me digo que parecía tan fácil...

—¿Qué parecía fácil?
—La libertad, sargento.

*

Al salir de la cárcel, Patricia Widsmith le preguntó a Gahalowood:

—¿Qué le parece, sargento?
—No voy a ocultarle que me siento un poco perdido. Por lo que dice Eric, Walter no tenía ningún motivo para querer perjudicarlo. Y, sin embargo, lo hizo. Walter acusó en falso a Eric a sabiendas. ¿Por qué?

Patricia Widsmith miró con atención a Gahalowood.

—¿Eso es que cree que Eric es inocente?
—De algún postulado habrá que partir para poder ir avanzando.

Lauren y yo íbamos andando en silencio a su lado. Cuando oyó a Gahalowood, esbozó una sonrisa colmada de esperanza. Yo tenía ganas de cogerla de la mano. Me contuve. Me limité a susurrarle:

—Lo siento.

Ella me contestó:

—No tanto como yo.

Nos separamos los cuatro en el aparcamiento de la cárcel. Una vez a solas con Gahalowood dentro del coche, le pregunté:

—¿Está convencido de verdad de que Eric Donovan es inocente?

—No, le he dicho a la abogada lo que quería oír. Estoy convencido de que Eric no nos dice toda la verdad. Me gustaría mucho saber de qué se vengó Walter Carrey cuando acusó a Eric del asesinato de Alaska. Por narices tuvo que ocurrir algo entre ellos. He oído la versión de Eric, ahora me gustaría oír la de Walter Carrey.

—Sargento, le recuerdo que Walter Carrey está muerto.

—Ya lo sé, escritor. Gracias por ilustrarme. Vamos a ir a hablar con sus padres.

Después del incendio de abril de 1999, Sally y George Carrey habían reconstruido el edificio sin hacer cambios: su tienda de caza y pesca ocupaba la planta baja y la vivienda del primer piso la tenían ahora alquilada a un empleado del ayuntamiento.

18. Sally y George Carrey
Mount Pleasant, New Hampshire
Martes 13 de julio de 2010

Cuando Gahalowood y yo entramos en la tienda, un timbre electrónico avisó a una mujer que salió de la trastienda. Al ver a Perry, se le tensó el gesto.

—¿Así que es verdad, sargento, que se ha reabierto la investigación?

—Disponemos de nuevos hechos, señora Carrey.

Me miró.

—Es usted el escritor ese, ¿verdad?

—Sí, señora. Me llamo Marcus Goldman.

Metió la cabeza por la puerta de la trastienda para llamar a su marido: «¡George, ven, es algo sobre Walty!».

Sally y George Carrey insistieron en que fuéramos a hablar al Season, que estaba en la acera de enfrente. Gahalowood había sugerido que nos quedásemos en la tienda, por consideración hacia ellos, pero Sally Carrey contestó: «Quiero que todo el mundo nos vea hablando con la policía. Llevamos once años escondiéndonos, hace once años que nos miran mal, ya es hora de rehabilitar a nuestro hijo». La terraza estaba a rebosar, nos sentamos dentro. Nada más sentarnos, Sally Carrey nos dijo:

—Walter no se suicidó, ¿a que no? Tampoco mató a ese policía...

Gahalowood ni se inmutó.

—¿En qué se basa para creer eso?

—Una madre conoce a su hijo. Mi Walty era militar, una persona con sentido del honor. No era un asesino. Ni un cobarde. Si están ustedes aquí es que lo saben.

—Estamos aquí porque tenemos que comprobar algunos datos de la investigación.

—¿Qué quieren de nosotros concretamente? —preguntó entonces George Carrey, que parecía menos predispuesto que su mujer a reabrir antiguas heridas.

—Que nos hablen de su hijo. Nos gustaría conocerlo algo mejor por mediación suya.

—¿Por fin se espabilan, once años después? —se lamentó George Carrey.

—Comprendo que pueda resultar difícil —reconoció Gahalowood.

—¿Difícil? ¡Querrá decir insoportable!

—George —lo amonestó su mujer—, calma.

Se calló, con cara hosca. Sally Carrey nos describió entonces, con voz serena, a su hijo Walter, un chico más bien introvertido, apasionado de la vida al aire libre.

—Era un solitario —nos explicó—. De pequeño, se bastaba a sí mismo. Fabricaba sus propias moscas y se pasaba el día pescando. A los diez años se sabía ya todos los rincones buenos. En la tienda aconsejaba a los clientes, incluso algunos pescadores veteranos recurrían a él. «¿Está el chaval?», preguntaban. «Pues no», contestaba yo, «está en el colegio. Tiene usted que venir el sábado. Pero por la mañana. Por la tarde está pescando». Si no estaba ni en el colegio ni pescando, Walty estaba en la tienda. Casi demasiado, en mi opinión: yo estaba deseando que tuviera amigos, que jugara un poco. Hasta se lo dije a Janet Donovan. Eric tenía una pandilla de amigos y me habría gustado que mi hijo pudiera entrar en ella. Un buen día, Eric se presentó en la tienda; supongo que su madre le había pedido que se esforzara y fuera simpático con Walty. Enseguida hicieron buenas migas, y ya no volvieron a separarse. Siempre andaban juntos. Si Walty no estaba en casa es que estaba en casa de los Donovan, y a la inversa. Me acuerdo de que, para ir de una casa a otra, iban corriendo. Como flechas. Como si la vida fuera demasiado corta para ir andando. Siempre al galope, como alma que lleva el diablo. Debían de andar por los quince años cuando el entrenador del equipo de atletismo del instituto de Mount Pleasant, que era cliente, vino un día a la tienda y me dijo: «¿Es a su hijo a quien acabo de ver pasar como un cohete?». «Sí». «Está en el instituto de Mount Pleasant, ¿no?». «Exacto». «¿Por qué no está en el equipo de atletismo?». Y así fue como Walty entró en el equipo. Y Eric también.

—Eric era un buen deportista —intervino George—. Pero no se le habría ocurrido meterse en el equipo si Walter no lo hubiera hecho. Fue de hecho Walter quien le dijo al entrenador que no se apuntaría sin Eric.

—Por lo que usted cuenta —dijo Gahalowood—, parece que la suya fue una hermosa amistad.

—Lo fue hasta el final de la adolescencia.

—¿Se refiere a algo en particular?

—Sí —contestó George Carrey—. A cuando Eric Donovan le tendió una trampa a Walter durante una carrera.

*

Febrero de 1988

Walter y Eric estaban en el último curso del instituto. Había llegado el momento de pensar en el porvenir. Los dos querían ir a la universidad para cursar estudios de comercio y se pasaban horas estudiando los folletos de los diferentes centros. Eliminaron las universidades que quedaban demasiado lejos: querían volver en dos zancadas a Mount Pleasant. Luego descartaron las universidades demasiado caras. Al final se decidieron por la Universidad de Monarch, en Massachusetts, que tenía unos planes de estudios comerciales sólidos. Ni los padres de Eric ni los de Walter tenían recursos para asumir los gastos de la matrícula y los dos muchachos pensaron en pedir un préstamo, como muchos jóvenes estadounidenses en su situación. Pero tanto Mark Donovan como George Carrey los disuadieron: «Un préstamo universitario es un lastre antes incluso de empezar la vida laboral. Valdría más conseguir una beca». Aunque sus notas eran muy dignas, no bastaban para aspirar a una beca por méritos académicos. La única oportunidad era conseguir una beca deportiva. Tenían que apostar por sus cualidades de atletas. Dos meses antes habían sorprendido al ganar la competición por relevos en los campeonatos regionales. Podían aspirar a que se fijasen en ellos los ojeadores universitarios.

Mark Donovan y George Carrey recurrieron entonces al entrenador de atletismo del instituto para que apoyase a sus hijos. «No voy a ocultarles que Mount Pleasant no atrae a los ojeadores —los avisó el entrenador—. En toda mi carrera nunca he podido conseguir una beca para uno de mis chavales. Pero también es cierto que Eric y Walter han destronado a varios favoritos en algunos campeonatos. Se tendría que poder hacer algo. Estoy pensando en la próxima competición entre institutos, a principios de marzo. No deja de ser muy local, pero haré cuanto esté en mi mano para que asistan varios ojeadores».

El entrenador cumplió con lo prometido. Tiró de contactos. Pero sus interlocutores no parecieron convencidos. «Si sus protegidos fueran tan estupendos, ya habríamos oído hablar de ellos», objetaron. Como último recurso, se desplazó personalmente a Massachusetts para ver al entrenador de la Universidad de Monarch. «Estos dos muchachos son unos atletas excelentes —abogó—. Sueñan con venir a estudiar a Monarch, lo darán todo». Quedaba aún una plaza en el equipo y el entrenador andaba buscando alguna perla oculta. Ya no podía ponerse exquisito: varios de los corredores a quienes tenía previsto fichar habían sucumbido a los encantos de universidades más prestigiosas. «Asistiré a la competición entre institutos —anunció el entrenador de la universidad—. Pero solo ficharé a uno. Depende de ellos impresionarme en la pista».

—No hay más que una plaza —explicó el entrenador del instituto a George Carrey pocos días antes de la competición—. Les he dicho a los chicos que un ojeador de Monarch va a asistir, pero me he callado que solo seleccionará a uno, no quiero meterles más presión. Le he dicho al entrenador de Monarch que Walter es el mejor. Menudo bólido está hecho su chico. Creo que lo escogerá a él. Quería decírselo a usted.

—Gracias, entrenador, gracias por todo. ¿Qué le digo a Walter?

—Nada. Ni se le ocurra decirle nada. Limítese a velar por que descanse bien y esté en forma el día de la competición.

El día en cuestión, las familias Donovan y Carrey fueron juntas al estadio municipal para apoyar a sus campeones. Había un ambiente cordial. Eric y Walter competían primero en un esprint de cien metros, y algo después en una carrera de fondo de cuatro kilómetros.

Los participantes se colocaron en la línea de salida para la primera prueba. A Eric se le veía muy concentrado; Walter parecía incómodo, le costaba colocarse en los tacos. Cuando el juez de pista se disponía a dar la salida, Walter abandonó su calle y salió corriendo hacia los vestuarios.

*

—A Walter le entró una diarrea espantosa —nos explicó George Carrey—. No pudo competir. Según el entrenador, fueron los nervios. Yo creo que lo intoxicaron. Le pusieron un laxante en el agua, o algo por el estilo.

—¿Quién iba a hacer algo semejante? —preguntó Gahalowood.

—¿A usted qué le parece? Eric Donovan. Con Walter fuera de juego, fue él quien obtuvo la beca para la Universidad de Monarch. Eric debió de enterarse de que solo había una plaza en el equipo. Sabía de sobra que Walter era el favorito, así que se lo quitó de en medio. Eric siempre le tuvo envidia a Walter. La cosa siguió con Alaska. No podía soportar que la pareja de mi hijo fuera una chica como ella. Así que la mató y se las apañó para encasquetárselo a Walter. Le tendió una trampa igual que en aquella carrera.

—¿Tiene pruebas de lo que dice?

—En lo de la competición de atletismo, no. En lo de Alaska, Eric la andaba rondando. Mi mujer lo había notado. Aunque eso usted ya lo sabe porque ella se lo dijo en su momento.

—Es verdad —reconoció Gahalowood—. Pero me acuerdo también de que Walter rechazó tajantemente una posible relación entre Eric y Alaska. ¿Les contó a ustedes si dudaba de la integridad de Eric?

—No, pero ya sabe que a veces la amistad es ciega.

—¿Cómo reaccionó Walter después de lo sucedido en la competición?

—Con filosofía, como hacía siempre. Repitió lo que el entrenador le había metido en la cabeza: «Han sido los nervios».

—Así que Eric fue a la universidad. ¿Y Walter...?

—Se había empeñado en ir a la universidad a pesar de todo —refirió George Carrey—, pero, como yo lo había convencido para que no se endeudase con un préstamo estudiantil, no se le ocurrió nada mejor que alistarse en el ejército para costearse los estudios. Tres años al servicio del Tío Sam. A cambio, la formación universitaria se la pagaría el Estado. La experiencia militar le gustó. Los dos primeros años transcurrieron sin percances. Se encontraba a gusto en Virginia, salía de permiso con regularidad. Todo iba bien. Y luego, en el verano de 1990, Estados Unidos entró en guerra.

El 2 de agosto de 1990, Irak se anexionó Kuwait y estalló la guerra del Golfo. A los pocos días, Estados Unidos puso en marcha la operación Escudo del Desierto, desplegando sus tropas en el desierto saudí. Walter pasó varios meses protegiendo los pozos de petróleo del reino wahabita. Varios meses esperando a un enemigo que no apareció nunca. Los días los llenaban con ejercicios, turnos de guardia y, sobre todo, mucha camaradería. Cuando volvió del Golfo, Walter no había disparado un solo tiro. Solo había visto a sus hermanos de armas, no había salido, como quien dice, de la base militar rodeada de dunas. Le había gustado esa vivencia en la que adquirió profundas convicciones patrióticas. Así que decidió reengancharse otros tres años y no tardaron en enviarlo a Somalia. Somalia era una guerra de verdad, sucia, violenta. Harina de un costal muy distinto al del acantonamiento en Arabia Saudí. Las partidas de *pinball* y de dardos que habían pautado su vida cotidiana durante la operación Escudo del Desierto dieron paso a peligrosas patrullas por las calles de Mogadiscio, con francotiradores disparando desde los tejados.

—Somalia era el infierno —nos dijo George Carrey—. Las pocas veces en que hablábamos por teléfono con Walter, nos reconocía que tenía miedo. Al final, vivió una noche de espanto durante una misión de apoyo a los Delta Rangers encargados de capturar a un jefe rebelde. Su unidad cayó en una emboscada. Vio morir a varios de sus compañeros. Creo que esa noche todo dio un vuelco. A partir de ese momento a veces perdía los nervios.

Poco después de que Walter regresara a Estados Unidos, a principios del año 1994, su carrera militar concluyó de forma prematura después de un incidente en Virginia, en la base de Pendleton.

—¿Qué tipo de incidente? —preguntó Gahalowood.

—No le vamos a andar con cuentos chinos, sargento. De todos modos siempre puede comprobarlo. Walter tuvo un fuerte altercado con un superior. Llegaron a las manos.

—¿Qué pasó?

—El teniente primero que mandaba su unidad era un tipo bastante cruel. Quiso organizar una expedición de castigo contra uno de sus soldados que le parecía indisciplinado y ordenó a Walter y a un grupito que fueran a darle una paliza. Walter se negó. El tono fue subiendo entre los dos y el asunto se les fue de las manos. El caso se zanjó de puertas adentro: el ejército prefirió echar tierra sobre la actuación del oficial y no sancionó a Walter. Lo liberaron de sus compromisos militares. De todas formas ya estaba harto, creo.

Walter volvió a la vida civil cansado y consumido por lo que había vivido en Somalia. Solo deseaba una cosa: llevar una vida tranquila en Mount Pleasant. Volver a la tienda familiar, pasar los fines de semana pescando. Quedarse al amparo del mundo.

—Renunció a estudiar —nos contó George Carrey—. Ya no le interesaba en absoluto. Decía: «No quiero perseguir a la vida, quiero vivirla, así de simple». El piso de encima de la tienda estaba desocupado, se instaló en él. Vino con nosotros a la tienda y se dedicaba a ella en cuerpo y alma. Mi mujer y yo estábamos pensando en jubilarnos, pero los posibles compradores de la tienda no nos ofrecían un buen precio. Nos gustaba la idea de poder dejársela a nuestro hijo.

El regreso de Walter a Mount Pleasant fue el inicio de una buena racha para la familia Carrey, que duró varios años. Hasta el otoño de 1998.

—¿Qué pasó entonces? —preguntó Gahalowood.

—Un buen día se presentó Eric Donovan —contestó George Carrey—. Resulta que él también se volvía a Mount Pleasant. Desde entonces todo cambió. Sobre todo cuando llegó Alaska. Como le decía antes, creo que Eric le tenía echado el ojo. No soportó que se emparejase con Walter y no con él, así que la mató.

—¿Está convencido de eso?

—Por completo. La mató y se las apañó para que todas las pruebas acusaran a Walter. Estábamos de vacaciones en Maine cuando nos enteramos de que Alaska había muerto. Volvimos inmediatamente. Recuerdo que, cuando llegamos, Eric andaba rondando por delante de nuestra casa. Estaba nervioso. Enseguida sospeché de él.

—¿Y Walter? ¿Cómo estaba después del asesinato?

—Abatido, alterado —contestó Sally Carrey—. Ya lo vio usted.

—Me parece que, bajo presión, Walter podía perder los estribos —comentó Gahalowood—. Como con su superior en el ejército. O como con la novieta de turno, Deborah Miles. O como esa noche del lunes 5 de abril, cuando le prendió fuego al piso. ¿Por qué a Walter se le cruzaron los cables de repente esa noche?

—No tengo ni idea —contestó Sally Carrey.

—Cubrió las paredes de palabras soeces: PUTA INFIEL... ¿Confirmó esa noche que Alaska se veía con otro?

—Ni idea —repitió ella.

—Pero usted misma sospechaba desde hacía algún tiempo que Eric y Alaska tenían una relación, ¿no?

—Sí, más o menos desde dos semanas antes del asesinato de Alaska.

—¿Y en qué momento se lo dijo a Walter?

—Cuando me llamó por teléfono para decirme que Alaska lo había dejado. Fue el viernes por la tarde, el mismo día del asesinato.

*

Viernes 2 de abril de 1999

—¡Mamá, me ha dejado!
—¿Qué? ¿Quién?
—Alaska. He subido a casa porque tenía frío y quería ponerme un jersey. Y me la he encontrado en el salón, vestida como para una cita, en plan botines de tacón. La he notado incómoda al verme, se ha cambiado enseguida y me ha dicho que había ido a buscar unas cosas y que me dejaba.
—¡Ay, Dios mío, Walty! Pero ¿por qué?
—¡No lo sé, mamá! No tengo ni la menor idea.
—¿Quieres que volvamos, Walty? Salimos para allá mañana temprano y llegaremos antes de mediodía.
—No, no merece la pena. ¿Qué iba a cambiar de todas formas? Disfrutad de las vacaciones. No sé muy bien lo que voy a hacer.
—Ve a hablar con ella —sugirió Sally Carrey—. Ve a verla a la gasolinera. Pídele explicaciones.
—Conociéndola, le entrarán todavía más ganas de escapar. Me ha dicho que iba a casa de sus padres, a lo mejor tengo que darle un poco de cancha.
—En cualquier caso no te quedes solo en casa esta noche. Sal, ve a distraerte.
—No te preocupes, mamá. Eric me ha propuesto que vayamos a ver el partido de hockey al National Anthem.

Hubo un breve silencio.

—Walty —acabó por decir su madre—. Tengo que confesarte algo. La semana pasada, cuando estabas en esa convención de pesca en Quebec, vi a Eric y a Alaska. Estaban saliendo de tu coche.
—El coche de Alaska perdía aceite, le ofrecí el mío mientras yo estaba fuera. Seguramente recogió a Eric de camino y lo estaría llevando a su casa.

—No, Walty, me gustaría creer que se trataba de eso, pero era una escena muy ambigua.

A Walter casi le entró la risa.

—¿Eric con Alaska? ¡No, de ninguna manera!

—Me horroriza tener que disgustarte, Walty, pero si se marcha es probablemente porque está con otro.

—Eso llevo ya tiempo sospechándolo —contestó Walter con voz triste—. La veo diferente, y le hacen regalos. El otro día tenía unos zapatos de vestir nuevos. Me dijo que los había comprado en una tienda de Wolfeboro. Pero lo comprobé: esa marca solo se vende en una tienda de Salem. Alaska no se está viendo con Eric, mamá, sino más bien con alguien que vive en Salem. De hecho, me pregunto si irá de verdad a casa de sus padres, porque no se lleva muy bien con ellos. Si va a Salem es seguramente para reunirse con esa persona.

*

Once años después de esta escena, Gahalowood le dijo a Sally Carrey:

—Me estoy perdiendo algo. Según usted, Walter sospecha desde hace tiempo que Alaska lo engaña. Reconoce también que es un hombre impulsivo y que, si lo afecta una emoción, puede actuar de forma desproporcionada. Como ese ataque de ira del lunes por la noche en el que acaba quemando la casa. Vuelvo a mi pregunta. ¿Por qué pierde la cabeza esa noche? Walter no es una bomba de relojería, es impulsivo, reacciona en caliente. Así pues, ¿qué es lo que lo pone en ese estado? ¿Lo vio usted esa noche?

—Vino a cenar a casa —indicó George Carrey—. Yo salí, tenía partida de cartas. Pero aún estaba en casa cuando él llegó, y parecía completamente normal.

—¿Y luego? —preguntó Gahalowood, dirigiéndose a Sally Carrey.

—Cenamos los dos. Me acuerdo muy bien de esa velada, ¿cómo olvidarla? Fue la última vez que vi a mi hijo vivo.

*

Lunes 5 de abril de 1999
20.00 h

—¿Qué tal, Walty? —preguntó Sally Carrey a su hijo.

—Todo lo bien que puedo estar —le contestó él, encogiéndose de hombros—. No acabo de creerme que Alaska esté muerta.

—Ya lo sé, cariño. Es espantoso.

Sally había preparado un salteado de ternera, el plato favorito de Walter. Apenas si tocó el plato.

—Tienes que comer, cariño —le dijo ella.

—No tengo hambre. No tengo ganas de comer. Lo siento.

—Hay bizcocho de zanahoria de postre.

—Ma, tengo que hablarte de algo.

—Te escucho, puedes decirme lo que sea.

—He metido la pata, ma.

—¿Que has metido la pata? —se inquietó Sally Carrey—. ¿Qué es eso de que has metido la pata? ¿Tiene que ver con Alaska?

—Sí y no. El sábado por la tarde todo el mundo hablaba por la calle de lo que había ocurrido en Grey Beach. Me crucé con Tim Jenkins, ya sabes, ese chico que iba al instituto conmigo y que es poli en Mount Pleasant.

—Sí, sé a quién te refieres.

—Tim me contó lo que había pasado en Grey Beach. Me dijo que habían encontrado restos de un faro y un rastro de pintura negra en el tronco de un árbol.

—¿Y qué? —preguntó Sally Carrey con el corazón acelerado.

—El sábado me encontré roto un piloto trasero de mi coche. También había daños en el parachoques. Yo no me di ningún golpe, lo habría notado. Creo que alguien me hizo aposta esos desperfectos.

—¿Quieres decir que alguien te cogió el coche la noche del asesinato? ¿Quién tenía acceso?

—Nadie, ma. Nadie tenía acceso a mi coche.

—Te dejas siempre el coche abierto, y el piso también. ¡Es muy imprudente! Cariño, de verdad que todo eso es muy raro.

Hay que avisar a la policía. Podemos ir ahora mismo a comisaría. O puedo llamar al jefe Mitchell, si lo prefieres. Podrá ponernos en contacto con los inspectores estatales que fueron a tu casa.

—¡Sobre todo nada de policía, ma! Ahí es donde he metido la pata. Cuando Tim me habló de esos restos de piloto lo relacioné con mi coche. Me entró el pánico, pensé que la policía seguiría la pista hasta llegar a mí. Que oiría hablar del altercado en el ejército, del incidente con Deborah. Que me acusarían de que se me hubiera ido la olla por la ruptura con Alaska. Y entonces fui a buscar a mi amigo Dave Burke, que trabaja en el concesionario de Ford. Por la noche vino a vuestra casa. Yo había metido el coche en vuestro garaje sin llamar la atención para que pudiera trabajar en él sin que nadie lo viera.

Sally estaba horrorizada.

—¿Qué has hecho, cariño? Vas a parecer culpable. La policía fijo que preguntará a tu amigo Dave y él se lo contará todo.

—No te preocupes, ma. Todo irá bien. No hay ninguna razón para que los polis lleguen hasta Dave. De todas formas, no dirá nada. Es un amigo.

—No te fíes de los amigos, Walty.

—¿Y eso? —preguntó Walter, que se dio cuenta de que su madre se refería a alguien concreto.

—No te fíes de Eric, cariño. Me pregunto si no será él quien ha matado a Alaska.

*

—No sabía que habías prevenido a Walter contra Eric —le dijo George Carrey a su mujer.

—Qué remedio, saltaba a la vista que todo el asunto se le estaba yendo de las manos.

Gahalowood intervino:

—Esto demuestra una vez más que Walter, cuando pierde los papeles, actúa de forma impulsiva y toma decisiones equivocadas. Le entra el pánico cuando descubre el faro roto del coche y reacciona llevándolo a arreglar sobre la marcha. Y, cuando usted lo puso en guardia contra Eric, ¿se lo tomó mal?

—No, qué va. No perdió la calma. Me repitió que se fiaba de su amigo. Luego se fue. Estaba molido, dijo que necesitaba descansar.

—¿Así que se fue tranquilamente de su casa?

—Sí.

—¿Qué hora era?

—Alrededor de las nueve.

—Pero entonces ¿por qué pocas horas después prendió fuego a su piso?

—Ni idea —reconoció Sally Carrey—. Quizá se disgustó al llegar a casa.

—No —afirmó Gahalowood—, creo que descubrió algo. Me gustaría mucho saber qué. Señora Carrey, hay una pregunta que me tiene preocupado: ¿por qué no me habló nunca de esa conversación? ¿Por qué ha esperado hasta hoy para comentar esa historia del faro roto que Walter mandó arreglar?

Ante esa pregunta, Sally estalló de pronto:

—¡Porque al día siguiente estaba muerto, sargento! Salió de casa y fue la última vez que vi vivo a mi hijo. ¿Habría cambiado algo de haberle contado todo eso? ¿Le habría devuelto esa cara tan guapa que se desfiguró atrozmente por el impacto de una bala? ¿Ha visto alguna vez a alguien que haya recibido una bala a bocajarro, sargento? Porque yo sí, y era mi hijo. Así que explíquemelo: ¿qué habría cambiado en mi vida, que ya estaba destrozada, de haberle contado a usted todo eso? Todo lo que sabía era que Walter jamás habría matado a ese policía ni atentado contra su propia vida. ¡Es una víctima, una víctima de Eric Donovan, una víctima de la policía! ¿Cuándo va usted a rehabilitar a mi niño, sargento Gahalowood?

La voz de Sally Carrey había retumbado en el café, atrayendo la mirada de una camarera. Sally se puso de pie, su marido hizo otro tanto, y se fueron.

Gahalowood y yo nos quedamos en la mesa. Sin contar al personal, el Season estaba vacío. Le pregunté a Gahalowood:

—¿Por qué Eric no nos habló de esa historia de la competición de atletismo?

—Quizá porque, como opinan los señores Carrey, Eric se las arregló para quitar de en medio a Walter.

—¿Intoxicándolo?

—Es una posibilidad. Pero hacer trampas en una carrera en el instituto no implica que fuese capaz de asesinar a alguien once años después. Le confieso que no sé ya qué pensar. De lo único de lo que estoy seguro es de que si el lunes 5 de abril de 1999 Walter Carrey incendia su piso fue porque descubrió algo. ¿Qué?

A pocos metros de nosotros, detrás de la barra, una mujer examinaba sin mucha convicción la caja registradora. Parecía estar escuchándonos.

—¿Es usted Regina Speck? —le preguntó entonces Gahalowood.

Lo miró extrañada.

—Sí. ¿Cómo lo sabe?

—Patricia Widsmith, la abogada de Eric Donovan, nos ha hablado de usted.

Se acercó a la mesa.

—¿Y ustedes son ese policía y ese escritor de los que todo el mundo habla por aquí?

—Sí, ¿podemos hacerle unas preguntas?

—Desde luego.

Gahalowood la invitó a nuestra mesa. Ella se sentó enfrente de nosotros. Debía de tener alrededor de cuarenta años. Era mucho más joven de lo que yo había supuesto cuando Patricia la mencionó. Gahalowood debió de pensar lo mismo porque le preguntó:

—Señora Speck, ¿qué edad tenía en 1999?

—Treinta y cuatro años.

—¿Y era ya la dueña de este café?

—Sí. Para ser exactos, el dueño en teoría era mi padre, pero ya no se tenía en pie a partir de las diez de la mañana.

—¿Por qué?

—Bebía demasiado. Y eso lo llevó a la tumba hace unos años.

—Lo siento.

—No puede usted remediarlo. En 1999, era yo quien llevaba el Season. Mis padres estaban divorciados. Mi madre había puesto tierra por medio cuando yo tenía siete años para rehacer su vida. No quería cargar con una cría. Crecí detrás de esta barra. Al final me fue bien en los estudios. Sacaba muy buenas notas en clase y conseguí una beca para Princeton, donde estudié Económicas. Después de licenciarme, trabajé cinco años en una auditora neoyorquina muy importante. ¡Qué aburrimiento! Acabé por volverme a Mount Pleasant. De repente, me pareció algo obvio: ¿por qué irse a vivir a otro sitio cuando se puede vivir tan ricamente aquí? Era al principio de los noventa. Los problemas de mi padre con la botella habían ido a más. Y encima este café estaba empezando a decaer. Volver a instalarme aquí fue la mejor decisión de mi vida. Tomé las riendas del negocio, invertí todos mis ahorros y lo remocé inspirándome en sitios punteros de Manhattan. Interior confortable, productos de calidad, toda la gama de cafés italianos: *ristretto, espresso, macchiato, cappuccino*, etcétera. No les negaré que al principio los vecinos de aquí se quedaron algo atónitos. Mi padre los tenía más bien acostumbrados a las patatas fritas en el aceite del día anterior. Pero despegó enseguida y desde entonces no ha dejado de tener éxito.

—Háblenos de 1999, si no le importa.

—No hay mucho que decir. El café marchaba ya muy bien. ¿Qué quiere saber?

—¿Eran clientes Eric Donovan y Walter Carrey?

—Sí, venían con regularidad. Sobre todo Walter, que vivía enfrente y desayunaba aquí antes de abrir la tienda.

—¿Y la madre de Walter también venía?

—Desde que me hice cargo del Season, Sally Carrey cruza la calle casi todos los días para tomar un café exprés italiano. Dice que menuda diferencia con el agua de castañas que sirven en otros sitios y, sobre todo, que le recuerda un viaje que hizo a Rímini antes de casarse. La buena de la señora Carrey fue una vez a Italia, hará unos cincuenta años, y todos los días toma un *espresso* bien cargado en recuerdo de ese viaje.

—Así que la conoce bien...

—Hace veinte años que la veo a diario. Es algo que crea vínculos.

—¿Es verdad que ella le habló de una supuesta infidelidad de Alaska a ojos de Walter Carrey?

—Sí. Poco antes de que muriera Alaska, por cierto. Si lo recuerdo es porque le hablé de ello a la abogada de Eric Donovan.

—¿Se acuerda de lo que le dijo Sally Carrey?

—Fue poca cosa, como todo lo que hablamos. Se sienta en la barra, le pongo su café sin que lo pida y charlamos unos minutos. Aquel día parecía preocupada. Le pregunté qué iba mal y me contestó que el día anterior había visto a Alaska y a Eric delante de su tienda y que, según lo veía ella, se comportaban como una pareja. Le pregunté: «¿En qué se basa para decir eso, Sally?». Me contestó: «Estaban discutiendo y había algo pasional en cómo lo hacían». Yo tenía mis dudas: «Si fueran pareja, no irían a hacerse arrumacos delante de su escaparate».

—¿Por qué no dijo nada por entonces? —preguntó Gahalowood—. Hicimos un llamamiento a los posibles testigos.

—¿Qué motivo iba a tener yo para avisar a la policía? Era una simple charla de café, nada del otro mundo. Y luego, dos o tres días después de morir Alaska, detuvieron ustedes a Walter, no a Eric, ¿qué había que añadir? Al final se lo conté a esa abogada porque hacía preguntas.

—Entiendo. ¿Y Eric Donovan? ¿Venía por aquí?

—De vez en cuando, pero más bien a última hora del día, para desconectar y beber algo. En realidad, intentaba más que nada ligar un poco conmigo, pero a mí no me interesaba.

—Si no le importa que le pregunte, ¿qué es lo que no le gustaba de Eric? Era guapo y más bien simpático.

—Él no había cumplido los treinta, yo tenía casi treinta y cinco. Yo pensaba en tener hijos, él acababa de volverse a casa de sus padres. No era exactamente lo que yo andaba buscando. Y, además, no me van los quejicas.

—¿*Quejica*? ¿Por qué quejica?

—Eric no estaba a gusto consigo mismo. No era feliz.

—¿Por qué dice eso?

—Se sinceró conmigo. Una noche estábamos solos en el bar. Fue en el otoño de 1998, me acuerdo porque fue justo antes de conocer a mi marido. Eric y yo habíamos bebido y estábamos un tanto achispados. En un momento dado me abrazó para besarme, lo rechacé. Se disculpó, luego se hizo la víctima. Dijo algo así como: «De todas formas, las mujeres siempre me rechazan». Hablamos un poco y me mencionó a su novia de Salem, que lo había plantado de la noche a la mañana. Había otro hombre en su vida. Se sintió tan dolido que decidió poner punto y aparte en Salem. Dejó el trabajo y se volvió a Mount Pleasant.

—Lo despidieron, ¿no? —preguntó Gahalowood—. Había oído que rompió con la novia, pero, hasta donde yo sé, él no dimitió: lo echaron a raíz de unas desavenencias con su jefe.

Regina Speck sonrió.

—Esa era la versión oficial. Para sus padres. En realidad, se fue. Lo dejó. En cualquier caso, eso fue lo que me dijo. Podrá comprobarlo en su empresa de entonces.

Acabábamos de salir del Season e íbamos calle principal abajo cuando nos alcanzó un coche patrulla. De él se bajó un policía de porte atlético, con su uniforme entallado, y se acercó a nosotros.

—Qué menos, aunque solo fuera por educación, que pasarse por comisaría para hacernos una visita —nos dijo.

Yo no conocía aún a aquel hombre con el que Gahalowood había colaborado once años antes: era el jefe Mitchell.

—Jefe Mitchell —lo saludó Gahalowood—, es un placer volver a verlo.

—Sargento Gahalowood, no sé si debo alegrarme de que coincidamos de nuevo o preocuparme de que ande por aquí.

Según Perry —cosa que pude confirmar al encontrar fotos de por entonces en varios periódicos—, el jefe Francis Mitchell no había cambiado desde 1999. Estaba algo más delgado y más canoso, pero conservaba el corte de pelo a cepillo, unas espaldas de deportista y el mismo aire resuelto. Incluso las gafas de sol, unas gafas grandes de piloto con cristales ahumados, parecían inmunes al paso del tiempo, igual que él.

—¿En serio hay indicios para reabrir la investigación de Alaska Sanders? —preguntó.

—No habríamos venido de no ser así —contestó Gahalowood.

—¿Qué tienen?

—Datos concretos... y delicados. Le pondré al día lo antes posible, se lo prometo.

—¿Por qué no ahora mismo? —sugirió Mitchell.

El jefe de policía de Mount Pleasant había venido en busca de información. Gahalowood no quería que se saliese con la suya, pero tampoco molestarlo.

—Es posible que se hayan malinterpretado algunas pruebas —se limitó a explicar.

—¿Se refiere a pruebas contra Eric Donovan?

—Entre otras.

—¿Entre otras? Pero si Walter Carrey confesó el crimen, ¿no?

—Confesó, efectivamente —respondió Gahalowood, esquivo—, pero cuando se reabre una investigación hay que estar dispuesto a ponerlo todo en tela de juicio. No le digo nada que usted no sepa.

—Mire, sargento, le tengo aprecio. En su momento fue usted de lo más correcto. Pero esta es una ciudad tranquila; cuanto menos follón se monte, mejor para todos. Los vecinos tardaron bastante en reponerse de aquel asesinato. Era el primer crimen en más de treinta años y por suerte no hemos vuelto a tener ningún otro. Es un rincón apacible, no hay que venir a revolver mierda porque sí.

—Comprendo sus temores, jefe Mitchell. Seremos discretos, no se preocupe.

—No voy a engañarlos: sí que estoy un poco preocupado. Si no es mucho pedir, querría que los acompañase uno de mis agentes mientras estén en la jurisdicción de la policía de Mount Pleasant. Por consideración con los vecinos.

Gahalowood sonrió con ironía.

—La eterna desconfianza hacia la policía estatal.

—Le estoy haciendo un favor, sargento. Mount Pleasant es una comunidad pequeña. Con sus propios códigos. Tendrá más crédito si va con usted alguien del lugar. Está aquí en el marco de una investigación de la policía estatal, y mi obligación es brindarle una buena acogida. Pero está usted, como quien dice, en «nuestra casa». Y en cada casa manda el dueño.

—Tiene toda la razón —afirmó Gahalowood—. ¿Por qué no quedamos mañana en comisaría para establecer una estrategia común?

—Me parece una buena idea —dijo el jefe Mitchell—. Lo espero allí por la mañana.

Se marchó sacando pecho, a todas luces satisfecho por su numerito intimidatorio.

—¿Por qué se porta así el jefe Mitchell? —pregunté.

—Defiende su territorio. Y, sobre todo, le faltan pocos meses para jubilarse. Lo sé porque me he informado. Lleva quince años al frente de la policía de esta ciudad, no le apetece nada concluir su carrera con una mala nota. Y tiene motivos para preocuparse: si Eric Donovan es inocente mientras hay un asesino por ahí suelto, va a ser un escándalo sin precedentes. Andando, vamos a su hotel, tengo que coger una habitación.

—¿Se traslada aquí? Ahora entiendo por qué se trajo una maletita esta mañana.

—No iba a dejarlo solo, escritor.

—¿Se preocupa por mí?

—Si el asesino está en libertad, es usted el siguiente de la lista.

—¿No le parece que se está pasando, sargento?

—Aquí el único que se pasa es usted.

Sonreí.

—Ya verá, sargento, es un hotel agradable.

—No me vengo aquí para darme a la buena vida, sino para cerrar una investigación.

—Ya lo sé. De hecho, me estaba preguntando: si pudiera volver a 1999, ¿qué haría usted de otra manera?

—¿Qué está insinuando?

—Que han pasado once años, y que sin duda habrán sido muy instructivos.

—Por entonces, no hice bastantes preguntas por la ciudad —me contestó Gahalowood—. Es un sistema que he aprendido de usted y de la forma en que procedió durante el caso Harry Quebert.

—Sargento, ¿me está reconociendo que le he enseñado algo sobre su oficio?

—¡No he dicho eso para nada!

—Estoy muy conmovido, sargento. Lo invito a cenar.

—Paso de cenar con usted.

—Vamos, no se ponga gruñón. Instálese en el hotel y luego me lo llevo a un italiano.

Esa noche Gahalowood y yo cenamos en Luini. De vuelta al hotel, encima de un banco que había delante, me llamó la atención una figurita de gaviota idéntica a la que había encontrado en mi habitación.
Me acerqué. Estaba sujetando bajo su peso un folleto informativo sobre la Universidad de Burrows, en cuya cubierta habían escrito con rotulador rojo:

Marcus:
Mi único consejo de verdad es que no vaya a Burrows.

—¿Y eso qué quiere decir? —me preguntó Gahalowood, leyendo por encima de mi hombro.
—Es un mensaje de Harry Quebert. Creo que tiene que ver con los consejos para escribir que me dio en su momento.
—¿Por qué le habla de Burrows?
—He aceptado impartir una clase de escritura a partir del próximo otoño.
—¿Y ahora me lo dice? ¡Bravo, escritor! Profesor universitario, es un bonito ascenso.
—Diría que Harry no opina lo mismo. Quiere disuadirme, pero todavía no sé por qué.

Sentado a la mesa de desayuno del hotel, me puse a leer *Las gaviotas de Aurora*. Había ido a comprarlo a la librería de Cinzia Lockart y me enfrasqué de inmediato en ese texto que ya conocía bien, aunque esta vez lo que ansiaba era encontrar algún indicio sobre Harry y cómo había proseguido su vida.

19. Las gaviotas
Mount Pleasant, New Hampshire
Miércoles 14 de julio de 2010

Gahalowood se reunió conmigo. Aunque guardé el libro a toda prisa, le dio tiempo a verlo de refilón. Se me olvidaba que no se le escapaba nada.

—Ahora y siempre el dichoso Harry Quebert —me dijo.

—Me reconcome, no lo puedo evitar. Me gustaría saber qué ha sido de él.

Un camarero vino a ponernos café en las tazas.

—He hecho unas cuantas llamadas relacionadas con Quebert —dijo Gahalowood—. Le había prometido a usted que lo haría. Pero no me he enterado de nada nuevo. No hay ni rastro de él en ninguna parte: ni señas, ni tarjetas de crédito, ni multas, ni número de teléfono. No hay nada. Ha desaparecido por completo del mapa. Podría incluso creerse que está muerto de no ser por este enigmático juego de pistas que ha organizado.

—Si sabe que estoy aquí, ¿por qué no viene a verme directamente? —me pregunté.

—Si quisiera verlo, habría ido a Nueva York. Yo creo que huye de usted.

—¿Por qué iba a huir de mí? Luché para demostrar su inocencia.

—Lo exculpó de un asesinato, pero dejó al descubierto una verdad perturbadora sobre él. Creo que no lo ha asumido.

Gahalowood tomó un sorbo de café y miró el reloj de pulsera.

—En marcha —dijo—. Los Donovan nos están esperando.

Habíamos quedado con Janet y Mark Donovan en verlos en su casa.

Nos recibieron en la terraza, donde el domingo anterior habíamos tomado el té Lauren y yo.

—Eric era un buen chico, trabajador, ambicioso —nos comentó Mark Donovan—. En el instituto, sus profesores lo apreciaban. Estábamos la mar de orgullosos de que hubiera conseguido esa beca universitaria. Estudió mucho en Monarch, acabó con buenas notas y enseguida le salió un puesto de responsabilidad en una cadena de supermercados de Salem. Estaba a gusto allí.

—Sally y George Carrey nos han dicho que Eric consiguió la beca de Monarch porque Walter se retiró de la competición entre institutos.

Janet Donovan se encogió de hombros.

—Siempre andan rumiando el pasado. Hace poco me ha llegado el rumor de que George Carrey acusaba a Eric de haber intoxicado a Walter para impedirle participar en la carrera. Son acusaciones muy serias. Si alguna vez lo dudaron, entonces ¿por qué nunca dijeron nada? Es muy fácil reescribir la historia veinte años después.

—Aun así, admitirán que la coincidencia da que pensar —insistió Gahalowood.

Janet Donovan le lanzó una mirada hosca que recordaba a la de su hija:

—¿Está investigando un crimen o una competición entre institutos que se remonta a 1988?

Gahalowood, conciliador, retomó el hilo de la conversación:

—Nos estaba diciendo que Eric se encontraba a gusto en Salem.

—Mucho —contestó Janet Donovan.

Mark Donovan tenía en las manos un álbum de fotos. Lo abrió y pasó revista, con el apoyo de las imágenes, a los años felices de la familia Donovan.

—Eric era un chico muy agradable —insistió Mark Donovan—. De esos que nunca dan preocupaciones. Siempre servicial, desprendido. Y con talento, además. Mire estas fotos, la mayor parte las hizo él. Me acuerdo de que, al cumplir los diecisiete, le regalamos una cámara fotográfica. Llevaba mucho soñando con ella. Se pasaba la vida inmortalizándonos desde todos los ángulos posibles. Eric, cuando empezaba algo, se metía de lleno. Había por entonces un fotógrafo profesional en la calle principal. Un negocio floreciente. Eran otros tiempos. Vendía material y revelaba fotos. Toda la ciudad pasaba por su tienda. Estaba encariñado con Eric: lo tomó bajo su tutela y le enseñó a revelar sus carretes en el cuarto oscuro.

—¿Cómo se llama ese fotógrafo? —preguntó Gahalowood.

—Jo Morgan. Pero le va a costar encontrarlo. Lleva años muerto.

—Así que, después de la universidad, Eric se instaló en Salem y estaba muy a gusto. Entonces ¿por qué volvió a Mount Pleasant?

—Porque tuve cáncer —contestó Mark Donovan—. Fue un duro golpe para él. Se vino a casa, se suponía que iba a ser algo provisional, pero se quedó. Quería tener la certeza de que yo descansaba lo suficiente y seguía el tratamiento. Un buen chico, ya le digo.

—¿Cree que el regreso a Mount Pleasant pudo tener también alguna relación con su despido? —inquirió Gahalowood.

—Es posible —contestó Janet Donovan—. A lo mejor era el pretexto que necesitaba para volverse con nosotros. No tiene sentido dejar el empleo cuando uno está contento.

—O sea, que sí que lo despidieron, no dimitió...

—Sí, Eric siempre nos aseguró que lo habían despedido. ¿Por qué lo pregunta?

—Una comprobación rutinaria —se zafó Gahalowood, consciente de que todo cuanto les preguntase a sus padres podría luego llegarle a Eric—. ¿Sabría la fecha exacta de su regreso a Mount Pleasant?

—Sí, es fácil, fue la víspera del Labor Day; es decir, el primer fin de semana de septiembre de 1998. Lo recuerdo porque ese fin de semana coincidió con aquella tremenda tempestad que arrasó parte de la Costa Este. Cuando vi llegar a Eric, pensé que se trataba de una visita sorpresa aprovechando la festividad. Pero me miró y me dijo: «No, mamá, he vuelto para quedarme».

Al salir de casa de los Donovan, Gahalowood estaba preocupado.

—Hay que comprobar si a Eric lo despidieron o si dimitió. Si se fue él, eso quiere decir que nos ha mentido. ¿Por qué mentir? No hay nada malo en dejar el trabajo. Sobre todo si quería cuidar a su padre. Al asegurar que lo habían despedido, es como si Eric quisiera presentar su regreso como algo casual. Lo que me haría pensar en una huida discreta de Salem.

Enseguida comprendí adónde quería ir a parar Gahalowood.

—Lo que vuelve a remitirnos a la pregunta: ¿qué ocurrió en Salem en el otoño de 1998?

—Exacto, escritor. No cabe duda de que ahí reside el vínculo entre Eric y Alaska. En el otoño de 1998, con pocas semanas de diferencia, los dos se van de Salem. ¿Por qué? ¿Qué ocurrió en Massachusetts? Parte de las respuestas a nuestras preguntas está allí.

Mientras hablábamos, llegamos hasta mi coche. Fue entonces cuando una mujer de cierta edad nos paró. Llevaba con correa a un perro de pelo largo, asfixiado de calor.

—Es usted el escritor que lleva la investigación, ¿verdad? —me preguntó.

—Sí, señora.

—Lo reconozco. Lo he visto antes por televisión. Ha sido mi marido quien me ha dicho que estaba usted en casa de los Donovan, lo vio llegar. ¿Ha ido bien?

La pregunta me dejó un tanto desconcertado.

—No sé si «ha ido bien», pero ha sido interesante.

—¿Interesante para la investigación?

—Sí, no puedo decirle más, es una investigación policial, ¿sabe?

Me miró con intensidad.

—En realidad, no estoy paseando al perro, quería hablar con usted.

—Es muy amable por su parte. Bueno, pues ya está, ya hemos hablado.

Entonces concretó:

—Me ha entendido mal. Quería hablarle de lo que pasó en casa de los Carrey en 1999.

Se dio cuenta de que me había intrigado y se quedó satisfecha con el efecto causado. Señaló una casa de la calle.

—¿Ve la casa esa de postigos verdes? —preguntó—. Es la mía. Los Carrey son vecinos nuestros. Ocurrió algo en su casa el lunes por la noche, justo antes del incendio de encima de la tienda. No se me olvidarán esos días tan dramáticos. La pobrecita Alaska, asesinada, el incendio en casa de Walter, y luego a él lo detienen y muere. ¡Qué cadena de tragedias!

—¿Qué pasó ese famoso lunes por la noche en casa de los Carrey? —preguntó Gahalowood.

—Una bronca tremenda. Recuerdo que esa noche mi marido volvió a eso de las nueve. Me contó que se había topado con un altercado en casa de los vecinos. Yo tenía curiosidad por saber qué pasaba, así que me senté en el porche, supuestamente para fumar un cigarrillo, pero era sobre todo para arrimar el oído. Y oí a un hombre que daba voces. No podía entender qué decía, pero parecía grave. Pensé que era George Carrey gritándole a su mujer y me extrañó, porque no es de los que se suben a la parra. Y luego, de repente, se abrió la puerta de la calle. Yo me encogí en el banco para que no me vieran. Era Walter Carrey quien se iba dando zancadas, muy rabioso. Su madre le pisaba los talones, pidiéndole por favor que no se fuera. Arrancó el coche a lo bruto y se fue. Después de eso, volvieron el silencio y la calma.

—¿Por qué no se lo contó a la policía? —preguntó Gahalowood—. Sobre todo teniendo en cuenta que esa noche ardió el piso de Walter.

—Lo hice —aseguró la vecina—. Se lo mencioné al jefe Mitchell al día siguiente.

*

La policía de Mount Pleasant ocupaba un edificio de ladrillo de dos pisos. A juzgar por esa construcción y por el parque automovilístico, las fuerzas del orden locales contaban con unos recursos importantes. El jefe Mitchell nos recibió en un amplio despacho decorado con gusto, probablemente a costa de los contribuyentes.

—Es una pena que tenga que perseguirlo, sargento —le reprochó Mitchell a Gahalowood—. Me habría gustado que tomase usted la iniciativa.

—La verdad es que no nos ha dejado tiempo —le hizo notar Gahalowood.

—Les ha dado tiempo a ir a ver a Sally y a George Carrey...

—¿Y si vamos al grano, jefe Mitchell? ¿Qué espera de nosotros?

—Como le decía ayer, querría que la policía de Mount Pleasant tuviera arte y parte en la investigación.

—Es competencia de la policía estatal.

—Lo que ocurre en Mount Pleasant atañe directamente a la policía de Mount Pleasant —replicó el jefe Mitchell—. Dado lo que está en juego, me gustaría que se uniera a ustedes mi jefe adjunto.

—Yo pensaba más bien en Lauren Donovan —dijo entonces Gahalowood.

El jefe Mitchell pareció extrañarse.

—¿Por qué Lauren?

—Este asunto la toca muy de cerca. Nadie puede tener más credibilidad que ella.

—Ese es precisamente el problema: tiene sus convicciones, siempre le he dicho que no debían interferir en su trabajo como policía.

—Sus convicciones suponen una ventaja. Supongo que lleva años dándole vueltas a esta investigación. Por fuerza ha de ser una buena baza. Cuanto antes acabemos, antes se librará usted de nosotros —opinó Gahalowood.

—Preferiría que fuera mi jefe adjunto —insistió Mitchell.

—Jefe —dijo entonces Gahalowood con voz firme pero conciliadora a la vez—, entiendo de sobra sus temores. No quiere follones y no los habrá. No tengo ninguna obligación de cargar con nadie. Parece que se le olvida que la policía estatal no recibe órdenes de la local. Trabajemos en buena armonía. ¿Quiere a uno de los suyos en la investigación? De acuerdo. Será Lauren Donovan. Y punto.

Al jefe Mitchell se le crispó el gesto.

—Trato hecho —dijo—, pero los acompañará a todas partes, incluso fuera de la jurisdicción de la policía de Mount Pleasant.

—Muy bien —aprobó Gahalowood.

Mitchell cogió el teléfono y mandó llamar a Lauren. A los pocos minutos, ella abrió la puerta del despacho, con muchos bríos, pero se frenó en seco al vernos a Perry y a mí.

—¿Me ha llamado, jefe?

—Lauren —dijo este—, supongo que recuerdas al sargento Perry Gahalowood. Y este es Marcus Goldman.

—Lo conozco también —dijo ella con voz apagada.

—Como bien sabes, la policía estatal ha reabierto la investigación sobre el asesinato de Alaska Sanders —explicó el jefe Mitchell—. Ese trabajo va a hacerse en colaboración con la policía de Mount Pleasant. Quedas asignada a ese caso.

Como cabía esperar, se quedó muy sorprendida, aunque lo disimuló perfectamente.

—A sus órdenes, jefe. Pero ¿puedo preguntar por qué yo?

—Es una petición expresa de estos caballeros.

—Opinamos que está bien situada para ayudarnos —aclaró Gahalowood.

Por lo poco que conocía a Lauren, yo sabía que habría preferido negarse, por amor propio. Pero era la ocasión que estaba esperando desde hacía once años para conseguir arrojar luz sobre este caso. Se limitó a asentir con un lacónico «a sus órdenes, jefe».

—Lauren —añadió Mitchell—, quiero un informe detallado cada día.

—Lo tendrá.

Gahalowood exhibió entonces una sonrisa forzada:

—Bien, puesto que la investigación ha arrancado oficialmente, permítame una pregunta, jefe Mitchell.

—Lo escucho, sargento.

—Por lo visto, una vecina de los Carrey vino a dar parte de una violenta discusión entre Walter y su madre la noche del lunes 5 de abril, es decir, pocas horas antes de que Walter prendiese fuego a su piso. Esa vecina afirma que se lo dijo a usted. Mi pregunta es: ¿por qué esa información no nos llegó nunca?

—Efectivamente, tengo un vago recuerdo. No se olvide de que todo esto sucedió muy deprisa. Walter se entrega después de haber estado unas horas huido, luego ocurre ese drama en los locales de la policía estatal. Ya muerto, y encima después de haber confesado, me pareció que no tenía utilidad interferir con testimonios poco relevantes.

Una vez concluida la entrevista con el jefe Mitchell, Lauren nos llevó a Gahalowood y a mí a la sala de descanso de la comisaría. No había nadie más en la habitación y pudimos hablar con libertad.

—Mitchell es un idiota que se larga a finales de año —nos explicó Lauren, mientras metía monedas de veinticinco centavos en la máquina de bebidas—. Cuanto antes se pire, mejor. Será un alivio para todo el mundo.

—Queda claro que no es el amor de su vida —comprobó Gahalowood.

—No es que sea mala persona, pero está chapado a la antigua. Se ha quedado atrás en los procedimientos y por tanto también en la mentalidad.

Lauren me alargó uno de los cafés recién salidos de la máquina. Lo interpreté como una ofrenda de paz.

—Te repito que lo siento, Lauren —le dije.

—Que vayamos a trabajar juntos no significa que te perdone, Marcus.

—Marcus no tenía otra alternativa —me defendió Gahalowood—. Tenía terminantemente prohibido revelar lo que fuera por orden expresa del jefe de la policía estatal.

Ella contraatacó en el acto:

—¿Alguien le ha dado vela en este entierro, sargento?

A Gahalowood le hizo gracia.

—¡Vaya, menudo carácter tiene su amiguita!

—¡No soy su amiguita!

—Me alegro de investigar con usted, Lauren, va a ser la bomba.

*

Esa tarde, por invitación de Lauren, nos instalamos en su casa para hacer balance. Nos acomodó en el salón y nos ofreció todo tipo de bebidas y de bollería. Se mostraba a la vez arisca y hospitalaria. Esa mujer era una paradoja andante. Gahalowood había traído todo el expediente recopilado desde 1999. Como quería empezar haciéndonos un resumen, se puso a colocar documentos encima de la alfombra. Lauren lo interrumpió, le trajo un rollo de papel celo y chinchetas y lo animó a poner en la pared todo cuanto le pareciera pertinente. Le alargó también unos rotuladores. «Apunte todo lo que quiera. Ya volveré a pintar la pared cuando acabemos. De todas formas, no recibo nunca a nadie».

Gahalowood titubeó al principio, apurado por convertir la pared del salón en pizarra de la investigación, pero, como Lauren insistió, acabó por ponerse manos a la obra.

Mientras veía a Gahalowood pegar meticulosamente trozos de papel en la pared antes de garabatear indicaciones, tuve la impresión de que podía leerle la mente. En cuanto colocaba una página, añadía con rotulador rojo anotaciones varias y luego nos las explicaba. Su razonamiento se iba perfilando ante nuestros ojos.

—¿Qué datos nuevos tiene? —preguntó Lauren.

—Esto. —Gahalowood colocó el artículo del *Salem News* encontrado entre las cosas de Vance:

Alaska Sanders
elegida Miss Nueva Inglaterra

Intervine:

—Poco antes de venir a instalarse en Mount Pleasant, Alaska había ganado un importante concurso de belleza. Y su carrera de actriz empezaba a despegar. Tenía incluso una agente en Nueva York. Lo lógico habría sido que la siguiente etapa fuese ir a vivir allí. Pero de buenas a primeras se muda a Mount Pleasant. ¿Por qué?

—Es una decisión inexplicable —añadió Gahalowood—, incluso teniendo en cuenta su relación con Walter. Y, en una investigación, lo inexplicable resulta sospechoso. Estuvimos hablando mucho rato con los padres de Alaska y la cronología es esta: el 19 de septiembre de 1998, eligen a Alaska Miss Nueva Inglaterra. Trece días después, el 2 de octubre de 1998, se marcha del domicilio familiar después de una discusión. Se va con su chico, Walter Carrey, y se instala en su casa.

—Alaska es una mujer muy joven aún —destacó Lauren—. Se pelea con sus padres y se larga a casa de su novio en un arranque de rebeldía. Nada que no sea normal a esa edad.

—Si hubiera puesto tierra por medio para un fin de semana, la cosa se sostendría —admitió Gahalowood—. Pero, en este caso, se instala para una buena temporada en Mount Pleasant. ¿Por qué plantarlo todo de la noche a la mañana?

—Espere, sargento. —Volví a coger mis notas—. Ayer, Eric nos contó que, cuando llegó a Mount Pleasant, Alaska le confesó que buscaba un trabajo a toda costa. Dijo lo siguiente: «Cuando estás de mierda hasta el cuello, no puedes ponerte exquisita». Parecía acorralada.

—Acaba de irse dando un portazo de casa de sus padres —comentó Lauren—; por narices tiene que estar aturullada. Considera que debe hacerse cargo de sí misma y que para eso necesita dinero.

—¡Pero tiene dinero! —exclamó Gahalowood—. Acaba de embolsarse quince mil dólares al ganar el concurso de Miss Nueva Inglaterra. Antes había participado en otros, todos con premios suculentos. Y la periodista del *Salem News* nos contó que Alaska era muy mirada para el dinero y ahorraba para cuando se estableciera en Nueva York. ¿Por qué esa urgencia por trabajar en la gasolinera, siendo así que tenía ahorros?

—¿No quiere meterle mano a esa hucha? —sugirió Lauren.

—Hay algo más, estoy seguro —soltó Gahalowood—. ¿Por qué le dijo a Eric que estaba «de mierda hasta el cuello»?

—Tiene razón, sargento —dije entonces.

—Gracias, escritor.

Lauren nos miró, irritada.

—Mis disculpas a ambos, pero ¿no pueden llamarse por el nombre?

Gahalowood sonrió:

—Helen, mi mujer, solía hacernos el mismo comentario.

—Su mujer tiene razón. Dígale que la apoyo.

—Falleció hace unos meses.

—Lo siento.

—No podía adivinarlo.

Después de un breve silencio, Gahalowood siguió diciendo:

—Al margen de los motivos de Alaska, hay otra mudanza que me intriga: la de Eric Donovan. —Gahalowood había tenido buen cuidado de decir «Eric Donovan» para que Lauren pudiese tomar las distancias oportunas—. El viernes 4 de septiembre de 1998, Eric deja Salem para regresar a Mount Pleasant. ¿Lo despidieron? ¿Dimitió él? Me gustaría encontrar a su jefe de entonces para preguntárselo, puede ser importante.

—Se lo localizaré —dijo Lauren, que se esforzaba por comportarse con indiferencia.

—Gracias. Eric, que conoce a Alaska de Salem, se va de la ciudad y vuelve a Mount Pleasant. No sé si podemos considerarlo una marcha precipitada, pero era cuando menos inesperada, puesto que sus propios padres, al verlo llegar, piensan que sencillamente ha venido de visita.

—Reconozco que a mí también me sorprendió —admitió Lauren.

—Así pues, ¿qué ocurrió para que, entre el 4 de septiembre y el 2 de octubre de 1998, Eric Donovan y luego Alaska Sanders dejen Salem y se vengan a Mount Pleasant? ¿Están relacionados esos viajes? ¿Ocultan un vínculo entre Alaska y Eric? ¿Tenían ellos una relación amorosa? Sé que, poco antes de irse, Eric había pasado por una ruptura muy brusca con su novia. ¿Quién era esa chica? ¿Alaska? ¿Vendría a Mount Pleasant para recuperar a Eric porque lamentaba haberlo dejado plantado?

—No —dijo Lauren—. Los vi juntos más de una vez y dudo que hubiera algo entre ellos.

—¿Quién era la novia de Eric en Salem entonces?

—No lo sé. Nunca me habló de eso.

Gahalowood pasó a las amenazas que había recibido Alaska.

SÉ LO QUE HAS HECHO.

Se preguntó en voz alta:

—¿Alaska vino a Mount Pleasant a esconderse? ¿La intimidaron así en Salem? ¿O fue algo que empezó en Mount Pleasant? Eric, Alaska, las notas amenazantes. Todo eso tiene que estar relacionado. Pero ¿cómo? ¿Qué nos hemos perdido?

Mientras hablaba, Gahalowood había colocado un documento en cuyo membrete ponía: «Agencia DM».

—¿Qué es la agencia DM? —preguntó Lauren.

—Agencia Dolores Marcado. Era la agencia de Alaska. Lo he comprobado y aún existe, tengo incluso un número de teléfono. He probado a llamar dos veces, pero no me lo cogen.

—Vuelva a probar —sugerí.

Gahalowood obedeció y, en esta ocasión, Dolores Marcado cogió el teléfono.

—Me he quedado impresionada al oír en las noticias que se reabría la investigación sobre la muerte de Alaska. ¡Qué desperdicio, esa chica tenía un talento tremendo!

—Según sus padres —dijo Gahalowood—, Alaska se fue a New Hampshire justo cuando su carrera estaba empezando a despegar.

—Es verdad. El título de Miss Nueva Inglaterra le había abierto las puertas. Ese mismo día me llamó un director de cine que quería hacerle una prueba.

—¿Y Alaska parecía ilusionada?

—¡Mucho! Ya se veía en Nueva York, se imaginaba en las alfombras rojas. El director de cine le pidió que interpretase una escena. Se grabó haciendo el papel y yo le envié el vídeo a él.

—¿Así que confirma usted que todo eso ocurrió después de que ganara el título?

—Desde luego. El director estaba entusiasmado, quería que Alaska filmase otra prueba más larga, pero cuando la llamé la rechazó.

—¿Por qué motivo?

—Porque acababa de instalarse en New Hampshire y renunciaba a su carrera, al menos por un tiempo.

—¿A usted la sorprendió?

—¡Pues claro! Tres semanas antes ya se veía en Hollywood.

—Señora Marcado, ¿podría darme una copia del vídeo de la última audición de Alaska, si todavía la conserva?

—Si la encuentro, se la mando. Lo tenemos todo en archivos digitales por si nuestros clientes se hacen famosos. Son un material de promoción estupendo. Los primeros castings, los primeros pasos... tienen su valor. En fin, lo que quiero decirle es que espero poder localizar los vídeos de Alaska.

Tras colgar, Gahalowood nos dijo:

—Entre el 19 de septiembre de 1998, fecha del triunfo de Alaska en el concurso de Miss Nueva Inglaterra, y el 2 de octubre de 1998, cuando se fue de Salem, ocurrió algo lo bastante grave como para que decidiera huir y abandonar su carrera de actriz. Lo bastante grave como para enterrarse en Mount Pleasant y trabajar de cajera en una gasolinera. Lo bastante grave como para que la amenazaran con anónimos. Lo bastante grave como para que la asesinasen.

—¿Y qué pinta Walter Carrey en todo esto? —pregunté entonces—. Hemos hablado de Eric, de Alaska, de Salem. Pero de él, no. Como si no tuviera nada que ver con el caso.

—Y, sin embargo, tiene su parte de misterio —opinó Gahalowood, colocando las fotos del incendio del piso de Walter—. Walter Carrey es impulsivo, pierde con facilidad los estribos. ¿Mató a Alaska en un arrebato? El crimen es demasiado maquiavélico, demasiado organizado para algo así. Y, además, está esa pregunta: ¿por qué prender fuego a su piso días después del asesinato de Alaska? En eso no hay nada impulsivo.

Arriesgué una hipótesis alternativa:

—Quiere enredar las pistas —sugerí—. Quiere hacer creer que los rumores acerca de la infidelidad de Alaska lo han trastornado.

—Pero entonces ¿por qué salir huyendo? —objetó Gahalowood—. Si es un montaje, que espere a que lleguen los bomberos, que haga el papel de amante desconsolado, que cuente que quería morir abrasado porque no puede vivir sin Alaska. Pero lo que hace es desaparecer, lo mejor para parecer sospechoso.

Me fijé en que Lauren parecía muy alterada. Gahalowood siguió diciendo:

—Y además, está esto tan raro: Sally Carrey afirma que, unas horas antes del incendio, cenó tranquilamente con su hijo, aunque la vecina asegura que presenció un altercado entre ellos. Me inclino a creer a la vecina porque ya sabemos que Walter es impulsivo. Y esa noche, después de una buena bronca con su madre, escribe en las paredes PUTA INFIEL y a continuación prende fuego a su piso. Ahora bien, sabemos que su madre estaba venga a decirle que Eric y Alaska tenían un lío. ¿Qué le contó esa noche para ponerlo en semejante estado? Creo que eso que descubre lo impulsa luego a incriminar a Eric en el asesinato de Alaska. Fue una venganza. ¿De qué quería vengarse Walter de Eric?

Ahora, Lauren estaba pálida. Dijo entonces, con voz apenas audible:

—Tengo que enseñarles algo... Ni siquiera Patricia está al tanto.

Se ausentó un momento y volvió con un sobre.

—Nunca he hablado de esto, porque no veía la relación con el caso. Y, además, cuando descubrí lo que me dispongo a revelar, tenía ya dudas acerca de la culpabilidad de Walter Carrey. Había encontrado esa foto en la que se lo ve en el National Anthem a la hora del crimen... No quería añadirles más dolor a los señores Carrey, no después de lo que habían soportado ya. No veía de qué iba a servir rematarlos.

—¿De qué habla, Lauren? —preguntó Gahalowood.

—Cuando condenaron a Eric, vino a verme un fotógrafo. Tenía una tienda en el centro, lo conocíamos de toda la vida.

—Jo Morgan —dijo Gahalowood, repasando sus notas.
—¿Cómo lo sabe?
—Su madre lo sacó a relucir. Decía que Eric iba a revelar sus fotos en su cuarto oscuro.
—De eso se trata precisamente. Después de que condenaran a Eric, Jo vino a traerme un material que mi hermano había dejado en su estudio: un objetivo, un trípode, un flash, ese tipo de cosas. Luego, me entregó un sobre. Me dijo que nunca había tenido intención de hurgar en las cosas de Eric, pero que había encontrado esos negativos. De entrada, creyó que eran fotos de familia y los reveló para regalárnoslos. Me dijo: «Había algo más que fotos de familia, Lauren. Lo siento mucho, no podía dejar de contártelo. Te dejo las ampliaciones junto con los negativos. Haz con ellos lo que quieras. Yo no lo mencionaré nunca. Ya se me ha olvidado».

Lauren sacó una foto del sobre. Gahalowood y yo nos quedamos de una pieza al verla.

Se veía a Sally Carrey, desnuda, besándose ardientemente con un Eric Donovan muy joven.

En la carretera 21, a la salida de Mount Pleasant, unos cuantos kilómetros después de la gasolinera, hay una pequeña área de descanso donde nunca va nadie. Consta de un aparcamiento y una franja de césped con unas cuantas mesas para pícnic. Allí fue donde citamos a Sally Carrey.

20. Infiel
Mount Pleasant, New Hampshire
Jueves 15 de julio de 2010

Gahalowood y yo llegamos con adelanto. Yo andaba arriba y abajo por el asfalto, mientras él esperaba, sentado en el asiento del acompañante, con la puerta abierta. Miraba fijamente la foto de Eric besando a Sally. Al descubrir esa foto, Lauren se lo dijo a su hermano. Este alegó una pasión efímera por la madre de Walter y le pidió que guardase el secreto para no causar sufrimientos inútiles. Lauren obedeció, sin presentir entonces la importancia que esa foto iba a tener en la investigación.

Llegó un coche: era ella. Aparcó a pocos metros de nosotros, aunque tardó unos instantes en bajarse. Se nos acercó con un paso titubeante que revelaba su incomodidad. Ignoro si Sally Carrey sabía ya que habíamos averiguado su secreto, pero se olía que, si la habíamos citado aquí, era para tratar un tema delicado. Parecía angustiada y Gahalowood no prolongó ese martirio. La puso sobre aviso:

—Sabemos lo suyo con Eric Donovan.

Sally nos miró, inquieta. Quizá se preguntaba si aún merecía la pena negarlo. Pero Gahalowood le enseñó la foto de ambos desnudos, besándose. Se quedó espantada y le afluyeron lágrimas a los ojos.

—¿Quién les ha dado eso? —preguntó.

—No lo sabe nadie —la tranquilizó Gahalowood—. Y pretendo que siga siendo así. La foto la encontró Jo Morgan y él se la dio a Lauren. Pero, como él ha muerto y Lauren ha guardado el secreto durante más de diez años, puede estar tranquila. No estamos aquí para destrozarla.

—Ya lo hicieron al quitarme a mi hijo, sargento.

Gahalowood señaló una mesa de pícnic y propuso que nos instalásemos allí para hablar con tranquilidad. Una vez sentada enfrente de nosotros, Sally preguntó:

—¿Por qué Lauren no dijo nunca nada si lo ha sabido todo este tiempo?

—Después de que detuvieran a su hermano, descubrió una prueba que exculpa a Walter. Siempre se lo calló, porque exculpar a Walter centraba la investigación en Eric. Así que, cuando le dieron esta foto, quiso ahorrarle a usted más padecimientos.

—Lauren es una buena chica —susurró Sally.

—Sí que lo es —asintió Gahalowood—. Señora Carrey, ahora no me queda más remedio que pedirle que me hable sobre esa relación entre Eric y usted. Es posible que tenga algo que ver con nuestra investigación. Le prometo que será completamente confidencial.

Sally rompió a llorar:

—Qué pesadilla —dijo.

—¿De cuándo es esta foto? —preguntó Gahalowood con voz suave.

—De 1987. Los chicos tenían diecisiete años. Y yo, cuarenta y tres. Llevaba una vida serena. La tienda iba sobre ruedas, yo era feliz con mi marido y, con Walter, formábamos una familia estupenda. No sé qué pasó ese año, ni cómo sucedió, pero ocurrió. Conocía a Eric de toda la vida y, desde los diez años, Walter y él estaban siempre juntos. Eric siempre estaba metido en mi casa. Y, luego, un día de verano, se pusieron a darle otra mano de pintura a la cerca de madera del jardín. Hacía un calor insoportable y fui a llevarles algo de beber. Eric estaba desnudo de cintura para arriba. Era guapo como un dios. Le alargué un vaso de limonada, nos rozamos. Sentí una descarga eléctrica. Me di cuenta de que deseaba ese cuerpo musculoso, esa piel tostada. Me alteró tanto que tuve que ir a darme una ducha helada para que se me pasase la excitación. Se tiraron una semana pintando esa puñetera cerca. Me pasé una semana mirando a Eric desde casa. Y, cuando mis fantasías podían más que yo, acababa en la ducha. Me avergonzaba de mis impulsos. En ese momento no me planteaba pasar a mayores.

Se interrumpió. Gahalowood la animó a que prosiguiera.

—Pero ocurrió —dijo.

—Sí, cuando no me lo esperaba. Era un sábado de finales de agosto de 1987.

*

Sábado 29 de agosto de 1987

Ese día Sally Carrey se había quedado sola en casa. Su marido estaba en la tienda y Walter pasaba el día fuera. Quería hacer un bizcocho, pero se dio cuenta de que no tenía bastantes huevos. Podría habérselos pedido a los vecinos o ir en un vuelo a la tienda de alimentación de los Donovan, pero le dio pereza. Para una vez que tenía la casa para ella sola, estaba decidida a aprovecharlo. Así que se limitó a llamar a Comestibles Donovan. A Janet Donovan, que le cogió el teléfono, le hizo un pedido para que se lo llevasen a la tienda y que George lo trajera al volver a casa.

Pero resultó que, diez minutos después, llamaron a la puerta. Era Eric, que se encargaba del reparto en la tienda de sus padres.

—Su compra —le dijo a Sally.

—Gracias, Eric, eres muy amable. Podrías habérsela dejado a George y ahorrarte el viaje.

—Ya lo sé, pero me gustaba venir.

—Walter no está.

—Lo sé.

La miró con insistencia. Ella le propuso que entrase un momento.

—¿Te apetece tomar algo, Eric?
—Me encantaría, gracias.

Fueron a la cocina. Ella abrió la nevera, nerviosa y excitada a la vez. No sabía ya lo que tenía que hacer. Pero sabía lo que quería.

—¿Te apetece una cerveza? —le propuso.
—Muy bien.

El pacto estaba sellado. Al ofrecerle alcohol a un menor, Sally le demostraba que estaba dispuesta a la transgresión.

Abrió una cerveza y se la alargó. Él bebió un sorbo en silencio. También estaba nervioso. Ella hizo este gesto: le quitó la botella de las manos y se la llevó a los labios. Luego, incapaz de resistirse, se inclinó y pegó su boca a la de Eric. Él la agarró y le devolvió el beso. La botella se cayó al suelo y se rompió, ni siquiera se dieron cuenta, demasiado obnubilados con el abrazo.

*

—Fue el principio de una pasión abrasadora —nos contó Sally—. Cuando recapacitamos, desnudos en mi salón, nos encontramos a gusto. No me sentía ni culpable ni incómoda. Me notaba serena. Cuando Eric tuvo que irse para seguir con el reparto, le dije: «Quiero volver a verte». Me dijo: «Yo también». Después de esto ya solo pensaba en estar con él. Pero ¿dónde? No podía correr ningún riesgo. Es cierto que había un motel en la carretera de Conway, pero me daba la sensación de que un sitio aislado llamaría aún más la atención. Por fuerza alguien acabaría preguntándose qué pintaba allí ese chico que llegaba en bicicleta. Entonces se me ocurrió una idea completamente descabellada. En aquella época, mi marido y yo nos habíamos metido a arreglar nosotros mismos el piso de encima de la tienda para alquilarlo. Yo era la única que subía allí entre semana. George solo iba los domingos para adelantar la obra. El acceso por las escaleras traseras del edificio era muy discreto. Así que fue ahí donde empecé a quedar con Eric. Después de clase, él pasaba siempre por la tienda de sus padres. Luego se esfumaba, se escabullía hasta el piso donde lo estaba esperando yo. Cuando ya estábamos allí los dos, amontonaba sacos, herramientas y tablones delante de la entrada, para enterarnos si llegaba un intruso. Pero sabía que no iba a ir nadie. Rodeados de gente, estábamos a salvo. Y, encima de una manta, en el mismísimo suelo, me entregaba a él. Teníamos algo muy intenso. Me hacía sentir mujer como nadie lo había hecho nunca. Ni mi marido ni nadie me habían hecho sentir lo que sentía con él. Ese chico de dieciseis años me estaba educando sexualmente. Yo estaba enamorada de él hasta el tuétano, qué quiere que le diga. Según le cuento esta historia, soy más que consciente de que puede parecer algo un tanto ridículo, o insensato. Pero esa fue mi realidad durante varios meses, en los que me sentí más viva, más feliz. Más libre. Ya casi en Navidad, Eric pasó incluso una noche en mi casa. Estaba empezando a arriesgarme más de la cuenta.

*

Sábado 12 de diciembre de 1987

El padre de George Carrey vivía en una residencia en Minneapolis y acababa de sufrir una mala caída. Así que George y Walter fueron a verlo durante el fin de semana.

En cuanto su marido le comunicó la noticia de la caída, Sally se imaginó en su casa en compañía de Eric. Estaba harta de esconderse en el piso en obras de encima de la tienda. Tuvo que hilar muy fino. Empezó por sugerir que toda la familia fuera a Minneapolis. Luego, en el momento de llamar a la compañía aérea para sacar los billetes, dijo que le parecía una pena cerrar la tienda y perder las ventas de uno de los últimos fines de semana previos a Navidad. Acabó ofreciéndose al sacrificio de quedarse en Mount Pleasant. Y su marido le contestó: «¿De verdad que no te importa?».

Así pues, ese sábado por la mañana, George y Walter se fueron temprano a Minneapolis. Ella abrió sola la tienda. El día se le hizo eterno. Eric pasó por allí, supuestamente para preguntar por Walter.

—¿Sigue en pie lo de esta noche? —le preguntó ella.

—He dicho que dormía en casa de un amigo. Mis padres no lo comprueban nunca.

—He dejado la puerta de atrás abierta. Ve cuando quieras y ponte cómodo.

A las siete y media, después de cerrar la tienda, se fue a toda prisa a casa. Se encontró a Eric leyendo tebeos en el cuarto de Walter. Primero se sintió desconcertada. Le entraron ganas de dejarlo todo. De decirle que se fuera a casa. Se sintió estúpida con su lencería nueva: quería volver a ponerse sus bragas de madre de familia y el pantalón de chándal. Hasta que Eric la besó y la pasión se impuso. Momentáneamente. A la mañana siguiente, al encontrárselo a su lado en el lecho conyugal, se notó incómoda. De repente, se arrepintió de todo. Por primera vez, se sintió culpable. Como si la hubieran hechizado y, de pronto, ya no surtiera efecto. Eric se zampó para desayunar los cereales de Walter. Repitió, y luego sorbió ruidosamente la leche del tazón. Ella ahora lo miraba con lucidez. Se odiaba a sí misma por haberse acostado con un niño. Había que romper.

—Eric, lo nuestro no puede seguir. Se acabará sabiendo y será muy doloroso para todos.

—Vale —dijo sencillamente Eric—. Lo entiendo.

*

—Nuestra historia terminó donde había empezado, en mi cocina. Desapareció de mi vida igual que había llegado. Después siguió yendo a casa con Walter y todo volvió a ser como antes. Como si no hubiera pasado nada. Pero las grandes pasiones no concluyen sin dolor, y nosotros no fuimos la excepción. Más o menos dos meses después de nuestra ruptura, Eric fue a la tienda. Estaba yo sola. Era un día de febrero. Por entonces, Walter y Eric veían muy difícil conseguir una beca universitaria. Fue justo antes de aquella famosa competición entre institutos de la que les hablamos el otro día, cuando un ojeador de la Universidad de Monarch fue a ver a los chicos y Walter se puso malo de repente.

*

Febrero de 1988

—Hola, Eric —lo recibió Sally cuando entró en la tienda.

Eric no contestó al saludo. Tenía una expresión hosca y Sally entendió en el acto que algo no iba bien.

—¿Estás sola?

—Sí, ¿por qué?

—Es por lo de la competición de pasado mañana. Es una carrera muy importante, ¿sabes?, asistirá un ojeador de la Universidad de Monarch.

—Sí, ya me ha avisado Walter.

—No quiero que Walter participe en esa carrera.

—Pero ¿qué estás diciendo?

—Necesito esa beca. Fui yo el primero en escoger la Universidad de Monarch, Walter solo me copió la elección. Sería injusto que consiguiera la beca en vez de hacerlo yo. Pero la conseguirá porque es mejor que yo.

Sally estaba asustada. Presentía un peligro inminente. Eric lo soltó sin más:

—Quiero que impidas que Walter compita. Es la única forma de que yo logre la beca.

—¿Te has vuelto loco, Eric? ¿Qué quieres que le diga a Walter?

—No tienes que decirle nada, quiero que hagas algo. Apáñatelas para que no participe en la competición. Si no, le doy esta foto a tu marido.

Eric sacó una foto del abrigo y se la tendió a Sally. Se los veía a ambos desnudos, en el piso de encima de la tienda, comiéndose a besos. Sally se sobresaltó: recordaba perfectamente aquel momento de pasión en el que Eric había interrumpido en seco sus retozos para coger la cámara fotográfica que llevaba siempre a todas partes. Ella preguntó, entre preocupada y divertida: «¿Qué haces?». Y él contestó: «Hago como que somos libres. Esto es lo que haría si pudiéramos querernos con libertad: me pasaría el día haciéndote fotos. No te preocupes, ni siquiera tiene carrete». La abrazó y la besó al tiempo que enfocaba hacia ellos, con el brazo estirado, el objetivo de la cámara.

Sally se enteraba ahora de que Eric le había mentido. ¡Cómo había podido ser tan estúpida! Se aborrecía. Eric le dijo entonces con voz malévola:

—Que quede bien claro: si Walter me gana en la carrera, toda la ciudad verá esta foto y todo el mundo sabrá que no eres más que un putón.

*

—¿Fue usted quien hizo enfermar a Walter el día de la competición? —preguntó Gahalowood.
—Sí —confesó Sally, llorando—. Esa mañana le puse un laxante en la cantimplora y lo animé a que bebiese. «Hidrátate bien, cariño. Lo ha dicho el entrenador». Vi cómo se metía toda la cantimplora entre pecho y espalda en unos pocos tragos. Le había puesto una dosis de caballo, y esperaba un efecto inmediato, que ni siquiera pudiese salir de casa. Pero al principio no pasó nada. Nos metimos en el coche y fuimos al estadio. Me pasé el trayecto deseando con todas mis fuerzas que le pidiera a su padre que se parase en el arcén, pero se lo veía estupendamente. En la pista, durante todo el calentamiento, estuvo pegando botes como un chivo. No entendía nada. Eric me miraba con cara de perro. Yo me esforzaba en disimular mi estado de confusión soltando gritos de ánimo; sabía que Eric era capaz de cumplir su amenaza y que todo Mount Pleasant me vería desnuda besuqueando a un crío de dieciséis años. Cuando se colocaron en la salida, creí que me daba algo. Fue entonces cuando Walter se fue de su calle corriendo, en dirección a los vestuarios. Yo sabía que no iba a volver.
—¿Y qué pasó luego? —pregunté.
—Luego estuve meses huyendo de Eric como de la peste. Hasta que se marchó a la Universidad de Monarch. Cuando se fue de la ciudad, fue una liberación.
—¿Y a la vuelta?
—Cuando volvió, en otoño de 1998, habían pasado diez años. Me había esforzado en enterrar esos espantosos recuerdos en un rincón de la memoria y confiaba en que él hubiera hecho lo mismo. Cuando lo vi rondar a Alaska, me dio muy mala espina.

Sabía lo peligroso que podía llegar a ser Eric. Y, luego, ese 5 de abril de 1999, todo se vino abajo...

—Cuando Walter fue a cenar a su casa, ¿no? Una vecina afirma que esa noche Walter y usted tuvieron una pelea terrible. ¿Por qué no nos mencionó ese incidente anteayer?

—Porque tiene que ver con mi relación con Eric. No podía hablarles de una cosa sin revelarles la otra. Ahora que ya lo saben todo, no me queda nada que ocultar. ¿Se acuerdan de que les conté que ese lunes por la noche, el 5 de abril de 1999, Walter fue a casa y me dijo que «había metido la pata»?

—Sí, se refería a que había mandado reparar el coche deprisa y corriendo.

—Exactamente. Pero había además otro dato que me callé a propósito: Walter me habló del jersey de Eric. Su amigo policía, que le había contado que se habían encontrado restos de piloto en Grey Beach, mencionó también que había aparecido un jersey gris manchado de sangre.

*

Lunes 5 de abril de 1999

Durante la cena, después de confesarle a su madre que se había apresurado a mandar arreglar el piloto trasero por temor a que lo relacionasen con el asesinato de Alaska, Walter añadió:

—¡Y hay otra cosa, mamá! Aún más grave.

—¿El qué? —se inquietó Sally Carrey.

—La poli ha encontrado un jersey gris manchado de sangre —le contó Walter a su madre—. Un jersey gris en el que pone «M U».

—¿Y qué pasa? —preguntó Sally con el corazón palpitante.

—M. U. son las iniciales de Monarch University. Ese jersey es de Eric. Hace unos días fuimos a pescar, nos pilló la lluvia y me lo prestó.

—¿Ese jersey estaba en tu casa? —dijo ella, preocupada.

—Estaba en el asiento de atrás de mi coche. Cuando estaba a punto de irme a la convención de Quebec fui al coche a coger una carpeta y ahí dentro apestaba: era ese jersey húmedo. No me daba tiempo de volver a subir a casa, así que lo metí en el maletero. Al día siguiente de haberme ido, Eric me llamó porque quería recuperar el jersey a toda costa. Le dije que estaba en el maletero y que se lo pidiera a Alaska. Pero, cuando volví de Quebec, el jersey parecía haber desaparecido por arte de magia. Eric me lo seguía pidiendo, y, ahora que me has dicho que viste a Eric salir de mi coche mientras yo estaba en la convención, me pregunto si, de hecho, no lo había cogido ya...

Sally estaba horrorizada.

—¿Quieres decir que Eric podría estar implicado en este crimen?

—No tengo ni idea, ma...

*

Sally nos dijo que, al oír a Walter hablar de esa historia del jersey, le entró el pánico.

—Entre eso y la reparación del coche, me daba miedo que todo apuntase a Walter. Incluso se me ocurrió que a lo mejor Eric le había tendido una trampa. ¡Sabía de qué era capaz Eric! Así que le rogué a Walter que no se fiase de él. Lo sorprendió mucho que lo pusiera sobre aviso, quiso saber por qué me metía con su amigo. Se enfadó: «Te pasas la vida metiéndote con Eric, acusándolo de acostarse con Alaska. ¡Ya está bien!». Yo lo único que quería era que se mantuviese alejado de Eric. Pero Walter no atendía a razones. Me repetía que era su amigo de infancia y que se fiaba de él ciegamente. Entonces decidí contarle lo que había ocurrido entre Eric y yo. A la porra las consecuencias. Mi hijo tenía que saber quién era de verdad Eric Donovan. Así que se lo confesé todo: la relación adúltera en el piso de encima de la tienda, el chantaje, el laxante. Nunca he visto a Walter tan furioso, pensé que iba a cargárselo todo. Lo que pasó después ya lo saben. Se fue a su casa. Pintó en las paredes de ese piso en que Eric y yo nos habíamos amado un mensaje que era para mí: PUTA INFIEL. Luego prendió fuego a ese maldito lugar y salió huyendo.

Sally rompió a llorar.

—Así que Eric sí que había prestado ese jersey a Walter y usted lo sabía... —dijo Gahalowood.

—Sí.

—¿Y qué fue de ese jersey? ¿Lo sabe? Señora Carrey, tiene que confesárnoslo todo, y ahora mismo.

Tras titubear brevemente nos dijo:

—No sé si lo recuerdan, pero por entonces les conté que había presenciado una discusión entre Alaska y Eric mientras Walter estaba fuera, en la convención de Quebec.

—Lo recuerdo —asintió Perry.

—Discutían por ese jersey. Caí en la cuenta cuando Walter me habló de él la noche del 5 de abril. Lo que me contó me aclaró las dos escenas que yo había presenciado. En la primera, Eric decía que estaba buscando un jersey que le había prestado a Walter. Se preguntaba si no estaría en casa de ellos. Alaska lo mandó a paseo y le dijo que lo que tenía que hacer era llamar a su amigo. Eric volvió a la carga al día siguiente de esa primera discusión. Paró a Alaska, que salía de su casa, y le pidió que mirase en el maletero del coche de Walter. Yo los estaba observando discretamente desde la puerta de la tienda y me preguntaba qué se traían los dos entre manos. Igual que la víspera, a Alaska pareció irritarla la insistencia de Eric. Pero, al final, abrió el maletero del Ford de Walter y Eric comprobó que el jersey no estaba. Eric buscaba ese dichoso jersey aquel día, casi quince días antes del crimen.

—¡En estos once años, ya podría usted haber corroborado la versión de Eric, según la cual le había prestado el jersey a Walter y nunca llegó a recuperarlo! ¿Por qué no dijo nada? Podría haber cambiado el curso de la investigación!

—¡Ya lo sé! —exclamó Sally llorando—. ¡Lo pienso todos los días! Al principio no dije nada porque estaba machacada: mi hijo acababa de morir. Cuando me enteré de que ese jersey incriminaba directamente a Eric, mi primer impulso fue hablar con la policía. Y luego cambié de opinión. Eric era un manipulador nato. Pensé que quizá fuera de verdad culpable de ese crimen y no quería ser yo quien lo exculpase. Así que no dije nada. Pasó el tiempo y, cuando caí en la cuenta de que yo sabía cosas de una importancia capital, ya era demasiado tarde: temía que me acusasen de ocultar información. Entonces me cerré en banda y ya no conseguí salir de ahí. Estoy muy arrepentida, sargento, si usted supiera...

Al acabar la confesión, Sally Carrey se vino abajo.

—¿Estoy en un lío por haber ocultado la verdad? —preguntó con voz ahogada.

—No, señora —le prometió Gahalowood—. Ya ha tenido bastantes disgustos.

Se puso de pie y se dirigió hacia una de las barbacoas que había en el césped. Colocó en ella la foto y el negativo y les prendió fuego.

*

La confesión de Sally Carrey daba un giro a la investigación. Aunque desvelaba un lado oscuro de la personalidad de Eric, demostraba en esencia que las acusaciones de Walter Carrey no eran sino pura venganza.

Por razones evidentes, Lauren no nos había acompañado a esa cita. Nos reunimos con ella en su casa, donde nos estaba esperando. Tras nuestro relato, se cayó del guindo.

—¿Eric chantajeó a Sally?

—Así fue como pudo conseguir la beca universitaria —le expliqué.

—¿Por qué Eric no nos lo dijo anteayer? —se preguntó Lauren, visiblemente alterada.

—A lo mejor no veía una relación entre ese episodio y las acusaciones de Walter —sugerí—. O, si no, temía que lo comprometiese más.

—Lauren —dijo Gahalowood—, si he de serle sincero, después de visitar a su hermano, no tenía motivos tangibles para creer en su inocencia. Puede parecer paradójico, pero las revelaciones de Sally Carrey me ratifican en la idea de que ni Walter ni Eric mataron a Alaska. Creo que hay alguien más detrás de todo esto, que lleva manipulando a la policía desde el principio. El otro día, Patricia Widsmith habló de un crimen perfecto, un crimen sabiamente orquestado para desorientar a la policía. Empiezo a pensar que está en lo cierto. Todo se organizó a la perfección, incluidos los secretos de su hermano. Un culpable ideal tiene secretos inconfesables que lo implican aún más. De ahí mi pregunta, Lauren: ¿alguien más podía estar enterado de la relación entre Eric y Sally Carrey? ¿O al tanto del chantaje de Eric?

—No tengo ni idea, sargento —contestó Lauren—. Habría que preguntárselo directamente a Eric. Y, hablando de Patricia Widsmith, tengo que avisarla ahora mismo.

Mientras Lauren hacía la llamada, Gahalowood fue a colocarse delante de la pared. Añadió una hoja de papel en la que había escrito: «Chantaje».

Observé las imágenes pegadas en la pared. La porra extensible que hallaron en el lago, el jersey manchado de sangre, las notas amenazantes.

—¿En qué piensa, escritor? —me preguntó Gahalowood.

—En que todo esto es un puzle muy raro. Y, sobre todo, en que hay un elemento que une todas las piezas. Algo que salta a la vista y que no vemos.

—¿Como qué? —preguntó Gahalowood, que se tomaba mis hipótesis en serio.

—Acaba usted de hacer la pregunta adecuada: ¿quién estaba al tanto del chantaje de Eric? Relaciono esa pregunta con los demás elementos: el jersey de Eric estaba en el coche de Walter, ¿quién podría haber tenido acceso a ese coche? ¿Y quién podría haber tenido acceso a casa de los Donovan y a la impresora de Eric? Tal y como están las cosas, solo se me ocurre una persona que reúna todos los requisitos: Sally Carrey.

—¡Por todos los demonios, escritor, es verdad! Se venga de Eric. Fabrica al culpable de arriba abajo sin darse cuenta de que todo su plan le va a estallar en la cara a su propio hijo. La hipótesis se sostiene, pero ¿por qué matar a Alaska?

—Porque cree que Alaska engaña a su hijo.

Gahalowood hojeó rápidamente su libreta de notas.

—En el momento del crimen, Sally está a cientos de kilómetros de aquí, de vacaciones en Maine con su marido —dijo—. Es una coartada bastante sólida.

—Sargento, no voy a enseñarle a usted que las coartadas se fabrican.

Gahalowood no parecía muy convencido.

—Eso implicaría que George Carrey está en el ajo. El padre y la madre aliándose para castigar a Eric y matar a la novia infiel me parece un poco fuerte.

Yo había adquirido la costumbre de grabar en el móvil (con permiso de los interesados, por supuesto) mis conversaciones relacionadas con la investigación. Era una costumbre que había cogido durante el caso Harry Quebert. A petición de Gahalowood, puse fragmentos de nuestras charlas de dos días antes con Sally y George Carrey. Y, sobre todo, ese momento en que ella nos contaba la llamada de su hijo para decirle que Alaska acababa de dejarlo.

Walter me repitió que de ninguna manera había algo entre Eric y Alaska. Entonces acabé por decirle que si Alaska se marchaba era probablemente porque estaba con otro. Y me contestó que ya llevaba tiempo sospechándolo. Que la veía diferente desde hacía una temporada. Y sobre todo que le hacían regalos. Mencionó un par de zapatos de vestir que habían aparecido unos días antes y que Alaska había dicho que los había comprado en una tienda de Wolfeboro. Pero él lo había comprobado y esa marca solo se vendía en una tienda de Salem. Me aseguró entonces: «Alaska no se está viendo con Eric, mamá, sino más bien con alguien que vive en Salem. De hecho, me pregunto si va de verdad a casa de sus padres, porque no se lleva muy bien con ellos. Si va a Salem es seguramente para reunirse con esa persona».

—¡La cena romántica! —exclamó entonces Gahalowood.
—¿A qué se refiere? —pregunté.
—Pocas horas antes de su muerte, Alaska le contó a su jefe, Lewis Jacob, que la esperaba alguien para una cena romántica. Por entonces pensamos en la pista de un amante antes de cambiar de derrotero. Alaska tenía un amante, y no parece verosímil que fuera Eric, puesto que estaba comiendo hamburguesas con Walter y con su hermana.

Aproveché que Lauren seguía ocupada hablando por teléfono para añadir:

—O es precisamente Eric. Queda con Alaska en algún sitio, la famosa cena romántica, pero le da plantón para fabricarse una coartada. Ella se pasa toda la velada intentando localizarlo, él no da señales de vida. Hasta esa cita de medianoche.

—¡Me va a volver loco, escritor! Su teoría podría haberse tenido de pie. Salvo por un detallito: los zapatos de vestir que proceden de una tienda de Salem...

—Eric vivió cinco años en Salem —hice notar—. Seguro que conoce esa tienda.

—Salvo que todo inclina a creer que salió huyendo de Salem. Si tal es el caso, no había razón alguna para que volviese para comprarle un par de zapatos a una chica. Al contrario, se habría mantenido lejos de esa ciudad. Queda por saber si lo despidieron o si lo dejó él.

—Lo dejó él —anunció de repente Lauren detrás de nosotros—. Me pidió usted que hablase con la empresa donde trabajaba. Lo he hecho. He hablado con su jefe de entonces, un tipo muy simpático que está al frente de un pequeño imperio. Apreciaba mucho a Eric, lo recordaba muy bien, tenía grandes ambiciones para él en su empresa. Eric se fue de la noche a la mañana, para mayor sorpresa general, cuando todo iba sobre ruedas.

—Esa marcha oculta algo —dijo Gahalowood.

—Estoy de acuerdo con usted, sargento. Creo que Eric solo nos ha contado una parte de la historia.

—Ya es hora de que se fíe de nosotros. Las mentiras no hacen sino reforzar las sospechas.

—Lo sé —se lamentó Lauren—. Si Patricia lo anima a que se sincere con ustedes, lo hará. Confía en ella más que en nadie. ¿Por qué estaban hablando de la dimisión de Eric?

—Esa dimisión recuerda a una fuga —le expliqué a Lauren—. Sería un elemento de descargo. Alaska tenía un amante que, por lo visto, le hacía regalos, entre otros un par de zapatos que solo se encuentran en Salem. Pero, si Eric salió huyendo de Salem, no iba a volver a comprar zapatos, así que él no es el amante.

—¿Dónde quieres ir a parar? —preguntó ella.

—Creo que el amante es el asesino —intervino Gahalowood—. No vimos eso en su momento. Hay que encontrarlo. Y pronto.

—¿Y por dónde empezamos? —pregunté—. Se esfumó hace once años y no tenemos ni la menor pista.

—Falso —dijo Gahalowood—. Sabemos que conocía a Eric y a Walter, puesto que les tendió una encerrona. Y que conoce bien Salem. Por algo se empieza.

—Ya que hablamos de Salem: he actualizado los contactos con esos amigos de Alaska que les indicaron sus padres. He podido localizar a la mayoría. Aquellos con quienes he hablado no tienen gran cosa que contar. Ninguno mencionó amenazas a Alaska.

—Hay que ir a verlos —estimó Gahalowood—. Cuando se tiene a unos policías sentados en la cocina hablando del pasado, créanme, afloran montones de recuerdos.

En ese preciso instante Gahalowood recibió una llamada. Era la asistente de Dolores Marcado, la antigua agente de Alaska, que le pedía un correo electrónico para mandarle un archivo: el vídeo de la audición de Alaska grabado inmediatamente después de conseguir el título de Miss Nueva Inglaterra.

A los pocos minutos lo estábamos viendo en el ordenador de Lauren. Aparecía Alaska recitando un largo monólogo. Estaba muy convincente. Intentamos averiguar dónde lo había grabado. Detrás de ella, un cuadro grande representaba una puesta de sol en el mar. Ese telón de fondo no se parecía a la casa de los Sanders.

—¿Lo reconoces? —le pregunté a Lauren.

—No, no me suena de nada.

Miramos las imágenes en bucle. Imposible identificar el cuadro. Ninguna firma. Ninguna seña distintiva.

—A lo mejor lo grabó en casa de una amiga —dijo Gahalowood—. De hecho, igual se trata de un dato sin trascendencia.

Pero todos sabíamos que no hay nada sin trascendencia en una investigación policial. Pasamos mucho tiempo pensando, revisando los datos, deteniéndonos en las fotos y las notas pegadas en la pared. Por fin, Gahalowood, después de un ruidoso bostezo, nos anunció:

—Mañana más. Estoy reventado.

Recogí mis cosas para irme yo también. Pero Lauren me ofreció:

—Marcus, estaba pensando que tú y yo podríamos cenar juntos.

Me moría de ganas de aceptar, pero quería hacerme rogar un poco más.

—Por desgracia, no estoy libre —contesté—. El sargento quería que mirásemos una cosa... Algo del expediente...

—Está libre como el viento —informó Gahalowood—. El sargento quiere que lo dejen en paz. Comerse una hamburguesa mientras lee un libro en la terraza del hotel sin tener al escritor dándole la vara.

Lauren me sonrió con timidez:

—Por lo visto sí estás libre.

Pero nuestros planes se fueron al garete. Al momento sonó el timbre de la puerta. Era Patricia Widsmith, que llegaba de Boston.

—Patricia —exclamó Lauren—, ¿qué haces aquí?

—¿Qué hago aquí? ¿Me llamas para soltarme un cerro de información y crees que voy a quedarme de brazos cruzados? Llevo once años esperando que se mueva este expediente, no pienso perder ni un minuto. Eric no puede seguir más tiempo pudriéndose en la cárcel. Quiero presentar una petición de libertad condicional.

A Lauren se le iluminó la cara.

—¿Tenemos una posibilidad?

—¡Pues claro! No solo Sally Carrey confirma que Eric, en efecto, le había prestado el jersey a Walter, sino que, sobre todo, ahora sabemos que Walter acusó a Eric por pura venganza, puesto que acababa de descubrir que su madre había tenido una aventura con él. Tengo que presentarle mis respetos, sargento, su teoría de las represalias era la atinada. Walter mató a Alaska e incriminó a Eric.

—Walter no mató a Alaska —dijo Gahalowood.

—Pero mintió al acusar a Eric —hizo notar Patricia Widsmith—. Voy a enseñarle la foto de Sally y Eric al jurado y, pueden creerme, el caso quedará zanjado en el acto. Lauren, no entiendo que no me hablaras antes de esa foto.

—Esa foto no prueba nada —opinó Gahalowood—. En el peor de los casos, le muestra al juez un lado oscuro de Eric, que le hizo chantaje a una mujer y la obligó a intoxicar a su hijo. Y eso, créame, no habla en su favor.

—Eso deje que lo decida el juez. ¿Dónde está esa foto?

—La he quemado —contestó Gahalowood—. Y el negativo también.

—¿Qué dice que ha hecho? —chilló Patricia.

—He quemado la foto. De todas formas, no habría sacado a Eric de la cárcel y le habría destrozado más la vida a Sally Carrey, que merece una consideración.

—¡Ha destruido pruebas de la investigación! Puedo demandarlo por eso, sargento.

Siguió una pelea interminable entre Gahalowood y Patricia. Mientras discutían en el salón, Lauren me llevó a la cocina y abrió una botella de vino.

—Habéis hecho bien en destruir esa foto —me dijo—. De nada vale perjudicar a Sally y a mis padres. Estoy de acuerdo con Perry: esa foto no bastaría para salvar a Eric. ¿Sabes, Marcus? Durante once años he conservado la esperanza. Pero, desde que se ha reabierto la investigación, me hago cada vez más preguntas sobre Eric. En el fondo, nunca se conoce de verdad a la gente a la que se quiere.

—Ni siquiera se conoce uno a sí mismo —comenté.

Chocó el vaso con el mío.

—Salud, querido filósofo.

Sonreí. Ella también sonrió.

—Lauren, yo...

Me hizo callar poniéndome un dedo en los labios.

—Chitón, Marcus. Soy yo quien debe hablar. Gracias. Gracias por estar aquí.

Retiró el dedo y acercó los labios a los míos; luego, me besó.

Nuestro beso lo interrumpió un carraspeo de Gahalowood. Estaba en el umbral con Patricia a su lado.

—El sargento tiene razón —admitió esta—. Me ha hablado de la pista del amante de Alaska y correríamos el riesgo de invalidarla si presentamos una petición de libertad ahora, porque nos obligaría a revelar al tribunal los progresos de la investigación. Si se la deniegan, no solo Eric sigue en la cárcel, sino que nos arriesgamos a poner sobre aviso al amante, que posiblemente hoy por hoy se considera a salvo.

—A cambio —dijo Gahalowood—, vamos a hacer un balance general con Patricia, que no está al tanto de todos los datos de la investigación.

Antes de volver al expediente, cenamos en casa de Lauren. Ese rato de convivencia nos permitió relajarnos. Me di cuenta de que a Gahalowood le caía bien Patricia cuando, después de dos vasos de vino, le preguntó:

—¿Cómo la aguanta su marido?

Ella se echó a reír antes de contestar:

—No me aguantó. De hecho, no duró mucho la cosa. Hay que decir que me casé con un psiquiatra, lo que nunca resulta sencillo. Y a usted, sargento, ¿cómo lo aguanta su mujer?

—No me aguantó.

—¿También está divorciado? El caso es que lleva alianza.

—Murió. Hace dos meses.

—¡Ay, Dios mío! De verdad que lo siento muchísimo.

Gahalowood cambió de conversación.

Al verlos juntos, pensé que hacían buena pareja: el sargento irascible y la abogada tenaz. Saltarían chispas, garantizado. Desde luego que Gahalowood no pensaba en volver a emparejarse, pero de aquí a unos años sus hijas se habrían ido de casa y se quedaría solo, obsesionado con la vida de antes. No me dio tiempo a pensar más en esto porque se habían puesto de pie para pasar revista a la investigación.

Patricia quería asegurarse de que no se había perdido nada. Comparó los datos que tenía ella con lo que descubría en la pared.

—Me habló del informe del incendio que no se incluyó en el expediente.

—Sí, son esas fotos de la pared. —Gahalowood las señaló—. Tengo una copia del informe del inspector de los bomberos que puede llevarse si quiere.

Rebuscó entre los papeles repartidos por la mesa baja y le alargó unas hojas a Patricia antes de añadir:

—Otro dato que no se incluyó en el expediente por ser poco concluyente, pero que he encontrado entre las notas de mi antiguo compañero: un testigo asegura haber visto la noche del asesinato un coche azul con matrícula de Massachusetts pasar por la calle principal a las dos menos veinte de la madrugada, la noche del asesinato.

—¿Y qué relevancia tiene esa información?

—Alaska Sanders conducía un coche azul con matrícula de Massachusetts. ¿Qué hacía allí? ¿Quería recoger algunas cosas de casa de Walter? ¿O tiene que ver con esa cita con Eric? En su momento, la presencia de ese coche planteaba muchas preguntas. Por desgracia, el testimonio era demasiado laxo para incluirlo en el expediente. La oficina del fiscal lo habría descartado.

—Pero es un testimonio clave para nosotros —comentó Patricia—. Si Alaska seguía viva a los dos menos veinte de la madrugada, queda acreditada la tesis de que Walter Carrey, aunque estuviera aún a la 1.43 en el National Anthem, podría ser el asesino. ¿Es segura la hora del fallecimiento?

—No hay motivo para dudar de ella —dijo Gahalowood—. De hecho, el coche iba en dirección a Grey Beach. Diez minutos después estaba a orillas del lago. Es decir, a las dos menos diez. Se sostiene. Pero, sobre todo, desde mi punto de vista, el asesino debía de estar esperando *in situ* y la mató en cuanto ella llegó. Primero la golpea violentamente con una porra, luego la estrangula. Walter habría llegado después. Tiene que descartar esa pista, Patricia, está estancada.

—Resulta difícil abandonar una idea con la que llevo obsesionada once años. ¿Con qué otras pistas no oficiales cuentan?

—Una fuerte discusión entre Walter Carrey y Alaska, el 22 de marzo de 1999, a la puerta de un supermercado de Conway.

—¿A qué llama usted una fuerte discusión? —preguntó Patricia.

—Lo bastante fuerte para que el gerente del supermercado llamase a la policía. Realizaron un control. Consta en el registro: «Pareja en un coche. Ninguna señal visible de violencia. No requiere intervención».

Lauren echó una ojeada al documento que indicaba Gahalowood.

—Los nombres de Alaska y Walter no aparecen de forma explícita —hizo notar.

—El informe tiene lagunas —admitió Gahalowood—, motivo por el cual tampoco se incluyó en el expediente. Y, además, no aportaba gran cosa al avance de la investigación.

—Pero ¿cómo sabe que eran Alaska y Walter? —insistió Lauren.

—El gerente del supermercado reconoció a Alaska cuando apareció su foto en la prensa.

—¿Y Walter?

—Era su coche —dijo Gahalowood.

—Pero ¿lo identificaron?

Gahalowood no respondió a la pregunta. Se había quedado suspenso.

—Escritor —me dijo—, esa famosa pelea entre Eric y Alaska de la que nos habló Sally Carrey. Dijo que Eric salía del coche de Walter...

Gahalowood rebuscó entre sus notas. De repente se le iluminó la cara.

—¡El día de la pelea Walter no estaba en Mount Pleasant! Había ido a Quebec, a esa convención.

—Sí. ¿Y qué? —dije.

Gahalowood volvió a mirar sus notas:

—Sally Carrey nos dijo que la pelea fue la semana anterior al asesinato. ¡Lo que quiere decir que la convención de pesca se celebró en la semana del 22 de marzo de 1999!

Lauren remachó el clavo:

—¡El 22 de marzo fue el día en que la policía realizó el control del coche de Walter en el aparcamiento del supermercado de Conway! ¡Ahora bien, es probable que Walter estuviera ya en Quebec ese día!

—Exacto —dijo Gahalowood.

—Pero entonces ¿quién estaba en el coche con Alaska? —preguntó Patricia.

La conclusión la puso Gahalowood sobre la mesa:

—Si nos fiamos de Sally Carrey, era Eric. Creo que se impone una conversación con él.

En la cárcel estatal, Eric nos había recibido con los brazos abiertos. Pero, cuando Gahalowood le anunció que estábamos enterados del chantaje que había llevado a cabo, se le congeló en el acto la sonrisa.

21. Miedo cerval
Concord, New Hampshire
Viernes 16 de julio de 2010

—¿Cómo se han enterado? —balbució—. Se lo ha tenido que contar Sally.

Estábamos en una sala pequeña reservada para las visitas de los abogados. Gahalowood y Patricia estaban sentados a una mesa, enfrente de Eric, mientras que Lauren y yo observábamos desde una esquina.

—Les enseñé la foto a Perry y a Marcus —dijo Lauren, a quien le costaba controlar el enfado—. ¿Por qué me pediste que no dijese nada de esa foto, Eric? ¿Para que no se supieran las canalladas que le hiciste a Sally Carrey? ¡Me manipulaste, mientras yo llevo peleando por ti once años!

—¡Joder! —se lamentó Eric—. Me asquea lo que hice. Era un impresentable. Yo estaba enamorado de Sally; cuando me dejó, me entraron ganas de vengarme.

—¿Así reacciona usted cuando lo dejan? —dijo Gahalowood con voz atronadora.

—Claro que no.

—Ah, entonces resulta que tiene un temperamento vengativo y punto. ¡Pues mejor me lo pone! ¡Ya comprenderá, Eric, que no es algo que abogue a su favor!

—¡Vamos, sargento, que fue hace más de veinte años! ¡Era un crío! ¡Era un pobre imbécil!

—¿Y qué más? —preguntó Patricia, muy seca—. ¿Nos has ocultado más episodios de tu vida que podrían ser relevantes para la investigación?

—Ni idea —contestó Eric, desconcertado—. Supongo que todo puede tener su importancia.

—Muy cierto —intervino Gahalowood—. Así que deje que le refresque la memoria: ¿le hizo un control la policía el lunes 22 de marzo de 1999, cuando Alaska y usted estaban juntos en el coche de Walter Carrey, en el aparcamiento de un supermercado de Conway?

Eric volvió a poner mala cara. Como si lo hubieran pillado. No pudo por menos de preguntar:

—¿Cómo lo sabe?

Patricia hizo un gesto de irritación. Gahalowood estalló:

—¡Porque todo acaba por saberse, Eric! ¡Así es la vida! Así que ahora desembuche, y con detalles. ¡Y, si sigue con sus mentiras o con sus olvidos, cierro el expediente y dejo que se pudra aquí!

—Pero ¿qué esperaba que hiciera, sargento, cuando me tuvo en un tercer grado de veinte horas seguidas hace once años? ¡Sin comer, sin dormir! ¡Chillándome, explicándome que lo tenía crudo, que me iban a ejecutar, y sacudiéndome delante de las narices mi jersey cubierto de sangre de Alaska, y mensajes de amenazas que venían de mi impresora! ¿Se imagina lo que pudo pasarme por la cabeza? Estaba claro que había caído en una encerrona. ¡Era una pesadilla, todo me acusaba! No conseguía defenderme. Por más que les gritaba que era inocente, no querían escucharme. Todo cuanto decía se volvía en mi contra. Ya habían elegido al culpable, sargento, y me arrastraron a lo más hondo del infierno. ¡Así que no venga hoy a leerme la cartilla y a contarme lo que tendría que haber hecho! No venga a reprocharme que no le contase un episodio poco glorioso de mi juventud que no se me ocurrió relacionar con el caso, a menos que quisiera parecer loco de remate. ¡O que se me olvidase contarle que la policía me había hecho un control mientras discutía con Alaska!

Hubo un prolongado silencio. Eric y Gahalowood se miraban como dos leones dispuestos a saltarse a la yugular. Por fin, Patricia preguntó con voz suave:

—Eric, ¿puedes hablarnos de aquella discusión? ¿Qué pasó con Alaska delante de ese supermercado?

—Era lunes. No recuerdo ya la fecha exacta, pero, si dicen que fue el 22 de marzo, pues ese día sería. Me acuerdo del día de la semana porque libraba los lunes. Fui a Conway, a ese centro comercial donde había una tienda de fotografía que vendía material de segunda mano rebajado. Había muchos comercios. Entre otros, ese supermercado.

*

Conway
Lunes 22 de marzo de 1999

Eric salía de la tienda de fotografía cuando le llamó la atención el coche de su amigo Walter, que estaba terminando de aparcar en la explanada del centro comercial. El vehículo tenía metida la marcha atrás, Eric no podía ver al conductor, pero podía leer perfectamente la matrícula, que habría reconocido entre mil. Le hizo gracia lo mal que estaba maniobrando para meter el Ford Taurus entre una camioneta y un monovolumen. Se disponía a burlarse de Walter por su mala maña, cuando para su sorpresa quien se bajó del coche fue Alaska. Iba sola. Ni rastro de Walter. Se dirigió al supermercado y él la paró a la entrada.

—¿Alaska?
—Hola, Eric.
—¿Viene Walter contigo?
—Se fue ayer a Quebec a una convención de pesca.
—¿Cómo ha ido si el coche está aquí?
—Se ha llevado la camioneta de su padre. Para traer material. Mi coche pierde aceite, así que he cogido el suyo. ¿Tienes más preguntas?

Parecía a la defensiva.

—Lo siento. No quería ser indiscreto. Te dejo que hagas tus compras. Que pases un buen día.

Ella suspiró como si estuviera desesperada.

—Perdóname, Eric, no estoy de buen humor y me siento culpable por cruzarme contigo cuando voy a hacer la compra a un supermercado, en vez de ir a la tienda de tus padres.

—Tienes derecho a hacer lo que prefieras —la tranquilizó Eric.

—¿Sabes lo que no me gusta de Mount Pleasant? La sensación de que todo el mundo espía a todo el mundo. Incluso cuando hago la compra tengo la impresión de que me miran el carrito y me juzgan por lo que compro. Siempre he soñado con ser famosa, pero, si ser famosa significa vivir como en Mount Pleasant, pues, la verdad, no, gracias.

Eric se echó a reír.

—No te juzgo, Alaska. Puedes hacer la compra tranquilamente. Que pases un buen día.

Dio media vuelta, pero ella lo retuvo:

—Voy a dejar a Walter.

—¿Qué?

—Voy a dejarlo. Quiero irme de Mount Pleasant. No se lo digas a nadie, por favor. Es que necesitaba contárselo a alguien.

Tras esa confidencia, Alaska se metió deprisa en el supermercado. Eric se disponía a irse, pero se lo pensó mejor. Quería saber más. No podía limitarse a escuchar semejante confesión sin abogar en favor de su amigo. Tenía que hablar con Alaska y decidió esperarla. Cuando volvió a aparecer con sus compras, le espeto:

—¿Por qué vas a cortar con él?

—Eso no es asunto tuyo, Eric.

—¿Estás con otro?

—Déjame en paz, por favor.

—No puedes soltar una bomba así y esperar que me quede como si tal cosa.

—Me arrepiento de habértelo dicho.

—Ya es demasiado tarde. ¿Qué pasa con Walter, Alaska?

La insistencia de Eric irritó a la joven. El tono de la conversación fue subiendo y atrajo miradas suspicaces de los transeúntes. De repente, Alaska rompió a llorar:

—¡Déjame, Eric!

—Estoy seguro de que Walter se va a quedar hecho polvo. Explícame por lo menos por qué lo dejas. No puedes hacerme una confidencia así y pedirme que no le diga nada a nadie. Me pones en un compromiso con Walter.

En ese momento intervino un hombre: era el gerente del supermercado.

—¿Va todo bien, señorita? —le preguntó a Alaska.

—Sí, todo va bien —le dijo Eric con malos modos.

—¡No estoy hablando con usted! —replicó el gerente.

—¡Es un tema privado! —se enfureció Eric—. ¡Métase en sus asuntos!

—¡Pues si esas tenemos, llamo a la policía!

*

—El gerente del supermercado se metió dentro —nos contó Eric—. Y, de repente, Alaska perdió la cabeza. Empezó a entrarle el pánico. Dijo: «¡Joder, va a llamar a la poli! ¡Va a llamar a la poli!». Y de repente suelta allí la compra y echa a correr hacia su coche. Yo no entendía qué le había dado. Recogí las bolsas para llevárselas. Estaba ya sentada al volante, a punto de arrancar. Abrí el maletero y empezó a chillar: «¿Qué haces, Eric? ¡Tengo que irme!». Estaba totalmente aterrada. Como yo seguía detrás del coche, acabó por bajarse y me chilló: «¡Lárgate, Eric!».

*

Conway
Lunes 22 de marzo de 1999

—¡Lárgate, Eric!

—¿Se puede saber qué te pasa?

Ella quería apartarlo, pero él le cogió las manos.

—No lo entiendes —gritó ella, sollozando.

—¿Qué es lo que no entiendo?

—¡Deja que me vaya!

—Voy a llevarte —decidió Eric—. No puedes conducir en semejante estado. Luego volveré a por mi coche.

Sin esperar a lo que dijera Alaska, Eric se sentó en el asiento del conductor. Ella se abalanzó al asiento del acompañante. «¡Arranca! ¡Arranca!», ordenó. Pero apenas había arrancado Eric cuando una patrulla de policía, con las luces y las sirenas encendidas, les cortó el paso. Alaska hizo un esfuerzo para guardar la compostura. Como si tuviera algo que ocultar. Se secó los ojos. Un policía se acercó al coche y metió la cabeza por la ventanilla que Eric había bajado.

—¿Qué está pasando aquí? —preguntó.

—Nada —aseguró Alaska.

—¿Nada? Nos han llamado por un altercado.

Alaska sonrió:

—¿Usted no se pelea nunca con su mujer, señor agente? Si ya no puede uno discutir en público sin que se presente la policía...

El policía revisó de un vistazo el carnet de conducir de Eric y los papeles del coche. Como todo estaba en regla, se fue. A Alaska volvieron a correrle las lágrimas, pero en esta ocasión eran de alivio.

Eric le puso una mano reconfortante en el hombro.

—Alaska, ¿por qué te pones así?

—Por la policía —susurró ella.

*

—Era como si Alaska le tuviese un miedo cerval a la policía —nos dijo Eric.

—¿Le explicó por qué? —preguntó Gahalowood.

—No. La llevé a Mount Pleasant. No dijimos una palabra en todo el camino. Era desconcertante verla en ese estado. Aparqué el coche en la calle principal, delante de la tienda de los Carrey, y le devolví las llaves a Alaska.

—Y Sally Carrey los vio —indicó Gahalowood.

—Es muy posible. Estábamos delante de su tienda. Yo no tenía nada que ocultar.

—Sally Carrey habla de una pelea entre ustedes.

Eric frunció el ceño, como si hiciera un esfuerzo para refrescar la memoria.

—Sí —dijo—, era por mi jersey.

—¿El jersey que apareció luego en el lugar del crimen?

—Ese jersey se lo había prestado a Walter dos días antes, el sábado, cuando salimos a pescar y nos sorprendió la lluvia. Ya les conté todo eso el otro día. Y también se lo conté hace once años... En pocas palabras, ese lunes, al dejar a Alaska, no veo el jersey en el asiento de atrás. Me digo: debe de estar en su casa. En la acera, se lo pido a Alaska. «No sé de qué me hablas, Eric». «Un jersey gris con las iniciales de Monarch University». «No lo he visto, y la última colada la hice yo». «¿Puedo subir a tu casa a ver si lo encuentro? Le tengo cariño a ese jersey». Y entonces Alaska se mosqueó: «¿Eso es lo único que te preocupa después de este mal trago? Lo que tienes que hacer es pedírselo a Walter». «Ah, ¿de verdad quieres que llame a Walter y que le cuente todo lo que acaba de pasar?». Se marchó a su casa, hecha una furia.

—¿Y qué pasó con el jersey? —preguntó Gahalowood.

—Alaska me dijo que llamase a Walter y lo hice. Me dijo que lo había dejado en el maletero de su coche, así que al día siguiente, cuando vi desde la tienda de mis padres que Alaska aparcaba en la calle el Ford de Walter, la paré y le pedí que abriese el maletero para que yo pudiera recuperar el jersey. Me dijo que la tenía harta de ese tema. Abrió el maletero de mala gana, el jersey no estaba. Yo no entendía nada. Se lo dije a Walter cuando volvió de Quebec y me comentó que a lo mejor Alaska lo había lavado y lo había guardado con sus cosas por equivocación, que se lo preguntaría, pero yo le dije a Walter que precisamente le había preguntado a Alaska y que no tenía ni idea de dónde estaba el maldito jersey. Era un lío total. Walter al final me dijo que iba a buscar en su casa. Yo suponía que el jersey terminaría apareciendo. Pero a finales de la semana siguiente asesinaron a Alaska. Luego, todo ocurrió muy deprisa: tres días después me encontraba en una sala de interrogatorios de la policía con ese jersey cubierto de sangre como una prueba incriminatoria contra mí. Walter y Alaska, los dos únicos que podían confirmar esta historia, estaban muertos. Cada vez que pienso en ese jersey, recuerdo aquel momento, en el aparcamiento del supermercado de Conway, cuando coloqué la compra de Alaska en el maletero. ¿Estaba el jersey? No tengo ni idea. Y vuelvo a vivir una y otra vez esa historia, vuelvo a verme abriendo el maletero y me pregunto si está ahí el puñetero jersey. ¿Me mintió Walter? ¿O lo robaron del coche? La gente no es muy desconfiada en Mount Pleasant, y menos aún hace once años. Dejarse el coche abierto era lo más normal del mundo, uno solo echaba la llave de casa si se iba para una temporada.

Las explicaciones de Eric corroboraban a la perfección la versión de Sally Carrey. Gahalowood no la citó esta vez.

—Hay otra cuestión que nos preocupa, Eric —siguió diciendo—. A principios de septiembre de 1998 se fue de Salem casi de la noche a la mañana. A sus allegados les dijo que lo habían despedido. Es falso: dimitió. Salió huyendo de Salem. ¿Por qué?

—Lo de salir huyendo es mucho decir, sargento. Ya no aguantaba Salem: mi novia me había dejado por otro, me sentía desvalido, mi padre estaba enfermo. Necesitaba volver a los orígenes. No me parece que tenga nada de particular. Pues sí, les mentí a mis padres en lo del despido. Pero usted no los conoce: me habrían montado una buena si llego a decirles que había dejado un buen trabajo muy bien remunerado, con lo que les costaba a ellos a veces llegar a fin de mes.

Las explicaciones de Eric sobre su salida de Salem concordaban con el relato de Regina Speck, la dueña del Season.

Ahora sabíamos que Alaska le tenía un miedo cerval a la policía. ¿Por qué? No podíamos por menos que ver en ello una relación con que Eric se fuera precipitadamente de Salem y con esos mensajes que decían SÉ LO QUE HAS HECHO. ¿De qué huía Alaska?

Al salir de la cárcel, Lauren, Gahalowood y yo decidimos ir a Salem. Patricia tenía que volver a Boston.

A última hora de la mañana llegamos a Massachusetts. Empezamos por ir a ver a las antiguas amigas de Alaska, a quienes Lauren había podido localizar. Buena parte eran amigas de la infancia o del instituto, cuyos relatos, que nos hicieron retroceder hasta los dieciocho años de Alaska, no nos resultaron de gran ayuda. En cambio, las amigas que Alaska se había echado durante los concursos de belleza o en sus últimos años de vida aportaron unas aclaraciones interesantes. Se llamaban Brooke Rizzo, Andrea Brown, Stephanie Lahan y Michelle Spitzer. Las vimos por turno. Todas coincidían en un punto: Walter Carrey no era el gran amor de Alaska.

BROOKE RIZZO: Nadie sabe muy bien qué le veía al Walter ese. Yo pensaba que era un capricho pasajero. De todas formas, venía de vez en cuando. Y parecía que Alaska tonteaba con él. Nunca habría imaginado que se iría a vivir con él a un agujero de New Hampshire.

ANDREA BROWN: Creo que a Alaska le hacía gracia salir con un tío mayor que ella. Y también me parece que era su primera relación seria. Bueno, seria por llamarla de alguna manera.

STEPHANIE LAHAN: No entendimos qué pasó, ni por qué se fue con Walter. Acababan de elegirla Miss Nueva Inglaterra, lo tenía todo para hacer carrera en el cine, en cualquier caso había arrancado bien. ¿Por qué abandonarlo todo así?
[...]
¿Amenazas? No. En todo caso, Alaska nunca me mencionó algo así.

Ni Brooke, ni Andrea, ni Stephanie podían establecer una relación entre un hecho concreto y que se marchara a Mount Pleasant. Fue la cuarta amiga, Michelle Spitzer, a quien fuimos a ver en último lugar, la que citó una razón y, sobre todo, un nombre que hasta entonces no habíamos oído:

MICHELLE SPITZER: ¿Qué pudo ocurrir en Salem? No lo sé. Seguramente la impresionó el suicidio de Eleanor, como a todas nosotras. ¿Dicen que Alaska recibió amenazas? ¿Qué tipo de amenazas?
[...]
Eleanor Lowell, ¿nunca han oído hablar de ella? Era amiga nuestra. Una chica muy guapa, pero sobre todo con

muchos problemas. Todo lo contrario de Alaska. Eleanor vivía sufriendo, en una lucha constante contra la angustia. Incluso iba al psiquiatra.

[...]

¿Que cómo se suicidó Eleanor? Se fue nadando. Encontraron su coche y su ropa en una playa de Marblehead.

La aparición del fantasma de Eleanor nos intrigó. Ese mismo día fuimos a la redacción del *Salem News* para preguntarle a la periodista Goldie Hawk, que seguramente podía darnos más información.

—Una historia muy triste —se lamentó Goldie Hawk—. Tuve ocasión de coincidir varias veces con Eleanor. Era el estereotipo de la modelo joven: una belleza diáfana, con cara de ángel. Había participado en campañas de marcas prestigiosas. Jugaba en otra liga.

—¿Y su muerte? —preguntó Gahalowood.

—Sórdida. En plena noche mandó un SMS a sus padres para decirles que no quería seguir viviendo. Vieron ese mensaje al despertarse. La cama de Eleanor estaba vacía y avisaron a la policía en el acto. Encontraron el coche de Eleanor en Marblehead, en el aparcamiento del Chandler Hovey Park. Su ropa y sus efectos personales aparecieron en las rocas, cerca del gran faro que señala el cabo. La policía llegó a la conclusión de un suicidio, probablemente se ahogó.

—¿«Probablemente»?

—Nunca apareció el cadáver.

Gahalowood estaba perplejo. Al salir de la redacción del *Salem News* nos dijo a Lauren y a mí:

—En agosto de 1998, una joven reina de la belleza desaparece cerca de un faro. Ocho meses después, a una de sus amigas, otra reina de la belleza, la asesinan a la orilla de un lago. En el bolsillo lleva un mensaje: SÉ LO QUE HAS HECHO.

—¿Cree que hay relación entre esas dos muertes, sargento? —le pregunté a Gahalowood.

—Me parece demasiada coincidencia. Sobre todo porque Alaska se fue corriendo de Salem poco después. La muerte de Eleanor podría ser perfectamente el motivo de su huida.

—En su opinión, ¿Alaska mató a Eleanor? —preguntó Lauren.

—No tengo ni idea —admitió Gahalowood, a quien no le gustaban las conclusiones precipitadas—. Pero hay que ahondar en esto.

Lauren no pudo por menos de hacer la pregunta que le quemaba los labios:

—Sargento, ¿cómo se le pasó en su momento lo de la tal Eleanor Lowell?

—Descuidamos Salem. Pensábamos que el crimen estaba relacionado con Mount Pleasant. Y, además, por entonces nada orientaba la investigación hacia Salem. No paro de darle vueltas a esa idea del crimen perfecto. Creo que alguien nos desorientó por completo.

Gahalowood quería pasarse por la brigada criminal de Salem, que seguramente había investigado la desaparición de Eleanor Lowell. Aprovechamos también nuestra presencia en la ciudad para preguntar a los padres de Alaska por la economía de su hija. Queríamos entender por qué, pese a tener ahorros, había necesitado buscar trabajo al llegar a Mount Pleasant. Para ser eficaces, debíamos repartirnos las tareas. Lauren acompañó a Gahalowood a la comisaría de Salem y yo cogí un taxi para ir a casa de los Sanders.

Donna Sanders estaba sola en casa. «Robbie se ha ido con unos amigos a jugar al golf. Últimamente necesita despejarse la cabeza. Debo decir que nos ha afectado mucho todo lo que está ocurriendo. ¿Quiere un café, señor Goldman?». Estuvimos un rato charlando en el salón. Creo que Donna Sanders se sentía más sola que nunca. Le apetecía hablar de su hija y con su marido tenía que evitar ese tema. «Cada cual tiene su forma de lidiar con el duelo», me explicó. Aproveché para enseñarle el vídeo de la audición que había enviado la agente de Alaska. También se lo habíamos puesto a las amigas de Alaska —me había llevado el portátil con esa intención—, pero nadie había sido capaz de identificar dónde se filmó. Lo mismo le ocurrió a Donna Sanders.

—No conocía esta grabación —me dijo, después de verla.

—Alaska la hizo nada más ganar el concurso de Miss Nueva Inglaterra. ¿Reconoce lo de detrás?

Volví a pasar el vídeo, pero Donna fue concluyente.

—No, no tengo ni idea de dónde pudo grabarlo. ¿Es importante?

—Quizá. ¿Ese cuadro no le suena de nada?

—Nada de nada. ¿Ha venido hasta Salem solo para enseñarme esto, señor Goldman?

—No —le contesté—. Me interesa saber qué ocurrió con el dinero que tenía Alaska. Tenía unos ahorros, ¿no? Las ganancias acumuladas con los concursos...

—Sí, era muy mirada con el dinero. Tenía una cuenta en el Bank of New England. Es todo lo que sé. De lo demás se ocupaba Robbie. Habría que preguntárselo a él. Una pena que no esté. Le diría que lo llamase al móvil, pero se pone de un humor de perros cuando lo molestan mientras juega al golf.

—Lo entiendo, no se preocupe. ¿Tendría usted extractos bancarios antiguos de Alaska?

—Si hay algo, estará en su cuarto, he conservado tantos papeles... Robbie me lo sigue echando en cara aún hoy. Dice que deberíamos vaciar el cuarto. Venga, y se lo enseño.

Poco después estaba sentado ante el pequeño buró de contrachapado que había usado Alaska para hacer los deberes y escribir su correspondencia cuando era una adolescente. Donna Sanders sacó varios clasificadores en los que había un batiburrillo de recuerdos, documentos más o menos oficiales y fotos de su hija. Lo repasé hasta dar con un antiguo extracto del Bank of New England. Databa de 1997, lo que no me resultaba de gran ayuda, pero mencionaba la dirección de una sucursal de Salem y, sobre todo, el nombre de un asesor de esa oficina: Gary Stenson. La oficina estaba aún abierta, probé a llamar por teléfono sin grandes esperanzas de hablar con ese Gary sacado del año 1997. Pero hete aquí que en la centralita me pusieron con él.

—¿Diga?

—¿El señor Stenson? Soy Marcus Goldman. Estoy investigando el asesinato de Alaska Sanders, que era clienta de ustedes.

Supongo que esa forma de entrar en materia siempre impacta. Cuando le estaba explicando al tal señor Stenson cómo había dado con su nombre, me propuse: «Venga al banco, lo espero. Dese prisa, que ya falta poco para la hora de cerrar».

Veinte minutos después me encontraba ante Gary Stenson, en una oficina del Bank of New England. A Stenson le faltaban unos meses para jubilarse después de cuarenta años en esa entidad. Era un señor de pelo plateado, con un mostacho que le daba un simpático aspecto de morsa. Llevaba camisa de manga corta y corbata de rayas.

—He oído hablar de usted —me dijo—. Ya sabe que en principio debo guardar el secreto profesional con mis clientes.

—Ya lo supongo.

—Pero Alaska no es ya una clienta, su cuenta se cerró al fallecer. Así que no hay datos concretos que se puedan divulgar, y eso me lo pone más fácil para contestar sus preguntas. ¿Qué quiere saber?

—¿Conocía personalmente a Alaska?

—Sí, claro. Su padre también tiene una cuenta en este banco. Lo conozco de toda la vida. Alaska era una joven maravillosa. Si supiera lo que lloré cuando murió... Y eso que no llegué a conocerla mucho, pero me parecía todo un despropósito. ¿Por qué le interesa su cuenta bancaria?

—Me han descrito a Alaska como a una joven mirada con el dinero que había ahorrado para pagarse su sueño de ir a Nueva York. En octubre de 1999, más o menos dos semanas después de haber ganado un premio de quince mil dólares, se muda a Mount Pleasant y enseguida busca un trabajo en una gasolinera. No se para a pensárselo. Actúa de forma tan precipitada que me da la impresión de que estaba sin un céntimo. ¿Podría aclarármelo?

El hombrecillo me miró con expresión desconcertada. Acabó por decir estas palabras, que nunca habría imaginado que salieran de su boca: «¡Me cago en la...!». Comprendí que no se decidía a hablar.

—Señor Stenson —lo animé—, a lo mejor tiene usted una información crucial para el caso.

—El cheque de quince mil dólares del que habla vino a ingresarlo la propia Alaska con su padre. Era una cuenta conjunta con los padres, como ocurre siempre cuando se le abre una cuenta a un menor. Pero ese día le comenté a Alaska: «Eres mayor de edad desde hace unos meses, no necesitas a tu padre para autorizar tus operaciones bancarias». Se puso muy ufana. Se sintió independiente. Y justo al día siguiente, vino a verme Robbie, su padre, para transferir el dinero de su hija a otro banco. Tenía cincuenta mil dólares. Me explicó que iba a meter el dinero a una cuenta cuya única titular era Alaska. Yo no tenía ningún motivo para dudar de él, y además estaba autorizado en la cuenta de Alaska. Podía hacer lo que quisiera, yo no tenía por qué hacerle preguntas. Así que obedecí. Pero resulta que más o menos dos semanas después, no recuerdo ya la fecha, vino Alaska para sacar dinero. Cuando le dije que su padre había transferido los fondos se puso pálida. Dije que debía de tratarse de un malentendido. Pero se llevó un buen chasco. Se marchó hecha una furia.

—¿Y llegó a saber cómo terminó esa historia? —pregunté.

—Sí, volví a ver a su padre pocos días después. Ya lo voy recordando. Robbie Sanders pasó por la oficina preocupado por si su hija había montado un escándalo. No le había dado tiempo de avisar a Alaska de la transferencia. Todo estaba arreglado.

—¿Y era verdad?

—No lo sé. Nunca volví a ver a Alaska. Se había ido a vivir a New Hampshire.

Comprendí que el incidente que acababa de referir Gary Stenson había ocurrido el 2 de octubre de 1998. Ese era el auténtico motivo de la pelea entre Alaska y su padre que había concluido con la hija marchándose de casa.

Tenía que hablar inmediatamente con Donna Sanders y, sobre todo, con su marido. Iba hacia su casa cuando me llamó Gahalowood.

—Escritor, ¿dónde está? Tengo noticias para usted.

—Yo también, sargento. Voy a casa de los Sanders. Acabo de descubrir que el 2 de octubre de 1998 Alaska y su padre se pelearon porque él le había vaciado la cuenta del banco. Robbie Sanders nos mintió: esa historia de la marihuana era un cuento. Robbie había estafado a su hija.

—¡Caramba! Nos vemos en casa de los Sanders.

—Y usted, sargento, ¿qué ha desenterrado en los locales de la policía de Salem?

—Hemos conseguido el expediente de Eleanor Lowell. Por desgracia no hay gran cosa. Hablamos con el investigador que se hizo cargo en su día y la verdad es que no ve ninguna relación entre la muerte de Eleanor y la de Alaska. A cambio, hemos aprovechado para repasar los delitos importantes que ocurrieron en Salem en 1998. Y, fíjese, hay uno que nos ha llamado la atención: el 8 de octubre de 1998 hubo un robo con allanamiento, muy violento, en casa de los Sanders. A un policía lo arrolló un Ford Taurus negro.

—¿Un Taurus negro? —exclamé.

—Sabía que le iba a gustar.

Aún nos quedaban sorpresas por delante.

Me reuní con Gahalowood y Lauren delante de casa de los Sanders. Nos presentamos en ella juntos. Donna Sanders parecía de buen humor. «¡Ah, ya está de vuelta! —me dijo—. Justo a tiempo. Robbie acaba de llegar del golf».

Robbie apareció detrás de su mujer. Gahalowood les presentó a Lauren omitiendo adrede el apellido.

—Lauren es de la policía de Mount Pleasant —indicó—. Colabora con nosotros en la investigación.

Lauren saludó a los Sanders con un apretón de manos. Llevaba una camisa fina y se había subido las mangas.

—Señores Sanders —dijo—, querríamos hablarles del robo que hubo en su casa en 1998.

Robbie Sanders le dirigió una mirada peculiar antes de replicar:

—Viene muy a cuento hablar de robos. ¿Por qué lleva usted mi reloj en la muñeca?

La noche del robo
Jueves 8 de octubre de 1998

A las nueve y media una profunda oscuridad envolvía el barrio de Mack Park, en Salem. La calle estaba desierta. Soplaba un frío viento otoñal.

Nadie vio el Ford Taurus negro, sin luces, avanzar hasta la casa de los Sanders y maniobrar en el camino de entrada para ponerse en posición de salida. El vehículo no llevaba matrículas. Dentro, dos ocupantes con pasamontañas. Salieron sin ruido y desaparecieron por la parte trasera del jardín de los Sanders. Desde allí, ocultos por los setos, no se los veía. Se detuvieron un momento para cerciorarse de que la casa estaba vacía. Acto seguido, se acercaron a la puerta de la cocina. Una de las siluetas levantó el felpudo y luego un tiesto pequeño, como si buscase una llave allí escondida. En vano. Su compinche tomó las riendas de la operación: con la mano enguantada rompió uno de los cristales de la puerta, metió el brazo y abrió el cerrojo. Entraron en la casa.

Un ruido de cristales rotos alertó a Francisco Rodríguez, un vecino del barrio que estaba fumando un cigarrillo en su porche. Rodríguez era inspector de la policía de Salem y ese ruido lo inquietó. Tras acabarse el cigarrillo, dio unos pasos por la calle, aguzando los sentidos, pero todo parecía tranquilo.

Dentro de la casa, las dos siluetas se habían encaminado sin titubear al despacho de Robbie Sanders. Abrieron la caja fuerte que había allí y la vaciaron. Había sobre todo documentos, con la excepción de un reloj de oro con correa de cuero verde. Se lo llevaron y escaparon en el acto. La operación había sido limpia y rápida. Salieron de la casa como habían entrado: por la cocina y el jardín. Fueron pegados al último seto y se abalanzaron hacia el coche. En ese preciso instante se fijaron en el hombre que había en la calle; se estaba acercando al camino de entrada, intrigado por ese vehículo sin matrícula: era el inspector Rodríguez. Se quedaron los tres clavados en el sitio unos segundos.

«¡Sube!», ordenó una de las siluetas a la otra. Rodríguez exclamó: «¡Alto! ¡Policía!». Pero los dos malhechores se habían metido ya en el coche, que arrancó a toda velocidad. Rodríguez se puso delante para cerrarles el paso e impedirles salir del camino de la casa, pero el Ford iba lanzado. Al caer en la cuenta de que no iba a detenerse, Rodríguez quiso hacerse a un lado tirándose al suelo, pero ya era demasiado tarde. El capó lo golpeó y lo derribó.

El coche desapareció en la oscuridad.

El fin de semana iba a resultar agotador, pero fértil en giros imprevistos, merced a las pistas que se iban cruzando: el 2 de octubre de 1998, Robbie Sanders le robaba cincuenta mil dólares a su hija. El 8 de octubre de 1998, unos ladrones perfectamente informados le robaban a él un reloj valorado en treinta mil dólares. No podía ser una coincidencia.

22. Talión
Salem, Massachusetts
Viernes 16 de julio de 2010

Todo se había acelerado la víspera, cuando Robbie Sanders reconoció su reloj en la muñeca de Lauren. No se trataba de un modelo único, pero no nos costó verificar su procedencia. Robbie Sanders lo había heredado de su padre, Christian Sanders, y este lo había mandado grabar con sus iniciales. En la parte trasera de la caja encontramos efectivamente una discreta indicación: C. S., en la que Lauren no se había fijado nunca.

—Pues sí que es tu reloj, Rob —susurró Donna Sanders, pasmada.

—¿De dónde lo ha sacado? —inquirió su marido.

—Me lo dieron —explicó Lauren—. Me viene de mi hermano.

—¿Y de dónde lo sacó él?

—Ni idea.

Lauren se quitó en el acto el reloj de la muñeca, como si le quemase la piel. Robbie Sanders creyó que iba a poder recuperarlo, pero Gahalowood lo interceptó.

—Lo siento, señor Sanders —dijo—, pero este reloj es ahora una prueba dentro de la investigación del robo ocurrido en su casa en octubre de 1998.

—Es un caso que tiene ya doce años —hizo notar Robbie Sanders.

—No por eso está cerrado. Le recuerdo que su vecino resultó gravemente herido al tratar de detener a los malhechores.

En el salón de los Sanders juntamos las piezas de ese puzle que se nos había presentado. Robbie y Donna nos contaron con detalle la velada del robo: era su aniversario de boda y, como todos los años, habían ido a cenar a un asador del centro de Salem. Al volver, se encontraron con la calle iluminada por las luces de los coches patrulla y a todos los vecinos del barrio apiñados delante de su casa.

—¡El pobre Francisco Rodríguez! —se lamentó Donna Sanders—. Salió adelante, pero se le destrozó la vida. Le operaron la pierna incontables veces y nunca pudo volver a andar bien. Lo trasladaron a los servicios administrativos de la policía. Se mudó, no podía ya vivir en su casa por culpa de las escaleras.

—Por lo que dice el informe —intervino Gahalowood—, en ese robo lo único que se llevaron fue este reloj. ¿Es así?

—Sí —contestó Robbie Sanders—. Entraron por la puerta de atrás y fueron directamente a mi despacho.

—Por lo que dice el informe —insistió Gahalowood—, a Francisco Rodríguez lo alertó un ruido de cristales, debió de ser cuando rompieron el de la puerta. En lo que tardó en dar unos pasos por la calle y localizar ese coche sospechoso delante de la casa de ustedes, los ladrones ya estaban fuera.

—Efectivamente —asintió Robbie Sanders.

—No forzaron la caja fuerte. Usted declaró a la policía que a lo mejor se le había olvidado cerrarla con las prisas por irse al restaurante.

—Es verdad, esa noche se nos había hecho tarde. No quería perder la reserva.

—A ti siempre se te hace tarde, Rob —comentó Donna, que estaba a mil leguas de imaginar lo que iba a ocurrir en su salón.

—¿Su reloj estaba asegurado?

—Sí.

—¿Y no tuvo dificultades para que lo indemnizaran a pesar de ese despiste? A las compañías de seguros no les gustan demasiado los clientes que no cierran la caja fuerte, por lo general se resisten a pagar.

—Sí, es cierto —admitió Robbie Sanders—. Tuve que mandar un requerimiento de pago, pero la cosa se solucionó. No veo dónde quiere ir a parar, sargento. ¿Por qué saca a relucir todo esto?

—Porque resulta, señor Sanders, que cuando salí de la academia de policía, me destinaron una temporada a emergencias. Es la trayectoria habitual. Vi bastantes robos con allanamiento y, créame, de forma casi sistemática, las víctimas añaden objetos robados imaginarios a su declaración. Sobre todo tienen buen cuidado de no revelar un fallo por su parte que se les pudiera echar en cara: una ventana que se han dejado abierta, una puerta que no tiene la llave echada. Quieren tener la certeza de que el seguro no va a ponerles pegas...

—Sargento, discúlpeme, pero sigo sin saber dónde quiere ir a parar —repitió Robbie Sanders.

El ambiente se puso tenso. Admiré cómo Gahalowood disparaba el primer misil.

—Pues bien, señor Sanders, cuando acaban de robarle a uno un reloj de treinta mil dólares de la caja fuerte y cree que se le olvidó cerrarla antes de salir, le dice a la policía: «No lo entiendo; si estaba cerrada... Siempre lo compruebo dos veces antes de irme». En su caso, ¿por qué contarles a los investigadores que ha cometido una negligencia? En este asunto es usted la víctima y no el culpable, ¿no?

—¡Por supuesto que soy la víctima! Sobre la marcha me sentía abrumado por lo que acababa de ocurrir: habían arrollado a nuestro vecino, habían allanado nuestro hogar. No tuve presencia de ánimo para mentir. ¡Soy un ciudadano honrado, sargento!

Entonces tomé el relevo.

—Señor Sanders, nos preguntamos si este robo no tiene relación con otro.

—¿Con cuál?

—Los cincuenta mil dólares que pertenecían a su hija y que usted retiró de su cuenta bancaria.

Robbie Sanders se puso de pie bruscamente.

—¿Cómo se atreve? —vociferó.

Su mujer lanzó un grito, que no supimos si era de estupor o un intento de calmar a su marido. Creí que este iba a darme un puñetazo en toda la cara, pero se echó a llorar como un niño. Donna Sanders estaba completamente perdida. «Robbie, ¿de qué están hablando? Robbie, pero ¿a qué se refieren?». Él se desplomó en el sofá, ella lo abrazó. Nos habló entonces del demonio que lo poseía en esos años y del que su mujer no sabía nada.

—Todo ocurrió muy deprisa —nos contó Robbie Sanders—. En realidad, nunca había jugado hasta que unos clientes insistieron en llevarme al casino. Fue en 1997. No podía negarme, no quería ofenderlos. Y, además, también me divertía descubrir ese universo. Me senté a una mesa de blackjack y empecé a ganar, partida tras partida. Reuní fichas por un valor de casi diez mil dólares. Estaba extasiado. Cuanto más jugaba, más ganaba. ¡Era tan embriagadora la sensación de ganar! Y luego la velada se torció: empecé a perder, y a perder más y más. Y, cuanto más perdía, más quería recuperarme. Lo dejé cuando me quedé pelado. Esa noche, ya en casa, no dormí. Estaba desquiciado. ¿Cómo había podido despilfarrar todo ese dinero? ¿Por qué no me había retirado antes? Solo pensaba en una cosa: volver a jugar. Y, esta vez, ganar. Empecé a frecuentar los casinos, alegando cenas de trabajo. Evitaba el de Salem, para que nadie me reconociese. Pero lo que ganaba acababa por perderlo sí o sí. Al principio, había cierto equilibrio. Sin embargo, durante 1998 comencé a acumular pérdidas. No conseguía recuperarme, pero me resultaba imposible dejar de jugar. Estaba agobiado de deudas, necesitaba liquidez. A finales del verano de 1998, mis acreedores me presionaron más. Uno de ellos amenazaba con contárselo todo a mi mujer. Para calmarlo, empeñé el reloj de mi padre. Ese reloj, que era a lo que más apego tenía en el mundo. Dos semanas después, más o menos, cuando fui al banco con Alaska para ingresar su cheque de quince mil dólares, caí en la cuenta de que podía disponer libremente de su dinero. Al salir del banco ya solo podía pensar en eso. En la cuenta de mi hija había bastante para recuperar el reloj y saldar mis deudas. Para pasar esa oscura página de mi vida. Iba a devolverle el dinero a Alaska lo antes posible. Además, quería buscar ayuda, había encontrado a un psicólogo especialista en ludopatías... Solo necesitaba una ayudita, todo ese dinero que estaba ahí muerto de risa en la cuenta de Alaska... Así que fui al banco y le vacié la cuenta. ¡Era solo un préstamo, tenía intención de devolvérselo!

—Pero Alaska lo descubrió todo —dije.

—Sí. Fue un viernes. El viernes 2 de octubre de 1998.

*

Salem, Massachusetts
Viernes 2 de octubre de 1998

Era media tarde. Al oír la puerta de la calle, Robbie creyó primero que era su mujer, que volvía de Providence, adonde había ido a solventar con sus hermanas los detalles de una herencia.

—¿Eres tú, Donna? —dijo Robbie desde el salón, donde estaba leyendo el periódico.

No hubo respuesta. Vio entonces entrar a Alaska.

—Ah, hola, cariño. Creía que ya te habías ido a pasar el fin de semana con Walter. ¿Va todo bien?

Su hija lo miraba con muy malos ojos.

—¿Alaska? —se inquietó Robbie.

—¿Dónde está mi dinero? —preguntó ella.

Robbie se puso pálido.

—Alaska, cariño, deja que te explique...

—¿Dónde está mi dinero? —chilló ella.

—Oye, es complicado, yo...

—Gary Stenson me ha dicho que lo has pasado a otra de mis cuentas. ¿De qué habla? ¡No tengo otra cuenta!

A Robbie no le quedó más remedio que confesárselo todo.

—Me lo he gastado. Tenía problemas...

Alaska estaba espantada.

—Pero ¿de qué vas? ¡No tenías ningún derecho!

—¡Te lo devolveré todo, te lo juro!

La voz de Walter interrumpió momentáneamente la pelea. Iba a recoger a Alaska, como estaba previsto.

—Perdón —saludó—, pero he oído gritos y por eso me he permitido entrar.

—¡Vuelve al coche y espérame! —le ordenó Alaska.

Walter se largó sin hacer preguntas.

—Alaska —farfulló Robbie—, deja que te lo explique. Contraje grandes deudas de juego y no me quedó más remedio que empeñar el reloj del abuelo. Compréndelo, tenía que recuperar ese reloj a toda costa antes de que lo vendieran y le perdiera el rastro. Es una joya de familia, será tuya algún día. Es única. Dame una semana y te devuelvo el dinero.

Alaska no podía creer lo que estaba oyendo.

—¡Me has robado para recuperar ese estúpido reloj! ¡Te odio! ¡No quiero volver a hablarte nunca! ¡Ni volver a verte!

Subió corriendo al primer piso, decidida a irse de casa. Su padre la siguió pisándole los talones y tratando de que entrase en razón. En su cuarto, cogió una bolsa de viaje de cuero y metió unas cuantas cosas.

—Alaska, escúchame, por favor te lo pido. Todo se va a arreglar.

—¡Mentiroso! ¡Ladrón!

De repente se abrió la puerta en la planta baja. Se oyó la voz de Donna Sanders.

—¿Qué está pasando aquí? —exclamó.

—Por compasión —le susurró Robbie a su hija—, no le digas nada a tu madre. Te lo voy a devolver todo. Te lo juro. Pero, por favor, ¡ni una palabra!

—¡No tenías derecho a hacerme esto! —chilló Alaska

—Si tu madre se entera de lo que ha pasado me va a pedir el divorcio. No querrás que tus padres se divorcien por esta historia que va a solucionarse, te lo prometo.

Donna apareció en la primera planta.

—¿Qué pasa? —exclamó al llegar delante del cuarto de su hija.

Hubo un silencio. Alaska tenía la cara desencajada de rabia y llanto. Miró fijamente a su madre y le preguntó:

—¿De verdad quieres saberlo?
—¡Pues claro que quiero saberlo!
Robbie intervino:
—¡He encontrado marihuana entre las cosas de Alaska!
—¡Papá! —chilló Alaska.
—¡Alaska! —dijo, desconsolada, Donna Sanders—. ¡No, tú no!
—¡Pues sí, ella sí! —escupió Robbie—. ¡Ha traicionado nuestra confianza! ¡No puedo creerlo!
—¡Alaska, me habías prometido que no la tocarías nunca! ¿Te das cuenta de las consecuencias? ¡Si se sabe, puedes perder el título de Miss Nueva Inglaterra! Y puedes despedirte de tu sueño de hacer cine.

Alaska fulminó a su padre con la mirada. Agarró la bolsa y salió huyendo. Corrió escaleras abajo, cruzó la puerta de la calle y se metió en el descapotable azul.

*

Donna interrumpió el relato de su marido. Estaba espantada.
—¿Te inventaste lo de la marihuana?
—Sí, y Alaska no me desmintió. Se fue para no tener que defenderse. Para protegerme. Soy responsable indirecto de la muerte de mi hija. ¡No soy un asesino y, sin embargo, yo también la maté!

Donna Sanders se desplomó, sollozando. A pesar de lo alterados que estaban los padres de Alaska, a Gahalowood no le quedó más remedio que continuar:
—Fue Alaska quien llevó la voz cantante en el robo la noche del 8 de octubre de 1998. Sabía de la existencia de ese reloj y conocía el código de la caja fuerte. Sabía también que ustedes habrían salido para celebrar el aniversario de boda. Robó su reloj para cobrarse su dinero. O para vengarse. Fue cosa de Alaska y usted se dio cuenta en el acto y por eso, después del robo, le comunicó de entrada a la policía que se le había olvidado cerrar la caja fuerte. No quería que siguieran el rastro hasta su hija.

—Sí —reconoció Robbie Sanders—, enseguida supe que había sido ella. No solo porque sabía el código de la caja fuerte, sino también porque durante años habíamos dejado una copia de la llave de la puerta de atrás debajo del felpudo y, luego, debajo de un tiesto. Yo acababa de quitarla porque nuestro vecino Rodríguez, ese policía tan majo, nos había avisado de que estaban aumentando los robos con allanamiento. Y, además, estaba ese Ford Taurus negro del que hablaban los policías y sabía que Walter tenía uno, así que me guardé muy mucho de decírselo.

Gahalowood se volvió hacia Donna Sanders:

—Y usted, señora Sanders, ¿sospechaba de Alaska?

Ella miró a Gahalowood con cara de asombro.

—¿Acaso cree que yo podría haber supuesto ni por un segundo que mi marido había robado a mi hija y que luego ella se había vengado? ¿Y cree de verdad que me sabía el puñetero modelo de coche del novio de Alaska? ¿O que sospechaba que mi hija, mi encantadora hija, había dejado inválido a un policía pasándole por encima?

No sabíamos si era Alaska quien iba al volante esa noche. Pero no cabía duda de que iba en el coche, puesto que Rodríguez había declarado que en él iban dos personas. ¿Quién era la otra? ¿Walter Carrey? Probablemente. Por desgracia, ni Alaska ni él vivían ya para arrojar luz sobre el asunto. En cambio, sabíamos por fin —o al menos eso era lo que creíamos— lo que había ocurrido en Salem y a qué se referían los mensajes que recibía Alaska. Había participado en el intento de asesinato de un policía y alguien la amenazaba con revelarlo.

Ahora entendíamos mejor el miedo cerval de Alaska durante el control de la policía de Conway, y tanto más cuanto que iba en el coche que habían utilizado la noche del robo. Para confirmarlo nos quedaba por dilucidar una última cuestión: ¿el Ford Taurus implicado era efectivamente el de Walter Carrey? Según Gahalowood, alguien en Mount Pleasant podía responder a esa pregunta y quería hacérsela de inmediato.

Justo después de la muerte de Alaska, Walter Carrey había pedido que le reparase a escondidas el coche a uno de sus amigos de entonces, Dave Burke, que trabajaba de mecánico en el concesionario Ford de Mount Pleasant. Era él con quien Gahalowood quería hablar.

23. Chanchullos
Mount Pleasant
Viernes 16 de julio de 2010

Gahalowood opinaba que Walter, si es que era él quien había arrollado al policía delante de casa de los Sanders, tenía que haber mandado reparar el coche con total discreción. «El impacto con un peatón —nos dijo— deja señales en la carrocería. No creo que Walter, que sospechaba que ahora estaban buscando su coche, fuera sin más a un taller para que le arreglasen los daños. Más bien lo veo hablando con su amigo el mecánico».

Caía la noche cuando llegamos a Mount Pleasant. Dave Burke estaba cenando. El joven mecánico de 1999 era ahora el jefe de taller del concesionario Ford. Nos recibió en el porche masticando aún la pasta que estaba comiendo con su familia.

—Lo siento —nos dijo—, pero mi mujer no quiere que hablemos de esa historia delante de los niños. Dice que pueden asustarse.

—No le vamos a quitar mucho tiempo —le aseguró Gahalowood—. Solo tenemos que hacerle una pregunta: en octubre de 1998, ¿Walter Carrey recurrió a usted para arreglar unos desperfectos en el capó de su coche?

—Hmmm —contestó Dave Burke para demostrar que se esforzaba en concentrarse—. Para qué lo voy a engañar, hubo una época en que hacía montones de arreglillos de poca monta a escondidas y los cobraba en efectivo. Me conchababa con los clientes del concesionario. Era solo para rayaduras o golpes pequeños. Eran tipos a quienes les gustaba tener el coche impecable y yo se lo hacía deprisa y bien. Iba a su casa con unos pocos materiales que pillaba en el taller: laca, barniz, algunas herramientas. Les hacía unas chapuzas muy apañadas. Les salía mucho más barato que en el concesionario y, sobre todo, yo no me sacaba de la manga un montón de extras. Walter acudía a mí continuamente para arreglarle roces. Cuidaba su coche y le gustaba que la carrocería estuviera perfecta.

—No se trata de rasguños superficiales —aclaró Gahalowood—, sino de algo más serio.

—Como ya sabe, el día que murió Alaska Walter me pidió que le arreglase un piloto y el parachoques. Después de eso, paré los chanchullos.

—El hecho del que le hablo ocurrió precisamente antes de la muerte de Alaska. En octubre de 1998. ¿Walter fue a verlo después de un accidente? ¿Después de haber chocado con algo o con alguien?

—Sí, sí..., ahora que me lo dice... No sé ya cuándo fue, pero le pegó un golpe a una cierva por la carretera.

—¿Una cierva?

—Eso fue lo que me dijo, en cualquier caso. Era una reparación mayor de las que solía hacer yo. Quise negarme, por cierto, pero Walter insistió. No quería llevar el coche al taller porque es obligatorio declarar en la policía cualquier choque con animales silvestres y no lo había hecho. El fallo era suyo y no quería que le calzaran doscientos dólares de multa. Así que me encargué de la reparación. Me llevó unas cuantas noches seguidas en el garaje de sus padres.

—¿Recuerda la fecha de esa reparación? —le pregunté yo—. Tiene mucha importancia para nosotros...

Dave Burke cerró los ojos un instante como si intentase volver a ver aquellos días. Traté de ayudarlo.

—Dice que estaba en el garaje de los padres de Walter. ¿Se acuerda de algún detalle? ¿Alguna anécdota, algún recuerdo que nos permita situar ese momento en el tiempo?

Después de pensar un buen rato, Dave Burke dijo:

—Los periódicos... Había tapado el suelo con periódicos. Y me acuerdo de que al principio me pasaba más tiempo leyendo los artículos que arreglando ese maldito coche. A Walter le sacaba de quicio, por cierto.

—¿Qué había en esos artículos que fuera tan apasionante?

—¡El proceso de destitución del presidente Clinton! —exclamó de pronto Dave Burke—. Eso es, ya me acuerdo: era en pleno caso Lewinsky y fue en el garaje de los Carrey donde fui siguiendo toda esa historia. Me impresionó mucho por entonces eso de que el presidente pudiera caer por una mamada.

—¿Cuándo empezó el proceso de destitución de Clinton? —preguntó Lauren.

Busqué en internet con el móvil:

—Empezó el 8 de octubre de 1998 —dije.

—¡Bingo! —exclamó Gahalowood—. O sea, el día del robo. Ya no cabe duda de que era Walter Carrey el que iba con Alaska.

*

Esa noche, a pesar de lo tarde que era, Patricia Widsmith, que no quería perderse los últimos progresos de la investigación, se reunió con nosotros en casa de Lauren. La dejó completamente pasmada lo que le contamos.

—Así que, si lo he entendido bien —nos dijo—, el padre de Alaska le vacía la cuenta y ella se venga yendo con Walter a quitarle el reloj.

—Exacto —le contesté—. Y la idea de una expedición de castigo cuadra bastante bien con la personalidad de Walter, quien, por una parte, no tolera las injusticias, pero sobre todo reacciona por impulso. Seguramente Alaska le habló del reloj y él sugirió que fueran a buscarlo.

—Así que se llevaron el reloj, y luego ¿qué pasó? —preguntó Patricia—. ¿Cómo acaba en la muñeca de Eric?

—Hay que ir a preguntárselo mañana a primera hora —sugirió Lauren.

—¿Tu hermano no te contó nunca cómo había conseguido ese reloj? —se extrañó Patricia.

—Nunca.

Le dije entonces a Lauren:

—Me contaste que Eric te había pedido que vendieras ese reloj después de ingresar en prisión. ¿Era de verdad para ayudar a tus padres a pagar la minuta de los abogados o quería librarse de él porque lo relacionaba con Alaska y, por lo tanto, con el asesinato?

—¿Dónde quieres ir a parar? —me preguntó.

Me expliqué:

—Puede que Eric se enterase de lo que había pasado en Salem y le hiciera chantaje a Alaska. Exigió el reloj a cambio de su silencio...

—Me extraña esa acusación infundada, Marcus —protestó Patricia.

—¿Infundada? Sabemos que en el pasado Eric le hizo chantaje a Sally Carrey —hice notar—. Así que no sería la primera vez. No estoy cuestionando la inocencia de Eric: una cosa es que le hiciera chantaje a Alaska, y otra que la matara.

—Pero ¿no ha quedado claro que Alaska necesitaba dinero? —recordó Patricia—. Podría haberle vendido el reloj a Eric sin que hubiera nada malo, ¿no? ¿Qué le parece, sargento?

—Me parece que no es seguro que las amenazas que recibió Alaska estuvieran necesariamente relacionadas con el robo...

—¿Y a qué se referían si no? —preguntó Patricia Widsmith.

—A la desaparición de Eleanor Lowell.

—¿De quién? —se extrañó la abogada.

—Eleanor Lowell, una modelo joven que conocía bien a Alaska y que desapareció en agosto de 1998 en unas circunstancias que dan que pensar.

—¿Qué nexo hay entre ambos casos? —preguntó Patricia.

—Ni idea —admitió Gahalowood—. Puede que ninguno. Pero reconozco que no puedo evitar relacionarlos, instinto de poli. Dos mujeres jóvenes, de la misma ciudad, que mueren con siete meses de diferencia, ambas en circunstancias turbias...

—Vamos, sargento —se irritó Patricia—, vamos a centrarnos, que si no nunca vamos a llegar a nada. También podemos examinar el asesinato del presidente Kennedy si quiere, pero me temo que no nos llevará muy lejos. —Se puso de pie y empezó a recoger sus cosas—. Nos estamos perdiendo en conjeturas. Vamos a esperar a Eric. Un poco de descanso nos sentará bien a todos. Tengo carretera por delante hasta Boston. Nos vemos mañana en la cárcel.

—¿No le importa dejarme en el hotel? —le preguntó Gahalowood—. Conozco a Marcus, va a volver a enrollarse y yo necesito dormir.

Sonreí al oír esa observación. No sabía si Gahalowood quería regalarnos a Lauren y a mí un rato de intimidad o si buscaba quedarse a solas con Patricia. Se fueron y me quedé solo en el salón de Lauren, sin saber si era inoportuno o no.

Ella se fue un momento a la cocina y volvió con una botella de vino, dos copas y un sacacorchos. Abrió el cabernet y me sirvió una copa. Luego me dijo:

—Háblame de ti, Marcus.

—¿Qué quieres saber?

—Cuando cenamos en Luini, la noche que firmaste ejemplares en la librería, me preguntaste por qué me había hecho policía y te contesté: «Por mi hermano». Antes yo te había preguntado por qué te habías hecho escritor y me contestaste: «Por mis primos». Hemos hablado mucho de mi hermano. Háblame de tus primos.

Esa noche le hablé de Hillel y de Woody, mis primos de Baltimore, los héroes de mi infancia. Llevaba encima la foto que había encontrado mi tío Saul, tomada en Baltimore en 1995. Se me veía con mis primos y con una joven de nuestra edad.

—¿Quién es? —preguntó Lauren.

—Alexandra —contesté—. Una antigua amiga.

—¿Una novia? —me pinchó Lauren.

—Una antigua novia. Fue muy importante en mi vida.

—¿Qué ocurrió?

401

—Un drama. Del que no me apetece hablar.

Puse la foto encima de un mueble. De hecho, me la dejé olvidada allí. Lauren me acarició la cara y me dijo:

—La vida es una sucesión de dramas. No hay que dejar que nos hundan.

Nos besamos. Un beso largo. Pero decidí no pasar la noche en su casa. No quería precipitar los acontecimientos.

Era muy tarde cuando volví al hotel. Me tenían un poco aturdido los descubrimientos del día. Según pasaba, me llamó el vigilante nocturno. Había un sobre a mi nombre. Lo abrí y encontré una entrada para el concierto de una orquesta local y un coro de tercera categoría que interpretaban juntos las mejores arias de *Madame Butterfly*. Solo había una persona que pudiera haberme mandado esa entrada: Harry Quebert.

Cuando lo llevaron a la sala de visitas, no cabe duda de que Eric Donovan se sorprendió al vernos de vuelta en la cárcel. A diferencia de lo que había ocurrido la víspera, eran Gahalowood y Lauren quienes estaban sentados a la mesa, mientras que Patricia y yo permanecíamos en una esquina. Eric cayó en la cuenta enseguida de que el hecho de que su abogada se quedase aparte no presagiaba nada bueno para él.

24. Préstamo prendario
Concord, New Hampshire
Sábado 17 de julio de 2010

Gahalowood le asestó para empezar:

—Eric, ¿se acuerda de nuestra conversación de ayer? Le dije que, si volvía a mentirme, dejaba de investigar su caso.

Eric pareció alarmarse.

—No le he mentido, sargento. ¿A qué se refiere?

Lauren le sacudió delante de las narices una bolsa de plástico que contenía su reloj, o más bien el de Robbie Sanders. Preguntó, muy seca:

—¿Reconoces este objeto?

—Sí, es mi reloj —contestó Eric, desconcertado.

—No, no es tu reloj. Es un reloj robado. ¿Sabes por qué está en una bolsa de plástico? Porque va unido al intento de asesinato de un policía de Salem.

—¿Qué? Un momento... ¡Me he perdido del todo!

—El 8 de octubre de 1998 —dijo Lauren—, Alaska y Walter entraron en casa de los padres de Alaska, robaron este reloj y, al escapar, arrollaron a un policía que quería detenerlos. ¿Pretendes que me crea que no lo sabías?

—¡Por supuesto que no lo sabía!

—Eric, por una vez en la vida sé sincero: ¿le hiciste chantaje a Alaska?

—Claro que no. Pero bueno, ¿qué mosca te ha picado?

—¿Le mandaste mensajes para conseguir algo de ella, como hiciste con Sally Carrey?

—¡No, lo juro!

—¿Mataste a Alaska? ¿Fuiste tú quien la mató, maldita sea?

—¡Claro que no! ¡Llevo once años sin dejar de proclamar mi inocencia!

—¡Entonces habla! ¡Escúpelo todo! ¿Cómo conseguiste este reloj?

—Me lo vendió Alaska. Por diez mil dólares. Necesitaba pasta a toda costa.

*

Mount Pleasant
Enero de 1999

Alaska había quedado con Eric en el Season. Cuando él llegó, Alaska lo estaba esperando en una mesa apartada, al fondo del local. Parecía nerviosa.

—¿Quieres tomar algo? —preguntó ella.

—Le he pedido un café a Regina. ¿A qué viene tanta urgencia?

—Tengo un problema, Eric. Necesito diez mil dólares.

—Eso es un dineral. ¿Para qué lo necesitas?

—Se lo debo a Lewis Jacob. Pero, bueno, Eric, eso no es asunto tuyo. ¿Puedes ayudarme o no?

—Es mucha pasta para un préstamo. ¿Qué te hace suponer que estoy en condiciones de hacértelo?

—Tenías un buen trabajo en Salem, vives en casa de tus padres, así que no tienes gastos fijos. Te compras mucha ropa. Y, además, puedo darte garantías.

A Eric le hizo gracia esa respuesta.

—¿Qué clase de garantías?

Ella le enseñó un reloj de oro. Él dio un silbido de admiración.

—¡Caramba! ¡Esto son palabras mayores!

—Ya lo sé. Caja de oro, correa de caimán. Vale por lo menos treinta mil dólares. Te lo dejo en prenda. Me lo devuelves cuando te pague.

—Si no me has devuelto el dinero de aquí a un año, me quedo con él.

—Trato hecho —dijo Alaska—. Solo te pido una cosa: no te pongas el reloj y, sobre todo, no le hables de nuestro arreglo a Walter. No lo entendería. ¿Puedo contar contigo? Tiene que quedar entre nosotros.

—Tu secreto está a buen recaudo —aseguró Eric.

—¿Cuándo puedes traerme el dinero?

—Ahora mismo. El banco está enfrente.

*

—Fuimos al banco —nos contó Eric—. Saqué el dinero y Alaska me dio el reloj. Cuando murió, me pregunté qué debía hacer con él.

—¿Por qué no se lo dijiste a la policía? —preguntó Lauren.

—Habría sido una prueba más en mi contra —comentó Eric—. Ya me olía algo turbio en el asunto de este reloj, y más aún porque Alaska me había dicho que no le dijese nada a Walter. Contárselo a la policía por entonces era cavar mi propia tumba. ¿Qué historia es esa de un robo?

—El padre de Alaska le había vaciado la cuenta —explicó Gahalowood—. Ella quiso vengarse o, al menos, resarcirse. ¿Así que Alaska le dijo que esos diez mil dólares eran para Lewis Jacob?

—Sí. Pensé que habría metido la mano en la caja, pero no me dijo más. Vayan a preguntárselo a Lewis.

—Eso es justo lo que pensamos hacer.

Eric Donovan se había quedado atrapado en un engranaje que lo obligaba a callar, entorpeciendo así la investigación.

Todo cuanto hubiera podido revelarle a la policía once años atrás y darle una perspectiva diferente al caso lo habría implicado más aún. Hasta cierto punto, el padre de Alaska se había metido en una encerrona similar; ambos habían callado por temor a las consecuencias, pero, al hacerlo, a quien habían protegido era al asesino de Alaska. Eran culpables de su silencio. Y nosotros estábamos a punto de descubrir que Lewis Jacob también lo era.

Aquel día lo encontramos en su casa, sentado delante de la vivienda en una de esas sillas Adirondack de madera, típicas de Nueva Inglaterra. Nos recibió con la amabilidad habitual.

—¿Qué tal la investigación? —nos preguntó.

—Avanzando —contestó Lauren—. Y tenemos una pregunta sobre Alaska que usted puede respondernos.

—Me alegraría mucho ser de ayuda. Vamos dentro, estaremos mejor. Y así saludan a mi mujer: le gusta que venga gente a casa.

—Lewis —le aclaró Lauren—, es una conversación privada.

A él le hizo gracia el comentario.

—Cincuenta años de casados; no tengo nada que ocultar. Phylis me conoce de sobra. No tengo secretos para ella.

Pero sí que los tenía. El problema con algunos secretos es que se nos olvidan. Hasta que un buen día suben a la superficie, como cuando rebosa el agua de las cloacas.

Phylis Jacob estaba en la cocina.

—Cariño, es algo de la investigación sobre Alaska —anunció su marido.

En el tono alegre se le notaba la satisfacción de tener visita.

—¿Avanzan ustedes? —preguntó Phylis Jacob.

—Sí, señora —le contestó Gahalowood—. Hemos venido a preguntarle a su marido por qué le exigió a Alaska que le diese diez mil dólares a principios de 1999.

Phylis Jacob se quedó con la boca abierta y a su marido se le demudó la cara. Se sentó en una silla, tapándosela con las manos. Gahalowood repitió la pregunta:

—En enero de 1999, Alaska entregó un reloj muy caro como prenda de un préstamo de diez mil dólares que le debía a usted. ¿Qué ocurrió, señor Jacob?

—¿Qué ocurrió, Lewis? —repitió su mujer.
—Hubo un incidente en la gasolinera.

*

Domingo 3 de enero de 1999

Lewis Jacob llegó a la gasolinera temprano. No solía trabajar los domingos. La tienda la atendía la empleada, Samantha Fraser. Le caía bien Samantha, una joven agradable a quien apreciaban los clientes. Era muy trabajadora, durante la semana estudiaba para enfermera. Por las noches trabajaba en un McDonald's y los domingos en la gasolinera. Samantha y Alaska se parecían. Lo tenían todo a su favor. Según Lewis Jacob, lo único que fallaba eran sus novios. Opinaba que el de Alaska era una rémora, que no le prometía sino un porvenir muy limitado en Mount Pleasant. Por lo menos, Walter era simpático. Pero Samantha llevaba años con Ricky, un expresidiario que le pegaba a las primeras de cambio.

Ese domingo, Samantha llamó a Lewis Jacob.

—Tiene que venir, señor Jacob —le dijo.

—¿Qué pasa?

—Hay un problema.

—¿Qué clase de problema?

Oyó entonces de fondo una voz burlona.

—¡Tiene que mover el culo, Jacob! Tiene un problema tremendo.

—Samantha, ¿qué pasa? —dijo, preocupado, Lewis, que creyó de entrada que la estaban atracando.

—Es Ricky, señor Jacob. De verdad que tenemos que hablar. Venga, si no Ricky dice que irá a buscarlo a su casa.

Así que Lewis Jacob se plantó allí a todo correr. Al entrar en la gasolinera, se encontró a Samantha y a Ricky detrás del mostrador.

—¡Cerdo! —exclamó Ricky con un tono a la vez guasón y ofensivo.

Lewis no entendía lo que estaba pasando, pero tenía un nudo en el estómago que no presagiaba nada bueno.

—¿Por qué ha hecho eso, señor Lewis? —preguntó Samantha—. Yo creía que era usted respetuoso.

—¿Qué he hecho?

Ricky enarboló entonces una pequeña cámara de vídeo que acababa de romper a patadas.

—¿Qué es eso? —preguntó Lewis Jacob.

—No te hagas el inocente —le ordenó Ricky, esta vez en tono agresivo—. Este chisme estaba escondido en la habitación que las chicas usan de vestuario. ¿Grabas a tus empleadas cuando se están cambiando? ¡Eres un cerdo repugnante! ¿Te pone cachondo? Me habría gustado mucho ver las imágenes, pero no hay cinta en la cámara. ¿Dónde están, viejo vicioso?

Lewis estaba estupefacto.

—¡Ricky, Samantha, no tengo nada que ver con eso! —aseguró—. Tenéis que creerme. No sé de dónde ha salido esa cámara.

—¡Cállate la boca, so mierda! —ordenó Ricky—. No quiero oír tus explicaciones de pervertido. Quiero pasta.

—Sí, señor Jacob —insistió cortésmente Samantha—. Queremos dinero.

—Si pagas, te dejo en paz. ¡En cambio, si no pagas, te achicharro la gasolinera, te quemo la casa, te lo achicharro todo! ¿Lo pillas? ¡Y luego te achicharro los huevos también!

Lewis Jacob se dio cuenta de que no tenía ninguna probabilidad de convencer a Ricky de que no había colocado ninguna cámara en el vestuario. En ese momento no pensó sino en una cosa: librarse de ellos.

—¿Cuánto queréis? —preguntó.

—¡Cien dólares! —exclamó Samantha.

—¡No, idiota, mucho más! —berreó Ricky.

—¡Quinientos dólares! —aventuró entonces Samantha.

—¡No, muchísimo más! —vociferó Ricky—. ¡Quiero veinte mil dólares!

—No los tengo —dijo Lewis—. No tengo esa cantidad. Nunca podría pagárosla.

—¿Cuánto tienes? —preguntó Ricky, que no era ninguna lumbrera en el arte de la negociación.

—Creo que podría daros diez mil dólares.

—¿Y por qué iba a creerte? —preguntó Ricky—. ¡Estoy seguro de que tienes mucho más! He visto la caja fuerte de tu despacho.

—Está vacía, como quien dice —se lamentó Lewis—. Os la puedo enseñar...

Lewis llevó a la pareja al despachito. Abrió la caja fuerte, en la que había trescientos dólares en efectivo. Ricky se los metió en el bolsillo en el acto.

Lewis Jacob guardaba los documentos profesionales y bancarios en la caja fuerte. Pudo enseñarle sus últimos extractos a Ricky.

—Ya ves que no te miento. Hay dinero en la cuenta conjunta de Phylis y mía: 10.039 dólares con 40 céntimos. Es un dinero que teníamos ahorrado para alguna emergencia.

—Muy oportuno —dijo Ricky—, esta es una emergencia de las gordas. Quiero mis diez mil dólares antes de una semana.

—Los tendrás —prometió Lewis.

Ricky dio media vuelta con expresión satisfecha.

—Venga, Sam —le dijo a su chica—. Nos largamos.

Samantha miró apurada a su jefe:

—¿Quiere que termine la jornada, señor Jacob?

—No, está bien así.

—Una semana, abuelete —le recordó Ricky—. Si el domingo que viene no tengo la pasta, ¡ya puedes andarte con ojo! Toma, puedes quedarte con esta cámara de mierda o, mejor dicho, con lo que queda de ella.

Se fueron los dos, dejando a Lewis consternado. Le costaba entender lo que había pasado. Llamó a su mujer para decirle que Samantha estaba enferma, que la había mandado a casa y que tenía que quedarse en la gasolinera. Luego se puso a pensar: sabía que no era él quien había puesto esa cámara en el vestuario. Las otras dos personas que tenían llave eran Samantha y Alaska. Así que esa historia de la cámara o era un montaje de Samantha y de Ricky para sacarle dinero o era cosa de Alaska. ¿Por qué iba ella a hacer algo así? ¿Por qué filmar el vestuario y, por tanto, a Samantha, puesto que era la única persona, además de ella, que utilizaba esa habitación? Lewis siguió pensando: él había cerrado la tienda la víspera. Como siempre, echó una ojeada al vestuario antes de irse. De haber estado allí la cámara, seguramente le habría llamado la atención. La habitación era diminuta, resultaba difícil esconder algo, lo que fuera. Así que, si la había colocado Alaska, había tenido que ir por la mañana, antes de abrir. Y, si había estado allí, la habrían grabado las cámaras de vigilancia.

Lewis llamó en el acto a su sobrino, quien le había instalado el sistema de vigilancia y que era el único que sabía moverse por el disco duro. Pero el sobrino no podía acercarse ese mismo día y el disco duro se borraba automáticamente al cabo de veinticuatro horas. A Lewis Jacob no le quedó más remedio que pedirle a Alaska que fuera y hacerle la pregunta.

*

—¿Así que era Alaska quien había colocado esa cámara en el vestuario? —preguntó Gahalowood.

—Sí —contestó Lewis—. La desenmascaré ese mismo día. Le pedí que fuese a la gasolinera y le puse delante la cámara de vídeo. «¿Esto es tuyo?», le pregunté. Se le desencajó la cara; entendí que eso quería decir que sí. Entonces le conté lo que acababa de ocurrir. Se echó a llorar y me pidió perdón.

*

Domingo 3 de enero de 1999

—Perdóneme, señor Jacob —sollozó Alaska—. He metido la pata como una imbécil.

—¿Que has metido la pata? ¡Hasta el fondo! Todavía no puedo creerme que me hayas puesto en una situación así! ¡Menuda decepción me he llevado!

—Era solo para gastarle una broma a Samantha —explicó Alaska—. Al colgado de Ricky se le ha ido la olla. Sé que Samantha intentó impedir que le hiciera daño, pero a Ricky no hay quien lo controle.

—¿Y qué se supone que tengo que hacer yo ahora? ¿Pagarle diez mil dólares a Ricky? Dice que le va a prender fuego a la gasolinera si no lo hago, y sé que es muy capaz.

—¡Yo se lo devolveré! —prometió Alaska—. ¡Hasta el último céntimo! ¡Puede descontármelo del sueldo todo el tiempo que sea necesario! ¡Ay, señor Jacob, cuánto siento haberlo metido en este lío!

—¡Ricky quiere el dinero de aquí al domingo! La única forma que tengo de pagarle es vaciar la cuenta conjunta que tengo con Phylis. Se dará cuenta enseguida. Tengo que decírselo...

—¡Ni se le ocurra! —suplicó Alaska—. Lo comentará por ahí, igual me denuncia a la policía. En esta ciudad las noticias vuelan. Le traeré el dinero, ya me las apañaré, yo tengo la culpa de todo esto.

—¿De dónde vas a sacar una cantidad semejante?

—No se preocupe por mí, señor Jacob. Lo solucionaré todo. Qué menos. Es usted tan bueno conmigo, esta es mi forma de agradecérselo.

*

—A los pocos días después me trajo el dinero —nos contó Lewis Jacob—. Pagué enseguida a Ricky y ahí quedó la cosa. Nunca la volvimos a mencionar.

—¿Así que no sabe por qué Alaska había puesto esa cámara en el vestuario? —pregunté.

—No.

—¿Y Samantha? ¿Qué fue de ella?

—Vino a trabajar el domingo siguiente como si tal cosa. Le pregunté qué pintaba allí y me miró con cara de ingenua: «¿Estoy despedida?». Le contesté que sí y se quedó triste y dolida. «Con el cariño que le tengo, señor Lewis». «Yo también te aprecio mucho, Samantha, pero eso no quita para que acabes de chantajearme». «Estaba entre la espada y la pared, ya vio que intenté hacerme la tonta con Ricky». «Lo siento, Samantha, pero no puedes seguir aquí». El despido duró poco: al cabo de unos días se presentó con la cara amoratada y me pidió por favor que volviera a admitirla alegando que yo pagaba mucho mejor que el McDonald's. «Ricky dice que necesitamos dinero, que tengo que trabajar». «¿Y él trabaja?». «No, no le va mucho». Alaska intervino: me afeó que castigase a Samantha por una tontería que había hecho ella. «Es muy injusto», me dijo. «¡Si despide a Samantha yo también me marcho!». No me apetecía nada quedarme sin Alaska, así que volví a contratar a Samantha. Pero resultó que, a las pocas semanas, desapareció de un día para otro. Había dejado los estudios y se iba de *road trip* con Ricky. Nunca volví a saber de ella.

—Lewis —preguntó Lauren—, ¿por qué no le contó todo eso a la policía cuando murió Alaska?

—Dudé si hacerlo o no. Pero para empezar me dio miedo que se pensara que yo tenía algo que ver con su muerte.

—Por entonces —comentó Gahalowood—, cada vez que se refería a Alaska era para ponerla por las nubes. Al margen del asunto de la cámara, en ningún momento nos dejó intuir esa faceta más retorcida de Alaska.

—¿Retorcida? No tenía nada de retorcida. Solo era una muchacha de veintidós años que había metido la pata y que, de hecho, asumió las consecuencias. Y, además, yo no las tenía todas conmigo. Samantha y Ricky se habían esfumado de momento, pero me daba miedo que volvieran a aparecer y me acusasen con la historia de la dichosa cámara. Era mi palabra contra la suya. La policía me habría tomado por un pervertido, era el último que había visto a Alaska viva y la habían encontrado muerta a un kilómetro de mi gasolinera. Así que, en un primer momento, preferí no decirles nada. Pero probablemente habría hablado si no hubieran detenido a Walter dos días después. La investigación estaba cerrada, me pareció que era preferible guardarme esa historia.

—Pues se equivocó —se lamentó Gahalowood.

Lewis Jacob, que sin duda sentía la necesidad de demostrar su buena fe, dijo entonces:

—Todo esto se menciona en mi testamento. No quería llevarme el secreto a la tumba.

Phylis Jacob, que hasta entonces había escuchado a su marido en un silencio pasmado, intervino al fin:

—¿Has hecho testamento?
—Sí, está en la notaría de Brown. Con la casete.
—¿La casete? —repitió Gahalowood—. ¿Qué casete?
—El domingo 28 de febrero de 1999, Samantha vino a mi casa para anunciarme que se iba. Era tarde. Me sorprendí mucho al verla. Me dijo: «Tengo que dejarlo, señor Jacob. No me queda más remedio. Le he dado mi llave de la tienda a Alaska, se la devolverá mañana». Samantha me explicó que Ricky y ella se marchaban de viaje. Luego me dio una cinta de vídeo pequeña y me dijo. «Dele esto a Alaska, por favor. Es suyo. Es un recuerdo». Cogí la casete, pero nunca se la di a Alaska. Primero quería ver lo que tenía grabado, por curiosidad, pero no disponía del aparato necesario. Pasó un mes, y entonces asesinaron a Alaska. Y yo tenía esa maldita casete. Acabo de decírselo, tenía miedo de convertirme en sospechoso. Y, además, en las ciudades pequeñas se pierde la reputación enseguida. La gente dejaría de ir a mi gasolinera, había metido en ella todos mis ahorros. Pensé que a lo mejor en la casete había imágenes de Alaska grabadas en el vestuario de mi gasolinera y eso iba a causarme problemas muy gordos. Quise quitármela de encima lo antes posible, pero a pesar de todo me remordía la conciencia por hacerlo. Así que la metí en un sobre y la llevé a la notaría. Dejando dispuesto que se abriera tras mi muerte.

*

Eddie Brown era notario de Mount Pleasant desde 1955. Era el único hombre de leyes de la ciudad y el más antiguo. Pese a haber cumplido ya los ochenta años, seguía trabajando e iba a diario a la notaría. Ese sábado, cuando nos presentamos en su casa, hubo que poner en marcha toda una operación para engatusarlo y que aceptara apartarse de su sillón, su libro y su limonada y acompañarnos a su despacho. «¿Y esto no podía esperar al lunes?», refunfuñó mientras lo ayudaba a subir al coche.

El notario Brown aún estaba en forma y creo que nuestra irrupción en la rutina del fin de semana le resultaba entretenida. «No todos los días le echa uno una mano a la policía en una investigación criminal», nos dijo. Luego, volviéndose hacia mí: «He leído su libro, joven. Sáqueme en el siguiente, ¿quiere? Me hace mucha ilusión». En la notaría, Brown tenía un armario de seguridad. «Todos los secretos de la ciudad están aquí», nos dijo complacido. Encontró enseguida el sobre que le había entregado Lewis Jacob. Dentro, una cinta de vídeo y una carta, fechada el 11 de abril de 1999, firmada por Lewis Jacob, en la que narraba los hechos tal y como nos los había referido una hora antes.

—¿Hay alguna posibilidad de que esta casete aún funcione? —preguntó Lauren.

—Eso espero —dijo Gahalowood—. Me voy ahora mismo a Concord a llevársela a los equipos técnicos. Ya veremos.

Este episodio suponía un nuevo giro en la investigación. ¿Y si las amenazas que había recibido Alaska no eran por robo en casa de sus padres, sino por esa cámara de vídeo que había ocultado en el vestuario de la gasolinera?

SÉ LO QUE HAS HECHO.

¿Podían esas palabras ser obra de Ricky o de Samantha? ¿Habían descubierto que era Alaska quien había colocado la cámara? Tras sacarle el dinero a Lewis Jacob, ¿habían querido hacerle chantaje a Alaska? Había que encontrarlos, pero teníamos muy pocas pistas; aunque sabíamos el nombre completo de Samantha, no conocíamos el apellido de Ricky.

Tras llevar al notario a su casa, Gahalowood me preguntó:

—¿Me acompaña a Concord? Voy a entregar la cinta y a empezar la búsqueda de Samantha y Ricky.

—Lo siento, sargento. Tengo que irme.

—¿Dónde va, escritor?

—Debo acudir a una invitación.

Esa tarde tomé la carretera, solo, en dirección a Maine. Al cabo de una hora, entraba en la encantadora localidad de Bridgton. Aún era temprano. Di una vuelta por la ciudad y luego, cuando fue la hora, acudí al auditorio del instituto municipal, donde se celebraba el concierto. Eran localidades numeradas. Me senté en la mía. La sala se fue llenando poco a poco, menos la butaca contigua. Cuando se apagaron las luces, seguía vacía. Empezó el espectáculo con un primer fragmento de *Madame Butterfly*: «*America for ever*». En ese momento, una silueta sigilosa vino a sentarse a mi lado.

Era Harry Quebert.

Tras acabar el espectáculo, nos sumamos, sin cruzar palabra, al torrente de espectadores que salían del auditorio. En el aparcamiento del instituto, una camioneta vendía comida para llevar. Harry se fijó en ella y me dijo: «Lo invito a cenar».

25. *Madame Butterfly*
Bridgton, Maine
Sábado 17 de julio de 2010

Comimos hamburguesas con patatas fritas en un banco frente al río. En silencio, dejando patente lo cortados que estábamos los dos. Yo comía sin hambre. No sabía qué decirle, ignoraba incluso por dónde empezar. Llevaba desde la última vez que lo había visto, en diciembre de 2008, deseando volver a encontrarme con él; no había imaginado que fuera a ocurrir así. Por fin le pregunté:

—¿Cómo supo que estaba en Mount Pleasant?

—La librería anunció su sesión de firmas. Y, además, otra vez se habla de usted en todas partes, Marcus. El caso Alaska Sanders, la nueva investigación que apasiona a América. ¿Su próximo libro?

—No lo sé. ¿Sigue viviendo en New Hampshire? Es como si se hubiera evaporado. Lo he buscado por todas partes, en vano. Llevo año y medio preguntándome qué habrá sido de usted.

—Me he convertido en un fantasma. Es lo mejor que podía ocurrirme. Por fin me he librado de esa fama con la que no sabía qué hacer. Soy un hombre libre, Marcus.

—¿Por eso ha desaparecido?
—El porqué es lo de menos. Digamos que fue necesario que me alejase. Era lo mejor para todo el mundo.
—Y entonces ¿qué pasa? ¿De pronto sintió la necesidad de reaparecer con esas figuritas de gaviotas y esos mensajes sibilinos?
—Mis mensajes no eran nada sibilinos. Le escribí que ni se le ocurriera dar clase a Burrows. Sería un grave error. No es sitio para usted.
—¿Y eso por qué? —pregunté, algo ofendido—. ¿No valgo lo suficiente para dar clase en Burrows?
—Al contrario, está por encima de eso. Tenía la sensación de que no había entendido usted lo que quería decirle, y es obvio que no me equivocaba, así que he querido hablarle de ello cara a cara, y de ahí esta cita.
—¿Y qué es lo que intenta decirme, Harry?
—Que ya le ha llegado el momento de ser usted mismo de verdad. Es Marcus Goldman, un hombre maravilloso, tenaz y con talento. Uno de los mejores escritores que haya conocido nuestro país, ya verá. Así que cuando descubrí que había tenido la mala idea de ir a Burrows...

Lo interrumpí:
—¿Cómo se enteró?
Sonrió, divertido:
—El caso es que cuando me despidieron de la universidad no eliminaron mi cuenta de correo electrónico. Sigo leyéndolo, y recibo, además de abominables anuncios, las notificaciones que se le envían a todo el claustro. Y así fue como a finales de junio me encontré, horrorizado, con un mensaje de Dustin Pergal que nos decía más o menos lo siguiente: «Me complace anunciarles la incorporación del escritor Marcus Goldman como profesor asociado. Impartirá clase de escritura. El señor Goldman ocupará el despacho C-223; agradeceré que le dispensen un cordial recibimiento». El C-223 era mi despacho, ¿no?
—Sí.
—Pues eso es lo que me preocupaba. Me da la impresión de que intenta revivir el pasado a toda costa, Marcus. Con esa Residencia para escritores de pacotilla en Aurora y, ahora, ocu-

pando mi despacho en Burrows. Ya es hora de que asiente su propia personalidad de escritor. Y, sobre todo, de que deje de empeñarse en ir pisando por donde yo piso... Que no se le olvide quién soy, Marcus. Que no se le olvide lo que hice.

—Precisamente. No se me olvida lo que hizo por mí.

—Ya sabe de qué hablo, Marcus.

—Da igual; es usted mi amigo a pesar de todo.

—Eso estoy dispuesto a serlo. Pero no podremos reencontrarnos de verdad hasta que deje de idealizarme y acepte que soy, sencillamente, su amigo, y nada más. Cuando renuncie por fin a esa estúpida imagen de mentor que me ha endilgado. ¡Un despacho en Burrows! ¡Bah! ¡Qué idea tan ridícula! Su destino está lejos de Burrows, realizando sus investigaciones, haciendo soñar a las masas, alimentando el entusiasmo que despierta.

—No sé si quiero esa gloria, Harry. Creo que aspiro a una vida normal, a una vida más serena.

—Es imposible, Marcus. ¡No lo puede remediar! ¡Le arde una llama por dentro y no puede evitarlo!

Había caído la noche. El cielo estaba cuajado de estrellas. Harry las miró.

—Debo irme —dijo—. Tengo bastante camino por delante.

—¿Volveremos a vernos? —pregunté.

—¡Pues claro, vaya pregunta!

—Le recuerdo que ha dejado pasar un año y medio sin dar señales de vida.

—No es más tiempo del que estuvo usted sin decir nada después de su primer éxito. ¿Recuerda esa época? Cuando le apeteció ir, ahí estaba yo. No se preocupe, volveremos a vernos cuando esté usted preparado, Marcus.

—Estoy preparado —afirmé.

—No, no lo está. Mientras no acepte lo que es, no estará preparado.

—¿Y qué soy?

—Un gran escritor.

—Usted también...

—¡Maldita sea, Marcus! —exclamó Harry—. ¿Por qué no quiere enterarse? ¡Ha ganado, me ha superado! Su fama, su nombre, su éxito ha superado cuanto habría podido hacer yo. ¿Por qué se empeña en laurearme?

—¡Yo nunca he pretendido competir con usted, Harry!

—¡Pues yo sí! ¡Desde el primer día empecé a competir con usted! ¡Y nunca se dio cuenta!

No sabía si me estaba poniendo a prueba o si decía la verdad:

—Vamos —me dijo—, pregúntemelo...

—¿Preguntarle qué?

—Por qué desaparecí. Por qué aquel día de diciembre de 2008, cuando me fui de su casa, me juré no volver a verlo. ¿Quiere saber por qué? Porque durante todo ese año 2008, cuando era usted incapaz de escribir su nueva novela, una parte de mí se alegraba de sus desdichas. ¡Desde el momento en que se presentó en mi casa, en febrero de 2008, tuve la esperanza de que se quedase atascado, Marcus! ¡De que fracasara estrepitosamente! ¡De que se le quemasen las alas! ¡Y sabe por qué? ¡Para volver a encontrarlo! Su éxito nos había distanciado. Habíamos tenido tanta cercanía, y luego ¡puf! El éxito y ¡adiós Marcus!

—Lo siento, yo...

—¡Pero si usted no tiene la culpa, maldita sea! ¿Es que no entiende lo que intento decirle? ¡No puede disculparse por su éxito! ¡Forma parte de usted! No se le puede reprochar a la oruga que se convierta en mariposa. Era su destino. Estaba escrito. ¿Y sabe una cosa? Que siempre lo supe. Nada de todo aquello me pillaba por sorpresa. Y luego resultó que, a principios de 2008, me lo encuentro febril, en peligro, lleno de dudas. Era un escritor atormentado, incapaz de escribir, y Barnaski le hizo sentir como una marioneta. Tiene derecho a la verdad: me gustó notar que era vulnerable porque me daba envidia su éxito. ¡ENVIDIA! ¿Me oye? Quería que dejases de triunfar, que se estancase. Porque su éxito me enfrentaba con mis propios fracasos, con mis demonios. Así que, cuando se vino a casa para escribir, cada vez que le preguntaba si el libro iba avanzando, me alegraba de que no fuera así. Y, cada vez que le sugería excursiones o actividades, que me lo llevaba por ahí, lejos de la casa, lejos de su trabajo, para ir a correr, a andar por la playa, a hacer esquí de fondo, o lo que fuera, en realidad me dedicaba a distraerlo de su trabajo. Estaba saboteando su carrera, quería que se le escapase la fama.

Siguió un largo silencio, y al cabo Harry añadió:

—Debe de odiarme...

—¿Cómo podría odiarlo?

—Porque las personas que se quieren no se tienen envidia.

—Me gustan los envidiosos: saben para qué viven.

Harry suspiró:

—¿Cómo anda su vida sentimental, Marcus?

Me sorprendió la pregunta.

—Hay una chica que me gusta mucho.

—No le pregunto si tiene una novieta, sino si ha encontrado el amor.

—No, ya sabe que...

—Lo sé, Marcus. Precisamente. Sé que está esa chica a la que quiso hace mucho y que, en el fondo, siguen queriéndose los dos. Es el amor de su vida.

—Eso es agua pasada.

—La vida es corta, Marcus, sobre todo a nuestra escala. En realidad, no hay agua pasada.

—Le perdí la pista...

—Ya sospechaba que me iba a contestar eso. Así que me he permitido buscarla en su nombre.

Según decía esas palabras, me alargó un sobre. Lo abrí y lo que encontré me desbocó el corazón. Harry siguió diciendo:

—Al recordar el año 2008, me doy cuenta de que no estuve a la altura de su amistad. ¿Quiere que seamos amigos? Como amigo me estoy portando. Soy una de las pocas personas que lo conocen lo bastante para saber que su vida está incompleta sin ella. Vaya a verla. Estoy seguro de que ella también lo está esperando.

Antes de irse, Harry me dio un prolongado abrazo. Luego desapareció en la noche. Me contuve para no ir tras él. Me quedé un rato sentado en el banco. Dejé vagar la mente hasta que un mensaje en el móvil me devolvió a la realidad. Era Lauren. Me mandaba una foto del mueble de su casa encima del que destacaba la foto de los tres primos Goldman y de Alexandra, que me había dejado olvidada la víspera. Para acompañar la imagen, Lauren me escribía:

Tus primitos están aquí. Solo faltas tú. ¿Vienes?

Me puse en camino y me detuve en su casa. Era tarde. La noche era calurosa. Lauren me esperaba en el porche.
—¿Dónde estabas?
—Había quedado con un viejo amigo.
—¿Y ha estado bien?
—Ha sido extraño.
Estaba alterado. Casi incómodo por estar allí. Acariciaba en el bolsillo el sobre que me había dado Harry. Era una entrada para un concierto de Alexandra Neville. Cuando pensaba en ella, volvía a sumirme en mis recuerdos de la infancia. Con los Goldman-de-Baltimore. Tenía que cerrar ese capítulo de mi vida.

Tercera parte
DE LAS CONSECUENCIAS DE LA VIDA

Habían transcurrido tres días desde la aparición de la cinta de vídeo. Los expertos de la policía estatal habían podido recuperar el contenido y lo que habíamos descubierto nos había movido a buscar rápidamente a Samantha Fraser.

26. Samantha
Rochester, New Hampshire
Martes 20 de julio de 2010

Esa mañana estábamos cruzando la ciudad de Rochester con la escolta de una impresionante columna de coches de la policía. Gahalowood, Lauren y yo íbamos en un todoterreno de la unidad especial de intervención. Un agente conducía, Gahalowood ocupaba el asiento del acompañante y Lauren y yo íbamos sentados detrás. Me rozaba la mano a escondidas. Habíamos pasado el domingo juntos en la playa, en Kennebunk, dejando a un lado por unas horas la investigación y las preocupaciones, y eso me había permitido digerir mi reencuentro con Harry. Me costaba no pensar en la entrada para el concierto y en Alexandra Neville, y al pensar en ella tenía la desagradable sensación de estar engañando a Lauren. No sabía muy bien qué hacer. Lauren me gustaba mucho, pero ¿bastaría con eso?

El conductor puso en marcha la sirena, devolviéndome de golpe al presente del convoy. No nos había costado dar con la pista de Samantha Fraser. La mala noticia, para ella, es que había pasado por la casilla de la cárcel. La buena, para nosotros, es que estaba en libertad condicional, con arresto domiciliario durante algunas horas del día. Vivía en una casa prefabricada en un barrio de Rochester con fama de peligroso; por eso llegábamos con escolta.

Los coches se detuvieron y se estableció rápidamente un perímetro de seguridad. Delante de la casa que correspondía a la dirección indicada, una mujer, sentada en una silla de plástico, observaba el despliegue de las fuerzas del orden. No era sino la sombra de sí misma. Tenía el pelo, la piel, el cuerpo grises; la mirada perdida, y la boca, desdentada. Estaba insultando a dos niños de unos diez años que jugaban a la pelota. En su documentación, era una mujer de treinta y seis años. En persona aparentaba veinte más. En el coche, Gahalowood nos enseñó una foto.

—La verdad es que no parece la misma —dijo—, pero es Samantha Fraser.

—¿Qué le ha pasado? —preguntó Lauren.

—Consumo de crack. Vamos allá.

Lauren, Gahalowood y yo salimos del coche, los tres con chalecos antibalas, y nos acercamos a la mujer.

—¿La señora Samantha Fraser? Soy el sargento Perry Gahalowood, de la policía estatal de New Hampshire.

—Me he portado muy bien, jefe —dijo en el acto Samantha.

—No lo dudo. Hemos venido para hablarle de Alaska Sanders.

—No la conozco. De todas formas, no he oído nada ni he visto nada.

—Trabajaba con usted en la gasolinera de Lewis Jacob de Mount Pleasant.

Samantha hizo mil muecas como para espabilarse la memoria. Tuvo que rendirse:

—Pues no. Ni idea.

—Eran amantes —dijo entonces Gahalowood.

*

La cinta que había conservado Lewis Jacob nos había revelado todo un fragmento oculto de la vida de Alaska.

La primera secuencia era del 21 de septiembre de 1998. Se veía a Alaska en el decorado misterioso que nadie había conseguido identificar y que era el mismo que el de la última audición que le envió a Dolores Marcado. En segundo plano, ese mismo cuadro que representaba una puesta de sol en el mar. Según avanza la secuencia, se comprende que Alaska está haciendo pruebas. Acerca la cara al objetivo mientras aprieta diferentes botones. El aparato debe de contar con una pantallita extraíble con la que ella comprueba el resultado final. De pronto, alza los ojos para mirar a alguien a quien tiene enfrente y le dice: «¡Hala! ¡Gracias por esta cámara! ¡Si con esto no llego a Hollywood...! ¡Te quiero, gracias, amor mío!».

La segunda secuencia se había rodado acto seguido: se trataba de la audición que luego le envió a Dolores Marcado. Estaba claro que la cámara era un regalo reciente. ¿A quién se dirigía Alaska al decir: «Gracias, amor mío»? ¿A Walter?

La escena que seguía se había grabado dos meses después, un domingo de finales de noviembre de 1998, en la gasolinera de Lewis Jacob. Alaska filma a una joven que está detrás el mostrador y sonríe apurada: Samantha Fraser.

—¿Por qué me grabas? —pregunta Samantha.

—Porque me apetece —contesta Alaska, acercándose a ella.

Ahora se ve a Samantha en primer plano. Y Alaska comenta:

—¡Damas y caballeros, les presento a Samantha Fraser!

—¿De dónde ha salido esa cámara? —pregunta Samantha.

—Un regalo de una época pasada de mi vida. Cuando quería ser actriz.

—¡Serías una actriz genial!

—Se me jodió.

—¿Que se te jodió? ¡Espera, dame eso!

Samantha coge la cámara y es la imagen de Alaska la que aparece ahora. Samantha comenta:

—Con todos ustedes, Alaska Sanders, la futura estrella —gira el objetivo hacia sí misma— y esta es su pobre amiga Sam, ¡que acabará en el arroyo!

Alaska se echa a reír, se acerca a la cámara y la gira para que en la imagen aparezcan las dos. De repente, Alaska le roba un beso a Samantha.

—¡Estás loca, aquí no! —exclama esta, sorprendida—. ¡Podría vernos alguien!

La secuencia posterior es del domingo siguiente. Se enciende la cámara, Alaska la sujeta con el brazo estirado. Las dos jóvenes están desnudas en el vestuario de la gasolinera. Alaska deja la cámara en un estante, comprueba el ángulo de la toma, y luego Samantha y ella se besan.

Domingo tras domingo, vuelve a verse a Alaska y a Samantha en la gasolinera. Hay alternancia de momentos de complicidad en que se graban imitando a Lewis Jacob detrás del mostrador o repiten sus muletillas. Se ríen como locas. Se burlan cariñosamente de él.

—¡Señor Jacob, por si ve esto algún día: lo queremos mucho! —le dice Alaska a la cámara.

—¡No nos habríamos conocido de no ser por usted! —interviene Samantha.

Luego arramblan con las patatas fritas y los caramelos que se llevan, para comérselos a buen recaudo en la trastienda. Charlan, se ríen.

Otra vez Alaska y Samantha besándose en el vestuario de la gasolinera. A veces, algún cliente interrumpe esos momentos de intimidad. Se oye un timbre electrónico y caen en la cuenta de que alguien está entrando en la tienda de la gasolinera. «¡Joder!», susurra Samantha, que se aparta de su enamorada para vestirse deprisa y corriendo mientras Alaska la mira muerta de risa.

Y el domingo siguiente, Samantha, grabada en el despacho de Lewis Jacob, le lee el test de personalidad de una revista.

—«¿Qué animal eres?» ¿Estás lista?

—Venga.

—Por las mañanas, sueles levantarte: a) siempre con energía, b) con dificultad, c) no te levantas, te acuestas porque acabas de pasar la noche en otras ocupaciones.

Durante las dos horas que duraba la cinta se descubría la historia de dos jóvenes cómplices.

La última secuencia era del 3 de enero. Volvían a besarse en el vestuario, con el pecho al aire. De repente, retumba una voz: «¿Samantha?». A esta le entra el pánico: «¡Joder, es Ricky, lárgate por la salida de emergencia!». Alaska se esfuma. Samantha apaga corriendo la cámara.

Fue el día en que Ricky descubrió la cámara y luego le sacó diez mil dólares a Lewis Jacob. Once años después, al reunirnos con Samantha Fraser, íbamos a entender qué había ocurrido aquel día. Ya no quedaba nada de la guapa morena de dientes blancos y cuerpo deseable de las imágenes. La Samantha Fraser de 2010 —con el pelo ralo, manchas en el rostro, la piel marchita y el cuerpo demacrado— miró fascinada el vídeo que le enseñamos en la leonera que le hacía las veces de salón. «Soy yo», murmuró al ver en la pantalla a la joven hermosa y risueña. Luego, al ver a Alaska, susurró: «Alaska... Alaska... Eres tú», sin que supiéramos si la reconocía o si repetía lo que oía en la grabación.

—Samantha —preguntó Gahalowood—, ¿no recuerda a esta mujer?

Ella miró al sargento con ojos vacuos.

—El crack me ha robado todos los recuerdos —se lamentó.

Se puso de pie de pronto y fue a trancas y barrancas hasta una mesa en la que reinaba un desorden indecible. Rebuscó entre aquellas cosas como si eligiera las piezas de un puzle; luego agarró un cuaderno escolar. Sonrió victoriosa, y exclamó: «¡Alaska! ¡Alaska!». Nos lo trajo. En el cuaderno que le tendió a Gahalowood aparecía escrito con rotulador negro: ALASKA.

Gahalowood lo abrió.

—Es un diario —nos dijo.

—Lo escribí yo —explicó Samantha—. Un día entendí que me estaba quedando poco a poco sin cerebro. Se me borraba la memoria. Primero me dije que tampoco era tan grave, al contrario, mejor si podía olvidarme de mi vida. Pero me di cuenta de que iba a olvidarla a ella también, y eso sí que no quería. Es la única cosa hermosa de mi vida. Así que escribí.

Extractos de ALASKA, por Samantha Fraser

La primera vez que vi a Alaska, me burlé de su nombre. Me dijo: «¡Pues anda que Samantha!», y nos reímos. Era una tontería, pero nos hizo gracia. Estábamos en la gasolinera. Había ido a presentarse. Decía que a partir de ahora éramos compañeras. A mí me la traía floja que fuéramos compañeras, pero parecía simpática. Sobre todo, era guapa. Nunca había conocido a una mujer tan guapa. ¡De alucinar! Bonita, sonriente, bien vestida, inteligente. Como habría dicho mi abuela: «Lo tenía todo».

Nos llevamos bien enseguida. Volvió el domingo siguiente, para decirme hola. Y al otro también. Y luego todos los domingos. Me hacía compañía. Los domingos no pasaba mucha gente por la gasolinera. No sé por qué el señor Jacob se empeñaba en abrir. En fin, no iba a quejarme, me pagaba el doble que en el McDonald's por trabajar la mitad. Pero eso no quita que fuera un coñazo. Así que me alegraba de que Alaska se pasara por allí. Y, además, ella era diferente, sabía montones de cosas. A mí se me hacían muy cuesta arriba los estudios de enfermería, Ricky me decía que era una inútil. Pero Alaska me dijo enseguida: «Lo vas a conseguir, bonita, eres inteligente».

Recuerdo esa frase porque nunca nadie me había dicho algo así. Primero, que fuera a llegar a algo, luego que fuera bonita, y después que fuera inteligente. Cuando me lo dijo, estuve a punto de echarme a llorar. Le conté que Ricky decía que con eso de los estudios no era más que una cretina pretenciosa. Me contestó que el cretino era él. Luego le dije a Ricky que Alaska había dicho que era un cretino. No quería causarle problemas a Alaska, solo que Ricky viera que Alaska también opinaba que él me trataba mal. Fue un error: Ricky se puso furioso. Dijo que iba a zurrarla y a enseñarle respeto.

Así que Alaska se encontró con Ricky. La estaba esperando conmigo en la gasolinera. Yo estaba fatal. Lloraba y todo. Alaska llegó y se quedó la mar de sorprendida, claro. Menos mal que Ricky no le arreó, pero se metió con ella. La agarró por el cuello y le dijo que la próxima vez que lo insultara le daría con el puño americano en la tripa. Luego la soltó y se fue. Alaska se quedó en el suelo llorando. Yo lo entendía porque Ricky puede meter mucho miedo, que me lo digan a mí. Me arrodillé a su lado y me dio tanta pena que me eché a llorar yo también. La abracé. Y luego ella me besó. Yo no me lo esperaba para nada, pero me gustó. Me gustó cuando me metió la lengua en la boca. Era dulce, era bueno. Era tierno, como dijo ella.

Nunca se me habría ocurrido besar a una mujer. Ese día, que había empezado supermal, fue un día que no se me olvidará, porque a partir de entonces Alaska y yo nos hicimos pareja. Se pasaba los domingos conmigo en la gasolinera, perdíamos el tiempo, nos reíamos, nos besábamos, hacíamos cosas en el vestuario, leíamos revistas mientras comíamos patatas fritas. Podíamos hacer lo que quisiéramos: casi nunca teníamos clientes y el señor Jacob no sabía usar las cámaras. Decía que solo las entendía su sobrino.

Hablando de cámaras, Alaska siempre venía con una pequeña que tenía. Decía que la usaba para conseguir recuerdos. También le divertía grabarnos cuando nos besábamos. Yo estaba dispuesta a todo por ella. Incluso le dije algo que nunca le he dicho a nadie: «Por ti haría lo que fuera».

También le pregunté a Alaska si lo que ella y yo hacíamos me convertía oficialmente en lesbiana. Alaska me dijo que qué más daba eso, que se puede querer a todo el mundo. Yo estaba de acuerdo con ella, pero aun así quería saberlo. Le dije que quería mucho a Ricky aunque me pegase. Me dijo: «¿Por qué sigues con un tío que te pega?». Le contesté: «No lo sé, estoy atada a él. A veces estás atada a alguien, pero no sabes por qué». Me dijo que lo entendía, que ella también estaba atada a alguien. Pero que sí sabía por qué: estaba locamente enamorada. Me dolió cuando me dijo eso. Me di cuenta de que me habría gustado que estuviera locamente enamorada de mí. Así fue como comprendí que Alaska estaba en Mount Pleasant de paso y que, en el fondo, yo no era más que su diversión de los domingos. Lo entendí porque le pregunté: «¿Ese enamorado tuyo es Walter?». Me dijo: «No, Walter me importa un bledo. Estoy atrapada aquí por algo que hicimos los dos». Me dijo que tenía a «otra persona». Alguien que la sacaría de «este agujero asqueroso de Mount Pleasant». Pregunté a qué estaba esperando esa persona para venir a buscarla y Alaska me contestó: «A divorciarse». En cuanto estuvieran firmados los papeles, se irían a Nueva York. El sueño de Alaska era vivir en Nueva York. Quería ser actriz. Al principio, cuando la conocí, decía que se le había acabado la carrera. «Por lo que pasó en Salem», decía. Tardó en contarme qué había pasado. Su padre, que menudo sinvergüenza debe de ser, le había birlado los ahorros. Ella había querido robarle el reloj, como compensación. Fue con Walter. Tendría que haber sido un trabajo limpio y rápido, pero los descubrieron y Walter se llevó por delante a un vecino, que además era un poli. Le dije que ella no tenía la culpa si el capullo de Walter había atropellado a un tío. Y el fulano, de todas formas, ni siquiera se había muerto. Yo sabía que ella haría realidad su sueño, que se convertiría en una actriz famosa, lo llevaba escrito. Mientras tanto las películas nos las montábamos nosotras con su cámara.

Igual que todas las cosas que empiezan bien en mi vida, esta acabó mal. El domingo siguiente a Año Nuevo, Alaska y yo estábamos besándonos en el vestuario. Con la cámara en marcha y todo lo demás. Yo me había quitado la parte de arriba y ella andaba entretenida con mis tetas. Y, de repente, se abre la puerta de la tienda, y se oye la voz de Ricky. Me entró el pánico, le dije a Alaska que se pirase por la salida de emergencia y apagué corriendo la cámara. No había ningún sitio donde esconderla, pero le puse delante unas botellas de productos de limpieza y, sobre todo, saqué la cinta y me la metí en el bolsillo. No me atrevía ni a imaginar lo que le haría Ricky a Alaska si se encontraba con esas imágenes. La cámara sola no demostraba nada.

Ricky entró en el vestuario. Me vio medio en pelota y se le puso una expresión muy rara. Me plantó una bofetada en toda la cara y me chilló: «¿Así es como atiendes a los clientes, so puta?». Yo no perdí la calma: «Ricky, esto es el vestuario. Me estoy cambiando. Me he tirado el café por encima». Le entró la risa y dijo: «Pegar primero y preguntar después». Le pregunté qué pintaba allí y me dijo: «He venido a comprobar si estás con otro». «¿Crees que te engaño?». «Ni idea. Llevas diferente una temporada». Y entonces me agarró las tetas y me dijo: «Por lo menos no he venido para nada». Me folló a la fuerza. Luego alzó la cabeza y vio la cámara apuntando hacia nosotros. Se puso a chillar. «¿Eso qué es?», gritaba. Tenía que encontrar una explicación rápida si no quería que me sacara la verdad a correazos y, sobre todo, que le hiciera lo mismo a Alaska. Así que grité: «¡Joder, el viejo verde del señor Jacob nos graba mientras nos cambiamos!». «¿Y tú no te habías fijado en que estaba ahí esa mierda?». «Pues no, Ricky, no miro en lo alto de las estanterías. Me cambio corriendo y empiezo mi turno». Estaba loco de rabia. Cogió la cámara y la abrió para sacar la cinta, pero estaba vacía. Tiró la cámara al suelo y la rompió a patadas. Berreó: «¡El cabronazo pervertido de Lewis Jacob! ¡Se va a enterar de lo que es bueno! ¡Me lo voy a cargar!». Me dio miedo que le hiciera daño de verdad al pobre señor Jacob, así que le dije: «Qué tontería matarlo. Mejor pedirle dinero». Dijo que era una buena idea y me pidió que lo llamara. El pobre señor Jacob vino enseguida; claro está, no entendía nada del asunto ese de la cámara. Ricky quería sacarle dinero. Intenté limitar los daños, sugerí cien o doscientos dólares. Pero Ricky le exigió diez mil dólares al señor Jacob si no quería tener problemas muy serios. De verdad que lo sentí por el señor Jacob.

Después de aquello, nos vimos Alaska y yo. Me dijo que iba a arreglarlo todo, que ella se hacía cargo y le iba a dar el dinero al señor Jacob. Me dijo que no me preocupase. Nadie me había dicho antes algo así. Y luego el señor Jacob me puso de patitas en la calle. Y, cuando Ricky me dio una paliza por no haber sido capaz de conservar ese curro por el que pagaban un huevo, como decía él, lloré como una cría. No por los golpes, sino porque, al perder el trabajo, eran mis domingos con Alaska lo que perdía.

Alaska se las apañó para que el señor Jacob me readmitiera. No sé qué le dijo, pero lo arregló todo. Me protegió. Fue la primera y la última persona que me ha protegido. Pero, después de esa movida, dejó de ir los domingos. La esperé como loca. La esperé cada vez que se abría la puerta de la tienda. Era como si algo se hubiera roto. Por culpa de Ricky. O quizá por culpa nuestra. Siempre supe que Alaska me había querido como a una amiga, aunque un poco más. Una amiga con quien se podía ir más allá. Pero en realidad estaba enamorada de otra persona.

Alaska Sanders es lo más hermoso que me ha pasado nunca. De mi vida, es el único recuerdo que deseo conservar.

*

Cuando Gahalowood acabó de leer ese texto en voz alta, Samantha estaba llorando.

—Qué historia tan bonita —nos dijo, como si la acabase de descubrir—. Se me había olvidado todo. ¿Está bien?
—¿Quién?
—Alaska. Han venido por algo de ella, ¿no? Espero que no le haya pasado nada.

Gahalowood se quedó cortado un momento. Luego le contestó:
—Está bien. Le manda recuerdos.

Samantha Fraser nos sonrió con los últimos dientes que le quedaban.
—Denle un beso de mi parte. Y díganle que la echo de menos.

Hicimos fotos al cuaderno para tener una copia y dejarle el original a Samantha. Luego Gahalowood comunicó por la emisora de la policía que nos íbamos. Samantha nos acompañó hasta la calle; aprovechó para meterse con los dos chicos que jugaban a la pelota.

Pero, cuando nos disponíamos a subir al coche de policía, Samantha exclamó:
—¡Mierda de impresora, voy a ir a Duty's a devolverla!

«¡Mierda de impresora, voy a ir a Duty's a devolverla!». Eso, por fuerza, tenía que estar relacionado con Alaska. Al oír a Samantha pronunciar esas palabras, Lauren nos miró: «¿Acaba de decir Duty's? Era una tienda de electrónica de Mount Pleasant. Quebró hace unos años».

27. Curiosas impresiones
Rochester, New Hampshire
Martes 20 de julio de 2010

Con una seña, Gahalowood indicó a sus compañeros que esperasen un poco y volvió a acercarse a Samantha.

—¿Qué es lo que ha dicho? —le preguntó.

—Ya no lo sé —contestó el fantasma.

Los dos niños soltaron la carcajada.

—No para de decir eso, señor agente. No se lo tenga en cuenta, no se estaba metiendo con usted.

—¿Qué es lo que no para de decir?

—«Mierda de impresora, voy a ir a Duty's a devolverla». Mi padre dice que es una vieja historia. A nosotros nos hace mucha gracia.

—¿Eres el hijo de Samantha?

—Sí, señor agente, y este es mi hermano. ¿Han venido por algo de mi padre?

—No, queríamos hacerle unas preguntas a tu madre. ¿Cómo se llama tu padre?

—Ricky. Ricky Positano.

—¿Dónde lo podemos encontrar?

—Eso no sabría decirle.

Acabábamos de dar con el rastro de Ricky Positano. Teníamos mucha curiosidad por interrogarlo y que nos diese su versión de lo que había ocurrido en la gasolinera. Ahora que sabíamos el apellido, Gahalowood podía encargar a un equipo que lo localizase.

Entretanto, Gahalowood, Lauren y yo fuimos al cuartel general de la policía estatal para hacer un balance de la situación con el jefe Lansdane. Invitamos a sumarse a la reunión al jefe Mitchell, que le pedía a Lauren informes diarios, y eso le hizo sentirse muy importante. Así pudimos informar a ambos de los últimos avances de la investigación.

2 de octubre de 1998: Alaska descubre que su padre le ha robado los ahorros. Furiosa, se va a casa de su amigo Walter, con quien de todas formas iba a pasar el fin de semana, y decide quedarse unos días, aunque probablemente no tenía intención de instalarse allí.

8 de octubre de 1998: Alaska Sanders organiza un robo con allanamiento en casa de sus padres. Sale mal. Walter, que la acompaña, arrolla a un policía que intentaba detenerlos. Alaska decide quedarse una temporada en Mount Pleasant. No puede vender el reloj de padre porque podría resultar comprometedor, así que empieza a trabajar en una gasolinera.

Noviembre-diciembre de 1998: mantiene una relación ambigua con su compañera de la gasolinera, Samantha Fraser. Alaska le revela que tiene pareja, alguien que no es Walter. Esa persona irá a buscarla y a sacarla por fin de Mount Pleasant. Probablemente es alguien que vive en Salem (le regala unos zapatos de vestir que solo se venden en una tienda de esa ciudad) y se está divorciando.

→ Alaska tenía una relación con Walter y otra con Samantha. Está claro que era bisexual. ¿Quién es esa tercera persona de la que dice estar muy enamorada? ¿Es hombre o mujer?

Enero de 1999: Ricky Positano, el novio de Samantha, descubre la cámara en el vestuario. Cree que Lewis Jacob graba a sus empleadas y le hace chantaje. Lewis Jacob descubre que la cámara es de Alaska.

Febrero de 1999: Samantha deja el trabajo en la gasolinera de repente. ¿Por qué? ¿Ha ocurrido algo?

3 de abril de 1999: asesinan a Alaska. Le encuentran en el bolsillo una nota que dice: SÉ LO QUE HAS HECHO.
→ ¿Qué le reprochan? ¿El robo que acabó mal en casa de sus padres? ¿Su relación con Samantha? ¿Los problemas que le ha causado a Lewis Jacob?

—Todavía nos queda tarea por delante —explicó Gahalowood—, pero empezamos a ver las cosas cada vez más claras.
—¡Estupendo trabajo! —nos felicitó Lansdane—. ¿Y qué pasa con Eric Donovan?
—Eric Donovan tuvo una relación con la madre de Walter Carrey y le hizo chantaje. Podría ser un buen motivo para que Walter lo incriminase en falso. En cuanto a su jersey, que encontramos con manchas de sangre de la víctima, Eric siempre afirmó que se lo había prestado a Walter, y ahora la madre de Walter lo ha confirmado.
—¿Están diciéndonos que todas las pruebas contra Eric Donovan se están desmoronando? —preguntó el jefe Mitchell.
—Queda la cuestión de su impresora, que se usó para hacer las notas amenazantes —especifiqué.
—Hablando de impresoras —añadió Lauren—, Samantha Fraser dijo hace un rato una frase muy enigmática: «Mierda de impresora, voy a ir a Duty's a devolverla».
—¿Duty's? —repitió el jefe Mitchell—. ¿La antigua tienda de Mount Pleasant?
—Nos toca averiguarlo —contestó Lauren.
—¿Qué es Duty's? —preguntó Lansdane.
—Era una tienda de electrónica de Mount Pleasant —explicó Lauren—. El dueño era un tío bastante peculiar; no era

mala gente, pero no te podías fiar de él y se había arruinado varias veces. Ya se hace una idea de a qué me refiero. Duty's cerró hace cuatro o cinco años. Luego él abrió una tienda de artículos de segunda mano cerca de Wolfeboro.

—¿Cree que hay una conexión con la impresora de Eric Donovan? —preguntó Lansdane.

—Resulta difícil asegurarlo —dije—, pero en cualquier caso hay que profundizar.

Gahalowood intervino:

—¿Por qué está Samantha Fraser obsesionada con esa impresora? Por lo visto repite esa frase como un mantra. «Mierda de impresora, voy a ir a Duty's a devolverla»... ¿Qué querrá decir?

—¿Es posible que Eric Donovan comprase allí la impresora en su momento? —pregunté.

—Se lo preguntaremos —contestó Lauren—, pero estoy bastante segura de que sí. Todo el mundo en Mount Pleasant compraba en Duty's. Tenía unos precios sin competencia. Pero siempre había algún problema con la mercancía. La gente no tardó en darse cuenta y dejó de ir. De ahí que quebrase.

Ese día hicimos lo que Gahalowood y Kazinsky no habían hecho en 1999: nos pusimos en contacto con el fabricante de la impresora que tenía por entonces Eric, cuya sede estaba en Seattle. Después de dos horas al teléfono, pasando de departamento en departamento, hablamos por fin con una persona capaz de darnos información.

—Ese modelo se puso a la venta en 1997. No hay nada de particular que decir, salvo que hubo un lote defectuoso que salió de la fábrica en abril de 1998.

—¿«Defectuoso»? ¿Cómo que «defectuoso»? —preguntó Lauren.

—Solo veo que fue un lote que se comercializó en New Hampshire. Apenas doscientas unidades según el informe del distribuidor. Pero no se preocupe, nos las devolvieron casi todas.

—¿Qué clase de defecto era?

El hombre tuvo que rebuscar en el informe para dar con ese dato.

—Por lo visto era un problema del cabezal de la impresora, que dejaba unas marquitas. Casi no se notaban a simple vista, pero retiramos los aparatos a pesar de todo.

Lauren, Gahalowood y yo nos quedamos pasmados.

—¿Cómo no se me ocurrió que podía ser un defecto de serie? —se reprochó Gahalowood.

La sede central de Seattle no podía ayudarnos más: era el distribuidor regional quien se había encargado de retirar el lote. El agente comercial del distribuidor ocupaba desde hacía quince años el mismo cargo en la empresa con sede en Manchester, New Hampshire, y recordaba perfectamente a Neil Rogue, el dueño de Duty's. Nos dijo por teléfono:

—Un tío majo a pesar de los pesares, pero ya no trabajamos con él.

—¿Por qué?

—No era legal. En varias ocasiones, cuando hubo que retirar productos defectuosos, no informaba a los clientes para ahorrarse el papeleo. No era lo correcto.

—¿A qué se refiere exactamente? —le preguntó Gahalowood.

—Cuando la fábrica entrega un producto defectuoso, y, créame, son cosas que pasan, hay que retirarlo y sustituirlo. No es solo una cuestión de ética, sino, sobre todo, suponga que el defecto provoca, por ejemplo, un cortocircuito y le quema a usted la casa; se considerará responsable al fabricante y entonces viene la demanda, por unas cantidades tremendas por daños y perjuicios. Así que, cuando hay una complicación, los fabricantes se remiten a los distribuidores, que se remiten a los minoristas. En fin, eso era antes. Ahora, con internet, los correos electrónicos y todo eso, se puede llegar directamente al cliente, pero antes era el vendedor el que tenía que seguirles la pista a sus ventas.

—Y supongo que Neil Rogue, el de Duty's, no lo hacía, ¿verdad? —preguntó Lauren.

—No lo hacía nunca. No había manera. Decía que «lo vendido vendido está» y tenía buen cuidado de no avisar a sus clientes.

—Así que, si lo he entendido bien —recapituló Gahalowood—, en 1998 Duty's pudo haber vendido varias impresoras con el mismo defecto.

—Por supuesto. Tendrán que preguntárselo a él.

Eso fue lo que hicimos. Encontramos a Neil Rogue en su tienda de artículos de segunda mano, a la entrada de Wolfeboro.

—Menudos caraduras los distribuidores —dijo, irritado—. Mandan correos que no hay quien se los crea con procedimientos que ni te imaginas. Tiene uno que sustituir en el acto los aparatos o, si no, devolverle el dinero al cliente, y después hay que rellenar formularios, devolver los aparatos defectuosos y pagar los costes y esperar la validación de los mandamases, que tardan siglos en devolver el dinero. ¡Siempre pagan el pato los más débiles!

—Así que no avisó a sus clientes de la retirada de las impresoras —concluyó Lauren.

—¡Desde luego que no! ¡Cuando me comunican la retirada de un producto, mando el mensaje directo a la papelera! Y si alguien me lo menciona digo que no lo he recibido. Es el remitente el que tiene que demostrar que he recibido una carta, ¿no?

—¿Por qué cuando detuvieron a Eric no dijo que le había vendido una impresora? —preguntó Gahalowood.

—¡Vaya pregunta! ¿Y yo qué sabía si existía una relación entre una impresora y una investigación policial? Yo vendo electrónica. ¡No soy Sherlock Holmes!

—¿A quién más vendió otras impresoras del mismo lote que la de Eric?

—¡Buf! Lo de recordar nombres después de once años va a estar chungo. Si ya me cuesta acordarme de lo que he comido hoy.

—¿Por ejemplo, a Lewis Jacob? —sugirió Lauren.

—Pues mira, tiene gracia que lo mencione, porque precisamente estaba pensando en él. Si hay una persona de la que me acuerde, desde luego que es él. Me trajo la impresora diciendo que hacía cosas raras. Por lo visto imprimía varias veces las mismas hojas. La probé y no le noté nada, pero él me montó un pollo. Quería tirar de la garantía, pero yo no podía porque no había hecho la retirada de productos. En fin, que insistió tanto que tuve que iniciar el puñetero procedimiento de las narices para devolver a fábrica, tardé una barbaridad. Estuvimos reñidos a partir de ese día. Él no volvió por mi tienda y yo no volví a comprarle ni una gota de gasolina.

—¿Cuándo ocurrió eso?

—Huy, ahí ya no tengo ni idea. ¿Era el modelo de impresora del que me habla o era otro? Misterio.

Si se había tramitado una devolución a fábrica, seguramente se le podía seguir la pista. En efecto, el departamento jurídico del fabricante conservaba veinte años los expedientes de sustitución, entre otras cosas para poder demostrar en caso de pleito que se había seguido el procedimiento a rajatabla.

Nos llevó todo el día, pero por fin conseguimos dos datos decisivos: primero, que la impresora que tenía Eric, cuyo número de serie figuraba en el expediente policial, formaba parte del lote defectuoso. Y segundo, que Lewis Jacob había devuelto un modelo que pertenecía al mismo lote. La devolución había sido el 3 de marzo de 1999. Eso quería decir que Lewis Jacob podría haber sido el autor de las cartas anónimas a Alaska y que luego se había deshecho de su impresora. ¿A qué se refería Samantha Fraser con su «mierda de impresora, voy a ir a Duty's a devolverla»?

Estaba acabando el día cuando informamos al jefe Lansdane de estos últimos descubrimientos.

—Así que, si lo he entendido bien —nos dijo—, ¿había varias impresoras con el mismo defecto?

—Doscientas en el estado de New Hampshire —contestó Gahalowood—. De las cuales, se vendieron por lo menos dos en Mount Pleasant, aunque probablemente más.

—¿El dueño de la gasolinera pasa a ser sospechoso?

—A lo mejor. Eso quiere decir que podría ser el autor de las amenazas.

Lansdane se quedó dudando un instante.

—Pero no explica por qué se encontró una de esas notas en casa de Eric.

—Podría ser que él también hubiera recibido una —indicó entonces Lauren—. Eso querría decir que Eric no era el autor, sino el destinatario.

—Así que, según tu hipótesis —intervine—, Lewis Jacob les habría mandado notas amenazantes idénticas a Eric y a Alaska. ¿Por qué?

—¿Porque tenían algo que reprocharse? —especuló Gahalowood—. Eso explicaría por qué Eric no nos dijo nunca la verdad sobre la nota que apareció en su casa. No quería incriminarse más.

Nos disponíamos a irnos del cuartel general cuando la unidad de intervención dio con Ricky Positano en un bar de Rochester. De su declaración de esa noche salió una revelación de gran calado.

A Ricky no le había ido tan mal como a Samantha. Comparando las fotos que la policía le había hecho en cada una de las detenciones que jalonaban su vida, se veía que, por supuesto, había envejecido y estaba más fofo, pero tenía el pelo igual de oscuro y, sobre todo, estaba perfectamente de la cabeza.

—Pues claro que estoy perfectamente de la cabeza —se jactó—. ¿Lo dice porque han hablado con Samantha? La dejé cuando empezó a darle al crack. ¡El crack es cosa del diablo! Te derrite los sesos.

—Eso no quita para que le hiciera dos hijos —le comentó Lauren.

—Esos chavales no son míos —protestó él—. En aquella época se acostaba con cualquiera que le diera una dosis, ahora ya nadie quiere saber nada de ella. Les ha metido a esos críos en la cabeza que soy su padre. ¿Se lo puede creer? Ni los he reconocido ni nada por el estilo, pero no me importa pagarles una comida de vez en cuando. ¡Tengo buen corazón!

—¿Ah, sí? —dijo Lauren en tono sarcástico.

Ricky, a todas luces curtido en los interrogatorios, contraatacó en el acto:

—¿Eso que lleva en el cinturón es una placa de la policía de Mount Pleasant? Me parece que está usted un poco lejos de su jurisdicción, guapa. Y, además, nadie me ha leído mis derechos.

—No está detenido, Ricky —le recordó Gahalowood—. Solo tenemos unas cuantas preguntas que hacerle.

—Lo escucho. Me alegro cuando puedo hacer un favor.

—¿Por qué empezó Samantha a consumir crack? ¿Por la muerte de Alaska Sanders?

—No, por suerte cuando se murió nosotros ya nos habíamos ido a California. Hacíamos un *road trip* por la costa del

Pacífico. Un viaje romántico. Por cierto, pasé una noche en el trullo después de una pelea con unos moteros.

—Ya lo sé —dijo Gahalowood—, me he documentado. Estaba en un calabozo de Montecito la noche del asesinato.

—Bueno, por una vez habrá valido de algo estar en la trena. Si no, habría sido sospechoso una vez más de...

Ricky se arrepintió enseguida de esa frase, pero ya había hablado de más.

—¿Por qué habría sido sospechoso de la muerte de Alaska? —pregunté.

—Lo decía de coña.

—Sabemos que le extorsionó diez mil dólares a Lewis Jacob —añadió Lauren—. ¿Se refiere a eso?

—Oigan, las encerronas de la policía ya me las conozco. Hacen como que saben cosas para que yo largue. Quiero garantías por escrito; si les digo algo, quiero inmunidad.

Era ya muy tarde para una solicitud a la fiscalía y no queríamos dejar para el día siguiente las confidencias de Ricky. De todas formas, como no se le acusaba de nada, podíamos firmarle todos los papeles que quisiera, no nos comprometían lo más mínimo. Así que Lansdane redactó a toda prisa una carta oficial sin valor jurídico alguno, pero que tuvo la virtud de hacer hablar a Ricky.

—Un domingo, a finales de febrero, Samantha me llamó desde la gasolinera. Estaba en shock. Me dijo: «Ven corriendo, es urgente. Alguien quiere hacernos chantaje».

*

Domingo 28 de febrero de 1999

Ricky se presentó volando en la gasolinera. Samantha estaba fuera de sí. Enarboló una hoja escrita a máquina donde ponía: SÉ LO QUE HAS HECHO.

—Me la he encontrado en el suelo del despacho.

—¡Mierda! —maldijo Ricky—. ¿Quién ha podido ser? ¿El viejo?

—Sé que ayer no vino.

—Entonces ¿quién?

—Alaska —dijo Samantha—. Esa guarra quiere hacerme chantaje.

—¿Alaska? ¿Cómo iba a saber nada? ¿Le has dicho algo de los diez mil dólares?

Samantha no quería reconocer nada, pero, por la cara que puso, Ricky entendió que se había ido de la lengua.

—¡Mierda, mierda, Samantha! ¿Cómo puedes ser tan imbécil? Tengo encima una condena en suspenso. ¡Si me pillan, me van a caer cinco años por esa chorrada! ¡Hay que largarse de aquí!

—No me apetece irme —se quejó Samantha.

Ricky la zarandeó:

—Puede que Alaska ya se lo haya contado a alguien. Si ella no avisa a la poli, alguien lo hará. No voy a dejarte aquí sola: tú vas a pasarlas putas y a mí me van a trincar. Recoge tus cosas y llama a Alaska. Voy a explicarle que quien me busca me encuentra.

Samantha se echó a llorar.

—¡Menos lagrimitas y llámala, coño!

—No quiero que le hagas daño.

—Si no hace el idiota, todo irá bien.

Al oír la voz aterrada de Samantha, Alaska fue corriendo a la gasolinera. Pero, al encontrarse con Ricky dentro de la tienda, entendió que no se avecinaba nada bueno. Él, de entrada, le soltó un bofetón que la mandó contra un expositor de chocolatinas.

—So cabrona, ¿quieres denunciarme?

—¿De qué hablas? —balbució Alaska, conmocionada, al tiempo que se llevaba la mano a la mejilla.

Él enarboló el mensaje:

—¿Eres tú la que ha escrito esta mierda?

Alaska se puso pálida.

—¡No es lo que crees! ¡Te lo juro!

—Yo creo lo que veo. ¿Qué querías? ¿Dinero?

Alaska, llorosa, volvió el rostro suplicante hacia su amiga:

—Samantha, ese mensaje no era para ti. ¡Te lo juro!

Pero esta se limitó a contestar:

—He dejado la llave en el despacho del señor Jacob. Devuélvesela. Y dile que abandono el trabajo.

Ricky y Samantha se encaminaron a la puerta.

—¡Samantha! —chilló Alaska—. ¡Deja que te lo explique!

Ricky la apuntó con un dedo amenazador.

—¡Cállate la boca! Ni se te ocurra volver a acercarte ni a tener contacto con nosotros. ¿Está claro?

—¡Ese mensaje no era para ti, Samantha! —repitió Alaska, desesperada—. Lo imprimí ayer y la impresora debió de soltar dos hojas. ¡La impresora esa está rota!

—¡No la escuches! —le ordenó Ricky a Samantha—. Coge tu coche, nos vemos en casa.

Alaska les fue pisando los talones hasta los surtidores, sin dejar de implorarle a su amiga:

—¡Al apagarla, a veces imprime dos veces la última página! ¡Ya lo sabes! Si hasta le dijimos al señor Jacob que la cambiase. Te acuerdas, ¿verdad? ¿Samantha? ¡Sam, Sam, espera!

Cuando Samantha se subió a su coche, Alaska cayó de rodillas en el asfalto y exclamó:

—Mierda de impresora, tendría que haber ido a Duty's a devolverla.

Fueron las últimas palabras que oyó Samantha de labios de Alaska. Iban a perseguirla hasta el fin de sus días.

Así fue como descubrimos que a Alaska no la amenazaba nadie. Era ella quien enviaba las amenazas.

La investigación iba a dar un giro transcendental. Poco a poco íbamos recomponiendo el puzle, cuyas piezas encajaban de forma tan obvia, aunque hasta ahora no nos hubiéramos percatado. Era lo que Gahalowood llamaba el detonador: un chispazo que provoca reacciones en cadena.

28. Los anónimos
Concord, New Hampshire
Miércoles 21 de julio de 2010

Para empezar, Lewis Jacob nos confirmó el relato de Ricky Positano. La impresora que tenía en la gasolinera se volvía loca e imprimía por duplicado. Al recordarlo, le afloró un episodio que se le había quedado enterrado en la memoria. Poco después de que Samantha se despidiera por sorpresa, Alaska perdió los nervios una vez que el aparato imprimió dos veces la misma hoja. Nunca la había visto tan enfadada y fue un enfado tan contagioso que él llevó la impresora de vuelta a Duty's. Tras interminables rodeos, el «estafador ese de Neil Rogue» reconoció por fin que pertenecía a un lote defectuoso y que se la reemplazarían sin ningún coste.

Ahora teníamos ya la seguridad de que Alaska era la autora de los anónimos. Los que encontraron en su casa los había impreso ella para mandárselos a alguien y el mensaje que se le había quedado en el bolsillo estaba en realidad a la espera de un destinatario. ¿Se los enviaba a varias personas? ¿O solo a una? ¿Era eso lo que le había costado la vida?

Sabíamos también que Eric Donovan había recibido una de esas notas. ¿Qué tenía que reprocharse para no haberlo mencionado nunca en todos esos años?

—No podía decir nada —se justificó cuando se lo preguntamos en la cárcel estatal—. Me incriminaba al darme un móvil para matar a Alaska.

—¿Cuántas cartas le mandó? —pregunté.

—Dos. La primera vez la encontré en el parabrisas del coche. La segunda, en el buzón de casa de mis padres.

—¿Y cuándo descubrió que los mensajes eran cosa de Alaska? ¿Antes de que lo detuvieran o después?

—Miren —se lamentó Eric, que no se atrevía a contestar—, tengo la impresión de que la verdad me está hundiendo.

—¡Ya está bien de mentiras! —lo presionó Patricia Widsmith—. ¡Ahora nos lo tienes que contar todo!

—Lo descubrí antes de su muerte.

—¿Cuándo? —preguntó Gahalowood.

—Una semana antes.

Patricia se tapó la cara con las manos.

—Ya lo ve —exclamó Eric—, ¡esto solo sirve para hundirme! ¡Y yo lo único que quiero es salir de aquí!

—¡Entonces díganos la verdad, maldita sea! —ordenó Gahalowood—. ¿Cuándo descubrió exactamente que era Alaska quien enviaba esas cartas? ¡Quiero saberlo todo, hasta el más mínimo detalle!

Eric bajó la vista y contestó:

—El día de esa famosa pelea en el aparcamiento del supermercado. Ese lunes 22 de marzo de 1999 del que hablamos el otro día. Cuando les conté lo que había ocurrido ese día no dije exactamente toda la verdad.

—¿Nos mentiste? —se indignó Patricia—. ¿Volviste a mentir?

—No mentí, solo me inventé un par de cosas. Ese día no se dijo nada de que Alaska fuera a dejar a Walter. En cualquier caso, Alaska no sacó el tema a relucir conmigo. Me inventé esa historia sobre la marcha para no confesarles la auténtica razón de nuestra pelea.

—¡Entonces empiece ahora a soltar por esa boca! —exclamó Gahalowood—. Estoy en un tris de dejar que se pudra aquí hasta el fin de sus días.

*

La verdad sobre el 2 de marzo de 1999

Era primera hora de la tarde. Eric estaba solo en casa de sus padres, disfrutando de su día libre. Desde el salón, divisó un coche que se detuvo brevemente ante la casa. Oyó el chirrido metálico del buzón, que alguien volvía a cerrar. Intrigado, se acercó a la ventana a tiempo de ver arrancar el Ford Taurus negro de Walter. Lo extrañó. ¿Walter no se había ido la víspera, en la camioneta de su padre, a una convención en Quebec? Eric salió, abrió el buzón y encontró esa hoja de papel en la que ponía:

Sé lo que has hecho.

Se le aceleró el pulso. Ya había recibido un mensaje similar unas semanas antes; se lo había encontrado en el parabrisas del coche. De repente, cayó en la cuenta: ¡era Sally Carrey! Se estaba vengando del chantaje que le había hecho. Seguramente había cogido el coche de su hijo para despistar.

Eric se metió a toda prisa en casa para coger las llaves del coche y se puso en camino, decidido a alcanzar a Sally. Al volverse a Mount Pleasant el otoño anterior, ya se temía que estar cerca de Sally de forma habitual le trajese problemas. No se equivocaba. Si siempre se había arrepentido amargamente de su conducta de entonces, ahora se arrepentía más aún; tenía que encontrar la forma de compensarla. Con este último mensaje, Sally se estaba creciendo: dejarlo en el buzón familiar era buscar su humillación pública e incitar a sus padres a hacer preguntas. Recorrió a toda velocidad el barrio residencial. En el primer cruce no había ningún Ford Taurus a la vista; decidió seguir de frente y dio resultado: no tardó en ver el Ford Taurus negro meterse por la carretera 21. Decidió seguirlo a distancia; en la primera parada la abordaría y le pediría explicaciones. Pero el coche no se detuvo:

dejó atrás la gasolinera y el cruce de Grey Beach, y siguió adelante antes de torcer en la carretera 28, en dirección norte.

Eric no lo perdió de vista, y así fue como se encontró, veinte minutos después, en el aparcamiento del centro comercial de Conway. Al ver que el Ford aparcaba, él hizo otro tanto y saltó del coche para cruzar unas palabras con la conductora. Sin embargo, para su sorpresa, no fue Sally Carrey quien salió del coche, sino Alaska.

El asombro lo dejó sin fuerza en las piernas. Alaska no lo había visto y se metió en el supermercado. Eric se apostó a la salida, para esperarla. Cuando apareció, con las compras en la mano, le soltó:

—¡«Sé lo que has hecho»!

Alaska dio un respingo. Al ver a Eric, se esforzó en no perder la compostura.

—¡Ay, Eric, qué susto me has dado! ¿Qué haces por aquí?

—«Sé lo que has hecho» —repitió él, enarbolando el pedazo de papel.

Ella evitó mirarlo y quiso seguir su camino, pero Eric le cerró el paso.

—¿Crees que te vas a librar así como así? Vas a tener que explicarte.

—No sé de qué me hablas, Eric.

—Sé que eres tú quien me ha dejado los anónimos: el otro día en mi parabrisas y hoy en el buzón de mis padres. ¡Si tienes un problema conmigo, dímelo a la cara!

*

—Lo demás fue tal y como se lo conté —explicó Eric—. Nos peleamos por esos mensajes. Luego llegó el gerente del supermercado y, cuando dijo que iba a avisar a la policía, a Alaska se le fue la olla. Empezó a chillar: «¡Joder, va a llamar a la poli! ¡Va a llamar a la poli», y se metió a toda prisa en su coche, dejándose las compras. No entendí qué le pasaba, pensé que quería zafarse de la conversación. Cogí las bolsas de la compra y la alcancé cuando ya se había subido al coche. Abrí el maletero para meter las bolsas, y más que nada para evitar que arrancase.

Lloraba y chillaba: «¡Deja que me vaya, Eric!». Era evidente que no estaba como para conducir; iba a tener un accidente y yo no quería eso. Así que me puse al volante para llevarla a Mount Pleasant. En ese momento, llegó la policía, nos hicieron un breve control, y luego la acompañé hasta delante de su casa. Allí, como les dije el otro día, le hablé de ese jersey que le había prestado a Walter cuando fuimos de pesca, y entonces, seguramente como reacción a todas esas emociones, volvió a meterse conmigo: «¿Eso es lo único que te preocupa después de este mal trago? Lo que tienes que hacer es pedírselo a Walter». «Ah, ¿de verdad quieres que llame a Walter y que le cuente todo lo que acaba de pasar?». Ya está, ya lo saben todo.

—Espere —intervino Gahalowood—. Acaba de reconocer que Alaska le mandó esas cartas, pero no nos ha dicho de qué lo acusaba.

—Me acusaba de haber matado a una de sus amigas.

Hubo un silencio estupefacto.

—¿Matado a quién? —pregunté.

—A mi novia de entonces. Ya saben, les dije que mi novia me había dejado y que me dejó tan hecho polvo que me fui de Salem.

—Sí —asintió Gahalowood—. Siga...

—En realidad, no me dejó... Se suicidó. Tenía muchos problemas personales. Por fuera era una auténtica belleza, pero en realidad vivía angustiada. Su suicidio fue un golpe terrible. Aunque lo nuestro no fuera muy en serio, me afectó mucho. No paraba de preguntarme si yo habría podido hacer algo para evitarlo. Tenía que irme de Salem a toda costa. Pero ¿dónde iba a ir? Me volví a casa de mis padres. En ese momento, solo tenía ganas de olvidar. Nunca le había hablado a nadie de ella, solamente a Walter. Me inventé lo del despido para evitar las preguntas de mis padres, y cuando, después de la muerte de Alaska, empezaron a interrogarme sobre los motivos de mi regreso, alegué el cáncer de mi padre como justificación añadida. Temía verme mezclado en la muerte de Alaska por culpa de las cartas que me había mandado. Así que me dije que más valía no hablar del suicidio de Eleanor.

—¿Eleanor? —repitió Gahalowood.

—Así se llamaba —precisó Eric—. Eleanor Lowell.

Lauren, Gahalowood y yo cruzamos una mirada de asombro.

—¿Qué ocurre? —nos preguntó Patricia, que no entendía nuestra reacción—. ¿Me he perdido algo?

—¿No se acuerda de que el viernes por la noche, en casa de Lauren, mencioné este caso? —le recordó Gahalowood—. Una joven que desapareció y de la que se piensa que se quitó voluntariamente la vida.

—Sí, ahora que lo dice, sí que lo recuerdo.

—¿Cuándo le dejó Alaska el primer anónimo en el parabrisas? —le pregunté a Eric.

—Unas semanas antes del segundo. Diría que a principios de marzo de 1999.

Me volví hacia Gahalowood:

—Eso coincide con el episodio de la gasolinera, cuando Samantha Fraser encontró el mensaje que había impreso Alaska.

Lauren le preguntó a su hermano:

—Cuando dices que Alaska te acusaba de haber matado a Eleanor, ¿sospechaba que la habías asesinado y que luego habías hecho pasar su muerte por un suicidio?

—No, me lo reprochaba en sentido figurado, Eleanor era frágil. Alaska me acusaba de haberla maltratado psicológicamente. Era falso, desde luego.

—Hay un detalle que no pillo —interrumpí—. Si Eleanor se suicidó a finales de agosto de 1998 y Alaska sospechaba de usted, ¿por qué no le mandó esos mensajes hasta marzo del año siguiente?

—Alaska sabía que Eleanor y yo habíamos estado juntos porque la propia Eleanor se lo había contado. Yo me enteré allá por la Navidad de 1998, una noche en que fui al National Anthem a tomar unas birras, con Walter y Alaska. Recuerdo que fue durante las fiestas porque llevábamos esos estúpidos gorros rojos de Papá Noel. Alaska quería encontrarme una chica a toda costa, me señalaba a todas las que pasaban y me decía: «¿A que esa no está mal?». Le contesté que no estaba de humor para esas cosas. Me replicó que todo el mundo está de humor para un rollo de una noche. Entonces le hablé de mi historia con Eleanor y le confesé cuánto me había afectado su suicidio. Y fue cuando Alaska me dijo que ya estaba enterada. Me sorprendió que Eleanor se lo hubiera contado. Unos dos meses después de aquello, la madre de Eleanor se puso en contacto con Alaska. Había descubierto algo y quería hablarlo con ella.

*

22 de marzo de 1999

Después de la pelea en el supermercado, Alaska recobró la calma durante el trayecto hasta Mount Pleasant. Llevaban un ratito viajando en silencio cuando Eric preguntó:
—¿Qué? ¿Mejor?
—Mejor.
—¿Por qué te has puesto histérica cuando el gerente ha dicho que iba a llamar a la policía?
Alaska titubeó antes de contestar:
—No lo sé... Me entró el pánico... Me dio miedo de que les hablases de mis anónimos...

*

Interrumpí a Eric:
—Ahora sabemos que en realidad Alaska temía que la pillasen por el robo en casa de sus padres, del que salió gravemente herido un policía.
—¡Sí, gracias, escritor! —dijo irritado Gahalowood—. Siga, Eric, por favor.
Eric reanudó el relato donde lo había dejado:
—Así que le pregunté por qué le había entrado el pánico al ver a la policía...

*

22 de marzo de 1999

Alaska titubeó antes de contestar:
—No lo sé... Me entró el pánico... Me dio miedo de que les hablases de mis anónimos...

—Ahora que te has calmado, ¿puedes explicarme por qué crees que empujé a Eleanor a suicidarse?

—Hace un mes, su madre se puso en contacto conmigo. Quería decirme algo. Vino a verme a Mount Pleasant.

*

22 de febrero de 1999

Alaska había quedado en el Season con Maria Lowell, la madre de Eleanor.

—Cuánto me alegro de volver a verte, Alaska.

—Yo también me alegro, señora Lowell. Me acuerdo mucho de usted, y de Eleanor.

Maria Lowell sonrió con tristeza.

—La vida pasa volando, ¿sabes? Pensamos que siempre tendremos tiempo por delante, pero es el tiempo el que nos alcanza. Hablé con tu madre... Dice que andáis un poco reñidas.

—Es complicado.

—A veces es menos complicado de lo que se piensa. Es lo que intentaba que entendiera Eleanor... Pero nada podía disipar esa infelicidad que la atenazaba.

—Lo sé.

—Tenía toda la vida por delante. Su padre y yo se lo recordábamos con frecuencia. Pero nos veíamos tan impotentes... Alaska, recuerda que no estás sola. Aunque te sientas sola. Pide ayuda, prométeme que, si un día lo ves todo negro, se lo contarás a alguien. Hablar no es una señal de debilidad, al contrario. Se necesita valor para salir del paso.

Maria Lowell parecía muy emocionada. Alaska, que no acababa de entender muy bien el motivo de esta cita, acabó por decirle:

—Me alegro de verla, señora Lowell, pero ¿ha venido hasta aquí para decirme esto?

—No, cielo —le contestó Maria Lowell con una sonrisa triste—. He venido porque acabo de descubrir que Eleanor tenía problemas y no se sinceró conmigo. Se lo guardó todo y creo que eso fue lo que la llevó a suicidarse. Y ahora me gustaría repararlo. Porque nunca es demasiado tarde.

Tras estas palabras, sacó una libreta de notas.
—¿Qué es eso? —preguntó Alaska.
—Por fin me he decidido a ordenar el cuarto de Eleanor. He encontrado su diario. Hay partes muy sombrías, otras muy hermosas. Me ha llevado tiempo mirarlo todo. He encontrado este párrafo que me gustaría enseñarte.

Alaska leyó el texto:

> Creía que me quería, pero lo que quiere sobre todo es hacerme sufrir. Me había prometido que el 4 de julio iríamos a cenar a un restaurante para celebrar la fiesta nacional. Cuando me estaba arreglando, me dijo: «No te enfades conmigo, Eleanor, pero creo que vale más que lo dejemos correr. Es que, mira, no deja de ser arriesgado que nos vean en público... Por la diferencia de edad y todo eso... Va a dar que hablar...». Nos quedamos en su casa. Pidió unas langostas. Apenas comí. Quería que viera que estaba triste. Miró mi plato lleno y me dijo: «¿Por qué te enfurruñas? Sabes perfectamente por qué he tenido que renunciar a nuestra cena a solas en el restaurante. ¡Y el primer decepcionado soy yo, puedes creerme! Resulta penoso, ¿sabes?, verte de morros a la primera de cambio, con todo lo que me esfuerzo por satisfacer tus menores deseos». Cree que me he cogido una rabieta. No ve cuánto me afecta todo esto. Cuánto le necesito. No ve que solo él tiene el poder de hacerme feliz. A veces, me da la sensación de que le gusta jugar con mis sentimientos y hundirme en la miseria. Así siente que me tiene en sus manos.

—Me gustaría encontrar a ese hombre, Alaska —dijo Maria Lowell—. Creo que él tiene la culpa de que Eleanor se suicidase. ¿Sabes de quién se trata? He preguntado a todas las demás amigas de Eleanor, pero no han podido contestarme. Eleanor les había dicho que estaba saliendo con alguien mayor que ella, pero nunca les dio un nombre. ¿Tú sabes algo? Eres mi última esperanza.
—No me suena de nada —contestó de entrada Alaska.
—¿Estás segura? —insistió la madre de Eleanor—. Por lo visto tenía un coche azul. ¿Te dice algo un coche azul? Mira, lo escribió aquí, al final de este poema, estoy segura de que habla de ese hombre.

Maria Lowell le enseñó entonces un texto que terminaba así:

> Cuando subo en su coche azul, ¿adónde va mi corazón?
> Cuando veo su coche azul, ¿amanece dicha o dolor?

Tras pensarlo mucho, Alaska negó con la cabeza.
—No tengo ni la menor idea.
Maria Lowell puso cara de desesperación.
—¿Te dice algo una casa gris? En otro texto habla de una casa gris y de unos arces rojos...
Pero Alaska ya no la escuchaba. Parecía ausente. Siguió negando con la cabeza.
—No me dice nada, lo siento... De verdad que no tengo ni idea de quién puede ser...

Un mes después de esa cita con Maria Lowell, en el Ford Taurus negro que iba hacia Mount Pleasant, Alaska le dijo a Eric:
—Le aseguré a la señora Lowell que no tenía ni idea. Me salió de dentro cubrirte, ni siquiera sé por qué. Luego, no se me iba de la cabeza. Si habías empujado a Eleanor al suicidio, tenías que pagarlo. Y así fue como se me ocurrió mandarte los anónimos.
—¡Pero yo no empujé a Eleanor al suicidio! —protestó Eric—. ¿Me imaginas haciendo algo así?
—Para ya, Eric. El del coche azul tienes que ser tú a la fuerza. Me acuerdo muy bien del Mustang azul que conducías cuando estabas en Salem. Qué raro que te libraras de él...
—Lo vendí cuando me mudé a Mount Pleasant. Mi vecino me hizo una oferta estupenda. Era una oportunidad: acababa de irme del trabajo, no iba a hacerle ascos al dinero. Luego compré el Pontiac de segunda mano por la mitad de eso y el resto lo ingresé en el banco. Así fue como pude prestarte aquellos diez mil dólares. ¡No cayeron del cielo!
Esas respuestas dejaron a Alaska muy inquieta.
—No sé si debo creerte —dijo.
—Espera —añadió Eric—. Eleanor menciona el 4 de julio, ¿no? La única celebración del Cuatro de Julio que habríamos

podido pasar juntos fue la última, y yo no estaba. Estaba con Walter. Cogí un permiso para ir de acampada y pesca. De hecho, Eleanor me había avisado de que tenía que salir con sus amigas. Lo sé porque al principio le había propuesto que fuera a acampar conmigo. Me parecía buena idea. Pero rechazó la invitación de mala manera. ¿Sabes, Alaska? Si alguien sufría en esa pareja, era yo. El maltratado era yo. Estaba pillado por ella, pero a ella yo no le importaba lo más mínimo. Para Eleanor, lo nuestro solo era un rollo ocasional, me silbaba para que fuera cuando le apetecía. Te equivocas al pensar que pude empujarla a hacer nada. Y, en cualquier caso, acabo de decírtelo, no fui yo quien estuvo con ella el 4 de julio.

Alaska cayó en la cuenta de que se había equivocado y susurró entonces:

—Eso quiere decir que había otra persona en su vida.

*

—Así que había otro hombre en la vida de Eleanor —nos dijo Eric—. Nunca supe de quién se trataba. Luego vino todo seguido: dos semanas después asesinaron a Alaska. Me detuvieron y, enseguida, arrambló conmigo esa pesadilla de pruebas abrumadoras. El jersey, la impresora, el mensaje... Ya me estaban echando encima el asesinato de Alaska, quería evitar que además me acusasen de haber empujado a Eleanor al suicidio. Y más aún sabiendo que mi única coartada para el 4 de julio era Walter, que estaba muerto. Tenía la sensación de que todo cuanto pudiera decir me hundía más. Me encerré a cal y canto en el silencio y luego ya no pude salir de él.

Patricia estaba a punto de echarse a llorar.

—¡Si me lo hubieras dicho a mí, podría haberte ayudado! ¡Podría haberte sacado de ahí!

—¡Nadie podía hacer nada por mí! —se lamentó Eric—. Si se ha movido algo ha sido gracias a los testimonios recientes de Lewis Jacob o de Samantha Fraser. ¡Pero esas personas ya existían entonces! ¿Cómo pudieron hacer una investigación tan chapucera, sargento?

Un pesado silencio reinó en la habitación. Gahalowood dijo por fin:

—Patricia, tiene que presentarle al juez una petición de libertad. Voy a hablar con la fiscalía y a comunicarle los nuevos datos. Eric debería quedar libre dentro de cuarenta y ocho horas.

En pocos días se había venido abajo todo el expediente de la acusación. Sally Carrey había confirmado que, en efecto, Eric le había prestado el jersey a Walter, la impresora usada para las notas amenazantes era en realidad la de Lewis Jacob, y dichas amenazas no iban dirigidas a Alaska, sino que era ella quien las enviaba.

Cuando salimos de la cárcel, a Lauren le apetecía celebrar el feliz desenlace que se anunciaba para su hermano —«Invito a todos a comer», nos dijo—, pero Gahalowood no aceptó. Tenía el ánimo por los suelos. No se perdonaba lo mal que se había llevado la investigación en 1999. Para reconfortarlo, le propuse que comiéramos a solas en un sitio al que era muy aficionado: un puesto al lado de la carretera que hacía unas hamburguesas para chuparse los dedos y se podían comer al aire libre en unas mesas de pícnic de madera. Tampoco quiso: «Gracias, escritor, pero necesito ver a Helen», me dijo. Lo acompañé al cementerio. Se acuclilló ante la lápida y puso una mano encima. Tras recogerse unos momentos, anunció:

—Creo que voy a dimitir.

—Lansdane no le aceptará la dimisión —contesté—. Y, además, no puede hacer eso. ¡Es un policía estupendo!

—No estoy hablando con usted, escritor. ¡Sino con Helen! Por mi culpa, ese hombre ha estado encerrado once años.

—Gracias a usted un error judicial va a remediarse —le hice notar—. De no ser por usted, Eric Donovan habría acabado sus días en la cárcel.

—¿Por qué se me pega, escritor? ¿No quiere ir a dar una vueltecita por ahí?

No me inmuté.

—No tiene usted culpa de nada, sargento. Si Eric Donovan acabó en la cárcel fue por Vance, que obligó a confesar a Walter Carrey. Fue por Kazinsky, culpable de callarse y consentirlo. ¡Esos dos cobardes, que prefirieron quitarse la vida antes que asumir su responsabilidad!

Gahalowood me miró de repente con una expresión muy rara:

—Maldita sea, escritor...

—¿Qué le ocurre?

Me di cuenta de que acababa de tener una revelación.

—¿Qué demonios pasa, sargento?

—En 2002, cuando ya estaba cerrada la investigación, a Kazinsky lo atropelló un coche que lo dejó paralítico. En ese momento Kazinsky era la única persona viva que sabía que la confesión de Walter era forzada. ¿Exacto?

—Exacto —contesté.

—¡Mentira! —me enmendó Gahalowood—. Alguien más sabía que Walter no había matado a Alaska. ¡El asesino, precisamente! El asesino cometió un crimen perfecto: la policía cree que ha encontrado al culpable. Walter Carrey ha muerto. Vance también. A Eric Donovan, atrapado en el sistema, no le ha quedado más remedio que declararse culpable para evitar la pena de muerte. Pero queda aún una persona que sabe que la culpabilidad de Walter está amañada: Kazinsky. Es el grano de arena que podría atascar los engranajes de un crimen perfecto. Así que hay que eliminarlo. ¡El asesino de Alaska intentó matar a Kazinsky atropellándolo! No fue un accidente. ¿Cómo no se nos ha ocurrido antes?

Una nube de periodistas se apiñaba a la entrada de la cárcel estatal. Se abrió la puerta y apareció Patricia Widsmith con expresión radiante. Se dio la vuelta y habló con alguien que iba detrás de ella, como si diera ánimos a un niño tímido. Fue entonces cuando apareció Eric Donovan y dio sus primeros pasos hacia la libertad.

29. Liberación
Concord, New Hampshire
Viernes 23 de julio de 2010

Las cámaras y los micrófonos apuntaron hacia él entre el alboroto de las preguntas que le llegaban por los cuatro costados. Alarmado ante semejante comité de bienvenida, de entrada Eric retrocedió por puro instinto, pero luego vio a Lauren y a sus padres y se les echó en los brazos. Tras haber brindado a los medios de comunicación ese encuentro, que sin duda conmovería a la opinión pública, Patricia Widsmith tomó la palabra, flanqueada por Eric y la familia Donovan:

—Hoy por fin está reunida una familia. Después de once años de lucha, desgarros y sufrimientos, Eric Donovan está en libertad y puede regresar con los suyos. Pero, aunque a partir de ahora sea un hombre libre, Eric deja para siempre, entre los muros de esta sórdida cárcel, once años de su vida. Once años robados a un hombre, sin embargo, inocente. Once años de pesadilla, de vejación y de violencia cotidianas. Once años de infierno. Eric Donovan tenía veintinueve años y la vida por delante cuando lo arrolló nuestro sistema judicial enfermo, que condena a lo loco tras investigaciones chapuceras y juicios apresurados. Desde el momento de su detención, Eric padeció presiones intolerables: de la policía y de la fiscalía, que lo obligó a declararse culpable prometiéndole la pena de muerte si tenía la osadía de seguir proclamando su inocencia. Morir o vivir encerrado para siempre, tal fue el dilema al que Eric Donovan tuvo que hacer frente. Y he aquí que las supuestas pruebas abrumadoras han ido cayendo una tras otra. La principal, ese jersey que pertenecía a Eric y apareció manchado de sangre de la víctima cerca del lugar del crimen y que un testimonio tardío confirmó que Eric había prestado a un amigo, como él siempre había afirmado. O también su impresora, que los investigadores aseguraron que se había usado para preparar notas amenazantes, porque un defecto de impresión la convertía supuestamente en única, antes de caer en la cuenta, hace unos días, de que pertenecía a un lote de doscientos aparatos que tenían el mismo fallo. En 1999, la policía fue parcial en la interpretación de las pruebas, necesitaba un culpable y lo fabricó. Si lo que estoy refiriendo los escandaliza, sepan que el caso de Eric Donovan no es, por desgracia, una excepción: por todo el país hay presos inocentes que están esperando su ejecución en los corredores de la muerte. ¿Cuántos nuevos casos Eric Donovan serán aún precisos para que las autoridades abran por fin los ojos? Y, aunque en el mundo, desde hace décadas, un amplio movimiento ha conseguido en muchos países la abolición de la pena de muerte, el estado de New Hampshire volvió a implantarla hace veinte años. Podemos preguntarnos si este restablecimiento responde a una lógica política, cuando se sabe que al 60 por ciento de sus habitantes les parece aceptable la pena de muerte. ¿Acaso nuestros dirigentes respaldan la ejecución de inocentes con fines electorales?

Al dirigirse así a los medios, Patricia cumplía con su papel de abogada. Pero Eric Donovan aún no era inocente de forma oficial. La fiscalía había considerado la existencia de elementos probatorios que permitían ponerlo en libertad, mas no por ello se había pronunciado aún sobre la necesidad de un nuevo juicio. Eso dependería de los resultados definitivos de la investigación policial.

En ese preciso instante, a solo unos kilómetros de la cárcel, se estaba celebrando otra rueda de prensa en el cuartel general de la policía estatal. En la tarima, frente a un plantel de periodistas, el jefe Lansdane anunciaba los últimos hallazgos del caso Alaska Sanders. Citó sobre todo la confesión de Walter Carrey, obtenida a la fuerza por un policía que se suicidó acto seguido. Lansdane aseguró que se aclararía ese caso y que, si los hechos resultaban ser ciertos, el policía incriminado no se libraría de una degradación a título póstumo y de la retirada de sus condecoraciones. Lansdane también interpretaba su papel: defendía el concepto de una policía imparcial, por encima de toda sospecha, que no vacilaría a la hora de hacer limpieza en sus filas. Para finalizar, Lansdane se congratuló por la excelente colaboración con la policía de Mount Pleasant e invitó al jefe Mitchell, presente para la ocasión, a unirse a él para representar una secuencia perfectamente orquestada de autobombo. Gahalowood y yo lo presenciamos todo desde el fondo de la sala. Escuchábamos a Lansdane con un oído, mientras que en el otro llevábamos puesto cada uno un auricular de mi móvil para seguir la rueda de prensa de Patricia Widsmith, que retransmitía una cadena de noticias local.

Patricia Widsmith refería los fallos de la justicia a la vez que Lansdane elogiaba la cooperación de los cuerpos de policía del país para lograr que triunfara el Bien. La verdad tenía que estar a medio camino entre lo que decían uno y otra. El día antes, Gahalowood y yo habíamos ido a ver a Sally y a George Carrey y luego a Robbie y a Donna Sanders para ponerlos al tanto de la situación y comunicarles de viva voz lo que iba a revelarse oficialmente al día siguiente. Robbie Sanders nos dijo: «No sé si lo más duro de todo esto es revivir la muerte de nuestra hija o la sensación de que nunca sabremos qué ocurrió». George Carrey, por su parte, nos espetó: «Así que a nuestro hijo lo obligaron a confesar un crimen que no había cometido antes de que lo asesinara la policía...». Exigían respuestas. Les prometimos que las tendrían. Gahalowood les dedicó esta frase enigmática, que yo no entendí sobre la marcha: «Se hará justicia». Al salir de casa de los Sanders y de casa de los Carrey me preguntaba cómo podían superarse pruebas semejantes. ¿Cómo se reparaba la vida? Había vuelto a pensar mucho en mis primos, Woody y Hillel, y en lo que les había ocurrido, y había llegado a la conclusión de que, en realidad, la vida no podía repararse, sino que solo se podía reconstruir dándole un sentido.

Al acabar la rueda de prensa, nos cruzamos con el jefe Mitchell, según bajaba de la tarima.

—Gracias —nos dijo.

—¿Gracias por qué? —preguntó Gahalowood—. ¿Porque gracias a nosotros sale en televisión?

El jefe Mitchell prefirió cambiar de tema:

—¿No está Lauren con ustedes?

—No, está con su hermano. Es una policía temible, ¿verdad?

—Lo sé, fui yo quien la reclutó. No sé si lo sabe, sargento, pero me jubilo dentro de unos meses. Voy a proponer a Lauren para que me sustituya.

—Igual su jefe adjunto no se alegra mucho —comentó Gahalowood.

—Soy consciente de ello, por eso se lo cuento. Si usted y el jefe Lansdane pudieran mandarme un correo electrónico felicitándome por la actuación de Lauren, podría añadirlo al expediente. Ella todavía no sabe nada.

Gahalowood asintió y nos alejamos.

—El jefe Mitchell no es tan tonto como parece —dije.

Gahalowood no reaccionó a mi comentario y entendí que tenía la cabeza en otra parte.

—¿Qué pasa, sargento?

—Estaba pensando en Eric. Fui yo quien lo interrogó después de la detención. Estoy dispuesto a creer que fue un momento traumático, al que se sumó la angustia de la cárcel, que puede incitar a cualquiera a confesar lo que sea para ganarse la clemencia y la simpatía de los investigadores. No sería la primera vez. Pero es que Eric nunca confesó nada, se limitó a cerrarse en banda. Defendió su inocencia desde el principio; y, cuantas más pruebas parecían acumularse contra él, más se callaba.

—No tiene nada que reprocharse, sargento.

—No me reprocho nada, al contrario. Lo que quiero decir es que no debería haber interrogado a Eric. Estaba agotado. Me asaltaban todo tipo de emociones. Era padre por segunda vez, habían asesinado a mi compañero, o al menos eso es lo que yo creía. De hecho, Lansdane quería mandarme a casa, pero me negué. Y deberían haberme relevado. No estaba en condiciones de interrogar a Eric. Lo hice con la rabia de la desesperación, pero tampoco lo presioné tanto, ni mucho menos. Así pues, ¿por qué se calló? Hay algo que no encaja. Cuando el juez decidió meterlo en la cárcel, recuerdo que estuve mucho tiempo con el temor de verme obligado a declarar en su juicio. A su defensa no le habría costado nada hacerme trizas alegando que yo nunca debería haber estado en la sala de interrogatorios después de todo por lo que acababa de pasar. Al final eso no ocurrió porque Eric se declaró culpable. ¿Por qué al final se declaró culpable?

—Ya nos lo dijo Lauren: temía que lo condenasen a muerte.

Gahalowood no parecía convencido:

—Me pregunto si, por entonces, no tuvo miedo de que descubriésemos otra cosa contra él.

—¿A qué se refiere? —pregunté.

—Un caso dentro del caso —dijo Gahalowood—. Estoy pensando en ese coche azul que al parecer mencionó Alaska. Ese coche azul que relacionaba a Eric con Eleanor Lowell. Al cargarnos las pruebas que acusaban a Eric en aquella época, hemos descubierto otro móvil: por culpa de Eric, su novia Eleanor se suicida y Alaska lo descubre cuando queda con la madre de Eleanor. Le manda notas amenazantes a Eric, él la desenmascara y se enfrenta a ella. Luego intenta convencerla de que no tiene nada que ver con el asunto, pero, pese a todo, teme que ella avise a la madre de Eleanor. Entonces mata a Alaska para proteger su secreto.

—Se le olvida la nota que llevaba Alaska en el bolsillo. No podía ser para Eric, porque él ya sabía que la autora de los anónimos era ella.

—Eric nos dijo que había recibido dos, ¿verdad? Por entonces encontramos una en su casa. Un olvido por su parte, según él. Pensaba que la había tirado, pero estaba en el fondo de un cajón. Pero ¿qué fue de la otra? Pudo metérsela en el bolsillo a Alaska después de matarla para enredar las pistas y que la policía creyera que Alaska era víctima de un chantajista. En cuanto al famoso jersey, el 22 de marzo de 1999, en el supermercado de Conway, lo vio al meter las compras de Alaska en el maletero del coche. Luego, aposta, le pregunta por él a Alaska, en la calle, para que haya testigos que lo oigan: ¿dónde está ese jersey que le prestó a Walter? Como ya se lo esperaba, Alaska lo manda a paseo y él vuelve, seguramente durante la noche, aprovechando que nadie cierra el coche con llave en Mount Pleasant, para recoger su jersey del maletero del Ford. Habría sido el crimen perfecto. Pero Eric no pensaba que su chantaje a Sally Carrey se volviera contra él y que Walter, para vengarse, fuera a acusarlo de asesinato, orientando hacia él la atención de los policías.

—Sargento, ¿cree que hemos puesto en libertad a un culpable?

—No lo sé, escritor, pero me tiene preocupado. Queda aún un misterio por resolver: los restos del piloto trasero de un Ford Taurus negro que se encontraron en el bosque. ¿Era el coche de Walter Carrey? ¿No puede ser una coincidencia que se le rompiera la noche del crimen?

Sugerí entonces:

—Si en el momento del asesinato Walter Carrey está en el National Anthem, como demuestra la foto que encontró Lauren, ¿no habría podido alguien coger las llaves del coche en su casa e ir a Grey Beach en el Ford Taurus negro? Tras cometer el crimen, al asesino se va a toda prisa y se le rompe un piloto. Al volver a Mount Pleasant, aparca el coche donde lo había cogido y vuelve a poner las llaves en su sitio. En ese instante, Walter sigue en el bar. ¿Y quién puede saber que Walter está en el National Anthem? Quien estuviera con él un poco antes...

—Eric Donovan —dijo Gahalowood.

—Exacto, sargento.

—¡Maldita sea, escritor, esa hipótesis se sostiene!

Estaba dándose un fenómeno muy extraño: cuanto más avanzábamos en la investigación, más nos inquietaba Eric Donovan. Como decía Gahalowood, era ese «culpable que volvía una y otra vez». A medida que se descartaban las pruebas abrumadoras contra él, iban saliendo a la superficie nuevos datos desconcertantes. Como si todo convergiera hacia él. ¿Habíamos supuesto con demasiada celeridad que Eric era inocente? ¿Habíamos distorsionado la investigación al considerar que, como la confesión de Walter Carrey fue forzada, eso apartaba toda culpabilidad de Eric?

O Eric era en realidad el asesino de Alaska o era un culpable hecho a medida magistralmente. Gahalowood me dijo entonces:

—Mientras tengamos la más mínima duda sobre Eric, seguiremos hechizados con él y no podremos ver lo que se nos ha escapado.

Ahora bien, contábamos ya con un medio de exculparlo por completo: comprobar si el accidente de Kazinsky de verdad lo fue. Si podíamos demostrar que a Kazinsky lo habían arrollado adrede y establecer una relación entre ese hecho y el caso Alaska Sanders, tendríamos la auténtica prueba de la inocencia de Eric, ya que él estaba en la cárcel en el momento de los hechos.

Así fue como ese mismo día fuimos a New Hampshire, a Barrington, para hablar con la viuda de Nicholas Kazinsky. Se nos hacía raro volver a esa casa. Gahalowood solo había coincidido una vez con Sienna Kazinsky: en el entierro de Vance. Cuando esta nos vio en el umbral, sonrió.

—Perry, ¿qué te trae por aquí?

—Hola, Sienna, necesitaba hablar contigo.

Ella me miró, me reconoció y entendió en el acto el motivo de nuestra visita.

—Habéis venido por el caso Alaska Sanders, ¿no?

Nos sentamos en ese mismo salón donde su marido nos había confesado todo lo ocurrido en la sala de interrogatorios aquella terrible noche del 6 de abril de 1999.

—Nicholas te mencionaba con frecuencia en los tiempos en que era policía —le dijo Sienna Kazinsky a Gahalowood—. Te tenía mucho aprecio. Cuando se quedó en silla de ruedas, se sintió muy solo. Estoy segura de que una visita tuya le habría gustado mucho. Una lástima que solo vengas ahora que ya está muerto.

Con esto nos quedó claro que Sienna Kazinsky no sabía nada de nuestra visita en las horas previas al suicidio de su marido. Más valía así, seguramente. Añadió:

—¿Por qué no fuiste a su entierro?

Gahalowood se encogió de hombros:

—Tendría que haber ido.

Tras un silencio, Sienna Kazinsky se sinceró sin más:

—Cuando volví a casa ese día, no estaba ni en el salón ni en la cocina. Lo llamé, no contestó. Lo encontré en su despacho, había sangre por todas partes. Se había disparado con la pistola. Yo odiaba esa arma. Decía que era por nuestra seguridad. Decía: «Las alarmas están bien, las pistolas están mejor». En su escritorio encontré una nota:

> Sienna mía:
> Por fin acabó todo.
> Te quiero y te espero tranquilamente en el paraíso.
> Nicholas

Sienna se puso de pie y, dándonos la espalda, se colocó de cara a la ventana. Exactamente como había hecho su marido. Nos dijo:

—A Nicholas le gustaba ponerse aquí, en su silla, para mirar la calle. Podía pasarse horas. En las semanas de después del accidente, creí que no podría soportar tener un marido inválido. Ahora que ya no está, me doy cuenta de que es la vida sin él lo que no soporto.

—Sienna —preguntó Gahalowood—, ¿por qué se suicidó Nicholas?

—Supongo que ya no aguantaba más vivir en una silla de ruedas. Digo «supongo» porque sé que, después de los momentos más duros, nos habíamos acostumbrado los dos a esta vida. Cuando salíamos, a veces la gente lo miraba con compasión. Sé lo que pensaban al vernos entrar en un restaurante, esquivando las mesas. Pero yo estaba orgullosa. Orgullosa de que hubiéramos sido capaces de seguir con nuestra vida de pareja pese a su invalidez. Hay matrimonios que caminan con las cuatro piernas y, sin embargo, no avanzan. Nosotros avanzábamos, a nuestro ritmo. ¿Por qué Nicholas renunció de repente? Me pregunto si no hubo algo más... El día que murió había recibido una visita. Lo sé porque encontré en el salón tres tazas y un plato con mis galletas, que nunca dejaba de ofrecer a los invitados. No sé quién vino ese día. A lo mejor antiguos compañeros. ¿Demasiados recuerdos, un momento de desesperación? Nunca lo sabré. Pero mejor dime qué te trae por aquí, ya que no se trata de una visita de cortesía. ¿Me has dicho que era algo sobre el caso Alaska Sanders?

—No me andaré con rodeos, Sienna. Me interesa el accidente que sufrió Nicholas. Me pregunto si fue de verdad un accidente o si se trató de un intento de asesinato...

—¿Un intento de asesinato? Pero ¿quién iba a querer matar a Nicholas?

—Eso es precisamente lo que nos gustaría saber. Es posible que Nicholas tuviera información delicada sobre el caso Alaska Sanders. Quizá te hayas enterado de que Eric Donovan, el hombre que llevaba once años en la cárcel por el asesinato de esa joven, ha salido en libertad esta mañana.

—Sí —contestó Sienna—, lo he visto en las noticias. ¿Qué tiene eso que ver con Nicholas?

—Nicholas me dijo que su accidente ocurrió el 30 de enero de 2002.

—Sí, exacto.

—O sea, pocos días después de que condenasen a Eric Donovan a cadena perpetua por el asesinato de Alaska.

—No veo mucha relación entre una cosa y otra —opinó Sienna—. Y, además, si alguien hubiera querido de verdad matar a Nicholas, ¿por qué no remató la tarea después del accidente?

—Demasiado arriesgado —dije—. Habría levantado sospechas. La policía se habría dado cuenta inmediatamente de que se trataba de un homicidio. Habría empezado a seguir la pista retrocediendo quizá hasta el caso Alaska Sanders. El asesino tenía que ser discreto.

—Tú también investigabas ese caso, Perry —hizo notar Sienna—. ¿Por qué a ti no intentó matarte nadie?

—Porque, al contrario que yo, Nicholas había asistido a la supuesta confesión voluntaria del sospechoso a quien habíamos detenido. Pero el verdadero asesino de Alaska sabía que esa confesión se había conseguido bajo coacción. Al eliminar a Nicholas, se quitaba de encima a la única persona que habría podido revelar la verdad.

—Han hablado de eso en la tele hace un rato; han dicho que por entonces un policía consiguió una confesión por la fuerza.

—Ese policía era Vance —reveló Gahalowood—. Vance forzó a un sospechoso a confesar un crimen que no había cometido.

Sienna Kazinsky estaba alarmada.

—¿Nicholas estaba metido en todo eso? ¿Por eso se suicidó?

—Hay una investigación abierta, Sienna. Pero no sé qué va a pasar.

—¡Hay que dejarlo en paz, está muerto! ¡Haz algo, Perry!

—Lo siento, Sienna.

Nos miró de pronto con reserva. Luego exclamó:

—¡Erais vosotros! ¡Las tazas que encontré el día de su muerte erais vosotros, que vinisteis a ponerle la cabeza como un bombo con todas esas mamarrachadas! No he caído en la cuenta sobre la marcha, pero me acabas de decir que sabías por Nicholas que su accidente había sido el 30 de enero de 2002. Si hubieras hablado con él últimamente, Nicholas me lo habría dicho... Eso quiere decir que fuisteis sus últimos visitantes.

—Sienna —imploró Gahalowood.

Estaba trémula de rabia.

—¡Fuera los dos! ¡Largaos de mi casa! ¡Tenéis un muerto en la conciencia!

Gahalowood quería explicarse, pero Sienna Kazinsky estaba demasiado enfadada para atender a razones. Me llevé al sargento y salimos, perseguidos por los insultos y las recriminaciones de Sienna, que alertaron a los transeúntes y a los vecinos. En lo que nos subíamos al coche, la vecina racista ya había llamado a la policía, que llegó a toda prisa. Me encontré con el mismo policía que me había detenido en el mes de junio, cuando estaba observando la casa de Kazinsky.

—¿Otra vez usted? —me dijo.
—¡Qué oportuno! —le contesté—. Tenemos que pasar por comisaría. Avise a su jefe de que vamos para allá.

Así fue como Gahalowood y yo volvimos a encontrarnos con el capitán Martin Grove, que dirigía la policía de Barrington.
—¿Qué lo trae esta vez por aquí, señor Goldman?
—Preguntas sobre Nicholas Kazinsky —le contesté.
—¿Acerca de su suicidio?
—Acerca de su accidente. Necesitamos saber quién realizó la investigación.

Desde que el jefe Lansdane había ido personalmente a buscarme a esa comisaría el pasado junio, tenía cierto prestigio ante el capitán Grove, a quien no le apetecía nada complicarse la vida a pocas horas del fin de semana.
—Hombre, que es viernes —se lamentó—. ¿Podría volver el lunes?
—No nos moveremos de su despacho hasta que no tengamos la información que nos hace falta.

Al nivel de la policía local, el accidente se le había asignado al detective Paul Ricco; estaba de permiso ese día, pero su capitán le instó a personarse *ipso facto*. Media hora después, se presentó Ricco en pantalón corto y sandalias.

«Que yo recuerde, no había gran cosa en ese expediente», nos contó a Gahalowood y a mí mientras nos llevaba al sótano del edificio, donde estaban los archivos. Allí cogió una delgada carpeta colgante que nos entregó. Gahalowood vio una mesita en un rincón del cuarto y extendió encima los escasos documentos.

El informe refería en buena parte lo que ya sabíamos: una mañana de invierno, al amanecer, Kazinsky está dando su habitual vuelta al barrio. Aún está oscuro y llueve. Le estorba la fila de cubos de basura que hay en la acera y decide correr por la calzada. Poco antes del cruce con Campbell Street, lo arrolla un coche que iba Norris Street abajo.
—Fíjense en lo delgada que es la carpeta —comentó el detective Paul Ricco—. La verdad es que no contábamos con nin-

gún dato. El único testigo es el conductor de un autobús escolar que acababa de ir a sacar su vehículo de la cochera.

Según el acta de la declaración, al conductor del autobús había visto un bólido saltándose la prioridad de paso.

> Eran las 6.14 y yo circulaba por Campbell Street. Iba ya a tomar el cruce cuando un coche salió a toda velocidad de Norris Street. ¡Sin luces! Se saltó el stop y siguió recto por el cruce. Menos mal que yo conduzco con prudencia. Pude frenar por los pelos. Por suerte no llevaba a los niños dentro. Aún tenía el susto en el cuerpo, pero me salió el reflejo de mirar la matrícula. No se veía mucho que digamos, sobre todo porque ocurrió muy deprisa; uno intenta fijarse en todo para recordarlo cada detalle, y en el fondo no ve nada. ¿Les suele pasar a los testigos? Todo lo que recuerdo haber visto aunque estuviera oscuro es una matrícula de Massachusetts. La matrícula era blanca, e incluso con la poca luz que reflejaba, vi claramente la palabra «Massachusetts» en la parte de arriba. Me llamó la atención, no sé por qué, supongo que me esperaba ver una matrícula de New Hampshire. No me dio tiempo a leer los números, el coche ya estaba lejos. Y la verdad es que no se veía ni torta.

—Una matrícula de Massachusetts —dije, alzando la vista de la hoja.

—¿Es todo lo que tienen? —preguntó Gahalowood.

—Todo está ahí —confirmó Ricco—. Archivamos enseguida el expediente por falta de datos. Quisimos pasarle el caso a la policía estatal, pero se nos rieron en las narices. Ese año en los Estados Unidos hubo más de setecientos mil delitos de atropello con fuga, con ciento setenta mil heridos y mil ochocientos muertos.

—¿No hay nada que le vuelva a la memoria y que no se incluyera en el expediente? —insistió Gahalowood—. ¿Ni siquiera un detalle? Puede ser importante.

—Hubo esas llamadas de la Loca —recordó el detective Ricco.

—¿La Loca?

—Es el mote que le pusimos a una vecina de los Kazinsky. Vive enfrente de ellos. Se pasa la vida en la ventana y llama a la policía por un quítame allá esas pajas. Me dio bastante la lata por entonces.

—¿Qué quería?

—Aseguraba que el día del accidente había visto un coche azul aparcado mucho rato delante de la casa de los Kazinsky antes de las seis de la mañana. Al final, el coche se fue y la vecina decidió no avisar a la policía. El clásico testimonio inútil, ya ve.

—¿Un coche azul? —repitió Gahalowood—. ¿Está seguro?

—Eso fue lo que me dijo. Vaya a preguntárselo, estará encantada de hablar con usted.

El capitán Grove y el detective Ricco se alegraron mucho de que nos quitáramos de en medio, y la vecina de los Kazinsky se quedó extasiada con nuestra visita. Admiró un buen rato la placa de policía que le presentó Gahalowood.

—Vaya jaleos que se traen en casa de los Kazinsky —comentó mientras nos invitaba a entrar.

—Estamos investigando el accidente del que fue víctima Nicholas Kazinsky y que lo dejó paralítico —dijo Gahalowood—. El detective Ricco nos ha dicho que vio usted algo sospechoso ese día.

—¡Vaya, por fin alguien que me cree! Esos tarugos de la policía dicen que molesto porque no paro de llamar, pero para eso están, ¿no?

—Por supuesto —dijo Gahalowood para tenerla contenta—. ¿Qué vio ese día?

—A eso de las seis de la mañana, en mi lado de la acera, había aparcado un coche azul. Llevaba esperando ahí por lo menos veinte minutos. Lo sé porque madrugo y porque me gusta saber qué pasa en la calle. Seguro que había alguien en el coche, pero estaba oscuro y no podía verlo en condiciones. Solo se adivinaba una silueta agarrada al volante. Habría salido para verla más de cerca, pero llovía a cántaros. Acabé por ir a hacerme un té y me dije que, si al volver a la ventana el coche seguía ahí, llamaría a la policía.

—¿Y la llamó? —pregunté.

—No, porque cuando volví el coche ya no estaba.

—Dice que esa mañana no se veía nada fuera, pero asegura que el coche era azul... —comentó Gahalowood.

—Porque le daba en parte la luz de la farola; así fue como entreví la silueta que había dentro. Era un coche azul, pongo la mano en el fuego.

Por lo que decía la vecina, el misterioso coche se había ido a eso de las seis de la mañana. Es decir, a la hora en que Kazinsky había salido a correr. Lo había seguido a distancia, acechando el momento propicio. Cuando por fin Kazinsky se había bajado de la acera por culpa de los cubos de la basura, el coche se le echó encima antes de desaparecer, exponiéndose a todos los riesgos. Un coche azul con matrícula de Massachusetts.

—Un coche azul como el que mencionó la madre de Eleanor Lowell —le dije a Gahalowood.

Asintió antes de añadir:

—La noche del asesinato de Alaska, una testigo vio en Mount Pleasant un coche azul con matrícula de Massachusetts que iba a toda velocidad calle principal arriba. El coche podía encajar con el de Alaska, siempre pensamos que era ella la que pasaba por allí justo antes de ir a morir en Grey Beach... pero en realidad ya estaba muerta. ¡Era el coche del asesino, que volvía de la playa!

El mismo asesino que luego había querido librarse de Nicholas Kazinsky, porque era el cabo suelto en el crimen perfecto de Alaska Sanders, ya que habría podido exculpar a Walter Carrey y, con mayor motivo, a Eric Donovan.

Así que el asesino de Alaska había querido matar a Kazinsky y ese descubrimiento exculpaba definitivamente a Eric Donovan, puesto que estaba en la cárcel en el momento del accidente.

¿Quién era esa sombra escurridiza que iba sembrando la muerte al volante de un coche azul?

¿Existía una relación con Eleanor Lowell?

Puesto que en el expediente del delito de fuga tras el accidente de Kazinsky no había nada y los datos del caso Alaska

Sanders nos tenían estancados, era preciso seguir la pista de Eleanor Lowell.

¿Qué le había pasado a esa joven la noche del 30 de agosto de 1998? ¿Fue un suicidio? ¿O un asesinato tan bien organizado como lo había sido la trampa tendida a Eric Donovan?

¿Y si todo estuviera relacionado?

¿Qué relación había entre Eleanor Lowell y el caso Alaska Sanders? Seguramente la respuesta estaba en Salem, adonde fuimos esa mañana Lauren, Gahalowood y yo, para hablar con los padres de Eleanor.

30. Vida y muerte de Eleanor Lowell
Salem, Massachusetts
Sábado 24 de julio de 2010

Antes de ponernos en camino, mientras esperábamos a Lauren, Gahalowood y yo estábamos acabando de desayunar en la terraza del hotel cuando se presentó Patricia Widsmith. Se paró delante de nuestra mesa con una expresión casi tímida que yo nunca le había visto y, tras dedicarnos una sonrisa, nos dijo:

—Gracias. Gracias a los dos. Le han devuelto la libertad a un hombre a quien todo el mundo había abandonado. Ayer, en la rueda de prensa, estuve un poco dura. Debería habérselo agradecido en público, no lo hice y me arrepiento.

—No se preocupe —la tranquilizó Gahalowood—. Al sargento Vance deberían haberlo expulsado de la policía hacía mucho. Eso es lo que ocurre cuando nadie asume su responsabilidad.

—Usted asumió la suya —hizo constar Patricia.

—¿Le apetece un café?

—Con mucho gusto.

Cogió una silla y se sentó con nosotros.

—¿Qué la trae a Mount Pleasant tan temprano? —preguntó Gahalowood.

—Vengo a ver a Eric.

—¿Cómo está?

—Como alguien que acaba de pasar once años entre rejas y que va a tener que aprender a vivir de nuevo. Ya no es el mismo hombre, tendrá que aceptarlo, y su familia también. La prueba de la reinserción será seguramente más difícil aún que la del internamiento. Eric quiere volver a trabajar en la tienda de sus padres... Estará expuesto a la mirada de los clientes y no sé si es bueno para él.

—¿Qué le preocupa? —pregunté.

—Los vecinos de Mount Pleasant lo considerarán culpable mientras no aparezca el asesino de Alaska. Es un problema recurrente cuando se exculpa a condenados basándose en los errores del sumario. Las pruebas, cuando se desmontan, dejan sin sustancia una investigación; ha transcurrido demasiado tiempo desde el crimen para que este se resuelva. Ya se imagina lo traumático que les resulta eso a las familias de las víctimas, que quedan sin respuestas. Para la persona exculpada empieza un nuevo calvario: tiene que encontrar un sitio en la sociedad, donde todo el mundo la mira con suspicacia. La mayoría de la gente se fía de su sistema judicial, sobre todo quienes nunca no han tenido ningún contacto con él. No pueden por menos que pensar que, si de verdad no tuviera nada que reprocharse, no habría pasado tanto tiempo en la cárcel. Por desgracia, eso es lo que va a ocurrir con Eric mientras no se pille al asesino de Alaska.

—Sobre eso, tengo una buena noticia —anunció entonces Gahalowood.

—¿Una buena noticia? —repitió una voz alegre a su espalda.

Era Lauren, que venía a reunirse con nosotros. Tenía el pelo aún húmedo de la ducha. Se había marchado de mi habitación del hotel hacía una hora para ir a cambiarse. La noche anterior, después de cenar en casa de sus padres con su hermano, había pasado delante del hotel. Eran casi las doce. Al ver luz en mi habitación, me envió un mensaje: «Si no estás durmiendo, mira por la ventana». No dormía porque estaba leyendo. Me asomé y Lauren me sonrió. «¿Puedo subir?», me preguntó. «Pues claro». Pasamos la noche juntos. En cierto momento me susurró: «He recuperado a mi hermano gracias a ti. He recuperado el derecho a vivir. Si hubiera sabido hace dos semanas, cuando te paré por exceso de velocidad, que me ibas a cambiar la vida...». Como en todas las demás ocasiones, esos comentarios suyos me hacían sentir incómodo. Me gustaba mucho Lauren, pero tenía claro que lo que sentíamos el uno por el otro era muy distinto en cada caso.

En la mesa del desayuno, Lauren se sentó entre Patricia y yo. Metió la mano debajo de la mesa, tomó la mía y la estrechó con fuerza.

—¿Cuál es esa buena noticia? —preguntó al tiempo que cogía un trozo de pan.

—Ayer descubrimos algo decisivo —contestó Gahalowood—. Creo que va a ser el punto de inflexión de la investigación. ¿Les suena el nombre de Nicholas Kazinsky?

—¿No era uno de los policías que investigaron con usted? —contestó Patricia.

—Exacto —confirmó Gahalowood—. Murió a principios de mes. Suicidio. Había pasado los ocho últimos años de su vida en una silla de ruedas después de que lo atropellase un coche.

—¿Qué relación tiene con nuestro expediente? —preguntó Patricia.

—Nicholas Kazinsky estaba presente en la sala de interrogatorios la noche en que murió Walter Carrey. Era el único que sabía que esa confesión se obtuvo bajo amenazas y que su muerte fue un atropello. Así que también sabía que, si Walter había confesado un crimen que no había cometido, Eric era inocente. Y resulta que, a finales de enero de 2002, es decir, al poco de que condenaran a Eric, a Kazinsky lo arrolla un coche. Sobrevivió, pero se quedó paralítico. Todo apunta a que Nicholas Kazinsky no fue víctima de un accidente, sino de un intento de asesinato.

—¿Y quién podría querer matarlo? —preguntó Lauren.

—La única persona que también sabía que ni Walter ni Eric eran culpables —contestó Patricia, que lo había entendido al instante—. El verdadero asesino de Alaska Sanders.

—Así es —asintió Gahalowood—. Silenciando a Kazinsky, el asesino se aseguraba de que nunca lo descubrirían.

—¿Hay algo que vincule el ataque a Kazinsky con el asesinato de Alaska Sanders? —preguntó Lauren, que no parecía tenerlas todas consigo.

—Un coche azul con matrícula de Massachusetts —aclaró Gahalowood—. Ese coche azul que intentó matar a Kazinsky podría ser el que cruzó Mount Pleasant a toda velocidad después del asesinato de Alaska. Y ese coche azul quizá sea el que vuelve a aparecer en un poema que escribió Eleanor Lowell.

—Eleanor Lowell es la joven que se suicidó, ¿verdad? —preguntó Patricia.

—La misma.

—Es muy probable que exista una relación entre Alaska y Eleanor Lowell —expliqué—. Los famosos mensajes de «Sé lo que has hecho» se refieren a Eleanor. Si Alaska se implica hasta el punto de escribir anónimos, solo puede ser porque algo la está reconcomiendo. El 22 de marzo de 1999, cuando discute con Eric, él le demuestra que el suicidio de Eleanor no fue culpa suya. Alaska se da cuenta entonces de que en la vida de Eleanor había otro hombre. Creemos que todo gira en torno a ese amante. Alaska también tenía un amante que, a tenor de los regalos que le hizo, vivía en Salem. ¿Y si fuera la misma persona? ¿Y si Alaska hubiera descubierto que su amante era el amante de Eleanor y hubiera llegado a la conclusión de que era él quien la había empujado al suicidio? Alaska y Eleanor eran amigas y las dos vivían en Salem. Es perfectamente posible que tuvieran una relación con el mismo hombre.

—¿Por eso quieren ir a Salem esta mañana? —se percató Lauren.

—Sí. —Gahalowood miró el reloj de pulsera—. Por cierto, hay que salir ya.

—Ténganme informada —dijo Patricia—. En lo que a mí respecta, aprovecharé que voy a visitar a Eric para hablarle de su relación con Eleanor. Seguramente se abrirá algo más conmigo.

*

Stephen y Maria Lowell, los padres de Eleanor, nos esperaban en su lujosa villa de Salem. Los habíamos avisado de nuestra visita la víspera. Según nos sentamos en el salón, Maria Lowell nos preguntó:

—¿Qué sucede?

—Como ya les expliqué por teléfono —contestó Gahalowood—, necesitamos hablar de su hija.

—También me dijo que tenía que ver con la muerte de Alaska Sanders. ¿Qué relación hay entre una cosa y la otra?

—No estamos aún seguros, señora Lowell. ¿Qué puede decirnos de su hija Eleanor?

Maria Lowell suspiró:

—No sé ni por dónde empezar. Les he traído fotos y todo cuanto he conservado de ella. Escribía mucho. Tenía una vena artística.

Nos enseñó unas fotos de su hija, tomadas el verano de su desaparición. Era una chica rubia muy guapa, de cara delgada y melena lacia hasta los hombros. Una belleza fría.

—Eleanor era muy sensible —nos contó Stephen Lowell—. Desde muy pequeña, parecía que le afectaba mucho ver que alguien estaba sufriendo. Absorbía las desgracias y los problemas de los demás y los hacía suyos.

—Le dolía profundamente la vida —añadió Maria Lowell—. Nos sentíamos impotentes al verla tan desvalida. A los doce años intentó suicidarse por primera vez. Volvió a intentarlo a los dieciséis. En las dos ocasiones se tomó un montón de tranquilizantes antes de avisarnos. Los médicos consideraron que era una forma de pedir ayuda. Estuvo dos veces ingresada en una «casa de reposo», como dicen ellos. Clínicas psiquiátricas, si lo prefieren.

—¿Le hacían algún seguimiento?

—Sí. Pasó por todos los psiquiatras antes de dar con el adecuado. El doctor Benjamin Bradburd, un médico muy bueno pese a todo.

—¿Por qué «pese a todo»?

—Porque no pudo impedir que Eleanor se quitara la vida. Claro que cuando alguien tiene decidido morirse... Mire, le apunto los datos del doctor Bradburd, espera su llamada. Iba a irse hoy de vacaciones, lo ha dejado para mañana para hablar con ustedes. También le he hecho una lista de las amigas de Eleanor.

—Por lo que sé —añadió Gahalowood—, Eleanor empezaba a despuntar como modelo.

—Sí —confirmó Maria Lowell—, había posado para revistas, hacía muchas escapadas a Nueva York. Tenía éxito. Pero no estoy segura de que esa forma de vida le sentase bien. Cuando estaba en Manhattan, se pasaba las noches en fiestas supuestamente selectas, pero en las que no ocurría nada demasiado selecto, usted ya me entiende.

—¿Drogas?

—Sí —reconoció la madre—, creo que Eleanor consumía cocaína. Intenté avisarla acerca de esa forma de vida, pero se ponía de uñas. Decía que su carrera hablaba por ella y que más me valía meterme en mis asuntos. Como era mayor de edad, yo no sabía cómo actuar.

Intervine para reconducir el hilo de la conversación:

—Disculpen, señores Lowell, pero no me queda más remedio que volver al doloroso suceso del 30 de agosto de 1998. ¿Qué tal estaba Eleanor por entonces?

—Yo diría que tirando a bien —contestó Stephen Lowell—. Eleanor parecía animada. El doctor Bradburd nos explicó que es frecuente que el comportamiento de alguien con tendencias suicidas resulte engañoso cuando ya ha decidido pasar a la acción. Sus allegados piensan que hay una mejoría, cuando en realidad se está acercando el final.

—Y eso que estaba muy contenta por formar parte del jurado de Miss Nueva Inglaterra —especificó Maria Lowell.

—¿El concurso de belleza? —pregunté.

—Sí. ¿Lo conoce?

—Fue la competición que ganó Alaska Sanders en septiembre de 1998.

—Exactamente —confirmó Maria Lowell—. Eleanor lo había ganado dos años antes. Los organizadores le propusieron entrar en el jurado y ella aceptó, muy ilusionada. Es un premio prestigioso y, además, era bueno para su imagen y para ir labrándose un nombre.

—¿Cuándo se lo propusieron? —preguntó Gahalowood.

—A principios del mes de agosto, si no recuerdo mal. En cualquier caso, unas semanas antes de ese trágico 30 de agosto de 1998. Ese día a última hora de la tarde, en vez de cenar, Eleanor fue a hacer deporte, como tantas otras veces. Después de ducharse, me comunicó que salía. Le pregunté dónde iba y dijo que le apetecía darse un baño. Era todavía de día y hacía bastante calor. Pensé que habría quedado con amigos en la playa de Devereux, en Marblehead, que está aquí cerca. Iba allí muchas veces. Cuando me acosté, a eso de las once, mi marido ya estaba durmiendo. Al despertarme, alrededor de las seis y media, vi que tenía un mensaje en el móvil. Había escrito: «Ya no me quedan fuerzas para continuar». Avisé en el acto a la policía, que se puso en contacto con las amigas de Eleanor. Dijeron que habían pasado la velada con ella en Chandler Hovey Park. A eso de las once y media, se fueron todas, pero Eleanor quería quedarse un rato más. Así que la policía fue a Chandler Hovey Park y encontró las cosas de Eleanor al pie del faro. Ropa, monedero, móvil: ahí estaba todo. Estuvieron buscándola en el mar durante varios días, aunque estaba claro que había muerto. Nunca localizaron el cuerpo. La policía llegó a la conclusión de que se había suicidado ahogándose.

—¿Y usted qué opina?

Maria Lowell puso un gesto resignado:

—Desde que lo intentó por primera vez, todos los días, cuando tenía delante a Eleanor viva, pensaba que era un milagro. Creo que esto responde a su pregunta... Sigue sin decirme nada sobre qué tienen que ver Eleanor y Alaska, aparte de que se conocían, claro.

Lauren tomó la palabra:

—En febrero de 1999, fue usted a Mount Pleasant a ver a Alaska. Le preguntó por una relación que, por lo visto, había tenido Eleanor con un hombre mayor que ella. Por lo que su hija contaba en su diario, usted sospechaba que ese hombre había abocado a Eleanor al suicidio.

—Exacto. ¿Cómo lo sabe?

—Alaska se lo contó a un amigo suyo —aclaró Lauren—. ¿Identificó usted por fin a esa persona?

—Por desgracia, no. Y no será por no haber preguntado a todas las amigas de Eleanor. También se lo mencioné a la policía y pareció que les importaba un bledo. Decían que un testimonio sacado de un diario íntimo no tenía valor probatorio.

—¿Podríamos ver ese diario? —preguntó Lauren.

Maria Lowell rebuscó en la caja donde estaban las reliquias de su hija. Sacó una libreta y nos leyó los fragmentos que le había enseñado a Alaska. Luego nos dijo:

—Sabía que era un hombre maduro porque Eleanor se lo había contado a una amiga. Pocas semanas después de ir a ver a Alaska, descubrí otra libreta.

Sacó de la caja un cuaderno escolar y lo hojeó hasta dar con las líneas que buscaba.

> Me habla de su divorcio como de una liberación. Me dice: «Cuando sea libre, seré tuyo. Podremos dejar que nos vean en público». Pero creo que, incluso divorciado, no lo hará. Se avergüenza. Por la diferencia de edad.

Lauren recapituló:

—Así que Eleanor tenía una relación con un hombre mucho mayor que ella, a punto de divorciarse y propietario de un coche azul.

—Sí —ratificó Maria Lowell.

—Nos preguntamos si Alaska no tenía también una relación con el amante de Eleanor —añadí—. De momento solo es una hipótesis en la que estamos intentando profundizar. ¿Tiene algún indicio sobre la identidad de ese hombre?

—Ninguno.

—¿Ha descubierto alguna otra cosa sobre su hija que deberíamos saber? —preguntó Gahalowood—. Cualquier detalle, por insignificante que parezca, podría tener su importancia.

—Sí que hay algo que me ha tenido obsesionada. Durante ese verano, antes de la muerte de Eleanor, al hacer la colada le encontré en el bolsillo del pantalón un billete de autobús. Había sacado un billete de vuelta a Salem el 5 de julio de 1998 desde Rockland, en Maine. Siempre me he preguntado qué pintaba en Rockland.

—Espere —dijo Gahalowood—. El 4 de julio, como cuenta en su diario, Eleanor se siente desgraciada con su amante. Y al día siguiente compra un billete de autobús para regresar a Salem. ¿Su amante vivía en Rockland?

—Eso mismo me planteé yo. Pregunté a sus amigas, pero tampoco en esta ocasión obtuve respuesta. Hasta fui a Rockland para dar una vuelta por las tiendas con una foto de mi hija, pero nadie la reconoció.

—Señora Lowell —Gahalowood señaló las libretas de Eleanor—, ¿podemos llevárnoslas? Se las devolveremos, por supuesto.

Ateniéndonos a las indicaciones de Maria Lowell, nos pusimos en contacto con el doctor Benjamin Bradburd, que nos propuso que fuéramos a su consulta, para poder mirar sus notas sobre Eleanor. Era un médico prestigioso, a quien recurría sistemáticamente la justicia para las evaluaciones psiquiátricas. Era elegante, delgado y estaba claro que se cuidaba. Rondaba los sesenta.

—Eleanor es una paciente a la que he echado de menos. Se hacía muchas preguntas metafísicas. Cargaba con el dolor ajeno. Era una persona compleja, algo manipuladora, con un leve trastorno bipolar, que habría podido mantenerse a raya con la medicación adecuada. Pero Eleanor no respetaba las tomas y, sobre todo, descubrí que consumía cocaína ocasionalmente. Me daban miedo los efectos de semejante cóctel. Cuando me enteré de su muerte, pensé que ojalá lo hubiera intentado. Siempre me he arrepentido.

—Habla usted de «su muerte», pero nunca encontraron el cuerpo —hizo constar Lauren.

—Me limito a repetir las conclusiones de la policía, que, por lo demás, me parecen lógicas. Ya sé que no apareció el cuerpo, lo que, por cierto, siempre resulta espantoso para la familia, que no puede pasar el duelo. Así que evito la ambivalencia que podría dar a entender que sigue viva en alguna parte.

—¿Podría tratarse de una desaparición voluntaria? —pregunté.

Al doctor Bradburd le hizo gracia ese comentario:

—Eleanor no quería desaparecer. Al contrario, ¡soñaba con ser famosa!

—Pero ya tenía su carrera de modelo —subrayó Gahalowood.

—Quería más —aclaró Bradburd—. Se veía como una futura estrella de Hollywood. A veces la reconocían por la calle y le decían: «¿Eres la chica del anuncio?». Eso la desquiciaba. Quería ser algo más que una cara. Quería forjarse un nombre como actriz. Había intentado participar en castings de películas, pero sin éxito.

—Como Alaska —dije.

—¿Quién? —preguntó Bradburd.

—Alaska Sanders —aclaré—, la joven sobre la que estamos investigando. También ella quería ser actriz. Hay muchas semejanzas entre Eleanor y Alaska. Nos preguntamos incluso si no tuvieron el mismo amante. ¿Eleanor no le habló nunca de Alaska?

—Nunca. En cambio, sé que Maria Lowell trató de localizar a un hombre con quien, al parecer, Eleanor tuvo una relación. Me enseñó lo que había escrito sobre él. Por lo visto, era un hombre mayor que ella y aparentemente divorciándose. Pero Eleanor nunca me habló de él durante las sesiones. Lo habría apuntado o lo recordaría.

—Según parece, ni siquiera sus amigas estaban enteradas —afirmó Gahalowood—. ¿Podría habérselo inventado?

—No, lo dudo —contestó Bradburd—. Las fantasías son para compartirlas, para provocar reacciones en los demás. Ahora bien, Eleanor ocultó lo que escribía. Creo que se avergonzaba de esa relación de dominio. Era demasiado inteligente para no darse cuenta de que estaba atrapada en una relación tóxica.

—¿Eleanor le mencionó la ciudad de Rockland? —siguió preguntando Gahalowood.

—¿Rockland? No, tampoco recuerdo nada de eso. Lo siento. Me habría gustado ser de más ayuda.

La consulta del doctor Bradburd estaba cerca del barrio donde vivían los padres de Alaska, así que improvisamos una visita después de ver al psiquiatra. Robbie y Donna Sanders estaban en casa los dos. Nos brindaron un recibimiento sorprendentemente cordial.

—No podían ser más oportunos —nos dijo Robbie—. Estaba a punto de ir a Mount Pleasant.

—¿Para qué? —preguntó Lauren.

—Para hablar con usted —dijo él.

—¿Conmigo?

—Sí, tengo algo para usted. Como le he dicho, estaba a punto de salir. Si llega un cuarto de hora más tarde, nos habríamos cruzado.

Robbie Sanders cogió un estuche voluminoso y se lo tendió a Lauren.

—¿Qué es? —preguntó ella.
—Ábralo.

Lauren obedeció: allí estaba el reloj de oro.

—Me gustaría que se lo devolviera a su hermano —dijo Robbie Sanders.

—Pero... —balbució Lauren, estupefacta—. ¡No puedo aceptarlo! ¡Es su reloj! Ni siquiera sabía que lo hubiera recuperado.

—Anteayer por la tarde vino el sargento Gahalowood a informarnos de la liberación de su hermano. Nos contó toda la investigación. No sabía que Eric fuera hermano suyo, lo descubrí al verla por televisión.

—Señor Sanders, este reloj le pertenece. Se lo robaron de su propia casa.

—La policía lo encontró y me lo devolvió. Hago lo que me parece. Y quiero devolvérselo a su hermano, porque es suyo. Se lo compró de buena fe a mi hija. Lauren, hace once años la vida de su hermano se interrumpió; pero, al revés de lo que sucede con mi hija, la suya puede reanudarse. Es mi forma de intentar reparar lo que sucedió, en parte por mi culpa.

Donna Sanders nos preguntó:

—¿Vienen por algo en particular?

—Sí —contestó Gahalowood—. Tenemos una nueva pista de la que querríamos hablarles. ¿Saben quién es Eleanor Lowell?

Donna Sanders alzó la cabeza y nos miró con cautela.

—Pues claro que sé quién es Eleanor Lowell. Es la pobre chica que se suicidó hace doce años. Fue poco antes del concurso de Miss Nueva Inglaterra, si no recuerdo mal.

—Recuerda bien. ¿Qué puede decirnos de ella?

—Poca cosa. Era modelo, en una categoría muy diferente a la de Alaska. La carrera de Eleanor ya estaba lanzada. Recuerdo que Alaska me enseñó fotos suyas en unas revistas cuando aún no había cumplido ni veinte años. ¿Qué tiene esto que ver con la investigación sobre la muerte de nuestra hija?

—Puede que haya un nexo de unión entre ambos casos —aclaró Gahalowood—. Alaska y Eleanor eran amigas, ¿no?

Donna Sanders se echó a reír.

—¿Amigas? Está usted de guasa. ¡Alaska no tenía nada contra Eleanor, pero Eleanor la odiaba!

—¿Ah, sí? ¿Está segura?

—Segurísima. Eleanor se moría de envidia. Quería abrirse camino en el cine, pero no conseguía nada. Se daba perfecta cuenta de que Alaska sí que tenía lo que había que tener. También sabía que el título de Miss Nueva Inglaterra sería un trampolín para Alaska y su carrera como actriz. Este concurso era famoso por eso. Cuando a Eleanor le propusieron entrar en el jurado, Alaska se puso fatal. No paraba de repetirme: «Va a hacerme fracasar». Eleanor Lowell era una envidiosa. Si habla con sus amigas, se lo confirmarán.

—Precisamente tenemos una lista de personas a las que preguntar —indicó Gahalowood—. Así que a Alaska le preocupaba que Eleanor saboteara su participación en el concurso. ¿Y qué pasó al final?

—Que Eleanor se suicidó —contestó sin pensárselo Donna Sanders, antes de percatarse de lo que acababa de decir—. Eleanor se suicidó y Alaska ganó el concurso.

Donna y su marido se miraron. De pronto parecían espantados. Lauren, Gahalowood y yo cruzamos una mirada significativa. Luego, Gahalowood volvió a tomar la palabra:

—Más allá de la eventual rivalidad entre Eleanor y Alaska, creemos que hay una tercera persona que las vincula. Podría ser un hombre que seguramente vivía en Salem, de edad madura por entonces, divorciado o a punto de divorciarse, que tenía un coche azul con matrícula de Massachusetts.

—No me suena de nada —reconoció Donna Sanders.

—A mí tampoco —admitió su marido—. ¿Qué clase de relación se supone que tenían ese hombre y Alaska?

—Es posible que fueran amantes —indicó Lauren.

—¿Quiere decir que había alguien más en su vida mientras estaba con Walter Carrey? —se extrañó Donna Sanders.

—Sí.

—Muchos hombres me parecen esos para Alaska —dijo con sorna Donna Sanders, soltando una carcajada inesperada.

—Donna, pero ¿qué mosca te ha picado? —protestó su marido.

—Ay, Robbie, ¿nunca te sorprendió que Alaska jamás trajera a ningún chico a casa? Era guapísima, muy atractiva, y seguía soltera.

—No sé dónde quieres ir a parar —le dijo Robbie a su mujer.

—¿Sabía que a su hija le gustaban las mujeres? —preguntó Lauren.

—Sabía que era curiosa. —Sonrió Donna—. Nunca lo hablamos abiertamente entre nosotras. Notaba que aún estaba empezando a descubrir sus apetencias y sus deseos, y no quería meterle prisa. Quería esperar a que estuviera preparada para hablarme de ello.

—¿Cómo descubrió su orientación sexual? —preguntó Lauren.

—Cuando Alaska tenía más o menos veinte años, una antigua amiga del instituto solía venir a casa. He olvidado cómo se llamaba. Era simpática, educada, discreta. No especialmente guapa. Una tarde hice magdalenas y quise llevarles unas pocas al cuarto de Alaska. Abrí la puerta, ellas no me vieron ni me oyeron. Yo, en cambio lo vi todo. Mi hija se había bajado el pantalón y las bragas, estaba agarrada al cabecero de la cama y su antigua amiga del instituto tenía la cara metida entre sus piernas.

—¡Pero bueno, Donna! —se escandalizó Robbie.

—¡Ay, pobrecito Robbie, qué anticuado eres!

—¿Así que Walter...? —pregunté.

—Walter no era más que un capricho. Puede que Alaska estuviese aún tanteando. En cualquier caso, nada serio. De no haber sido por el incidente de la cuenta bancaria, que provocó luego el maldito robo, nunca se habría ido a vivir con él a Mount Pleasant.

*

Esa noche, ya de vuelta en Mount Pleasant, Gahalowood y yo cenamos en el National Anthem. Nos quedamos allí un buen rato, tomando una cerveza. En verano, los sábados por la noche actuaba un grupo musical y había muy buen ambiente. Algo más tarde, se nos unieron Lauren y Patricia, que habían cenado en casa de los Donovan.

—Deberían haber venido a casa de mis padres —lamentó Lauren.

Gahalowood, con buen criterio, no había aceptado la invitación de los Donovan.

—La investigación sigue abierta —explicó—. No me gustaría que un trato demasiado cercano con Eric desacredite la seriedad de nuestro trabajo.

—Lo entiendo —dijo Lauren—. Qué alivio que su compañero Marcus no tenga una relación sentimental con la hermana del antiguo culpable.

Gahalowood se echó a reír. Se reía pocas veces. Me gustó verlo relajado. El grupo musical interpretó entonces un antiguo éxito funk y Patricia cogió a Gahalowood de la mano para llevárselo a la pista de baile. Me quedé solo con Lauren, que se abrazó a mí. Luego me besó y, de pronto, se puso seria.

—¿Estás bien? —le pregunté.

—Sí. Se me hace raro ver de nuevo a Eric en casa de mis padres. Y nadie sabe cómo comportarse. Empezando por mí. Y eso que Patricia me había avisado de que iba a resultar difícil. Me gustaría llevar a Eric a la playa de Kennebunk mañana. Creo que nos sentaría bien.

—Es una buena idea —la animé.

Ella me miró a los ojos.

—Marcus, vamos a cerrar esta investigación. ¿Y luego?

—Luego ¿qué?

—¿Luego qué pasa contigo y conmigo? Nunca ha habido nadie como tú en mi vida, Marcus. No sé cómo te voy a retener aquí e impedir que vuelvas a Nueva York.

—¿Quién te dice que quiera volver a Nueva York?

—¿Y qué ibas a hacer en Mount Pleasant?

Lauren tenía razón.

Al mirarla, pensé en Emma, en Helen, en Tía Anita, y me pregunté qué relación existía entre esas mujeres. Empezaba a darme cuenta de que me permitían perpetuar un mundo imaginario, una búsqueda imposible: la de una vida apacible y apaciguada. La vida que en mis fantasías le atribuía a mi tío Saul y su familia, los Goldman-de-Baltimore, a quienes siempre creí que el destino les había ahorrado las penas y los escollos. Más allá de esa ilusión que yo albergaba, alguien me estaba esperando. Y no era Lauren. Harry me lo había recordado la otra noche, después de la ópera. Había alguien sin quien mi vida estaba incompleta. Y, mientras Lauren me hablaba de un porvenir compartido, yo pensaba en la entrada que Harry me había dado para el concierto de Alexandra Neville. Era al día siguiente y no sabía si debía ir. Estaba dividido entre el deseo de reparar el pasado y el futuro concreto que me ofrecía Lauren. ¿Tenía derecho a hacerla sufrir?

Era la una de la madrugada cuando Gahalowood y yo nos fuimos del National Anthem de vuelta al hotel.

—Oiga, sargento —le dije según íbamos calle arriba—, ¿y ese bailecito suyo con la abogada...?

—Eche el freno, escritor. De sensualidad, nada. Quería llevarme lejos de Lauren.

—¿Lejos de Lauren? ¿Por qué?

—Patricia ha estado hablando de Eleanor Lowell con Eric. Por lo visto, ha estado muy evasivo, raro. Como si algo fuera mal.

—¿Algo como qué? —pregunté.

—Patricia no ha conseguido decirme nada concreto. Habló de una intuición. Cuando empezó a preguntarle por el coche que tenía antes, Eric se puso a la defensiva. Afirma que lo vendió, pero que no puede demostrar que dice la verdad. La transacción se hizo en efectivo.

—¿Y eso qué le inspira, sargento?

—Dudas, escritor. Nuevas dudas.

Gahalowood y yo viajábamos en coche rumbo a Salem para hablar con las amigas de Eleanor Lowell. Íbamos en silencio, pensativos, dándole vueltas a las revelaciones de Patricia Widsmith. Incluso ella comenzaba a dudar de la inocencia de Eric.

31. Dudas
Salem, Massachusetts
Domingo 25 de julio de 2010

Lauren no había venido con nosotros. Se había llevado a Eric a Kennebunk para que se reencontrara con la playa de su infancia. Patricia, por su parte, se había puesto de acuerdo con Gahalowood e iba a reunirse con Janet y Mark Donovan para sonsacarles información sobre su hijo, aprovechando que este no estaba en casa.

Cuando estábamos cruzando la frontera de Massachusetts, Gahalowood me preguntó:

—¿En qué piensa, escritor?

—En Eric Donovan, sargento.

—Hummm. Yo también. Es el elemento común de toda esta historia. Parece que está metido en todo, cuando en realidad ya no hay nada que lo incrimine...

—Lo que sí es seguro es que él no intentó matar a Kazinsky, puesto que estaba en la cárcel. Él no iba al volante del coche azul. El coche que vincula a Alaska con Eleanor y Kazinsky.

Estaba claro que el amante de Eleanor Lowell, «ese hombre de edad madura y a punto de divorciarse», era una pieza clave del puzle. Albergábamos la esperanza de que las amigas de Eleanor nos aportasen nuevas pistas sobre él.

—¿Por quién empezamos? —me preguntó Gahalowood.

Cogí la lista que nos había preparado la madre de Eleanor y que aún no habíamos analizado detenidamente.

—Podemos seguir el orden que eligió Maria Lowell —sugerí—. La primera es Melissa Wiliams, una amiga de la infancia; fueron compañeras toda la etapa escolar. Luego está Tiffany Paulson, que conoció a Eleanor en la clínica psiquiátrica cuando tenían las dos dieciséis años. A continuación, Brooke Rizzo, una amiga que también era modelo y...

Gahalowood me interrumpió:

—Ese nombre me suena de algo. ¿Quiénes son las otras?

De inmediato caí en la cuenta y reconocí el nombre de las amigas de Alaska que nos habían puesto sobre la pista de Eleanor Lowell nueve días antes.

—Se trata de Andrea Brown, Stephanie Lahan y Michelle Spitzer —enumeré de corrido—. ¡Son los mismos nombres que nos dio Donna Sanders! Ya hemos preguntado a esas mujeres, pero sobre Alaska.

—Estamos cerrando el círculo —exclamó Gahalowood—. Mismo coche azul, mismo grupo de amigas... Empiezo a peguntarme si la desaparición de Eleanor no estará vinculada con el asesinato de Alaska.

—¿Quiere decir que Eleanor no se suicidó?

—Puede que compartieran el mismo amante. ¿Y si compartieron también el mismo asesino? Es una pista que hay que tomarse en serio...

Empezamos las entrevistas con Michelle Spitzer, que había sido la primera en hablarnos de Eleanor.

> MICHELLE SPITZER: Claro que éramos todas amigas, si ya se lo había dicho. Nos conocimos durante los diferentes concursos y nos habíamos convertido en una pandilla.
> [...]
> ¿Que si nos teníamos envidia? No. Solo Alaska y Eleanor habían convertido aquello en una profesión. Las demás

habíamos participado en esos concursos cuando éramos aún adolescentes, para divertirnos. En 1998, era ya agua pasada. Algunas ya estábamos en la universidad o incluso trabajando.

[...]

Eleanor era ciclotímica. No contaba mucho sobre sí misma. Había que aceptarla tal y como era. Sé que estuvo bastante tiempo liada con un viejo. Nunca hablaba de él, era muy reservada. Mencionó a uno que andaba por los cincuenta. Tienen que preguntarle a Brooke, le encantan esas historias. A mí me traía al pairo. De hecho, me parecía más bien triste.

BROOKE RIZZO: ¿Que por qué no les hablé de Eleanor Lowell? No lo sé. Ustedes tampoco me la mencionaron. Me preguntaron sobre Alaska, Walter, Mount Pleasant y no lo relacioné con Eleanor. ¿Qué tiene que ver el suicidio de Eleanor con la investigación sobre Alaska?

[...]

Ah, sí, lo del viejo ese era el cuento de nunca acabar... Nunca supe quién era... La madre de Eleanor intentó encontrarlo, pero Eleanor había guardado el secreto a la perfección. Un día le pregunté por qué no hablaba nunca de él y me contestó: «Para no meterlo en problemas».

[...]

No, «el viejo» no era Eric Donovan. Es que Eric no era viejo. [...] Sí, conocía a Eric. Nos lo cruzábamos muchas veces cuando íbamos de bares. Eleanor no le había dicho a nadie que salía con él. Me lo contó una noche en que, precisamente, estábamos todos juntos. También estaba Walter, que le tiraba los tejos a Alaska. Le dije a Eleanor que Walter me parecía guapo. Y estaba bueno. Me confesó que prefería a Eric y que, de hecho, se acostaban a menudo. Pero que le guardase el secreto para que «el viejo» no se enterase. Como si le tuviera miedo. Un día le pregunté qué le veía al viejo aquel. Me contestó: «Estoy enamorada, es lo que hay».

ANDREA BROWN: ¿Envidia entre Eleanor y Alaska? Sí, pero eso tardó. Durante mucho tiempo no pasó nada. Y, además, cada una en lo suyo, iban avanzando poquito a poco en su carrera: Eleanor como modelo y Alaska en llegar a ser actriz. Lo que pasa es que ese verano a Eleanor también se le metió entre ceja y ceja triunfar en Hollywood. No sé muy bien por qué. Alaska nos hablaba de su agente de Nueva York, de que creía en ella, y supongo que a Eleanor le molestó. Pero no creo que le deseara ningún mal a Alaska. En cualquier caso, nunca las vi enfrentarse en público. Lo único, una cosa que me dijo un día que estábamos comiendo las dos juntas. Acababan de elegirla para el jurado de Miss Nueva Inglaterra. Le dije: «Tendrás que apoyar a Alaska, ganar le vendría bien para su carrera». Me fulminó con la mirada y me dijo: «¡Eso nunca! ¡No quiero que gane la guarra esa! Ya está empezando a hacerme sombra». ¿Le ha preguntado a Stephanie? Su madre y la de Alaska eran muy amigas.

[...]

Sí, puede decirse que Eleanor tenía agallas. En verano le gustaba ir a bañarse a Chandler Hovey Park. Se quedaba hasta muy tarde, a veces sola. Decía que no le daban miedo los merodeadores, llevaba una porra extensible en el bolso, por si acaso.

PERRY GAHALOWOOD (asombradísimo): ¿Dice que Eleanor andaba por ahí con una porra extensible?

ANDREA BROWN: Sí; en todo caso, por las noches siempre la llevaba a mano en el bolso. ¿Por qué?

PERRY GAHALOWOOD: Porque a Alaska la mataron con un arma así.

STEPHANIE LAHAN: Sí, algún rumor me llegó de las tensiones entre Alaska y Eleanor por el concurso de Miss Nueva Inglaterra. La madre de Eleanor se lo comentó a la mía. En ese ambiente tan reducido todo el mundo se tiene envidia.

[...]

Pues sí, a los Sanders les vino de perlas que ya no estuviera Eleanor. No sé si Alaska hubiese ganado el concurso con ella en el jurado. Por lo visto, Eleanor estaba decidida a eliminarla.

[...]

No, nunca conocí al tío con el que salía, pero hablábamos mucho de eso entre nosotras. ¿Quién sería ese viejo chocho al que tanto veneraba? Nunca supimos nada sobre él. Bueno, yo sí, solo una vez, a primeros de agosto de 1998. Lo recuerdo porque fue la última vez que vi a Eleanor. Tomamos café juntas y ella llevaba una bolsita de viaje. Le pregunté dónde iba y no quiso contestarme. Pero ella tenía el coche en el taller y me pidió que la llevase en el mío a la estación de autobuses. Fue lo que hice y luego la seguí a escondidas. Pensaba que iba a reunirse con su ligue y me moría por saber qué pinta tenía. Pero lo único que hizo ella fue subirse a un autobús para Rockland, en Maine. Iba sola.

Si Eleanor estaba con su amante en Rockland, Maine, el 4 de julio, y volvió a ir el mes de agosto, significaba que nuestro hombre vivía allí.

Al salir de casa de Stephanie Lahan, Gahalowood me dijo:

—Un coche azul, una matrícula de Massachusetts, un hombre maduro divorciado y Rockland, Maine. ¡Junte todas esas piezas y le toca el premio gordo!

Acabábamos de meternos en mi coche cuando a Gahalowood lo llamaron al móvil. Era el agente de servicio en la recepción del cuartel general de la policía estatal: «Siento molestarlo un domingo, sargento. La madre del sargento Vance está en recepción y quiere verlo». Volvimos de inmediato a New Hampshire. En el despacho de Gahalowood nos estaba esperando una señora menudita y frágil.

—¿Señora Vance?

—¡Perry!

Se le echó en los brazos sin más. Solo se habían visto en una ocasión: el entierro de Matt Vance.

—¿Qué hace usted aquí? —preguntó Gahalowood.

—Tengo que hablar con usted. De lo que dijeron por televisión... sobre el caso Alaska Sanders. Fue el último caso de Matt, ¿verdad?

—Sí, eso es.

—Dijeron que, al parecer, un policía había obligado a confesar a un sospechoso y luego cometió un atropello... ¿Se trata de Matt? ¡Si fue él, dígamelo, por favor! Necesito saberlo, tengo derecho a saber lo que pasó.

—Señora Vance —dijo Gahalowood—, siento muchísimo lo que estoy a punto de contarle. Pero, ya que ha venido hasta aquí para saber la verdad, se la debo.

Gahalowood le reveló con precisión a la madre de su antiguo compañero los acontecimientos del martes 6 de abril de 1999, que habían desembocado en la muerte de Walter Carrey primero y el suicidio de Matt Vance después. Al acabar el relato, la señora menudita estaba anonadada. Cuando recuperó el uso de la palabra, le dijo a Gahalowood:

—Recuerdo uno de los primeros casos de Matt cuando ingresó en la policía de Bangor. Mataron a una muchacha de dieciséis años cuando volvía a pie de una fiesta en casa de una amiga. Gaby, se llamaba. A la pobre la habían matado de una paliza y estaba tan desfigurada que sus propios padres no pudieron identificarla. Nunca encontraron al culpable y, cuando su superior le dijo que dejase el caso por falta de indicios, a Matt le sentó fatal. Me decía: «¡No es posible, mamá! ¡No podemos darnos por vencidos! ¡Les he prometido a los padres de esa chiquilla que encontraríamos al que le hizo eso!». Con los años, me contó que todas las mañanas se acordaba de ella. Volvía a ver esa cara despedazada. «Era una papilla humana», decía. Esa historia lo tenía obsesionado. En dos ocasiones, creyendo que había cogido a un tío que podía tener algo que ver con el asesinato de Gaby, le metió la pistola en la boca para obligarle a confesar. Me confesó: «Volvía a ver el cuerpo de Gaby en aquella cuneta y me imaginaba a ese individuo machacándole la cara a puñetazos, se me cruzaron los cables». A Matt acabó por denunciarlo un compañero y sus superiores le pidieron que se fuera a trabajar a otro sitio, a algún lugar donde el fantasma de Gaby lo dejase en paz. Por desgracia, como era de esperar, Gaby lo siguió hasta New Hampshire. Por ella, Matt nunca quiso tener hijos. Decía que no quería verse obligado a pasar algún día por todo lo que habían pasado los padres de Gaby. Nunca tuvo ninguna relación realmente seria, también por culpa de eso. Estaba demasiado angustiado. La última vez que hablé con Matt fue el fin de semana antes de su muerte. Me contó por teléfono que estaba con un caso, una joven a quien habían encontrado muerta a la orilla de un lago. Nunca olvidaré su nombre porque era muy peculiar: Alaska. Me dijo: «Mamá, voy a dejarlo. No puedo seguir con esta profesión. Voy a resolver este caso y, cuando lo haga, me perdonaré no haber podido encontrar nunca al asesino de Gaby». Fue nuestra última conversación.

La señora Vance se interrumpió. El silencio de la habitación fue terrible.

—Siento muchísimo todo lo que ha pasado —susurró por fin Gahalowood.

—No tiene nada que reprocharse, Perry, no estaba usted allí...

—Eso es lo malo.

—En la tele, dicen que van a degradar a mi hijo a título póstumo —dijo ella entonces—. Que lo hagan si eso agrada a la opinión pública. Ya puestos, que destruyan su lápida. Aunque no sé si con eso va a cambiar gran cosa. No le devolverán la vida a ese pobre muchacho, ni a Alaska. Pero usted, Perry, puede reparar todo eso resolviendo la investigación. Oigo el alma de Matt, que sigue torturándose y golpetea en su ataúd buscando redención. Redímalo usted, Perry. Y también a los padres de esa niña. Encuentre al asesino. En nuestra última llamada, Matt me dijo: «Lo único que quiero, mamá, es ir a ver a los padres de Alaska para decirles que se ha hecho...

—... justicia» —la interrumpió Gahalowood, terminando la frase.

—¿Cómo lo sabe?

—Su hijo me lo había dicho a mí también.

Según volvíamos a Mount Pleasant, Gahalowood se sinceró:

—Estoy cansado, escritor. Ya es hora de cerrar este caso. Después, yo también voy a dejarlo.

—¿Quiere dejar la policía, sargento?

—En cualquier caso, tomarme un respiro. ¿Sabe cuál era el sueño de Helen? Irnos toda la familia en un velero, a dar la vuelta al mundo. Eso es lo que me gustaría hacer cuando hayamos terminado con esto. Marcharme con mis hijas.

—Es un buen plan —le dije.

—Puede que haya sitio para usted a bordo, escritor.

—Gracias, sargento, pero tengo que zanjar un par de asuntos antes de fastidiarle la travesía.

—Nunca fastidia nada, escritor, al contrario.

*

A media tarde, en mi habitación del hotel de Mount Pleasant, estaba jugueteando con la entrada que me había dado Harry. El concierto de Alexandra Neville era esa noche. Faltaba poco para la hora de la famosa cita. ¿Iba a ir?

Llevaba mucho rato indeciso. Tenía en una mano la foto donde salíamos mis primos, ella y yo, y en la otra, la entrada. Por fin, me decidí a ir. Me marché a escondidas, no quería darle explicaciones a nadie. En la habitación de al lado, Gahalowood estaba absorto en los documentos que nos había dejado la madre de Eleanor. Según entré en el coche, me llegó un mensaje de Lauren:

> ¿Vienes a casa?

Contesté:

> No, prefiero quedarme tranquilamente en el hotel, si no te importa. Estoy molido.

Arranqué.

Fui a Boston, al TD Garden, donde se jugaban los partidos de baloncesto y de hockey, y se celebraban los grandes conciertos.

No sé en qué época me estaréis leyendo, pero, si seguíais la actualidad musical en 2010, es imposible que no hayáis oído hablar de Alexandra Neville, que era la cantante del momento.

Pasé el control de entrada y miré el número de asiento para saber hacia dónde dirigirme.

No vi que estaba detrás de mí.

Me había seguido hasta donde pudo, antes de que la parasen en la puerta por no tener entrada.

Miró cómo me alejaba, apabullada con mi mentira.

Era Lauren.

Al día siguiente del concierto, Lauren me citó en el Season para tomar un café. Me esperaba en una mesa con los brazos cruzados y mirada torva. A guisa de saludo, me dijo muy seca: «Siéntate».

32. Vinalhaven
Lunes 26 y martes 27 de julio de 2010

—¿Qué tal anoche? —me preguntó.
—Ni fu ni fa. ¿Y tú?
—¡No me tomes el pelo, Marcus! ¿Con quién fuiste a ese concierto?

No traté de negarlo. Le pregunté sencillamente cómo se había enterado.

—Porque ayer te vi salir del hotel. Acababa de aparcar delante. No me viste, parecía que llevabas prisa, te subiste al coche y entonces te escribí: «¿Vienes a casa?». Era una pregunta, pero tú creíste que te estaba invitando y me dijiste que querías descansar en tu habitación ¡mientras yo veía cómo te marchabas! ¡Serás mentiroso! Pensaba que eras un tío legal, Marcus, un tío diferente. Pero no eres mejor que los otros. ¿Qué pasa, que tienes un lío en Boston? ¿La llevaste al concierto?

—Lauren, te va a costar creerme, pero no fui al concierto con nadie.

—¡Y yo voy y me lo creo!

—La entrada me la dio Harry Quebert. Volví a verlo el sábado de la semana pasada. Me sugirió que fuera al concierto.

—¿Por qué?

—Es complicado; pero quería darme la oportunidad de reencontrarme con alguien. Alguien que fue muy importante en mi vida.

—Una ex, vamos.

—Sí.

—¿Quién es?

—La chica de la foto.

—¿Cómo?

—La chica de la foto con mis primos, Alexandra. Era ella.

—¿Y...?

—No me acerqué, la miré de lejos. Sin atreverme a hacer ni decir nada.

—¿No hablasteis?

—No.

—¿Sientes algo por ella?

Hice una pausa y la miré a los ojos antes de confesar:

—Creo que sí.

Agarró la taza de café como si quisiera tirármela a la cara. En ese momento me sonó el móvil: era Gahalowood.

—Escritor, ¿dónde está?

—En el Season con Lauren.

—Vengan los dos al hotel, he encontrado una pista.

*

Gahalowood, exaltadísimo con su hallazgo, no se fijó en lo tensos que estábamos Lauren y yo. Encima de una mesa del restaurante del hotel nos enseñó una de las libretas de Eleanor Lowell.

—Me la he leído entera —nos dijo—, y esto es lo que he encontrado.

Señaló con el dedo una página cubierta de una letra diminuta.

> Voy a reunirme con él. Me ha dicho que sin mí pierde toda esperanza. Desde el fracaso de aquel 4 de julio me había prometido a mí misma no volver por allí, pero me necesita y no puedo abandonarlo. Estaba incluso dispuesto a venir a buscarme en

coche, pero he preferido ahorrarle el viaje, sobre todo con ese desfile estúpido que tiene empantanada la ciudad. Nunca he entendido ese entusiasmo por las langostas gigantes.

Cojo el autobús. Según me subo, noto la impaciencia en el cuerpo. Solo me urge una cosa: volver a estar con él. Encerrados en nuestra burbuja, en nuestro paraíso.

Cuando suena la sirena de niebla, se me desboca el corazón, sé que lo tengo cerca. Hemos quedado en su refugio, donde nadie puede encontrarnos. Donde nadie puede estorbarnos. Es un sitio aparte.

En esa casa gris entre arces rojos donde me siento una mujer. Podemos ser una pareja. Estamos a buen recaudo.

—Es este texto —nos explicó Gahalowood—, Eleanor menciona un trayecto en autobús posterior a un 4 de julio desastroso. Supongo que se trata de ese viaje en autobús a Rockland que nos comentó Stephanie Lahan. Eleanor habla de langostas, y las langostas son Maine, lo que vuelve a llevarnos a Rockland...

—Hasta aquí lo voy siguiendo, sargento —dijo Lauren.

Gahalowood prosiguió:

—Eleanor menciona también un desfile. Así que he comprobado si en Maine se celebra en agosto algún desfile cuyo símbolo sea la langosta. Y no se lo van a creer: todos los años, desde 1947, en Rockland, Maine, se celebra el Festival de la Langosta, que incluye un cortejo de langostas gigantes que recorre el centro de la ciudad.

—Eleanor va a Rockland a reunirse con su amante en una casa gris rodeada de arces rojos —recapitulé—. Suena una sirena de niebla, probablemente habrá un faro cerca, lo que debería servirnos para acotar la búsqueda.

Gahalowood asintió, mirándonos a Lauren y a mí. Luego nos dijo:

—Ya saben lo que toca...

—¡Rumbo a Rockland! —decretó Lauren.

*

Rockland estaba a tres horas en coche. Como cabía la posibilidad de que tuviéramos que hacer noche allí, nos llevamos unas cuantas cosas.

La localidad de Rockland ocupaba una superficie de cuarenta kilómetros cuadrados. Pese a la pista de que la casa gris se encontraba cerca de un faro, localizarla no iba a ser pan comido. Para optimizar la búsqueda, fuimos en dos coches: Gahalowood y yo en uno y Lauren en el otro.

Llegamos a última hora de la mañana y nos pusimos manos a la obra sin más demora: Lauren se encargaría de peinar el lado norte de la ciudad y Gahalowood el lado sur. Yo me patearía el centro urbano enseñando, tienda por tienda, una foto de Eleanor con la esperanza de refrescarles la memoria a los comerciantes.

La jornada no fue más que una sucesión de pistas falsas: localizamos varias casas grises, algunas rodeadas de arces y otras no. Con todas ellas tuvimos que comprobar los más mínimos detalles y con ninguna de ellas acertamos. Algunas se habían construido después de 1998. Otras tenían distinto color doce años atrás y las habían pintado de gris más adelante. En otras vivían hoy hombres demasiado jóvenes o demasiado viejos para haber sido el amante de entonces. A modo de refuerzo, Gahalowood había solicitado ayuda de la policía de Rockland, que se había mostrado muy colaboradora. Sin resultado. Por mi parte, la ronda por los comercios con la foto de Eleanor fue un estrepitoso fracaso.

A media tarde no teníamos ninguna pista. Lauren se rindió y decidió regresar a Mount Pleasant. Gahalowood y yo seguimos hasta que cayó la noche. Cuando estuvo demasiado oscuro para ver nada, paramos en un motel. Pese al cansancio de la jornada, estábamos demasiado nerviosos para dormir. Nos quedamos fuera, delante de nuestras habitaciones, sentados en unas sillas de plástico y bebiendo unas latas de cerveza.

—¿Va todo bien, escritor? —me preguntó Gahalowood—. Hoy me ha parecido que anda de capa caída. No ha dicho ni pío en todo el día y eso es algo inusitado. He echado de menos su insoportable verborrea.

—Es Lauren, sargento.

—Ah, ahora que lo dice, es cierto que no parecía mirarlo con muy buenos ojos.

—Ya lo sé... He metido la pata.

—¿Mucho?

—Sí y no. Le dije una mentira, cosa que nunca está bien. Le tengo cariño a Lauren... pero me hago muchas preguntas.

—¿Sobre qué?

—Una historia antigua de la que le hablaré algún día.

—Seré todo oídos cuando esté usted listo.

—Sargento, ¿cómo supo que Helen era la definitiva?

Gahalowood se encogió de hombros.

—¿Quiere que le conteste honradamente?

—Sí.

—Lo sé desde que ya no está. Por supuesto que la quería más que a nada. Por supuesto que le pedí que se casara conmigo porque me veía pasando la vida con ella. Por supuesto que nunca he dudado de mi amor, a pesar de los altibajos. Pero, cuando se dice que una persona es «la definitiva», ¿sabe lo que significa? Significa que, cuando se muere, te das cuenta de que habrías querido morir con ella. Tu mundo se desmorona. Ya no funcionas sin ella. Me siento como una máquina rota, escritor. Al perder a Helen, perdí mi propio manual de instrucciones.

—Lo repararemos, sargento.

—No sé si tiene arreglo, escritor. ¿Y sabe qué le digo? Que mejor que no lo tenga. Eso quiere decir que hemos amado de verdad. Duele mucho, pero le presta todo su sentido a nuestra corta vida.

*

A la mañana siguiente, a primera hora, Gahalowood y yo volvimos a salir a la caza de la misteriosa casa gris. Fuimos siguiendo la costa mucho más allá de Rockland para pasar revista a todas las viviendas que tuvieran faros cerca. Seguimos sin encontrar nada.

Al final de la mañana, después de varias horas de infructuosa búsqueda, volvimos a Rockland completamente desalentados. Regresamos sin una mala pista y con la impresión de estar caminando en círculos. Nos tomamos un café en el puerto. A nuestro lado un pescador estaba desembarcando las nasas de langostas. Lo observábamos en silencio. Un ferry salió del puerto cargado de excursionistas. Los miré con envidia, necesitaba unas vacaciones. Tras acabarnos los cafés, le pregunté a Gahalowood:

—¿Y ahora qué hacemos, sargento?

Incluso él se daba por vencido.

—Nos volvemos a Mount Pleasant, escritor.

Asentí. En ese momento, sonó la sirena del ferry. Tres toques largos. Tres toques de sirena de niebla. Gahalowood y yo nos miramos asombrados. Exclamé:

—Demonios, sargento, ¿ha oído eso?

—¡Como para no oírlo!

Se dirigió al pescador:

—Oiga, señor, ¿dónde va ese ferry?

—A Vinalhaven —contestó el pescador.

—¿Vinalhaven? —repitió Gahalowood.

—La isla de Vinalhaven. Está a una hora en ferry. ¿No la conoce?

—No. ¿Vive gente allí?

—Unas dos mil personas. Se ha puesto de moda. Muchos veraneantes.

Gahalowood se sacó del bolsillo la libreta de Eleanor, que había traído consigo. Volvió a leer la parte en que mencionaba un refugio donde nadie podría encontrarlos.

Una isla encajaba a la perfección. Tras informarnos, Vinalhaven resultó ser un lugar de veraneo muy apreciado. Un sitio donde un hombre maduro en pleno proceso de divorcio podía hallar un poco de tranquilidad.

Media hora más tarde estábamos metiendo el coche de Gahalowood en el ferry. Ya en la isla, volvimos a emprender la caza de una casa gris rodeada de arces rojos. Se nos fue el día pasando revista a todas las casas de Vinalhaven, una tras otra. Por fin encontramos una casita a la orilla del mar que coincidía con la descripción: una edificación de tablas grises rodeada de enormes arces rojos. Dejamos el coche a cierta distancia, por discreción, y nos acercamos a la propiedad. El lugar parecía desierto. No había ningún coche a la vista. Ni nombre en el buzón.

Gahalowood llamó a la puerta. No contestaron. Decidí dar la vuelta a la casa. Por las ventanas vi que no había nadie. Cuando estaba escudriñando el salón, descubrí algo que no me esperaba.

—¡Sargento, venga a ver esto!

Gahalowood acudió.

—¿Qué pasa?

—Mire el salón, la pared del fondo, detrás de la butaca...

Gahalowood se pegó a la ventana.

—Maldita sea, escritor.

En la pared estaba colgado un cuadro que representaba una puesta de sol en el mar. El cuadro que aparecía de fondo en el vídeo de Alaska. Aquí era donde había grabado su última audición.

En ese preciso instante oímos el ruido de un motor. Se acercaba un vehículo. Gahalowood tuvo el reflejo de tirar de mí hacia los arbustos. Fue entonces cuando vimos aparecer un coche azul, un modelo que tenía al menos diez años, que aparcó delante de la casa. Se abrió la puerta del conductor y bajó un hombre; al ver de quién se trataba, Gahalowood y yo nos quedamos atónitos.

Una barcaza de los guardacostas, con varios vehículos de la policía estatal y del sheriff del condado de Knox a bordo, surcaba lentamente el océano, escoltada por una bandada de gaviotas.

33. Una casa gris
Vinalhaven, Maine
Miércoles 28 de julio de 2010

Desde el puente, Gahalowood y yo observábamos cómo se acercaba la isla de Vinalhaven. Lauren y el jefe Lansdane también estaban presentes, así como el jefe Mitchell, a quien Gahalowood había tenido la gentileza de incluir en la operación.

Eran las doce del mediodía. Nos disponíamos a detener, en esa casa gris rodeada de arces rojos, al doctor Benjamin Bradburd. Él era el hombre maduro y divorciado que conducía un coche azul (un Chrysler Sebring adquirido en marzo de 1998 y que aún conservaba) y había comprado esta segunda residencia a principios de la década de 1990. Descubrimos también que su madre, Rosemary Bradburd, era una antigua reina de la belleza que había fundado tiempo atrás el concurso de Miss Nueva Inglaterra y nombrado a su hijo miembro del comité organizador.

*

Desde el día anterior, desde que nos habíamos dado cuenta de que Benjamin Bradburd era el amante de Eleanor al que estábamos buscando desesperadamente, Gahalowood y yo nos moríamos por interrogarlo. Nos habría gustado detenerlo sobre la marcha, pero era una situación delicada: Gahalowood no tenía autoridad legal para actuar en Maine. Así que nos escabullimos a hurtadillas fuera de la propiedad y, como allí no había cobertura de móvil, fuimos a Vinalhaven, la pequeña ciudad que daba nombre a la isla, desde donde el sargento llamó a Lansdane en una cabina. Nuestra iniciativa no tuvo una acogida favorable. «Está en una isla de Maine, fuera de su jurisdicción, y se ha colado en una propiedad privada sin orden judicial. ¡Bravo! ¡Ya sabe que se podría cargar toda la investigación por defecto de forma! ¡Lo quiero de vuelta en New Hampshire ya mismo! Y en mi despacho mañana a primera hora; me informará de qué sospechas pesan sobre ese Benjamin Bradburd. Avisaré de inmediato a las autoridades locales e iré personalmente con usted a echarle el guante a ese individuo». Obedecimos. Dejamos la isla en el último ferry y volvimos a New Hampshire. Perry me propuso que durmiera en su casa, en Concord, considerando que resultaba más cómodo. Acepté. No sabía si quería volver a Mount Pleasant. Me reencontré con la casa de los Gahalowood y el «cuarto de Marcus» en el sótano. Ya estaba metido en la cama cuando recibí una llamada de Lauren.

—Perry acaba de llamarme —me dijo—. Así que habéis encontrado al asesino de Alaska...

—Lo sabremos mañana.

—Perry me ha propuesto que me una a vosotros en el cuartel general de la policía estatal mañana por la mañana. Espero que no te moleste...

—La investigación es tan tuya como mía. ¿Por qué iba a molestarme?

—Desde ese concierto al que fuiste supuestamente solo, tengo la impresión de que algo se ha roto entre nosotros.

Lauren tenía razón, pero no supe qué contestar. Acabamos colgando.

*

Doce horas después de esta charla, en el puente de la embarcación de los guardacostas, según nos acercábamos a Vinalhaven, miré a Lauren. La tenía tan cerca a mi lado que su pelo, agitado por el viento, me acariciaba la cara.

Atracamos en el puerto de Vinalhaven. Los excursionistas miraron con curiosidad ese desembarco de la policía, que era algo que seguramente no se había visto nunca en esa isla. Cuando todo el convoy estuvo en tierra, nos pusimos en camino. A los diez minutos, llegamos a casa de Benjamin Bradburd. Los policías se desplegaron a toda velocidad para rodearla, impidiendo el acceso a los prados de las inmediaciones y al mar. El coche azul seguía aparcado allí.

Gahalowood, Lansdane, Lauren y yo nos apostamos ante la puerta de la casa. Benjamin Bradburd, alertado por el ruido de motores, nos abrió antes de que llamásemos.

—¿Qué ocurre? —preguntó, sorprendidísimo.

—Benjamin Bradburd —le comunicó Gahalowood—, queda detenido por el asesinato de Alaska Sanders.

*

—¡Esa historia es absurda! —protestó Benjamin Bradburd, a quien estábamos interrogando en su salón—. ¿Por qué iba yo a matar a esa Alaska Sanders?

—A usted le corresponde decírnoslo —replicó Gahalowood.

—¿Cuántas veces voy a tener que repetirles que yo no la maté?

Lauren le enseñó una foto de Alaska.

—Mire esta cara, ¿está seguro de que no le suena? A Alaska la eligieron Miss Nueva Inglaterra en 1998, el concurso que fundó su madre y a cuyo comité organizador pertenece usted.

—Sí, sí, ahora que le veo la cara, sí que me acuerdo de ella.

—Sin embargo —le hizo notar Lauren—, el otro día, cuando la mencionamos en su consulta, hizo como si ese nombre no le dijese nada.

Bradburd apretó los dientes. Se le leía la contrariedad en la cara.

—¡Vamos! —dijo irritado Gahalowood—. ¡Suéltelo ya! ¿Por qué mintió sobre Alaska?

—No mentí. De primeras no caí en la cuenta. No tengo en la cabeza el nombre de todas las galardonadas del concurso de Miss Nueva Inglaterra.

—¡Miente! —exclamó Gahalowood—. Salta a la vista que está mintiendo. Así que le repito la pregunta: ¿por qué mintió sobre Alaska?

Tras un titubeo, Bradburd bajó la vista y acabó por decir:

—Por Eleanor.

—Tenía una relación con ella... —dijo Lauren.

—¿Cómo lo han descubierto? —preguntó Bradburd.

—Por su diario —contestó Gahalowood—. ¿Así que confirma que era su amante?

—Sí, bueno —reconoció él—, es cierto. No debería haberlo hecho... Era su psiquiatra... Pero ella era mayor de edad, no hice nada ilegal.

—¡Se suicidó por su culpa! —le echó en cara Gahalowood, apuntándolo con un dedo acusador—. ¡La llevó al límite! Ella contó en su diario de qué forma la trataba. ¿Cómo pudo usted...? Era su médico, tenía que cuidarla, no empujarla al suicidio.

—Fue su patología lo que la llevó a suicidarse —alegó en su defensa Bradburd—. ¡Era frágil!

—Precisamente. ¡Usted sabía que era frágil y se pasó el verano fastidiándola!

—Fue un verano difícil. Mi vida se desmoronaba. Me estaba divorciando, en parte por culpa de Eleanor, porque mi mujer había descubierto nuestra relación. Eleanor estaba enamorada de mí y yo no sabía cómo salir de ese atolladero.

—¿Porque usted no estaba enamorado de ella?

—No; ni siquiera sabría cómo llamar a lo que teníamos Eleanor y yo. Era mi última paciente de los martes. Terminaba la jornada con ella. A esa hora tardía, mi asistente ya se había ido. Una tarde, a principios de 1998, tuve un momento de debilidad. Yo llevaba un tiempo notando la atracción que Eleanor sentía por mí, y ella, como ya sabe, también era muy atractiva. No tendría que haber cedido, pero perdí el control. Ocurrió en mi consulta, en plena sesión. Me prometí que no se repetiría. Pero el martes siguiente no pude controlar mis impulsos. Y, un martes tras otro, la sesión de psicoterapia consistía en hacer el amor en el diván de mi consulta. No me enorgullezco. Cuando llegó el verano, tuve la esperanza de que, al trasladarme a Vinalhaven, podría cortar la relación, pero ella se empeñó en venir aquí en varias ocasiones. Cuando yo insinuaba que rompiéramos, amenazaba veladamente con denunciarme al Colegio de Médicos. Tenía mi carrera en sus manos. Así que seguí con ella, con la esperanza de que mi comportamiento la desanimase. Pero no solo no se desanimaba, sino que cada vez pedía más. Acabó por exigir formar parte del jurado de Miss Nueva Inglaterra. Decía que sería bueno para su carrera, así que intercedí con mi madre, que aceptó. Pensaba que, después de eso, Eleanor me dejaría en paz. Pero ¡qué va!, insistió en que nos convirtiéramos en una auténtica pareja. Quería que saliéramos a plena luz. Yo intentaba hacer tiempo, alegando que mi divorcio estaba en marcha, pero era consciente de que esa disculpa no iba a dar para mucho. No sabía cómo salir de aquello.

Le pregunté a Benjamin Bradburd:

—¿Qué sintió cuando se enteró del suicidio?

—Alivio. Un inmenso alivio. Y mucha culpabilidad. Aún hoy no pasa un día sin que me acuerde... Sin que me pregunte qué habría ocurrido de no haber cedido a mis necios impulsos. Mi vida sería muy diferente. Aún estaría casado, a lo mejor habría acabado teniendo hijos.

Hubo un silencio. Después, Gahalowood añadió:

—Alaska Sanders estaba al corriente de su relación con Eleanor. Sabía que la había empujado al suicidio. Usted mismo lo ha dicho: habría sido un tremendo borrón en su carrera. Más que un borrón, de hecho; lo que lo espera ahora es la cárcel, Benjamin. Se aprovechó del ascendiente que tenía sobre Eleanor para seducirla y, luego, librarse de ella. Alaska lo había descubierto todo, lo acusó y usted la mató para proteger su secretillo y su penosa carrera.

—¡Es una acusación infundada! —exclamó Benjamin Bradburd poniéndose en pie de forma tan brusca que unos policías se arrojaron sobre él para volver a sentarlo.

Gahalowood no aflojó la presión:

—¿Qué vínculo tenía Alaska con usted? Eran amantes, ¿verdad? ¡Quedó con ella la noche del 2 de abril de 1999 para una supuesta cena romántica y la mató!

—Está usted fabulando, sargento. ¡Hágaselo mirar, en serio! ¡No tiene la más mínima prueba de lo que está diciendo! Sería hasta gracioso si no resultara tan patético. Esta broma ya ha durado bastante. Exijo que me dejen llamar a mi abogado. No seguiré hablando sin él.

—Tendrá derecho a su abogado en los locales de la policía estatal de Maine, donde vamos a llevarlo.

—¡No van a llevarme a ninguna parte! —escupió Bradburd—. No tienen nada contra mí.

—Va a ir a la cárcel, Benjamin. Provocó que una de sus pacientes se suicidase. Va a ir a la cárcel sí o sí. Sobre lo demás, cállese cuanto quiera. Tenemos suficientes indicios que lo señalan a usted. Es un hombre muy inteligente y por eso hemos tardado once años en quitarle la careta.

Benjamin Bradburd, bien custodiado, presenció el registro de su casa desde una butaca del salón. Cuando vio a Gahalowood incautarse del cuadro que representaba la puesta de sol sobre el mar, se preocupó:

—¿No pensará vaciarme la casa?

—No se preocupe, doctor Bradburd —le dijo Gahalowood—. En el sitio al que va ya no le hará falta.

No encontramos nada en la casa.

Mientras estábamos atareados dentro, unos policías inspeccionaban la propiedad. Fueron ellos quienes descubrieron el pozo, parcialmente cubierto de maleza y de hierba alta. Nos avisaron enseguida. Era un viejo pozo de piedra, sellado con un pesado tablón cuya finalidad sin duda era evitar accidentes.

Gahalowood pidió que llevasen a Bradburd.

—¿Qué es esto? —le preguntó.

—Ya lo ve: un pozo viejo. No lo hemos usado nunca.

—¿Tiene más sorpresas en su propiedad?

—No sé por qué se emperra, sargento.

Bradburd mostraba cierta seguridad en sí mismo que resultaba muy irritante.

El pozo nos intrigaba. Quitaron el tablón, era profundo. La primera inspección ocular con linterna reveló que había algo en el fondo. Gahalowood decidió que había que examinarlo de cerca. Pidió que enviasen a una brigada de bomberos equipados para bajar.

El revuelo alrededor del pozo acaparó la atención general. Bradburd, que no estaba esposado, aprovechó un momento de distracción para darnos esquinazo. Escapó en dirección al bosque. Todos los policías presentes se lanzaron a perseguirlo, pero Bradburd corría asombrosamente deprisa. En pocas zancadas, cruzó las lindes del frondoso bosque y desapareció en un entorno que le era familiar, mientras que los policías se hallaban en terreno desconocido.

*

Habían transcurrido dos horas desde la fuga de Bradburd. Pese a la operación de búsqueda, seguía ilocalizable. Equipos de guardacostas y de la brigada marítima de la policía estatal de Maine revisaban todos los barcos que salían de Vinalhaven. Bradburd se conocía la isla como la palma de su mano, pero no podría ir muy lejos.

Entretanto habían llegado los bomberos para revisar el pozo. Bajó un primer hombre enganchado a una cuerda. La radio de los compañeros que estaban en la superficie no tardó en crepitar.

—¡Un cadáver! —exclamó el bombero desde el fondo del pozo—. ¡Hay un cuerpo en estado de descomposición muy avanzado!

El bombero pidió que lo subieran. Ya al aire libre, abrió el puño para enseñarnos lo que acababa de recoger de entre los restos humanos. Una cadena de oro que llevaba grabado un nombre: «Eleanor».

Cinco días después de nuestro descubrimiento en Vinalhaven, Gahalowood, Lauren y yo le presentamos al jefe Lansdane nuestras conclusiones en el caso Alaska Sanders.

34. Giro copernicano
Concord, New Hampshire
Lunes 2 de agosto de 2010

El cuerpo que apareció en el pozo era, efectivamente, el de Eleanor Lowell. No se había suicidado como todo el mundo había creído todos estos años. Había muerto por un traumatismo craneal producido por un fuerte golpe con un objeto contundente. Como Alaska.

En cuanto a Benjamin Bradburd, había aparecido muerto en el trastero de una casa de Vinalhaven. Se había suicidado con lo que había encontrado a mano: una bolsa de plástico en la que había metido la cabeza y que se había atado al cuello con cinta adhesiva. Murió asfixiado. Gahalowood me dijo que era un método relativamente habitual: «Lo sorprendería, escritor, pero es eficaz: una vez que ya está en marcha, no se puede uno arrepentir. Imposible quitar la cinta adhesiva para sacarse la bolsa y, con el pánico, a la gente pocas veces se le ocurre hacerle un agujero al plástico».

—A Eleanor y a Alaska las mató la misma arma —explicó Gahalowood en el despacho de Lansdane—. Eleanor recibió un golpe en el parietal, donde el forense ha encontrado una esquirla metálica procedente de la porra que se usó para matar a Alaska.

—¿Así que fue Benjamin Bradburd? —dijo Lansdane.

—Es lo que pensamos —indicó Gahalowood—. Por desgracia, carecemos de pruebas concluyentes. Pero tenemos el móvil: Alaska pensaba que Bradburd era culpable del suicidio a Eleanor. Cuando se lo dijo, él temió que descubriesen el cuerpo de Eleanor. Mató a Alaska para hacerla callar.

—¿Qué relación había entre Alaska y Bradburd? —preguntó Lansdane.

Lauren contestó:

—Cabe creer que eran amantes. Por desgracia, Alaska y Bradburd ya están muertos, nunca tendremos la certeza. Pero eso lo explicaría todo.

Gahalowood añadió:

—No entendíamos cómo se articulaba todo en torno de Eric Donovan. Todo parecía apuntarle. Así que a la fuerza debía existir un vínculo entre él y el asesino. Cuando nos dimos cuenta de que Benjamin Bradburd tenía una relación con Eleanor y que ella, a su vez, la tenía con Eric Donovan, fue cuando empezamos a desenredar los hilos de esta historia.

Yo seguí:

—La noche del 30 de agosto de 1998, Eleanor está con sus amigas en la playa de Chandler Hovey Park. A eso de las once y media, se van todas menos Eleanor, que quiere aprovechar un rato más. Es probable que Benjamin Bradburd se reuniera con ella en la playa. Tienen una relación muy tensa: Benjamin quiere cortar y ella se niega. Discuten. Llegan a las manos. Eleanor se asusta y saca su porra para defenderse. Benjamin la desarma y usa la porra contra ella. Le da un golpe mortal. Probablemente no fue premeditado. Desde el teléfono de Eleanor envía un mensaje a Maria Lowell para que piense que se trata de un suicidio. Luego lleva el cuerpo a Vinalhaven para librarse de él en el pozo de la casa.

—¿Y después? —preguntó Lansdane.

Gahalowood tomó la palabra:

—Un mes después de la muerte de Eleanor, y así es cómo se conectan las dos historias, Alaska descubre que su padre le ha vaciado la cuenta del banco. Escapa a Mount Pleasant. Al principio, se va de forma provisional. Tras unos días allí, para vengarse de su padre, organiza el robo de su reloj. Pero el plan se tuerce y un policía que intenta intervenir resulta gravemente herido. Temerosa de las consecuencias, busca refugio en Mount Pleasant. Prosigue a distancia su relación con un hombre de Salem que ha conocido en el ámbito del concurso de Miss Nueva Inglaterra: Benjamin Bradburd. Se ven en secreto, él le hace regalos. Transcurren unos meses. Tras una visita de la madre de Eleanor, Alaska cree haber descubierto que Eric Donovan, cuya relación con Eleanor conoce, fue quien la llevó al suicidio. Se lo cuenta a Benjamin Bradburd. Este quizá intenta convencerla de que no se entrometa. Pero Alaska es tozuda. Le envía anónimos a Eric. Cuando él lo descubre y le demuestra que no es responsable de la muerte de Eleanor, Alaska se da cuenta no solo de que había alguien más en la vida de Eleanor, sino también de que esa persona es Benjamin Bradburd.

—¿Y cómo lo descubre? —preguntó Lansdane.

—Por el diario de Eleanor. En él habla de un hombre que tiene un coche azul y vive en una casa gris rodeada de arces rojos. Alaska conoce bien esa casa, ha estado en ella al menos una vez, en septiembre de 1998: grabó allí una audición para un casting. Es la casa de su amante, Benjamin Bradburd. Ese descubrimiento le va a costar la vida. La noche del 2 de abril de 1999, Bradburd le prepara una encerrona en Grey Beach. La mata de un porrazo, igual que mató a Eleanor. Bradburd es un hombre muy inteligente que ha pensado en todo. Es un manipulador experto. Para enredar las pistas, fabrica un culpable ideal, cuya relación con Eleanor descubrirá la policía y a quien Alaska ha estado amenazando: Eric Donovan. Bradburd encamina a los investigadores dejando cerca del lugar del asesinato un jersey de Eric que tiene buen cuidado de manchar con sangre de la víctima.

—¿Cómo consiguió Bradburd ese jersey?

—Una semana antes del asesinato de Alaska —indicó Lauren—, cuando seguramente Bradburd ya está tramando su crimen perfecto, Walter Carrey se va unos días a una convención en Quebec. Es entonces cuando Bradburd se topa con ese jersey de Eric, quizá en casa de Alaska, a quien hace una discreta visita en ausencia de Walter. Acuérdese de que Eric le había prestado su jersey a Walter cuando fueron a pescar, unos días antes. Walter había dejado el jersey en el maletero de su coche, pero Alaska pudo subirlo a casa, para lavarlo, por ejemplo. Puede que se quejara delante de Bradburd de que Eric le hubiera pedido el jersey. En cualquier caso, Bradburd se da cuenta de que se trata del jersey de Eric y lo roba.

Lansdane volvió a interrumpir:

—Pero ¿por qué querría Alaska ver a Bradburd si piensa que es responsable de la muerte de Eleanor?

—Está fingiendo. No quiere despertar sospechas. Le queda una semana antes de escapar de Mount Pleasant y dejar atrás toda esa parte de su vida. Tras el asesinato de Alaska, cuando detienen a Walter y luego a Eric, Bradburd se percata de que su crimen perfecto ha funcionado. Pero queda una persona que puede comprometerlo todo, Kazinsky, que participó en el interrogatorio de Walter. Bradburd sabe que Walter confesó un crimen que no había cometido y que probablemente fue Kazinsky quien lo obligó. Por lo tanto, hay que neutralizar a Kazinsky.

—Y, en consecuencia, Bradburd intenta matar a Kazinsky atropellándolo con su coche —dijo Lansdane.

—Está claro —ratificó Lauren.

Tras esta demostración, Lansdane aplaudió con ganas para mostrar su aprobación.

—Bravo, enhorabuena. Ahora sí: caso cerrado.

Gahalowood le dijo entonces:

—Queda un detalle. Esos malditos trozos del piloto trasero de un Ford Taurus negro que aparecieron en el bosque y que sigo sin entender qué hacían ahí.

—Las casualidades existen, Perry.

—No me fío de las casualidades, jefe.

Lansdane quería cerrar la investigación. Sobre todo para calmar al gobernador, cuyo ultimátum estaba a punto de prescribir.

—Hay que saber darse por vencido, Perry. Este caso lleva once años persiguiéndolo, ha llegado el momento de pasar página.

*

Ese día, Gahalowood, Lauren y yo fuimos a casa de Robbie y Donna Sanders para informarles de que por fin había acabado la investigación sobre el asesinato de su hija. Fue Gahalowood quien les refirió cuanto acababa de suceder. Al concluir, les dijo: «Se ha hecho justicia». Detrás de los padres, había una foto de Alaska. Me pareció que nos sonreía.

Había llegado la hora de despedirse.

Volvimos a Mount Pleasant. Iba allí por última vez. Dejaba esa ciudad con una especie de nostalgia. Pese a todo cuanto había ocurrido, puedo decir que había disfrutado de la estancia.

Gahalowood y yo recogimos nuestras cosas del hotel y dejamos las habitaciones. Hicimos luego una última parada en la calle principal. Nos detuvimos primero en la tienda de caza y pesca de los Carrey, para despedirnos. Después, fuimos a la tienda de alimentación de los Donovan, donde estaba Eric. Le dio un caluroso apretón de manos a Gahalowood:

—Gracias, sargento.

Gahalowood asintió. Como no supo qué contestar, se limitó a susurrar:

—Buena suerte, Eric. Espero que pueda rehacerse.

Eric dijo entonces:

—Lauren me ha contado que tenía usted remordimientos, sargento. Por lo que pasó hace once años. Quería asegurarle que yo nunca le guardé rencor. A Vance, sí; y a partir de ahora también a Patricia. Pero usted se limitó a hacer su trabajo de policía. La prueba es que está usted aquí. Es una buena persona, sargento Perry Gahalowood. Que Dios lo guarde.

Al salir de la tienda de los Donovan, encontré a Lauren esperándome. Gahalowood se alejó para dejarnos solos.

—Lo del concierto de Alexandra Neville... —le dije a Lauren.

Me interrumpió:

—Mira que me habías dicho que la chica de la foto se llamaba Alexandra. Pero no entendí que se trataba de Alexandra Neville. ¿Quién se lo iba a imaginar?

—¿Cómo lo has sabido?

Sonrió tristemente:

—Soy policía, Marcus, que no se te olvide.

Lauren llevaba en la mano una revista dedicada a las celebridades del momento y me enseñó un artículo sobre Alexandra Neville y su relación con un jugador de hockey del equipo de los Panteras de Florida. Luego sacó el móvil y me enseñó la foto que me había mandado unas semanas antes, una foto del retrato que yo me había dejado en su casa, en el que estaban mis primos y a esa chica en Baltimore, en 1995.

—Lo entendí hojeando esta revista —continuó Lauren—. La chica de la foto es Alexandra Neville. Ella es el gran amor de tu juventud.

Asentí.

—¿Qué ocurrió entre vosotros? —me preguntó.

—Hubo un drama en casa de los Goldman-de-Baltimore. Un drama que me arrebató a mis primos, Woody y Hillel.

—¿Te apetece hablar de eso? —me propuso.

—Creo que no.

Se me quedó mirando un momento. Los ojos brillantes reflejaban una mezcla de añoranza y amargura.

—No sé qué pasaría con tus primos y con Alexandra, pero está claro que te carcome por dentro. Te impide seguir adelante, conocer a alguien. Te impide ser feliz. Ojalá puedas zanjarlo un día, Marcus. De verdad que eres un tío estupendo; te mereces dejar atrás el pasado.

Me despedí con torpeza. Tenía ganas de abrazarla, pero temía que fuera inoportuno. En ese instante, Lauren y yo supimos que no volveríamos a vernos.

—¿Regresas a Nueva York? —me preguntó.

—Sí.

—Quería darte las gracias. Por todo. Y decirte que el jefe Mitchell me ha propuesto que sea la próxima jefa de la policía de Mount Pleasant.

—Estoy muy orgulloso de ti —susurré.

Vi que le corría una lágrima por la mejilla.

Lauren se fue y me reuní con Gahalowood, que me estaba esperando apoyado en el coche.

—¿Está bien, escritor?

—Estoy bien.

Nos quedamos callados unos segundos. Nosotros también estábamos a punto de separarnos por una temporada. Me iba a Nueva York y él a Concord. Gahalowood tomó al fin la palabra:

—Bueno, escritor, ¿así que hemos rematado la investigación y cada cual a su casa?

—Algo me dice que volveremos a vernos pronto, sargento.

—Ya sabe que en mi casa hay un cuarto con su nombre. Venga cuando quiera.

—Gracias, sargento. ¿Cuándo vuelven las niñas?

—El próximo fin de semana. ¿Tiene planes?

—No exactamente. Se supone que tengo que ir a la Universidad de Burrows a finales de agosto para la reunión previa al comienzo de curso.

—¿De verdad le apetece ir?

—Todavía no lo sé.

Fui de un tirón hasta Manhattan. Volví a mi piso. Me sentía solo. Hojeé el álbum de fotos, ese que mi madre odiaba tanto. Me dieron las tantas, incapaz de conciliar el sueño. Acabé por sentarme en el despacho y encendí el ordenador. Abrí el procesador de texto y tecleé el título de mi siguiente novela:

El caso Alaska Sanders
Por Marcus Goldman

Después de tres semanas, tuve que hacer un alto en la escritura del libro para acudir a la Universidad de Burrows y asumir mis nuevos cometidos en el departamento de Letras.

35. Los que saben
Burrows, Massachusetts
Lunes 23 de agosto de 2010

Al llegar, el rector Dustin Pergal me brindó una cálida acogida y me presentó a mis compañeros. Primero hubo una larga reunión sobre los programas, luego comimos todos juntos. Solo al acabar me llevó Pergal al antiguo despacho de Harry. Ahora, al lado de la puerta, ponía mi nombre. Casi doce años después de haberlo conocido aquí, iba pisando las huellas de Harry Quebert. Entré emocionado en la habitación. No parecía que hubieran tocado nada desde mi última visita.

—Si le falta algo, no dude en pedirlo —me dijo Pergal, que me miraba desde el umbral—. Tenemos un humilde presupuesto para cambiar los muebles, si quiere.

—Gracias, pero está perfecto. Todo está perfecto así.

Me senté al escritorio y me quedé mirando a mi alrededor. En cuanto Pergal se fue, abrí el cajón, el mismo en el que había encontrado en junio aquella figurita de gaviota. Allí seguía. Y, debajo, el periódico viejo en el que no me había fijado durante mi anterior visita. Lo saqué: debía de tener por lo menos veinte años, si no más. Comprobé la fecha y lo entendí en el acto.

Cogí el periódico y salí a toda prisa del despacho. En el pasillo me topé con Dustin Pergal.

—¿Va todo bien, Marcus?

—Todo va bien. No se preocupe, que volveré. No sé cuándo, pero volveré.

—¿Se va?

—Tengo una cita importante.

—¿Con quién?

No contesté y lo dejé allí plantado, sin entender qué ocurría. Se limitó a gritarme, con tono casi festivo:

—Ya sea estudiante o profesor, está claro que con usted no se aburre uno nunca.

El periódico que había encontrado era la gaceta de una pequeña población canadiense llamada Lionsburg, en la frontera con Estados Unidos. Ese ejemplar amarillento databa del 30 de agosto de 1975. Una fecha crucial en la vida de Harry Quebert, porque fue el día en que desapareció Nola Kellergan. Ese periódico no estaba allí por casualidad: era una pista que Harry me había dejado hacía meses para que pudiera encontrarlo. Seguramente ahora vivía allí.

Tras unas horas de carretera, llegué a la pequeña ciudad de Lionsburg. Ya solo me quedaba localizar a Harry. Me fui al ayuntamiento, pensando que sería fácil preguntar a los vecinos del lugar. Pero, nada más aparcar, me fijé en una librería cuyo rótulo me dejó boquiabierto. La librería se llamaba El Mundo de Marcus.

Entré, un poco intimidado. Me recibió una mujer rubia a quien le encontré cierto parecido con Nola Kellergan, pero en versión cuarenta y tantos.

—¿Puedo ayudarlo? —me preguntó.

—¿Está Harry?

La mujer se volvió hacia la trastienda:

—Cariño, tienes visita.

De pronto apareció Harry. Estaba radiante.

—Marcus —me dijo—, al fin me ha encontrado.

*

Pasé los siguientes días en casa de Harry. Lo que no dejó de recordarme mis visitas a Aurora, con una única excepción: ahora había una mujer en su vida, Nadya, a la que yo acababa de conocer. Vivían juntos en una confortable casita del centro de Lionsburg, con una amplia terraza que daba, no ya al mar, como en Goose Cove, sino a una calle tranquila. El primer día me desperté a eso de las cinco de la mañana. Salí a la terraza que inundaba la luz del amanecer. Hacía ya calor. Cuando estaba contemplando las inmediaciones, oí a mi espalda la voz de Harry.

—Veo que sigue despertándose cuando los gallos cantan...

Estaba sentado en un sillón de madera, no me había fijado en él. Tenía una taza de café en la mano, y otra, humeante aún, me estaba esperando encima de una mesa auxiliar. Me senté a su lado.

—¿Cómo me conoce tan bien? —le pregunté antes de tomar un sorbo de café.

—Porque soy su amigo, Marcus. Un amigo es alguien que nos conoce bien y al que, a pesar de eso, queremos.

Esbocé una sonrisa. Él siguió diciendo:

—Si ha llegado hasta aquí es que ha encontrado el periódico en mi antiguo despacho. De lo cual deduzco que va a dar usted clase en la Universidad de Burrows.

—Un semestre nada más —contesté—. Me había comprometido, no iba a dejar plantado a Dustin Pergal.

—Le recuerdo que Pergal quiso expulsarlo de esa universidad cuando era estudiante.

—Lo sé, pero es algo que pertenece al pasado. Hay que saber dejarlo atrás.

—¿Es usted quien dice eso? —me hizo notar con tono jovial—. ¿Sabe, Marcus? Intentar disuadirlo de ir a Burrows ha sido una forma torpe por mi parte de animarlo a vivir su auténtica vida. A dar de lado sus lealtades y hacer lo que sea bueno para usted.

—Creo que ya no sé muy bien qué es bueno para mí.

—Soy muy consciente de ello —me dijo Harry—. Y estoy aquí para ayudarlo.

Durante esos pocos días con Harry, recuperé el profundo vínculo que me había unido a él con el paso de los años. Charlamos sin parar, como para recobrar el tiempo perdido, en la terraza, en el salón, en el restaurante de al lado de su casa, donde pasamos horas, igual que antaño en el Clark's. También en la librería, donde, una tarde, cogió de una estantería un ejemplar de *La verdad sobre el caso Harry Quebert*.

—Este libro lo he leído y vuelto a leer —me dijo—. Nunca le he dicho lo orgulloso que estoy de usted, Marcus. Me doy cuenta de que fui torpe el pasado julio, cuando quedé con usted en aquella representación de *Madame Butterfly*. No era mi intención andarme con misterios inútiles. Me ponía nervioso volverlo a ver. No sabía cómo regresar a su vida después de haber desaparecido de forma tan repentina. Al principio, por entonces, creí que le guardaba rencor por haber descubierto mi secreto antes de darme cuenta de que lo que más miedo me daba era perderlo. Pensaba que me odiaba después de haber descubierto la verdad sobre *Los orígenes del mal*.

—Yo nunca le guardé rencor, Harry. He intentado localizarlo por todos los medios.

—Lo admiro, Marcus, y le estaré eternamente agradecido. Gracias a usted, gracias a su investigación en 2008, pude por fin pasar página con Nola. Ya no necesito esperarla, ya no vivo en el pasado. He podido rehacer mi vida. Y, gracias a usted, he entendido sobre todo que nuestros demonios no desaparecen nunca. Nos acostumbramos a ellos y acaban por compartir nuestra vida cotidiana sin mayores trabas. Reparó algo en mi interior, y quise hacer lo mismo con usted. Por eso le di la entrada para el concierto de Alexandra Neville. Para que saltase un resorte, para que se reencontrara con ella. Es la mujer de su vida, Marcus. No es demasiado tarde para repararlo todo con ella. Pese a lo que ocurrió en su familia de Baltimore. La entrada del concierto era para indicarle que la vida sigue, que basta con un simple chispazo para que vuelva a arrancar. Después del concierto, podría haber ido entre bastidores, podría haberle hecho saber a Alexandra Neville que estaba allí. Podría haberla recuperado. ¿Por qué no lo hizo?

—No lo sé, Harry. Es demasiado complicado.

—No tiene nada de complicado, Marcus. Me acuerdo con frecuencia de los 31 consejos de escritura que menciona en

La verdad sobre el caso Harry Quebert y cuya paternidad me atribuye. Hay solo uno que debería haberle dado y que sustituye a todos los demás.

—¿Cuál?

—Pregúntese por qué escribe. Cuando tenga una respuesta para esa pregunta, sabrá qué lo convierte en escritor. ¿Sabe por qué escribe, Marcus?

Me quedé callado, antes de reconocer por fin:

—No lo sé, Harry, ya no lo sé.

—No puedo responder por usted, pero voy a decirle lo que opino. Escribe en busca de una reparación. *La verdad sobre el caso Harry Quebert* fue la mía. *El caso Alaska Sanders*, que me ha dicho que ha empezado a escribir, será seguramente la reparación de su amigo Gahalowood. Es muy generoso por su parte eso de ir reparando a todo el mundo, Marcus, pero quizá haya llegado ya la hora de pensar en usted. Por supuesto, puede pasarse la vida recorriendo Estados Unidos, como un espléndido vagabundo de la literatura, para resolver todos los sórdidos asesinatos que se cometen, pero eso no lo reparará a usted. Eso no reparará lo que le ocurrió a su familia de Baltimore. Eso no le devolverá ni a Alexandra ni a sus primos. Ya va siendo hora de que se perdone, Marcus, y solo la escritura le permitirá conseguirlo.

Así fue como Harry Quebert, mi amigo y mentor recobrado, iba a impulsarme a tomar una decisión que me cambiaría la vida: buscarme una casa de escritor.

—Su piso de Nueva York está muy bien —me dijo—. Pero necesita un sitio donde consagrarse a la escritura. Un sitio que le permita volver a centrarse en sí mismo. Su propia Goose Cove.

—Me gusta mucho Nueva Inglaterra —comenté.

—¡Olvídese de Nueva Inglaterra, Marcus! Su identidad está en otro sitio. Un sitio que lo defina. Cierre los ojos y piense en una ciudad.

—Baltimore —contesté sin titubear—. Pero no creo que me apetezca ir a Baltimore.

—No es forzosamente Baltimore, pero vamos progresando. Cuando oigo Baltimore, pienso, claro está, en su familia, en sus primos. Aún no ha escrito nunca sobre los Goldman-de-Baltimore, Marcus. A la fuerza ha de haber un sitio donde le apetezca hacerlo. Ahí es donde Goldman puede reparar a Marcus.

Cuando me fui por fin de Lionsburg, el jueves 26 de agosto, me notaba apaciguado. Diferente. Estaba pasando una página de mi vida. Antes de subirme al coche, besé en la mejilla a Nadya y le di un prolongado abrazo a Harry.

—¡Hasta pronto! —le dije.

—No me deje sin noticias, Marcus. Y vuelva cuando quiera. Aquí tiene su casa.

—Nadya y usted también serán bien recibidos en Nueva York.

—En Nueva York, no —contestó Harry, con una sonrisa jovial—. Iré a su casa de escritor cuando por fin la encuentre.

Me puse en camino. Durante todo el trayecto, fui oyendo grandes arias de ópera. Tras cruzar la frontera entre Canadá y New Hampshire recibí una llamada de Gahalowood.

—Escritor —me dijo con tono trágico—, nos hemos colado. Benjamin Bradburd tenía una coartada para el asesinato de Alaska. No es nuestro hombre. No sé cómo ha podido ocurrir, pero nos han tomado el pelo por completo.

Durante los días posteriores a que se cerrase el caso, Gahalowood siguió preocupado por los fragmentos de faro que habían aparecido en el bosque. Al principio hizo cuanto pudo por no pensar en ellos, pero no lograba quitárselo de la cabeza.

36. Error
Salem, Massachusetts
Jueves 26 de agosto de 2010

Me reuní con Gahalowood en Salem, delante de la casa de Benjamin Bradburd.

—¿Qué ocurre, sargento?

—Puede creerme, escritor, no lo habría molestado por una tontería... Llevaba ya tiempo con ganas de llamarlo y decirle que algo no encajaba...

—Hable sin tapujos, sargento. ¿Qué lo reconcome?

—En nuestra teoría todo funcionaba: Bradburd roba el jersey de Eric Donovan y lo deja ahí para incriminarlo. Y otro tanto ocurre con el mensaje del bolsillo de Alaska, que habría podido meter él. Pero ¿y esos trozos de piloto? ¿Podía ser de verdad una coincidencia, como dijo Lansdane? Acabé por volver a la consulta de Bradburd y registré todos sus archivos. Conservaba un montón de reliquias a mayor gloria suya. Creo que era del tipo narcisista. Y mire lo que encontré...

Gahalowood enarboló un artículo del *Canaan Standard*, un diario local de Connecticut, fechado el 3 de abril de 1999.

Velada de la Sociedad Médica de Canaan:
Psiquiatría al por menor

Este viernes 2 de abril de 1999, la Sociedad Médica de Canaan celebraba su vigésimo aniversario con una cena de gala en el ayuntamiento. El invitado de honor fue el doctor Benjamin Bradburd, psiquiatra de Salem, Massachusetts, que pronunció un discurso sobre la relevancia de la psicoterapia en las instituciones penitenciarias [...].

—La noche en que mataron a Alaska, Bradburd pronunciaba un discurso a tres horas en coche de Mount Pleasant —dijo Gahalowood—. Nos hemos equivocado, no puede ser el asesino.
—¿Entonces por qué se suicidó?
—Para evitar la cárcel por el asesinato de Eleanor...
—Pero a Alaska y a Eleanor las mataron con la misma arma... —hice notar—. ¿En ese caso qué relación hay entre los dos asesinatos?
—Esa es la pregunta del millón, escritor. Creo que no se nos han agotado las sorpresas. Por eso quería registrar otra vez la casa de Bradburd con usted. ¿Se nos escapó algo?
Nos pusimos manos a la obra. Empezando por el despacho de Bradburd.
—Por lo visto coleccionaba recuerdos inútiles —me dijo Gahalowood.
Revisamos decenas de documentos sin interés. En efecto, Bradburd tenía la mala costumbre de no tirar nada. Pudimos reconstruir parte de su vida, un periodo de unos veinte años, al hilo de facturas, tarjetas de socio de gimnasio o de videoclubes, fotos viejas, billetes de avión... Algunos se completaban con notas. La verdad es que no les habíamos hecho mucho caso durante el primer registro por tratarse de recuerdos antiguos. Entonces fue cuando encontré un tarjetón de boda.

Enlace Steven Hart & Bella Swede
30 de agosto de 1998
Hotel Plaza, Boston

—¡Sargento, mire la fecha! Benjamin Bradburd estaba invitado a una boda la tarde del asesinato de Eleanor Lowell. ¿Asistió?

—Vamos a averiguarlo.

A Gahalowood no le costó conseguir el contacto de Steven Hart. Pese a ser ya una hora avanzada, lo llamó. Steven Hart nos dijo que se había divorciado de Bella Swede hacía tres años, pero confirmó que Benjamin Bradburd se hallaba entre los asistentes.

—¿Se fue tarde? —preguntó Gahalowood.

—Que yo recuerde, durmió en el hotel. ¿Tiene esto que ver con su muerte? ¡Qué suceso tan trágico! ¿Se sabe algo más sobre por qué lo hizo?

Gahalowood había dejado de escuchar a Steven Hart. Me miraba con una mezcla de incomprensión y determinación. Desde el principio de esta investigación, alguien había conseguido liarnos.

—Partamos de la base de que les tendieron una encerrona a Bradburd y también a Eric Donovan. El asesino tiene un nexo con Benjamin, con Eric Donovan, con Eleanor y con Alaska —dijo Gahalowood.

—¡Y con Kazinsky! —añadí.

Al sacar la invitación de boda de la caja de recuerdos, cogí al mismo tiempo la foto que estaba debajo. Fue Gahalowood quien se fijó y se apoderó de ella. Era una foto de boda: la de Benjamin Bradburd.

—¡La novia! —exclamó Gahalowood—. ¡La novia!

Miré la foto y me quedé con la boca abierta.

No había pasado una hora cuando Gahalowood y yo nos presentamos en el bufete de Patricia Widsmith en compañía de una delegación de la policía de Boston, que procedió a detenerla. En cuanto nos vio entrar en su despacho, lo entendió.

37. Final de partida
Boston, Massachusetts
Viernes 27 de agosto de 2010

—¿Sabe por qué hemos venido? —le preguntó Gahalowood.

La abogada sonrió con tristeza.

—Llevo preparándome para enfrentarme con mi destino desde esa tarde de julio en que entraron los dos en este despacho como un elefante en una cacharrería. Todo ha ido bien durante once años. Hasta que ustedes se metieron por medio.

Se levantó de la silla y se colocó ante la ventana. Como para disfrutar por última vez de los generosos rayos del sol que iluminaba Boston en esa tarde de verano. Gahalowood cogió unas esposas.

—No me lleven todavía —pidió Patricia—. No me apetece contarles todo esto en una de esas lúgubres salas de interrogatorio en las que ya he estado demasiadas veces.

—Concedido —contestó Gahalowood—. Voy a leerle sus derechos y a grabar sus declaraciones, que podrán utilizarse en contra suya.

—No hace falta que me lea mis derechos, sargento. Los conozco y renuncio a ellos. ¿Cómo lo ha averiguado?

—Nos faltaba un vínculo entre los protagonistas de todo este caso: Eleanor Lowell, Alaska Sanders, Eric Donovan y Benjamin Bradburd. Cuando descubrimos que era usted la exmujer de Bradburd, resultó obvio.

—Sabía que esto iba a acabar así.

Gahalowood puso en marcha la grabadora del móvil.

—La escuchamos —dijo.

—Me llamo Patricia Widsmith. Durante una breve temporada, lo que duró mi matrimonio, llevé el apellido Bradburd. Asesiné a Alaska Sanders la noche del 2 al 3 de abril de 1999.

Calló. Una especie de rictus le petrificaba el rostro.

—Patricia —intervino Gahalowood—. Hace mucho que ejerzo esta profesión, pero le confieso que no tengo la menor idea de qué pudo ocurrir para que llegase usted a ese extremo...

—¿Qué quiere saber?

—Todo.

—¿Por dónde empiezo?

—Por el principio.

—Entonces tengo que remontarme a enero de 1998. Llevaba un año casada con Benjamin. Era todo un personaje, yo estaba muy enamorada. Benjamin me llevaba quince años. Siempre me habían atraído los hombres más maduros. Tenía un carisma tremendo, es posible que eso me aportase seguridad. Nos conocimos durante un seminario sobre la pena de muerte. Él había trabajado mucho en las cárceles y militaba en pro de un nuevo enfoque del encarcelamiento. Nos gustamos enseguida. Era un hombre de fuertes principios y eso me atraía en él. Cuando empezamos a salir, me asustaba un poco cómo reaccionarían los míos, por culpa de su edad. Hasta que me di cuenta de que la opinión era unánime: todo el mundo lo quería. Conquistó a mis amigas, mi madre lo adoraba. Era inteligente, amable, sociable, servicial. Una joya. Las cosas fueron bastante deprisa. Me mudé a su bonita casa de Salem. Él tenía una buena situación económica. Yo trabajaba ya de abogada en Boston, estaba empezando mi carrera. Me pidió enseguida que me casase con él. Acepté. Sin la mínima duda.

*

Enero de 1998

¡Un año de casados y ya la engañaba!

Patricia acababa de sorprender a su marido con otra mujer. Salió a toda prisa del edificio donde tenía la consulta y se refugió en el coche. La sorprendió su propia reacción: ¿por qué había salido corriendo en vez de plantar cara? ¿Por qué no había montado un escándalo? Los martes, Benjamin se quedaba siempre hasta tarde en la consulta. Revisaba las facturas, se ocupaba de los temas administrativos. Así que los martes ella también salía más tarde del trabajo en Boston y se encontraban en casa. Pero ese martes ella salió temprano y quiso darle una sorpresa. Se paró en una tienda de comida preparada china que les gustaba, cogió la mitad de la carta de platos para llevar y se presentó en la consulta sin previo aviso. Al abrir la puerta, antes incluso de anunciar su llegada, oyó unos gemidos femeninos y unos gruñidos sordos. Recorrió el pasillo con pasos quedos; por la puerta entornada del despacho vio a Benjamin desnudo en el diván destinado a los pacientes, haciendo el amor con una mujer. En un primer instante, Patricia se quedó horrorizada, mirando esa escena que se le antojaba eterna. Luego se fue sin hacer ruido, volvió al coche y allí lloró sin molestar a nadie, presa de un sentimiento de incredulidad e impotencia. Siempre había tenido la certeza de que era de esas mujeres que no tolerarían el adulterio, que si un hombre le era infiel cortaría por lo sano. Pero, ahora que él la engañaba, se había quedado paralizada. Se limitó a irse a casa, y se metió en la cama, temiendo su regreso. Cuando él llegó, fingió que estaba dormida. Él se acostó sin ducharse. Se metió a su lado y la abrazó. Ella se quedó inmóvil, gélida y asqueada.

Al día siguiente quiso contárselo a alguien, pero renunció a hacerlo. Le daba vergüenza. ¿No debería ser Benjamin el que se avergonzase? Parecía vivir todo aquello con serenidad. De buen humor como siempre. Ni siquiera se fijó en lo alterada que estaba ella.

Transcurrió una semana. El martes siguiente, a última hora, Patricia regresó a escondidas a la consulta; por la puerta entornada volvió a ver la escena de adulterio. Y, una vez más, no hizo nada. Paralizada de nuevo. Y la última hora de los martes se convirtió en una cita para todos: de Benjamin con esa mujer, y de Patricia con ellos dos. Algunas veces subía y los miraba. Otras, se quedaba metida en el coche, comiendo esos malditos platos chinos que seguía comprando.

Su matrimonio se desmoronaba poco a poco. En silencio. Benjamin parecía no darse cuenta de nada. Patricia estaba esperando a que le preguntase qué iba mal, a que le hiciera caso, pero él tenía la mente en otra parte. Estaba con la Otra. Patricia no quería ya que la tocase, y, cuanto menos la tocaba, más se lo imaginaba con la Otra. Imágenes obscenas que desfilaban una y otra vez por su cabeza. De tanto estar allí presente los martes a última hora, le daba la impresión de estar volviéndose invisible. Ya nadie se fijaba en ella. Ni siquiera él la veía, al volante de su coche, en la acera de enfrente. Salía del edificio con la Otra, se sonreían y se despedían educadamente, satisfechos de su perfecto disimulo. Así fue como Patricia pudo ponerle cara a esa mujer a quien siempre veía de espaldas. Era una rubita muy joven, de cutis límpido y ojos tristes. No tardó en poder ponerle nombre a la cara: Eleanor, y descubrió que era una paciente de su marido. La vergüenza que sentía Patricia iba en aumento: si revelaba los desmanes de su marido, todo el mundo sabría que era una especie de depredador que se acostaba con una paciente que podría ser su hija. No le apetecía nada convertirse en la mujer del depredador, a la que mirarían mal. No le apetecía nada pagar por las culpas de él.

En Salem, Patricia había hecho amistad con un joven encantador: Eric Donovan. Iban a los mismos locales y, andando el tiempo, habían congeniado.

En ese momento de naufragio, Patricia pensó en acostarse con Eric, creyendo que sería una liberación. Renunció enseguida a esa idea, pero se vieron con frecuencia en El Lago Azul, un bar de moda. A Eric lo acompañaba a veces un amigo de la infancia, Walter, un joven simpático aunque un poco tosco, que siempre se esforzaba por llamar la atención.

Patricia fue a El Lago Azul por última vez una noche de marzo. Se cruzó con un grupo de muchachas entre las que reconoció a Eleanor. Al verla se le hizo un nudo en el estómago, le entraron ganas de vomitar. Y, para colmo de males, Eric le señaló precisamente a Eleanor y le susurró: «Me gusta de verdad. ¿Por qué no te haces amiga de ella y me la presentas?». Patricia, asqueada, cogió su cerveza de la barra para ir a sentarse más lejos, pero, al darse la vuelta, empujó a una joven. Se disculparon ambas y la cosa podría haber quedado ahí si, al coger el coche a la salida del bar, Patricia no hubiera visto a esa misma joven andando por la calle desierta. Era una chica muy guapa y la preocupó verla de paseo a aquellas horas. Paró el coche y bajó la ventanilla.

—¿Vas a pie?

—Sí, he bebido demasiado y no quiero conducir. Todos los demás se han ido y no hay quien encuentre un taxi. Andar un poco no me vendrá mal.

—Sube, que te llevo.

La joven subió al coche. A Patricia enseguida le llamó la atención lo guapa que era: la cara, la sonrisa, los ojos, el pelo. Y ese cuerpo. Y ese nombre que no iba a olvidar: Alaska.

—¿Dónde vives, Alaska?

—En el barrio de Mack Park.

Según iba conduciendo, Patricia no podía resistirse a mirar de reojo a su pasajera. Había algo magnético en su belleza. Le parecía sensual, aunque nunca había mirado de esa forma a una mujer. Alaska se percató de que la miraba con insistencia.

—¿Qué pasa? —preguntó, un tanto incómoda.

—Nada. Te miro. Me pareces... muy guapa. Tienes, ¡uf!, un algo, vaya.

Alaska soltó una carcajada sonora y cálida.

—Gracias. Tú también eres guapa.

—No lo decía para que me devolvieras el cumplido —se apresuró a aclarar Patricia.

—Ya lo sé.

Cuando Patricia dejó a Alaska delante de casa de sus padres, hubo un momento de electricidad entre las dos mujeres. A Patricia le apetecía pedirle el teléfono a Alaska, pero no se atrevió. Le daba apuro que fuera una mujer y también los diez años que le llevaba, aunque Benjamin se acostara con una paciente tres décadas más joven que él.

Patricia volvió a su casa. Benjamin ya estaba durmiendo. Se dio una ducha larga. Notaba una excitación inédita. Resultaba agradable.

Dos semanas después, un martes por la noche, Alaska volvía a pie a su casa por una de las principales calles de Salem, cuando se fijó en Patricia, que comía metida en el coche. A Alaska le hizo gracia la escena y llamó a la ventanilla.
—¿Qué haces aquí? —le preguntó.
—Estoy esperando.
—¿A quién esperas?
Por primera vez, a Patricia le entraron ganas de sincerarse con alguien. De contar por lo que estaba pasando. Invitó a Alaska a subir al coche y se lo soltó todo.
—Así que tu marido está en su despacho follándose a su amante y tú esperas abajo, delante del edificio. Pero ¿qué esperas?
—A que acabe.
Patricia se echó a llorar. Estaba desalentada. Cansada de consentirlo todo. Alaska le cogió la mano y depositó en ella un prolongado beso. Patricia volvió a notar aquella grata sensación. Alaska le dijo entonces:
—Menuda mierda son los hombres.

Patricia se echó a reír. Alaska arrimó la cara a la suya y se besaron. Tras un tierno beso, Patricia preguntó:
—¿Qué planes tienes para los próximos días?
—Ninguno en especial, ¿por qué?
—Podríamos irnos un par de días, tú y yo solas.
—¿Cómo, así por las buenas, ahora?
Patricia asintió, nerviosa por la reacción de Alaska. Le apetecía vivir aquella aventura ahora. Aprovechar ese instante. Algo ocurría entre ellas, quería seguir ese impulso hasta el final. Pensaba que con toda probabilidad no duraría. Que esa atracción repentina era un capricho pasajero. Había vivido treinta años sin plantearse siquiera que pudiera estar con una mujer. ¿Por qué iba a cambiar de repente? Sencillamente deseaba aquella belleza pura.
—De acuerdo —dijo entonces Alaska.

—¿De verdad?

—Sí, solo se vive una vez, ¿no? Paso por mi casa a coger unas cuantas cosas y a avisar a mis padres de que esta noche duermo en casa de una amiga y mañana me voy a Nueva York para una audición.

Al oír a Alaska mencionar a sus padres, Patricia recordó qué edad tenía y la asaltó un repentino titubeo. Alaska lo notó:

—Todavía vivo en casa de mis padres, no quiero que se preocupen sin necesidad. Y ya que no quiero que se preocupen, más vale que no les diga que me voy dos días por ahí con una mujer a quien apenas conozco.

Patricia se echó a reír. Dejó a Alaska en casa de sus padres y volvió discretamente a la suya. Por las luces que estaban encendidas, comprobó que Benjamin estaba en el dormitorio. Seguramente dándose una ducha. Entró sin hacer ruido, cogió las llaves de la casa de Vinalhaven, colgadas en el recibidor, y se marchó como había llegado. Le escribiría un mensaje a su marido para decirle que pasaba la noche en Boston, alegando un caso de última hora. Recogió a Alaska, que se subió al coche con una bolsa de viaje.

—Te he cogido algo de ropa, como me habías pedido. Debería valerte.

—Gracias.

Se marcharon sin perder tiempo. Fueron a Maine, hasta Rockland, donde llegaron en plena noche. Tomaron una habitación en un motel y se desplomaron en la cama, pegadas una a otra, agotadas por el viaje. A la mañana siguiente, embarcaron en el ferry de Vinalhaven. En el puente de la embarcación, Patricia se comía con los ojos a Alaska, que, con la melena al viento, admiraba el paisaje.

En la isla, en la casa gris rodeada de arces rojos, Patricia pasó dos días emocionantes.

Dos días durante los que aprendió a hacerle el amor a una mujer.

Dos días de una felicidad completa y rotunda que nunca antes había sentido.

En Vinalhaven, su vida acababa de dar un vuelco.

*

—Nunca olvidaré esos dos días de abril en Vinalhaven —nos dijo Patricia—. Fue algo inaudito. Alaska me revitalizó, me infundió la fuerza de la que carecía para volver a controlar mi existencia. Me dio ánimos: «Deja a ese cabrón. ¡No te merece! ¡Estás mejor sin él!». Yo estaba mejor sin él gracias a ella. De regreso a Salem, me encaré con Benjamin. Le dije: «¡Lo sé todo, cerdo! ¡Te acuestas con una paciente! Hasta sé cómo se llama. ¡La ves todos los martes, a última hora, mientras te dedicas supuestamente a llevar la contabilidad!». La reacción de Benjamin me dejó desconcertada por completo; yo quería que lo negase, para poder tener una auténtica discusión, pero, en vez de eso, se encogió de hombros y me contestó: «No soy ni el primero ni el último que tiene una aventura. Son cosas que pasan». Y siguió leyendo el periódico.

»Al encararme por fin con Benjamin después de meses de espera, me di cuenta de que, sencillamente, había dejado que nuestro matrimonio se fuera al garete. Quizá, si hubiera reaccionado en el acto, habría sentido deseos de salvarlo. Pero ahora se había acabado. Miraba a ese hombre como a alguien ajeno. Quería poner punto final. Es tremenda la capacidad que tenemos para edificar relaciones y luego destrozarlas en un abrir y cerrar de ojos. La política de tierra quemada. Benjamin y yo nos separamos. Me busqué un piso. Como nunca había hablado con nadie (salvo con Alaska) de que Benjamin me engañaba, tampoco lo conté después de la separación. No quería dramas ni jaleos. Deseaba pasar página. Así que dejé que mi madre me hiciera montones de reproches y me dijera que estaba dejando escapar a un hombre extraordinario. De hecho, ellos dos siguieron viéndose con regularidad.

—Así que se divorció —dijo Gahalowood.

—No inmediatamente. Benjamin era un hombre bastante rácano. No teníamos acuerdo matrimonial y él poseía mucho dinero que le venía de su familia. A mí su pasta me importaba un rábano, pero me apetecía torturarlo. Así que, como tenía derecho a hacerlo, le pedí la mitad de sus bienes. Casi le da un ataque.

Abril de 1998

—¡No vas a pedirme la mitad de mi fortuna por solo un año de matrimonio! —vociferó Benjamin, irritadísimo.

—Nos casamos para las alegrías y las penas. Cada uno le ha quitado al otro lo que más apreciaba: tú me has quitado mi amor propio y yo te quito tu dinero.

—Tu amor propio... ¡Qué exageración!

—¿Exageración? Pero, vamos a ver, Benjamin, ¡que te he visto follándote a la rubiales esa!

—¡Qué melodramática eres, Patricia! ¡Por eso eres tan buena abogada! ¡Espero que no les vayas contando cualquier cosa de mí a tus amigos!

—No te preocupes, tu secreto está a buen recaudo. Y, si tu madre me pregunta algo, le diré que ya no nos llevábamos bien.

—¿Y por qué te iba a preguntar algo mi madre?

—Supongo que le preocupará mucho la reputación de la familia. ¡Está loca con su estúpido concurso de Miss Nueva Inglaterra!

—¡No hables así de mi madre, que ella siempre te ha respetado!

Separarse de Benjamin supuso un punto de inflexión en la vida de Patricia: se consagró a Alaska. La pasión no cedía. Antes bien, fue creciendo. El piso al que Patricia se había mudado fue como un capullo de mariposa para su amor secreto. Nunca había querido así a nadie. Alaska le brindaba un amor incondicional.

Transcurrieron varias semanas. A Patricia le sorprendía ver que cada día quería más a Alaska. Pensaban en un futuro juntas. Alaska hablaba de ir a vivir a Manhattan. O a Los Ángeles. A Patricia le parecía una idea atractiva, pero Alaska deseaba esperar una oportunidad para instalarse allí.

—No me apetece andar vegetando de camarera mientras espero el papel de mi vida —explicó Alaska.

—Trabajaré por las dos —contestó Patricia—. Podrás centrarte en tus audiciones.

—No quiero ser la artista a la que mantiene su novia. De hecho, tengo dinero ahorrado. Pero no quiero tocarlo de momento. En Salem estamos bien. Y, además, creo que las cosas van a despejarse pronto.

Alaska tenía la esperanza de que ese año fuera una etapa decisiva en su carrera de artista: desde hacía poco, tenía una agente en Nueva York, y gracias a ella hacía cada vez más castings. Ensayaba los textos con Patricia y luego se grababa en casa de sus padres, en su cuarto, con la cámara de vídeo vieja de su padre.

—Puedes grabarte en mi casa, si quieres —le propuso un día Patricia.

—No, después mi madre ve mis vídeos para escoger la mejor secuencia y no quiero que me haga preguntas.

—¿Preguntas sobre nosotras?

—Sí.

Patricia también se había hecho preguntas sobre su relación. Ahora ya se sentía lista para asumirla. Alaska, que temía la mirada ajena, estaba claro que no.

—La gente es idiota —dijo por fin Patricia—. Nos importa un bledo lo que piense.

—Sí, pero así son las cosas. Yo deseo triunfar en mi carrera, no revolucionar la manera de pensar de la gente. ¿Conoces a muchas artistas famosas cuya pareja oficial sea una mujer?

*

Patricia interrumpió el relato. Hasta ese momento, había seguido en la ventana. Dio unos pasos y abrió un cajón. Gahalowood vigilaba todos sus movimientos de cerca. Sacó una foto y nos la alargó. Aparecía ella, con doce años menos, posando con Alaska en Nueva York. Susurró:

—Mi amor, tan dulce, tan guapa. Mi ángel. Tan bella... A primeros de junio de 1998 cumplía veintidós años. Me la llevé a pasar el fin de semana en Nueva York. Nos imaginamos que vivíamos allí. Yo necesitaba soñar. Los trámites de mi divorcio estaban estancados; le decía a Benjamin que estaba dispuesta a renunciar a la mitad de su fortuna a cambio de la casa de Vinalhaven. Lo hacía, por una parte, porque lo sacaba de quicio: adoraba esa casa. Pero también porque me veía pasando allí los veranos con Alaska. Podría haber sido nuestro remanso de paz. Por supuesto, Benjamin quería que renunciase a todo, pero no tenía con qué presionarme. Se había buscado un abogado muy conocido y creo que él no le dio muchas esperanzas sobre el desenlace de nuestro divorcio. Yo estaba decidida a no ceder.

»A principios de ese verano, empezó a correr el rumor de que a Alaska no le interesaban los hombres; la habían visto con "una mujer mayor que ella". Alaska acababa de inscribirse en el concurso de Miss Nueva Inglaterra por consejo de su agente, que opinaba que eso le daría un empujón a su carrera. Una mañana, Alaska me llamó al despacho, muy alarmada: "Están empezando a decir por ahí que me gustan las mujeres". Para no dramatizar, le hice notar en tono festivo que esa era la verdad, pero contestó: "¡No me hace maldita la gracia! ¡Es una catástrofe! Ya sé yo cómo son los del comité de Miss Nueva Inglaterra: unos anticuados". Esa misma noche, Alaska fue con sus amigas a El Lago Azul y se cruzó con Walter Carrey, que llevaba una temporada rondándola. Al final de la velada, en el aparcamiento, delante de todo el mundo, lo agarró de pronto por el cuello y lo besó.

—¿Así que Alaska salió con Walter Carrey solo para esconder su orientación sexual? —pregunté.

—Sí —contestó Patricia—. Walter solo tenía que permanecer en escena hasta el concurso. Era perfecto para el papel: resultaba verosímil porque era guapo, deportista, cachas y bastante majo. Era sencillo, no se complicaba la vida ni incordiaba a Alaska y, sobre todo, no vivía en Salem, así que no estaba allí más que de vez en cuando y no era un estorbo. Alaska me contaba que no se acostaban. Creo que me lo decía para agradarme o para tranquilizarme, pero yo era consciente de que tenía veintidós años, las hormonas disparadas y que seguramente se hacía preguntas acerca de su sexualidad. Si he de ser del todo sincera, la existencia de Walter no me planteaba problemas. No me sentía amenazada. Es más, paradójicamente, la llegada de Walter reforzó nuestra pareja: Alaska asumía con mayor facilidad que saliéramos juntas. Se permitió nuevas libertades, como cogerme discretamente la mano por debajo de la mesa o darme un rápido abrazo en una calle desierta. Todo iba a pedir de boca. Pero no duraría. Se estaba gestando una rivalidad: Eleanor Lowell sentía envidia de Alaska.

*

Junio-julio de 1998

Desde que salía oficialmente con Walter, Alaska se esforzaba en hablar de hombres siempre que se terciaba. Y así, desde hacía poco, cuando estaba en El Lago Azul con sus amigas, soltaba algún comentario cada vez que le pasaba un chico por delante. Dentro del grupo, Eleanor Lowell le tenía cada vez más envidia a Alaska. Era ella quien había lanzado discretamente los rumores de homosexualidad. La irritación de Eleanor no hizo sino acrecentarse cuando Alaska empezó a rondar a Eric Donovan. Decía que le parecía muy atractivo y hasta llegó a plantearse si no se habría equivocado al escoger a Walter antes que a su amigo Eric. Alaska había mencionado a Eric por casualidad. No sabía que Eleanor y él llevaban una temporada acostándose. Una noche, Eleanor se llevó aparte a Alaska y, agarrándola a lo bruto por la ropa, le hizo una advertencia muy seria:

—¡Mucho cuidadito con lo que haces si no quieres líos! ¡No te acerques a Eric!

—¿A Eric Donovan?

—A Eric Donovan. Es mío.

—¿Sales con Eric? ¿Ese es tu ligue misterioso?

—Ni tocarlo, ¿entendido? ¡Y ni se te ocurra decir nada! Eric y yo no queremos que se sepa.

Cuando Alaska le mencionó este suceso a Patricia, esta no le reveló (hasta entonces no lo había hecho y no veía la necesidad de hacerlo) que Eleanor era también la amante de Benjamin. Pero se dio cuenta de que la tal Eleanor Lowell era una zorra de mucho cuidado de la que no había que fiarse.

*

Gahalowood y yo escuchábamos a Patricia con religioso silencio. Había vuelto a la ventana. Prosiguió:

—Al descubrir, hace unos días, que el amante de Eleanor la trataba mal, y como yo sabía que era Benjamin, entendí que ese verano se había desquitado con ella. La situación se le fue por completo de las manos. Todo el mal humor fruto de los trámites del divorcio lo volcaba en Eleanor, no tenía consideración con ella, se negaba a que los vieran juntos en público, por temor, seguramente, a que yo alegase ante el juez una conducta culpable. Por si fuera poco, en el mes de julio seleccionaron a Alaska como participante en la elección de Miss Nueva Inglaterra. Por su parte, a finales de mes, Alaska se enteró de que a Eleanor la habían nombrado miembro del jurado. A principios de agosto, Eleanor citó a Alaska en un café y le soltó un montón de mierdas que remató anunciándole que no iba a conseguir el título y que ella se encargaría de ponerle todos los obstáculos que pudiera. «Estamos hasta las narices de oírte hablar de tu penosa carrera de actriz. Confórmate con el papel de tortillera avergonzada, que ese lo haces de maravilla». Alaska, que solía ser tan fuerte, se quedó hecha polvo. Empezó a verlo todo negro. Yo le decía que a pesar de todo nos iríamos a Nueva York y me contestaba que no pensaba ir allí para ser camarera. Yo quería ayudarla a toda costa. Y había algo que podía hacer.

—Matar a Eleanor Lowell —sugirió Gahalowood.

—¡No! —protestó Patricia—. ¡Claro que no! Nunca se me pasó esa idea por la cabeza. Fui a ver a Benjamin a Vinalhaven. Le dije que, si se las apañaba para que a Alaska la eligieran Miss Nueva Inglaterra, firmaría el divorcio sin pedirle un dólar.

—¿Y aceptó?

—¡Pues claro! ¡Menudo chollo para él! Pero no le dije nada a Alaska. Quería que esa victoria fuera un triunfo, no fruto de un mísero arreglo de un matrimonio fracasado. Y luego vino esa noche del 30 de agosto de 1998. Estábamos cenando Alaska y yo en una marisquería, a la orilla del mar. Parecía desvalida. «¿Qué ocurre, cariño?», le pregunté. «¿Sigues fastidiada por la imbécil de Eleanor?». «Sí, va soltando mierdas sobre mí. Me margina del grupo. Esta noche han ido todas a bañarse a Chandler Hovey Park y nadie me ha invitado». No soportaba verla sufrir así. Ella, que era tan dulce, tan amable. No se merecía eso. Tenía que intervenir, protegerla de las maniobras de Eleanor. Estaba decidida a pasar a la acción.

»Después de cenar, me libré de Alaska alegando una cita en Boston a primera hora de la mañana, para que no fuera a dormir a mi casa. Ella se marchó por su lado y yo me fui a Chandler Hovey Park. Dejé el coche al fondo del aparcamiento, que estaba casi desierto. Debían de ser las diez y media. Solo había otros tres coches, aparcados en el extremo opuesto. Oculta en la oscuridad, miraba, a la luz de los faroles, las siluetas de cuatro jóvenes que iban y venían por la playa. Esto fue lo que pasó aquella noche.

*

30 de agosto de 1998
23.30 h

Ya no se oían voces desde hacía unos minutos. Desde lejos, Patricia vislumbró que las jóvenes estaban recogiendo sus cosas. Llevaba allí una hora, espiándolas. Quería hablar con Eleanor, exigirle que dejase a Alaska en paz, pero no quería hacerlo delante de las demás. Las siluetas no tardaron en encaminarse al aparcamiento. Patricia se fijó en que una de las jóvenes se había quedado sentada en la playa. Estaba fumando un cigarrillo. Las otras tres aparecieron, iluminadas por las luces del aparcamiento: Eleanor no estaba. Así pues, era ella la que se había quedado en la playa. Las tres jóvenes se subieron a dos coches y se fueron sin percatarse de la presencia de Patricia.

Cuando estuvieron ya lejos, Patricia salió del coche con el corazón palpitante. Miró en torno. Había dos casas cerca, pero a una la rodeaba una tapia gruesa y alta, seguramente para protegerla de las miradas indiscretas y de intromisiones peligrosas. La otra estaba completamente a oscuras.

Patricia se acercó a Eleanor sin hacer ruido. La encontró en bañador, sentada en una toalla y contemplando el mar. Anunció su presencia y Eleanor dio un respingo.

—¡Joder, vaya susto me has dado! —dijo.
Reconoció a la mujer que tenía delante y añadió:
—Tú eres la mujer de Benjamin, ¿no?
—Me sorprende que me conozcas —confesó Patricia.
—He visto fotos tuyas. Benjamin dice que eres una auténtica zorra.
—Te devuelvo el cumplido.
—Oye, ¿a ti qué te pasa? ¿Tienes algo contra mí? ¿Estás celosa porque me tiro a tu marido?
—Más bien te compadezco. Gracias por quitármelo de encima.
—¿Me estoy montando una película o tú no estás aquí por casualidad? —dijo Eleanor—. ¿Has venido a buscar pelea?
—No quiero líos, solo he venido a pedirte que dejes en paz a Alaska. Y que no la sabotees en el concurso de Miss Nueva Inglaterra.
—¡Ay, mi madre, eres tú! —exclamó Eleanor con una sonrisa aviesa—. ¡Eres la novia de Alaska! Eres tú quien le ha pedido a Benjamin que sea la ganadora. No entendía por qué llevaba dos semanas dándome la vara con ella y diciéndome que es su candidata preferida, que quizá debería apoyarla, por orden de su madre. ¡Por orden de su madre, menuda broma! ¡Es un apaño contigo! ¿Qué le has prometido a cambio? ¿El divorcio? ¿Por eso últimamente le ha entrado ese buen humor? ¡Pues lo llevas claro, chica! ¡Vuélvete a comerle el coño a Alaska y déjame en paz!

*

—La cosa fue subiendo de tono —nos contó Patricia—. Eleanor amenazó con sacar a relucir lo nuestro, yo perdí los nervios y llegamos a las manos. Al principio fue una agarrada un poco ridícula. Y luego Eleanor me empujó muy fuerte. Me caí al suelo. Se abalanzó hacia sus cosas y blandió una porra extensible. Quiso pegarme con ella, pero esquivé el golpe. Yo también la empujé y rodó por los guijarros de la playa. Conseguí quitarle la porra de las manos y me salió ese movimiento veloz, violento, casi reflejo. La golpeé en toda la cara y cayó al suelo. Inerte. La había matado.

»Entonces me entró el pánico, que me duró un buen rato. Estuve dudando si llamar a la policía, me imaginé que ya se presentaría sin llamarla. Lloré. Pero no ocurrió nada. La noche estaba de lo más tranquila. Poco a poco fui reaccionando. Empezó a subir la marea. Nadie me había visto, tenía que librarme del cuerpo; el mar, al volver a sus dominios, borraría los posibles rastros de sangre. Fui corriendo al coche. Llevaba una manta en el maletero. Envolví en ella el cuerpo de Eleanor para no dejar en la hierba o en el aparcamiento rastros de sangre que pudieran alertar a la policía. Pensaba que, si no quedaba ninguna huella, creerían que se había ahogado. Metí a Eleanor en el maletero del coche, tuve buen cuidado de volver a la playa a recoger la porra y llevármela para tirarla más allá. Cuando estaba en esas, oí sonar el móvil de Eleanor. Acababa de recibir un mensaje. Entre sus cosas, vi la luz de la pantalla. Fue entonces cuando se me ocurrió convertir su muerte en suicidio. Alaska me había dicho que, en el pasado, Eleanor había intentado suicidarse dos veces. Cogí el teléfono, me fui a los contactos, elegí el número en que ponía «Mamá Móvil» y envié un mensaje: «Ya no me quedan fuerzas para continuar». Volví a poner el móvil en su sitio y me fui. Arranqué sin saber adónde ir. Tenía que librarme del cuerpo. Quería moverme, no parar, esquivar los controles de carretera rutinarios, que es donde te pillan siempre. Y luego, de pronto, me acordé del pozo de la casa de Vinalhaven. Sabía que esa noche Benjamin estaba en Boston, en la boda de Steven y Bella, que primero fueron amigos míos pero que habían decidido invitarlo a él. Resumiendo, que en la casa de Vinalhaven no había nadie. Puse rumbo a Rockland. Llegaría al amanecer, solo tendría que esperar dos horas para coger el primer ferry. Me parecía factible. A la altura de Portland, me paré en una gasolinera porque tenía el depósito en reserva. Recuerdo que hacía un calor asfixiante. Parecía una noche tropical. Estaba sudando. Según estaba acabando de llenar el depósito, de pronto oí ruido en el maletero. Golpes en la chapa. Y luego un quejido. Entonces fue cuando me di cuenta de que Eleanor no estaba muerta.

Eleanor Lowell no estaba muerta. El golpe tan solo la había dejado inconsciente y ya estaba volviendo en sí. Patricia logró dominar el pánico que se apoderaba de ella: estaba sola en los surtidores. No había nadie que pudiera oír nada de nada. Entró en la tienda de la gasolinera para pagar la gasolina, esforzándose por transmitir despreocupación y calma.

38. Confesiones
Boston, Massachusetts
Viernes 27 de agosto de 2010

—Tendría que haber desistido en ese momento —le comentó Gahalowood a Patricia.
—¿E ir a la cárcel por intento de asesinato? Estaba jodida. Si la hubiera dejado abandonada en la playa, sería distinto. Pero la había metido en el maletero del coche para deshacerme de ella. Me arriesgaba a una condena de treinta años.
—Entonces ¿qué hizo?
—Seguí adelante. Y estuve conduciendo sin detenerme en un sentido y luego en el otro para llegar al puerto de Rockland a la hora de salida del ferry. Tenía la esperanza de que tantas horas en la carretera la remataran. O, al menos, que volviera a perder el conocimiento. Cuando llegas a ese punto, dejas de pensar. Actúas. Intentas salvar el pellejo. Metí el coche en el barco con destino a Vinalhaven. El trayecto se me hizo eterno. Eleanor, que debió de quedarse amodorrada en algún momento, de pronto se puso a dar golpes, pero el ruido de las máquinas y del mar tapaban sus llamadas de socorro. Por fin desem-

barcamos en Vinalhaven. Conduje hasta la casa. Eran las siete de la mañana y no me crucé con nadie. La casa, como me esperaba, estaba desierta. Eleanor ya no hacía ningún ruido. Tras pensármelo mucho, abrí el maletero. Eleanor tenía los ojos entornados y yo no sabía si estaba viva o muerta. Hice de tripas corazón: iba a pasar un mal rato, pero luego todo se acabaría para siempre. La cogí y la saqué del maletero. En ese momento, se me agarró del brazo y abrió los ojos como platos. Yo estaba aterrorizada. La arrastré hasta el pozo, del que previamente había retirado el tablón de madera que lo tapaba. Tiraba de Eleanor como podía, entre escalofríos y ganas de vomitar. La atravesé por encima del brocal del pozo. Seguía mirándome. Hasta que la empujé por última vez y la arrastró su propio peso. Cayó al fondo del pozo con un ruido seco. Imagino que la caída la mató. O puede que no. Tapé de nuevo el pozo y me volví al coche. Vomité varias veces en la hierba. Aún me quedaba deshacerme de la porra. Fue entonces cuando me acordé del garajito anexo donde Benjamin metía durante el año el Chrysler Sebring para no tener que embarcar el coche en el ferry. Según la época del año, hay que reservar la plaza con veinticuatro o cuarenta y ocho horas de antelación, lo que no permite ser muy espontáneo. Así que Benjamin había comprado un coche para la isla y solía dejar el habitual en el puerto de Rockland. Cuando llegaba a Vinalhaven siempre se encontraba con algún vecino que lo subía hasta la casa. Total, que el garaje estaba cerrado con un candado que siempre ha tenido el mismo código. Me resultó fácil abrirlo. El coche, como siempre, tenía las llaves puestas. Escondí la porra en el suelo, debajo de una alfombrilla. Pensé que, si por una desafortunada casualidad alguien encontraba el cuerpo de Eleanor en el pozo y la policía registraba el lugar, encontraría la porra en el coche y todas las sospechas recaerían en Benjamin. Me cubría las espaldas como podía. Después de todo aquello, agotada, me tumbé en la hierba y dormí unas horas. Hasta que me despertó el tono de llamada del móvil. Eran casi las doce del mediodía. La que llamaba era Alaska para comunicarme que Eleanor había desaparecido, que le había enviado a su madre un mensaje anunciándole su intención de acabar con su vida y que habían encontrado sus cosas al pie del faro de Chandler Hovey Park. La policía creía que se había ahogado voluntariamente.

*

Septiembre de 1998

Aunque el cuerpo no hubiera aparecido, la policía enseguida concluyó que Eleanor se había suicidado. Patricia, que no podía quitarse de la cabeza la noche del 30 de agosto, se esforzaba por guardar las apariencias.

El sábado 19 de septiembre, Alaska se convirtió en Miss Nueva Inglaterra. Y, del tirón, un director de cine le solicitó una prueba para un papel importante. Si todo iba bien, Patricia y ella pronto podrían marcharse a Nueva York. ¡Por fin! Patricia estaba impaciente. Necesitaba salir de Salem, olvidar todo lo que había pasado allí. Pero no quería levantar sospechas actuando precipitadamente.

Al día siguiente de que eligieran a Alaska, Patricia cumplió su palabra y llegó a un acuerdo con Benjamin para zanjar el divorcio sin exigirle ninguna compensación económica. Solo pidió poder quedarse otras cuarenta y ocho horas en Vinalhaven para hacer una última peregrinación a esa casa que tanto le gustaba.

Benjamin accedió y ella salió de casa de él llevándose las llaves de la propiedad para celebrar allí con Alaska el título de Miss Nueva Inglaterra. Pero lo que más le importaba a Patricia era asegurarse de que del pozo no salía ningún olor y que su secreto quedaría sellado para siempre. Durante el trayecto en ferry le dio a Alaska el regalo que le había comprado: una cámara de vídeo digital último modelo. Esa misma tarde, en el salón de la casa, con el cuadro de la puesta de sol sobre el mar como telón de fondo, Alaska filmó su audición. La que le iba a abrir las puertas del éxito. Pero eso no llegó a suceder. Por culpa de Walter Carrey.

El fin de semana del 25 de septiembre, posterior a la coronación de Alaska, Walter fue a Salem. Alaska quiso aprovechar para romper la relación. Quedaron en un café y él se presentó con flores y bombones.

—Tengo una sorpresa —le dijo a Alaska antes de que ella pudiera abrir la boca—. Para celebrar tu victoria, ¡el próximo fin de semana te invito a Mount Pleasant para presentarte a mis padres y a todo el mundo! Quiero que por fin te conozcan, después de tanto tiempo hablándoles de ti.

—Walter —contestó Alaska muy apurada por la noticia que se disponía a darle—, me sabe muy mal lo que voy a decirte.

—¿Qué tienes que decirme?

—Quiero romper. Lo nuestro se acabó.

—¿Qué? ¡Pero no puedes hacerme esto!

—De verdad que lo siento. Eres un tío estupendo, pero lo nuestro no va a funcionar. Yo quiero irme a vivir a Nueva York y tu vida está en Mount Pleasant.

Walter sintió que desfallecía. Casi se le saltaban las lágrimas.

—Alaska, no puedes hacerme esa putada... Le he contado a todo el mundo que estaba saliendo con Miss Nueva Inglaterra. Si no vienes conmigo, no me va a creer nadie. Voy a quedar como un mitómano.

—Walter, lo lamento de corazón.

—No lo entiendes... Hace cuatro años tuve un problema con una ex. Se me cruzaron los cables, fui a su casa, ella se asustó y llamó a la poli. Total, que desde entonces allí soy un apestado. Tú eres mi redención. Si me ven contigo, si me ven con la maravillosa Alaska Sanders, Miss Nueva Inglaterra, aunque después me dejes, mi cotización subirá como la espuma. Dejaré de ser un paria. Déjame si quieres, pero ven conmigo a Mount Pleasant el próximo fin de semana. Solo un par de días. Luego te dejaré en paz. Te lo prometo.

*

—Alaska acabó aceptando —nos explicó Patricia—. Aceptó la maldita invitación. Ni siquiera yo entendí por qué iba. Así era Alaska, siempre pensando en los demás. Se pasaba de buena. «Me lo ha suplicado tanto que no pude negarme —me explicó—. Además, se lo debo, después de haber estado utilizándolo todo el verano. Por dos días no voy a morirme. Y si le sirve para recuperar allí su buena fama, tanto mejor, pobrecito. De verdad que es buena gente». Estaba previsto que pasara dos días en Mount Pleasant, pero el viernes, justo antes de irse, descubrió que su padre le había vaciado la cuenta bancaria para saldar sus deudas. Así que decidió quedarse en Mount Pleasant unos cuantos días, para dejar constancia de su enfado y tomar distancia. Pero entonces el imbécil de Walter le metió en la cabeza que tenía que vengarse robándole el reloj a su padre. Imagino que fue Alaska quien sacó a relucir el reloj, pero sé que fue Walter el que propuso el robo. Esa semana coincidía precisamente con el aniversario de boda de los padres de Alaska y ella sabía que el jueves por la noche no estarían en casa. Así que allá que se fueron, pensando que sería pan comido. Hasta que Walter se llevó por delante al poli que los sorprendió.

*

Octubre de 1998

Al día siguiente del robo, Walter y Alaska se reunieron con Patricia en la pequeña área de descanso de la carretera 21, pasado el cruce de Grey Beach. Walter había coincidido antaño con Patricia en El Lago Azul de Salem. Alaska le había dicho que era una muy buena amiga y que podían confiar en ella.

—¡Joder, qué hemos hecho! —se lamentó Alaska.

—¿Vamos a ir al trullo? —preguntó Walter, preocupado.

—Calmaos —les dijo Patricia—. Todo va a salir bien. Nadie va a ir a la cárcel si no os entra el pánico. He hablado con uno de mis contactos en la policía de Salem: no tienen ninguna pista.

—Tomé la precaución de quitar la matrícula —precisó Walter.

—¡Pues bravo, eres un genio! Lo mejor habría sido quedarse quieto. ¿En qué demonios estabais pensando?

Alaska lloraba.

—Perdón —repetía—, perdón. Lo siento muchísimo.

—No os preocupéis, nadie va a seguiros el rastro. Walter, ¿puedes apañártelas para que te arreglen el coche discretamente, es decir, sin pasar por un taller oficial?

—Sí, he avisado a mi colega Dave, se va a encargar sin mayor problema en el garaje de mis padres. Le he dicho que había golpeado a una cierva y que quería librarme de la multa.

—Y tu coche, ¿dónde está ahora?

—En el garaje de mis padres, donde nadie puede verlo.

—Perfecto. Alaska, te vas a quedar en Mount Pleasant una temporada.

—¿Qué?

—Hay que esperar a que se enfríe este asunto. Queremos evitar que la poli sospeche de la pelea con tus padres. Quédate aquí, a salvo, uno o dos meses. Y luego vuelves a la normalidad.

Esa mañana, después de la cita secreta con Patricia, Walter volvió a la tienda de sus padres. Alaska lo acompañó. Ahora le tocaba ganarse la vida. Pero Sally y George Carrey le aseguraron que no podían permitirse contratar a nadie. Estaba desamparada. Fue al Season a tomarse un café y allí se encontró con Eric Donovan, que había vuelto a Mount Pleasant después de la muerte de Eleanor. Le contó que necesitaba trabajar y Eric le explicó que sus padres de momento no iban a contratar a nadie, pero que Lewis Jacob, en cambio, sí que estaba buscando un empleado para la gasolinera.

Transcurrió un mes.

Patricia iba a visitar a Alaska regularmente. Por discreción, quedaban fuera de Mount Pleasant, en algún café o algún motel de una ciudad vecina, Conway o Wolfeboro casi siempre. A Alaska le resultó muy duro al principio. Se sentía prisionera en Mount Pleasant y tenía la sensación de estar estancada.

De entrada, Patricia la tranquilizó:

—No te agobies. No vas a quedarte aquí toda la vida. En cuanto la poli archive el caso por falta de indicios, podrás volver a Salem.

—¿Y Walter? ¿Cómo puedo estar segura de que guardará el secreto?

—¿Por qué dices eso? —preguntó Patricia—. Él corre más riesgo que tú, era él quien conducía...

A Alaska le corrió una lágrima por la mejilla. Le contó entonces a Patricia lo que había pasado dos noches antes:

—Walter quiso tocarme, pero le dije que no. No quiero estar con él, ya te lo dije.

—Mira, Alaska, si quieres...

—¡Que no me gusta ese tío! —exclamó Alaska—. ¡No quiero estar con él! Te estoy diciendo que la otra noche me obligó a acostarme con él bajo amenaza de contarlo todo si no le obedecía.

—¿Qué? Pero ¿qué me estás contando?

—Me dijo: «No has venido a Mount Pleasant para que me quede mirando cómo duermes». Me obligó a hacer todas esas asquerosidades diciéndome que, si yo me portaba bien con él, él se portaría bien conmigo. No va a dejar que me vaya, Patricia, ese tío es un cerdo. También me habló de ti...

—¿De mí? —se inquietó Patricia—. ¿Qué te dijo?

—Me preguntó por qué te había metido en todo este asunto, qué clase de relación teníamos. Me dijo que, si no hacía lo que él quisiera, le contaría a la poli que yo robé el reloj y que además tú estabas enterada, y así también tú estarías jodida. Me dijo: «No querrás que todo el mundo acabe teniendo problemas por tu culpa, ¿a que no, Alaska?».

Patricia cerró los ojos, desamparada. Ese era el momento que tanto había temido que llegara. Si la policía se fijaba en ella, podría acabar encontrando el rastro de Eleanor Lowell, la amante de su marido que había desaparecido misteriosamente. Entonces comprendió que no iba a ser tan fácil sacar a Alaska de Mount Pleasant.

*

Patricia interrumpió el relato. Se nos quedó mirando fijamente a Gahalowood y a mí. Pidió agua y le alcancé una botella que había encima de un mueble. Bebió un trago y bajó los ojos.

—Al principio del año 1999, Alaska ya llevaba tres meses en Mount Pleasant. Walter cada vez la presionaba más. El tío había convertido su vida en un infierno. No solo la obligaba a mantener relaciones sexuales, sino que la tenía prisionera, recordándole cada tanto que si lo dejaba plantado la denunciaría a la poli. ¿Qué se supone que debía hacer yo? Alaska se jugaba mucho y yo también: tenía miedo de que, si Walter me implicaba en el robo, se abriese la caja de Pandora y la policía encontrase el rastro de Eleanor. Yo estaba casada con el psiquiatra de Eleanor, podían relacionarme con ella, escarbar y llegar a plantearse si realmente Eleanor había muerto ahogada. Y, si la policía empezaba a hacerse preguntas sobre Eleanor, yo estaba jodida. Lo sabía. Así que no se me ocurría cómo podía ayudar a Alaska ni librarnos de las garras de Walter Carrey. Y, si yo estaba alterada, Alaska debía de estarlo más aún. Pero por desgracia no podía cuidarla como me hubiese gustado. Esos meses estaban siendo intensos a nivel profesional, el bufete en el que trabajaba en ese momento estaba metido en un caso muy gordo y yo era la abogada principal: iban a juzgar a un magnate del petróleo en marzo. Todos nos jugábamos mucho. Me pasaba semanas enteras, sábados y domingos incluidos, trabajando en ese expediente. Me sentía tremendamente culpable por no poder dedicarle tiempo a Alaska, por no ocuparme más de ella. Pero ¿qué iba a hacer? ¿Dejar mi carrera para vegetar a su lado en Mount Pleasant? Y, aun así, Alaska no me guardaba rencor. Como siempre, hacía gala de una dulzura excepcional. Me decía: «No te preocupes, lo entiendo, es tu trabajo, es importante. Y, además, es culpa mía haberme quedado atrapada aquí. No vas a poner en peligro tu carrera para venir a perder el tiempo escuchando mis quejas. Solo prométeme que cuando acabe el juicio me llevarás lejos de aquí». Y yo se lo prometía. El juicio concluía el 1 de abril. Me decía a mí misma que para entonces ya se me habría ocurrido una forma de neutralizar a Walter. Pero veía de sobra cómo Alaska iba marchitándose. No sabía cuánto tiempo iba a aguantar. Hasta que, poco después de Año Nuevo, me anunció que se había deshecho del reloj de su padre. Me dijo que se lo había vendido a Eric Donovan. Me puse histérica: «Si Eric intenta venderlo en una joyería, te van a pillar. Así es como la gente se delata. Los de la joyería enseguida se darán cuenta de que es un reloj robado y avisarán a la poli. Estamos jodidas».

Me dijo que no me preocupara, que Eric le había prometido que no lo vendería antes de un año por lo menos, y que para entonces ya se le habría ocurrido cómo recuperarlo. Eric también le había asegurado que no hablaría del reloj con Walter ni con nadie más. Yo no acababa de entender por qué había hecho algo así y, como insistía para que me diera explicaciones, acabó echándose a llorar y contándome lo de Samantha. Que se había buscado una novieta para distraerse del asco de vida que tenía. Que no habían hecho nada malo. Que solo necesitaba evadirse un poco, reírse, olvidar. Que nunca había podido contármelo por miedo a que yo me sintiera traicionada o engañada, cuando en realidad «solo era para distraerse», como decía ella una y otra vez. Entonces me lo contó todo sobre Samantha: los domingos que pasaban juntas, los coqueteos, los juegos con la cámara de vídeo... Y que todo había degenerado cuando Ricky, el novio de Samantha, le había exigido diez mil dólares a Lewis Jacob. Yo me di cuenta de que la cosa iba de mal en peor. Le dije a Alaska que no podía quedarse más tiempo en esa ciudad, que Mount Pleasant acabaría matándola. Pero entonces fue Alaska la que me tranquilizó a mí. Me decía que todo iba a salir bien. Que tenía que centrarme en el trabajo y que nos marcharíamos el 2 de abril, como habíamos planeado. «¿Y qué vamos a hacer con Walter?», le pregunté, preocupada. Y me contestó: «Walter todavía no ha descubierto que me he deshecho del reloj. Sin el reloj, no tiene nada contra mí. Voy a asegurarme de que en los próximos meses esté de buenas y no se entere de que el reloj ha desaparecido hasta que tú y yo nos hayamos fugado. Y entonces ya no podrá alcanzarnos».

Patricia se interrumpió. Estaba muy turbada. Al cabo de un prolongado silencio, Gahalowood la animó a continuar:

—¿Qué pasó luego? —le preguntó con voz suave.

—Sobre la marcha, le sugerí que le devolviera el dinero a Eric, pero se negó. Quería apechugar. Así era Alaska: un corazón de oro y terca como una mula. Yo me volqué aún más con ella y tenía toda clase de detalles para compensar mi ausencia. La inundaba de regalos, entre ellos esos botines que compré en Salem y que le llamaron la atención a Walter. Alaska tenía que aguantar el tirón hasta el 2 de abril. Yo había previsto que nos fuéramos a pasar unas largas vacaciones. Si ganaba el juicio en marzo, propulsaría mi carrera de abogada. Quería tomarme unos meses de vacaciones con Alaska, recorrer Sudamérica, para tener tiempo de reencontrarnos y, sobre todo, vigilar desde lejos lo que hacía Walter. ¿De verdad iba a avisar a la policía? Si yo veía que se avecinaban problemas en Salem, no teníamos por qué volver allí, podíamos establecernos en algún país sin acuerdo de extradición con Estados Unidos. Lo único que me importaba era estar con Alaska. Y, si Walter era lo bastante listo para mantener la boca cerrada, Alaska y yo volveríamos al país después del verano y nos mudaríamos a Nueva York. Yo me colegiaría allí para ejercer como abogada. Ella por fin cumpliría su sueño de ser actriz. El 2 de abril iba a ser el principio de una nueva vida para nosotras. Pero, por desgracia, diez días antes de marcharnos, todo dio un vuelco.

Walter se había ausentado de Mount Pleasant unos días: estaba en Quebec, asistiendo a una convención de pesca. Patricia había hecho un paréntesis en el trabajo para darle una sorpresa a Alaska: una noche juntas en un hotel de lujo de los alrededores.

39. La decisión
Mount Pleasant, New Hampshire
Lunes 22 de marzo de 1999

Patricia nunca había estado en Mount Pleasant. Lo más cerca que había llegado era el área de servicio de la carretera 21 donde había quedado con Alaska y Walter al día siguiente del robo, en octubre de 1998. Alaska siempre le había prohibido que fuera. «Podría hacer como que soy una amiga que está de paso y nos tomamos un café, ¿no?», le comentó Patricia. «El problema no es ese, es que Walter puede vernos y no quiero que empiece a plantearse cosas. Me preguntaría si era por algo del robo y le entraría el pánico. Sería una complicación».

Pero ese lunes, como sabía que Walter estaba fuera, Patricia quiso aprovechar para descubrir por fin los lugares donde Alaska había pasado los cinco últimos meses de su vida.

Empezó por la gasolinera de la carretera 21. Alaska no estaba allí. El encargado, que supo que era Lewis Jacob, le indicó que Alaska se había cogido la tarde libre. Patricia sabía que Alaska y Walter vivían encima del local familiar. Fue a la calle principal y no le costó encontrar la tienda de caza y pesca. Pero, al pasar por delante, vio a Eric y Alaska, en la acera, aparentemente en plena discusión.

Patricia no se detuvo para que Eric no la viera. Acto seguido, llamó por teléfono a Alaska y quedó con ella en un café de Conway. Al cabo de media hora, Alaska apareció en el Ford Taurus negro de Walter.

—¿Dónde está tu coche? —preguntó Patricia.

—Pierde aceite —contestó Alaska con tono desabrido.

—¿Estás bien, cariño? Tienes mala cara.

—No, no estoy bien.

—¿Qué te pasa?

—Es por Eric... Hemos discutido...

—¿Por qué?

—Nada importante...

De golpe, Alaska rompió a llorar.

—He metido la pata, Pat. Y ahora me arrepiento muchísimo. Tengo miedo de que Eric se lo cuente a la poli, que la ponga sobre aviso contra mí... Tengo miedo de que sigan el rastro hasta Walter y luego hasta mí.

—¿Le has contado a Eric lo del robo?

—No. —Alaska sacó del bolso tres hojas de papel idénticas.

Todas llevaban escrito el mismo mensaje:

SÉ LO QUE HAS HECHO.

—¿Qué es esto? —preguntó Patricia.

—Notas anónimas. Destinadas a Eric. Hace un rato le dejé la segunda y me pilló. Sabe que las he escrito yo.

—¿Y qué ha hecho Eric que sea tan grave como para que lo amenaces?

—Sospechaba que él había matado a Eleanor Lowell.

Al oír esas palabras, Patricia se sintió desfallecer. Notó que se le aceleraba el pulso y le daban sofocos. Pensaba que Eleanor era agua pasada. El caso estaba cerrado. Habían transcurrido siete meses desde esa terrible noche del 30 de agosto. ¿Por qué a Alaska le daba de repente por resucitar a ese fantasma?

—¿Cómo que «sospechabas que él había matado a Eleanor»? —farfulló entonces Patricia, esforzándose por poner buena cara.

—No que la matase en sentido literal —precisó Alaska—. Sino que él provocó que se suicidara.

Alaska le contó entonces que Maria Lowell había ido a verla unas semanas antes y le había encomendado buscar al hombre que conducía un coche azul y que supuestamente había llevado a Eleanor al límite. Alaska sabía, porque Eleanor se lo había contado, que había estado liada con Eric. Por entonces, Eric conducía un descapotable azul. Así que había deducido que él era el hombre al que estaba buscando Maria Lowell. Y por eso le había enviado a Eric los anónimos, para presionarlo, asustarlo, porque no sabía cómo decírselo cara a cara. Pero, como ese día él había descubierto que los mensajes eran cosa suya, había tenido que explicárselo todo.

—¿Y...? —preguntó Patricia, preocupada.

—Y he comprendido que no era él. Eleanor habla de que pasó un 4 de julio con ese hombre, y la noche del 4 de julio Eric y ella no estuvieron juntos. Lo acusé en falso y estaba enfadadísimo. Así que tengo miedo de que se lo cuente a alguien, que avise a la policía.

—No lo creo —la tranquilizó Patricia—. ¿Por qué iba a hacerlo? Y tú, ¿por qué has impreso varias veces el mismo mensaje?

Patricia estaba mirando las tres hojas de papel y Alaska sonrió:

—Es la estúpida impresora del despacho del señor Lewis, que lo imprime todo doble porque sí.

—Dame eso. —Patricia agarró los papeles y los metió en su bolso—. Me voy a deshacer de ellos.

Alaska siguió reflexionando:

—Entonces, en la vida de Eleanor había alguien más. Alguien que la abocó al suicidio. Hay que encontrar a esa persona.

—No es problema tuyo —observó Patricia.

—Vale que Eleanor era un mal bicho. Pero era demasiado joven para morir. No puedo dejarlo pasar.

Patricia se esforzó por cambiar de tema. Salieron del café y fueron, cada una en su coche, hasta un hotel delicioso en medio del campo donde Patricia había reservado habitación para pasar una noche romántica. O, al menos, eso creía ella.

Aquella tarde, Patricia y Alaska disfrutaron de las lujosas comodidades del hotel. Se dieron un masaje y se relajaron juntas en un baño de agua calentita. Hasta que Alaska, mientras toqueteaba el grifo de la bañera con la punta del pie, dijo:

—¿Tu exmarido no era el psiquiatra de Eleanor?

—Puede.

—Sí, sí, me quiere sonar, era el doctor Benjamin Bradburd. ¡Ese es tu exmarido!

Patricia notó que se le formaba un nudo en el estómago.

—¿Estás segura? —dijo con una voz que delataba su desasosiego.

—Sí —confirmó Alaska—. Ahora me acuerdo. Salem es una ciudad pequeña, ¿sabes?

Según lo dijo, Alaska se levantó y salió del agua.

—¿Adónde vas? —preguntó Patricia.

—Tengo que hacer una cosa.

—¿El qué?

—La madre de Eleanor mencionó un coche azul y luego una casa gris rodeada de arces rojos, o eso creo. De lo del coche azul, estoy segura. De hecho, cuando oí «coche azul» me obsesioné tanto con Eric que no me paré a pensar nada más. Casi ni me fijé en lo de la casa gris y no lo he recordado hasta ahora. ¿Fue eso lo que dijo? Tengo que llamar a la señora Lowell para comprobarlo.

—¿Para qué? —dijo angustiada Patricia, que había salido a su vez de la bañera y seguía de cerca a Alaska, sin importarle el rastro de agua que iba dejando.

—¡Una casa gris rodeada de arces rojos! Tengo que comprobar ese detalle con la señora Lowell, es muy importante. ¿Dónde he metido el móvil?

Alaska rebuscaba en su bolso apresuradamente, sin hacer caso de Patricia.

—¿Por qué es tan importante? ¿Puedes parar un momento y explicarme que está pasando?

—La casa de tu exmarido, en Vinalhaven. Es una casa gris rodeada de arces rojos. Y en el garaje está ese coche azul. Eleanor escribió que el hombre iba a buscarla en coche. ¡Debía de ser Benjamin Bradburd yendo a recogerla al puerto de Vinalhaven cuando se reunía con él! ¡Fue él quien hizo que se suicidara! Hay que...

Alaska se interrumpió, conmocionada.

—¿Qué? ¿Qué pasa ahora? —balbució Patricia, aterrada por lo que estaba pasando.

—Vas a creer que estoy loca —dijo Alaska.

—¡No, qué va, dímelo!

—¿Y si la mató él? Eleanor era insufrible; él estaba harto. Están en la playa de Chandler Hovey Park. A esas horas no hay nadie más. Ningún testigo. ¡La mata en un arrebato de ira incontrolable y se deshace del cuerpo en la isla de Vinalhaven! ¡Ay, Dios mío, se lo tengo que contar enseguida a Maria Lowell! ¡Hombre, por fin aparece el maldito móvil!

Alaska agarró el teléfono y fue pasando los números de los contactos hasta llegar al de la madre de Eleanor. Entonces, Patricia dijo con voz muy seria:

—Suelta el móvil.

—Espera, solo voy a...

—¡Que lo sueltes! —gritó Patricia.

Alaska, pasmada, se paró en seco.

—Pero ¿a ti qué te ha dado? —preguntó.

Patricia rompió a llorar. No le quedaba más remedio que contarle la verdad a Alaska. Si avisaba a la madre de Eleanor de que Benjamin Bradburd era sospechoso, la policía reabriría la investigación, seguramente registraría la casa de Vinalhaven, encontraría el cuerpo en el pozo y con toda probabilidad encontraría en él restos de ADN de Patricia.

Patricia estaba desesperada. Se arrojó a los pies de Alaska:

—¡Perdóname! ¡Perdóname! ¡Te lo suplico, perdóname!

Había llegado el día. Por fin se marchaban. Hoy Patricia iría a recoger a Alaska. Se fugarían las dos lejos de Mount Pleasant, lejos de Walter. Serían libres. Por fin.

40. La noche del asesinato
Mount Pleasant, New Hampshire
2 de abril de 1999

A las ocho de la tarde, al salir de la gasolinera, Alaska no tuvo que ir muy lejos para llegar a su cena romántica. Una vez en Grey Beach, estacionó el descapotable azul en el aparcamiento de la playa. Al ver que no había ningún otro vehículo, se preocupó: ¿dónde estaba Patricia? Intentó llamarla, pero no tenía señal de móvil. Acabó bajándose del coche y anduvo unos pasos buscando un punto con cobertura. Sin éxito. Se preguntó si Patricia ya estaría en la playa y gritó su nombre. Patricia le contestó, desde una zona más baja. Estaba a la orilla del lago. Patricia se abalanzó hacia el sendero para reunirse con ella.

Al llegar a la playa, Alaska frenó en seco, maravillada: Patricia había organizado un pícnic romántico. Encima de una manta estaban dispuestas las exquisiteces que más le gustaban a Alaska. En un cubo lleno de hielo se enfriaba una botella de champán. Lo iluminaba todo una docena de velas gruesas.

Alaska corrió hacia Patricia y la besó.

—Nunca había visto nada tan bonito —dijo admirando la decoración—. Te estaba esperando en el aparcamiento. ¿Dónde está tu coche?

—En el camino forestal, era más cómodo para descargar todo esto.

—Te sabes todos los secretos de Mount Pleasant. —Sonrió Alaska—. Me encanta que me hayas traído aquí esta noche.

—Vamos a pasar la página de esta ciudad —dijo Patricia.

—Sí.

—¿Y Walter? —preguntó Patricia—. ¿No sospecha nada?

—Hace un rato me pilló con las manos en la masa —le confesó Alaska—. Volví a casa, a eso de las cinco, para recoger unas cuantas cosas. Él estaba solo en la tienda y pensé que no nos encontraríamos, pero subió inesperadamente. Yo no me achanté. Le dije que lo dejaba. Él me dijo que, si me marchaba, me denunciaría. Le repliqué que ya no le tenía miedo y que me había deshecho del reloj. Se quedó pálido. Fue a comprobarlo en el escondite y volvió furioso, gritando: «¿Dónde está el reloj, guarra?». Le contesté que hacía mucho que ya no estaba allí y me marché. Me alcanzó en el umbral y me apuntó con un dedo amenazante: «Te doy cuarenta y ocho horas para que recuperes la cordura. Si no estás de vuelta el domingo por la noche, llamo a la policía».

—Pero el domingo por la noche estaremos en Costa Rica —dijo Patricia, sonriendo.

Alaska le devolvió la sonrisa. Se besaron.

Fue una noche romántica a más no poder. Hacía fresco, pero las dos mujeres se daban calor la una a la otra, abrazadas debajo de una gruesa manta. Estaban a gusto. Durante la cena se bebieron la botella de champán, y luego otra. Hablaron del viaje que las esperaba: al día siguiente por la tarde volarían a Costa Rica. Esa noche la pasarían en un hotel cercano y mañana irían al aeropuerto de Boston para coger el avión con destino a San José.

Sobre las once y media, Alaska se levantó para caminar un poco por la playa y se quedó mirando las aguas del lago. «De noche es aún más bonito», dijo. Fueron sus últimas palabras. Un golpe espantoso la alcanzó de pronto en la parte posterior de la cabeza. Se desplomó.

*

—Según la golpeé, me desplomé yo también —nos contó Patricia—. Me eché a llorar. Me entraron ganas de vomitar. Mi reacción era muy distinta a la que tuve con Eleanor. No podía pensar. Lo único que quería era salir huyendo. Decidí dejar allí el cuerpo y marcharme. Me deshice de la porra, que estaba cubierta de sangre. La lancé al lago lo más lejos que pude.

Patricia se calló de pronto. Como si lo hubiera dicho todo. De hecho, añadió:

—Ya está, así la maté. Lo saben todo.

—Espere —se sorprendió Gahalowood—, falta el final de la historia. ¿Qué pasa con el jersey de Eric Donovan y el mensaje que apareció en el bolsillo de Alaska?

Patricia sonrió con tristeza.

—Se lo puedo contar, pero esa puesta en escena no era la que yo tenía pensada. Fue idea de Alaska.

—¿De Alaska?

Patricia asintió:

—Si lo recuerdan, hace un rato les he dicho que el 22 de marzo de 1999 le tuve que confesar a Alaska que yo había matado a Eleanor.

—Sí, pero ¿eso qué tiene que ver?

—Ahora lo entenderán...

*

22 de marzo de 1999

En la habitación del hotel, Patricia acababa de confesarle a Alaska que ella mató a Eleanor Lowell. Alaska estaba anonadada. A punto de sufrir un ataque de nervios. Alternaba gritos, lágrimas y accesos de rabia. Le repetía a Patricia: «¿Te das cuenta de lo que has hecho?». Y Patricia, al final, le contestó:

—Lo hice por ti...

—¡A mí no me metas en esto! —gritó Alaska—. Yo no te pedí nada. ¡La tiraste viva al pozo! ¡Eres un monstruo!

Patricia intentaba abrazar a Alaska para calmarla, pero Alaska la rehuía. Le decía que esas manos habían matado. Tuvo que ir a vomitar varias veces. Y luego no paraba de repetir la misma frase, una y otra vez: «¡No es verdad! ¡No puede ser verdad!».

Hacia la una de la madrugada, como Alaska seguía sin calmarse, Patricia le sugirió que se tomara un somnífero. Siempre los llevaba encima desde la tragedia del 30 de agosto. Ya no podía dormir sin ellos. Alaska, tras resistirse un rato, acabó tomándose un comprimido y cayó profundamente dormida. A su lado, en la cama, Patricia se quedó despierta toda la noche. Estaba aterrorizada.

Al día siguiente, cuando Alaska al fin se despertó, se acurrucó contra Patricia. Le pidió perdón por cómo había reaccionado la víspera. Y le murmuró, comiéndosela a besos: «No te preocupes, no volveremos a hablar de eso nunca más. Todo queda olvidado». Estuvieron mucho rato en la cama. Alaska multiplicaba los gestos de cariño. Le repetía a Patricia que todo quedaba olvidado. Pero, si todo quedaba olvidado, ¿por qué no dejaba de hablar de ello? Patricia estaba muerta de angustia. Se arrepentía amargamente de haberle revelado su secreto a Alaska. Pero ¿cómo podía haberla disuadido de que llamara a la madre de Eleanor?

Hasta que, de repente, a Alaska se le ocurrió una idea:

—Cariño —le dijo a Patricia—, ya sé cómo librarte de esta. ¡Vamos a organizar un crimen perfecto!

—¿De qué estás hablando? —preguntó Patricia, inquieta.

—Ya sabes que me encantan las novelas policiacas. La última que he leído no estaba nada mal. Era la historia de un crimen perfecto. Un tío asesina a su mujer y orienta a los polis por un rastro falso que los conduce hasta un culpable fabricado a medida. De hecho, el final de la novela es bastante cruel: el marido se libra de la cárcel y condenan injustamente a un criado. Y entonces el verdadero culpable le explica al lector que un crimen perfecto no es aquel cuyo culpable no aparece nunca, sino aquel en el que el asesino consigue que la culpabilidad recaiga sobre otro.

—No veo a dónde quieres ir a parar.

—Nos las apañamos para que le carguen a Walter el asesinato de Eleanor. Le cojo alguna prenda de ropa y la tiramos al pozo con el cadáver. También dejamos en Vinalhaven algún rastro de que ha estado allí, como alguna pista que permita a los investigadores seguir el rastro hasta su coche.

—¿Qué clase de pista?

—Un trozo de faro, por ejemplo. Le rompemos un faro, ahora mismo. El coche está en el aparcamiento. Vamos a la casa de Vinalhaven a dejar los trozos. Yo le diré a Walter que me he dado un golpe y no sospechará nada. Cuando nos vayamos de aquí el 2 de abril, pasamos por Salem. Iré a ver a la madre de Eleanor y le contaré las dudas que tengo sobre Walter. Walter estaba en Salem el verano que murió Eleanor. Todo encajará. Mientras estoy en la casa, con el pretexto de ir al baño, escondo en el cuarto de Eleanor una de las notas de «Sé lo que has hecho». Como su madre me dijo que estaba ordenando el cuarto de su hija, acabará encontrándola. Se preocupará, se lo contará a la poli y mencionará a Walter, del que le he hablado yo. La poli seguirá el rastro hasta él. Antes de irme de casa de Walter, tomaré la precaución de esconder las otras dos notas que imprimí. La poli creerá que Walter amenazaba a Eleanor. Todas las pruebas están ahí. Walter no podrá hacer nada. Lo condenarán por el asesinato de Eleanor. Nos habremos librado de él para siempre y tú ya no correrás ningún peligro.

Patricia tenía una expresión desamparada.

—Gracias, cariño, gracias de todo corazón. Pero es mejor que te quedes al margen de esto. Además, ¿qué relación tiene Walter con Vinalhaven? No funcionaría. Ángel mío, lo único que quiero es que nos olvidemos de todo el asunto, si no te importa.

—Pues claro, haremos lo que tú quieras. No volveremos a hablar de ello nunca más. Lo olvidaremos todo. Te quiero, haría cualquier cosa por ti.

Dicho lo cual, Alaska se fue a dar una ducha. En cuanto oyó correr el agua, Patricia se quedó paralizada. Alaska acababa de reavivar imágenes de aquella noche del 30 de agosto. Patricia se veía de nuevo a sí misma arrastrando el cuerpo de Eleanor hasta el coche, tecleando el mensaje de despedida y enviándolo a «Mamá Móvil», volvía a oír los golpes sordos contra la chapa del coche en la gasolinera de Portland. Recordaba la cara de pasmo de Eleanor cuando abrió el maletero. El ruido del cuerpo al caer en las profundidades del pozo. Había logrado olvidarse de todo aquello durante un tiempo. Quería volver a olvidarlo. Pero ahora ya no podía olvidar. Ahora que Alaska estaba enterada. Patricia estaba condenada, en adelante, a una vida de angustia: su libertad dependería del silencio de una chica de veintidós años. ¿Cómo podía estar segura de que Alaska le guardaría el secreto? ¿Y qué pasaría si en algún momento se separaban? ¿Si su amor no era en realidad más que algo pasajero?

*

Patricia se enjugó una lágrima. Miró otra vez la foto de Alaska y ella en Nueva York, y continuó:

—Sé mejor que nadie lo que le espera a los detenidos en la cárcel. Caí en la cuenta de que mi frágil Alaska podía condenarme a una vida de encierro en unos metros cuadrados, una vida de maltrato. Aquel 23 de marzo de 1999 procuré poner buena cara. Hablamos del viaje a Centroamérica, hablamos del futuro juntas. Me obligué a hacer el amor con ella. Después de comer, Alaska se empeñó en llevarme a un sitio «muy especial», el único sitio en el que se había sentido a gusto en Mount Pleasant. Me llevó a Grey Beach. Así fue como descubrí ese lugar. Nos quedamos un rato en la playa. Yo tuve frío y volví al coche antes que ella. En el aparcamiento, al ver el Ford Taurus negro que conducía Alaska, supe que no me quedaba más alternativa que matarla. Alaska, mi pequeña. Tan dulce. Tan perfecta. Pero demasiado curiosa. Al final, había encontrado algo más poderoso que nuestro amor: mi libertad. Iba a matarla y a seguir al pie de la letra las consignas del crimen perfecto que me había dictado unas horas antes.

»El Ford no estaba cerrado con llave, así que aproveché que Alaska aún no había llegado para registrarlo por dentro. Busqué algo que pudiera dejar cerca del cadáver y orientara a los investigadores hacia Walter. Al abrir el maletero, encontré precisamente lo que había mencionado Alaska esa misma mañana: una prenda de ropa. Un jersey de hombre que solo podía ser de Walter. Un jersey gris con las letras «M U». Lo cogí y lo escondí en mi coche. Momentos después, Alaska apareció en el aparcamiento. Entonces le devolví dos de las hojas de «Sé lo que has hecho». «Toma —le dije—, escóndelas en tu casa. Apáñatelas para que Walter no las encuentre pero que la policía se tope con ellas cuando registre el piso». Alaska me dedicó una sonrisa deslumbrante: «¿Vas a seguir mi plan?». «Sí —le contesté—. Me quedo con la tercera hoja para tenerla a mano cuando vayamos a ver a la señora Lowell el 2 de abril». Alaska se sentía muy orgullosa. Me dio un beso. Me prometió que, gracias a su plan, estaríamos a salvo. Tras lo cual, puse la excusa de que tenía que volver a Boston para que se marchara. «Qué ganas de que pasen estos diez días», me dijo ella al irse. Y se dirigió por la carretera a Mount Pleasant.

—Y ese mismo día 23 de marzo —comprendió Gahalowood—, cuando Alaska volvió a Mount Pleasant, Eric la vio aparcar en la calle y fue a pedirle el jersey que estaba en el maletero del Ford de Walter. Eric nos contó que se lo pidió por primera vez a Alaska el 22 de marzo y luego llamó a Walter, que le dijo que el jersey estaba en su maletero. Así que el 23 de marzo, al ver el Ford Taurus, Eric siguió las indicaciones de Walter... Lo malo es que el jersey ya no estaba allí. Lo tenía usted, Patricia. Pensaba que era de Walter...

Patricia asintió:

—Ese fue mi primer error... Cuando Alaska se fue de Grey Beach, yo ya sabía que al cabo de diez días iba a matarla allí. He tratado con muchos criminales en mi vida, ¿sabe? Todos coinciden en el hecho de que, al cometer un crimen grave, la primera vez resulta difícil, pero marca un hito que, una vez superado, ya no cuesta tanto que vuelva a pasar. No estoy diciendo que me resultara fácil matar a Alaska, pero sí me resultó fácil tomar la decisión. Aquel 23 de marzo de 1999, en Grey Beach, supe que iba a matar a Alaska allí. Quería que fuera un sitio bonito, quería que todo fuera bien. Evitar a toda cosa repetir la ignominia de Eleanor, a la que tuve que transportar hasta Vinalhaven. Ese día fingí que me iba de Grey Beach para volver al cabo de un rato a explorar el terreno. Ese día, siguiendo las consignas de mi querida Alaska, eché a rodar mi crimen perfecto. Descubrí el camino forestal que me conduciría de vuelta a la carretera 21.

Era el lugar ideal para dejar los trozos del piloto trasero del coche de Walter. También estaba la caravana abandonada, en la que podría esconder su jersey. Los investigadores lo encontrarían sin el menor esfuerzo porque resultaba demasiado obvio. Y la nota de Alaska, «Sé lo que has hecho», se la metería en el bolsillo después de matarla y encarrilaría a los investigadores hacia una venganza. Eric le contaría necesariamente a la policía lo del reloj de Alaska, y el reloj vincularía a Alaska, y luego a Walter, con el robo. Y, como Alaska le había dicho a Eric que bajo ningún concepto le hablara del reloj a Walter, el círculo estaba cerrado. Walter quedaría atrapado como una rata. Volví a Salem con una confianza ciega en mi plan. Durante los días que siguieron, me percaté de que las circunstancias me favorecían: Benjamin iba a dar un discurso la noche del 2 de abril en Canaan. No paraba de alardear. Así que yo sabía que ese fin de semana no habría nadie en Vinalhaven. Eso me dio la idea de usar el coche de Benjamin para que no pudieran ubicar el mío en Mount Pleasant. Aunque se tomen todo tipo de precauciones, nunca se está a salvo de un testigo. Así fue como el jueves 1 de abril de 1999 salí de Salem rumbo a la isla de Vinalhaven. Y, en el ferry que me llevaba de vuelta al continente con el Chrysler azul, noté cómo me invadía el nerviosismo. Dentro de veinticuatro horas iba a asesinar a mi amada Alaska.

Patricia acababa de golpear violentamente a Alaska con la porra. El cuerpo de la joven yacía en la orilla, le sangraba la cabeza. Patricia se sintió desfallecer. Pero tenía que aguantar el tirón. Tenía que ejecutar su plan. Como no sabía qué hacer con el arma, la arrojó al lago. Sería demasiado estúpido conservarla y arriesgarse a que la pillaran en un control de carretera rutinario.

41. Crimen perfecto
Mount Pleasant, New Hampshire
Noche del 2 al 3 de abril de 1999

Patricia tenía que borrar sus huellas. Dobló la manta del pícnic con todo lo que había encima para llevárselo. Recogió el cubo del hielo y las velas, y tiró al agua algunos guijarros con restos de cera. Después de comprobar que no quedaba ningún rastro de su presencia, fue corriendo a buscar una bolsa de plástico que había escondida en un matorral. Dentro estaban el jersey gris y la nota de «Sé lo que has hecho». Deslizó la nota dentro del bolsillo trasero de Alaska, donde esta llevaba el móvil. Patricia se lo guardó inmediatamente para deshacerse de él más tarde. Sabía que el teléfono podía conducir a los investigadores hasta ella.

A continuación, cogió el jersey gris para mancharlo con la sangre de Alaska. Se acercó a la cabeza de la joven. Volvió a invadirla una sensación de náusea. Hizo de tripas corazón. «Vamos, Patricia, apriétale el jersey contra la cara y luego se habrá acabado. Luego estarás a salvo para siempre».

Pero, al acercarse al rostro de Alaska, Patricia percibió un estertor: Alaska no estaba muerta. A pesar de la abundante hemorragia del cráneo, seguía consciente. Los ojos abiertos miraban hacia ella. Implorantes. Patricia rompió a llorar a lágrima viva. Se arrodilló al lado de Alaska y le acarició la cabeza. Le susurró palabras tiernas, le dijo que la quería y que ahora la querría para siempre porque su amor nunca podría estropearse. Transcurrieron unos minutos más. La muerte, aun estando tan cerca, no acababa de llegar. Alaska seguía mirando a Patricia fijamente a la cara, con una mezcla de tristeza y amor. Patricia no sabía qué hacer. Esperó y siguió esperando. Pasó una hora. Alaska seguía agonizando. Era una situación insostenible. Entonces agarró el jersey gris, metió las manos dentro y apretó el cuello de Alaska con todas sus fuerzas. Y cuanto más apretaba, más lloraba. Las lágrimas le anegaban el rostro. Hasta que Alaska se murió. Por fin.

Patricia recogió sus cosas y desapareció en el bosque. Se deshizo del jersey gris, que ahora estaba cubierto de sangre de Alaska, dejándolo en la caravana abandonada, y se subió al coche. Solo le quedaba una cosa por hacer para ejecutar al pie de la letra el plan de Alaska. Colocar en ese camino forestal un resto de la presencia del Ford Taurus negro de Walter.

Era la 1.35 de la madrugada cuando el Chrysler azul bajó lentamente por la calle principal de Mount Pleasant. Patricia conducía a velocidad de peatón. No solo para asegurarse de que no había nadie (ni transeúntes ni policías patrullando), sino también para tratar de localizar el Ford Taurus de Walter entre los vehículos aparcados junto a la acera. Lo vio poco antes de llegar a la tienda de caza y pesca. Se escabulló hasta el Ford Taurus llevando en la mano una pesada maza que había traído consigo. Golpeó con fuerza el parachoques trasero y luego el piloto de atrás, que se hizo añicos. Recogió los pedazos, volvió a toda prisa al Chrysler y desapareció en la oscuridad. Sin embargo, el ruido del faro al romperse atrajo la atención de una vecina de la calle: la librera Cinzia Lockart, que, al acercarse a la ventana del salón, apenas tuvo tiempo de divisar un coche azul con matrícula de Massachusetts.

Once años después de aquel crimen, Patricia aliviaba su conciencia rematando la confesión:

—Fui al camino forestal —nos contó— y diseminé los trozos de faro a la vista, al pie de un árbol que luego golpeé con la maza para marcarlo transfiriéndole los restos de pintura que había arrancado de la carrocería del Ford.

—Y dos días después detuvimos a Walter —dijo Gahalowood—. Porque todos los indicios lo señalaban a él... Incluido el jersey, que no era suyo pero que Eric le había prestado, y por eso tenía restos de ADN de los dos hombres.

Patricia asintió:

—Por un motivo que en ese momento no entendí, Walter confesó y acusó a Eric Donovan de estar implicado en el asesinato. Lo descubrí gracias a su investigación: había confesado bajo coacción y, como acababa de descubrir lo que Eric había obligado a hacer a Sally, se vengó arrastrándolo con él.

Gahalowood apuntó:

—Seguramente, cuando Walter vio en la sala de interrogatorios que el jersey de Eric era una prueba incriminatoria, se le ocurrió arrastrarlo con él.

—Es posible —dijo Patricia—. Cuando lo detuvieron, Eric le pidió a su familia que se pusiera en contacto conmigo para asistirle en calidad de abogada. Así fue como descubrí lo que estaba pasando. Me di cuenta de que, a pesar de los pesares, mi plan iba a funcionar. Así que fui corriendo a ver a Eric para prestarle mis servicios. De ese modo podría seguir el caso desde dentro y, sobre todo, controlarlo a él. Estaba muy asustado y seguía mis instrucciones como si lo que yo dijera fuese a misa: en esencia, yo lo animaba a que contara lo menos posible. Le hice creer que le sería útil en un juicio, siendo así que sabía de sobra que los que se callan suelen ser culpables y que eso jugaría en su contra. A eso se sumó el asunto de la impresora, que obviamente yo no había previsto y que vino como caído del cielo. Entre un interrogatorio y el siguiente, presionaba a tope a Eric y le hacía sentirse culpable. Lo dejaba sin recursos. Estaba bien pillado y yo lo sabía. Cuando Lauren quiso ponerse a investigar por su cuenta para demostrar la inocencia de su hermano, yo enseguida metí baza para poder intervenir en caso de que avanzara algo y crear pruebas falsas si surgía la necesidad. Mientras Eric siguiera en la cárcel, yo estaba segura. Y mi último golpe maestro: lo convencí de que para salvarse tenía que declararse culpable. Como estaba dispuesto a cualquier cosa para librarse de la pena de muerte, eso fue lo que hizo. Entonces supe que mi crimen era perfecto. Bueno, casi. Quedaba un cabo suelto: Kazinsky, el poli que había interrogado a Walter. Yo sabía que Walter era inocente. Por eso sospechaba que lo habían obligado a confesar. Si Kazinsky revelaba ese dato algún día, podía echarlo todo a perder. También tenía que librarme de él, no me quedaba otra alternativa. Así que lo espié y descubrí que salía a correr todas las mañanas al alba. Una mañana de enero aproveché que Benjamin se había ido a esquiar a la Columbia Británica para sacar el Chrysler azul de Vinalhaven y atropellar con él a Kazinsky. Pero fallé. Kazinsky no se murió a pesar del fuerte impacto. Todo el mundo creía que era un accidente y yo ya no podía intentar otra cosa sin llamar la atención. Tuve que resignarme a que siguiera vivo. Me dio tiempo a arreglar los desperfectos del Chrysler y a meterlo otra vez en el garaje de Vinalhaven antes de que volviera Benjamin. Luego fueron pasando los años y pareció que el caso estaba muerto y enterrado. Había cometido un crimen perfecto. Durante once años, mi plan funcionó a la perfección. Hasta que aparecieron ustedes dos.

—¿Y Benjamin Bradburd? —preguntó Gahalowood.

—Claro está, ni Lauren ni Eric conocían a Benjamin. Sabían que yo había estado casada y punto. Cuando Lauren me avisó de que habían seguido un rastro que conducía hasta un tal doctor Benjamin Bradburd, supe que podían pillarme. Pero mantuve la calma. Y tuve la suerte de que se suicidara. Casi funcionó, puesto que el caso quedó archivado. En el fondo, no me sorprendió que Benjamin se matara. Yo sabía lo mucho que le importaba su reputación y el escándalo de Eleanor Lowell habría acabado con su carrera de médico, arruinado la reputación de su madre y salpicado al concurso de Miss Nueva Inglaterra. Benjamin siempre me lo decía: la vida es un juego de poder. Alaska y yo concebimos el crimen perfecto. El único grano de arena en ese engranaje han sido ustedes, Perry y Marcus. Debo decir que forman un equipo de primera.

*

Ese día, después de escuchar las confesiones de Patricia Widsmith, Gahalowood y yo volvimos a Mount Pleasant. Nos detuvimos en Grey Beach. Bajamos hasta la playa. Por el camino, recogí unas flores silvestres.

Gahalowood anduvo unos pasos por la playa y contempló el lago.

—Hace poco más de once años, escritor, yo estaba aquí mismo, con mi compañero Matt Vance. Encima de estos mismos guijarros yacían el cuerpo de una joven rubia de la que nada sabíamos y el de un oso negro enorme al que había abatido la policía local. La joven se llamaba Alaska Sanders. Aún no tenía ni idea de quién era. Ni tampoco que iba a trastocarme la vida.

Le ofrecí una de las flores a Gahalowood. Las lanzamos al agua y miramos cómo flotaban sobre la superficie en calma.

—En memoria de Alaska Sanders —dije.

Gahalowood asintió.

—Me alegro de saber por fin lo que le pasó. Se lo debo a usted, escritor.

Tras un silencio, añadió:

—Me duele reconocerlo, pero me gusta pasar tiempo con usted.

—A mí también me gusta pasar tiempo con usted, sargento.

—Puede quedarse en casa una temporada, si quiere.

—Es muy amable, sargento. Pero tengo que dejar de ser un parásito de vidas ajenas y empezar a vivir la mía propia.

—Me alegra oírselo decir, escritor.

Nos echamos a reír. Y Gahalowood dijo, esta vez en tono muy serio:

—Gracias, escritor.

—¿Y eso por qué?

—Por haber reparado mi vida. Espero poder ayudarlo algún día a reparar la suya.

Epílogo
UN AÑO DESPUÉS DE LA RESOLUCIÓN DEL CASO ALASKA SANDERS

Mi novela *El caso Alaska Sanders* se publicó en septiembre de 2011. Ese libro marcaba una etapa de mi vida. Un cambio de rumbo. Concluía el trecho comprendido entre 2006 y 2010, que, como os decía, fueron unos años cruciales y difíciles.

Unas semanas después de la publicación, el sargento Gahalowood cumplía el sueño de su mujer: se embarcó con sus hijas en un velero bautizado *Helen* para dar la vuelta al mundo. El día que zarpaban me reuní con ellos en un muelle de Portsmouth. El jefe Lansdane también estaba allí. Los ayudamos a rematar los últimos preparativos. Los Gahalowood estarían fuera un año entero. Volverían para las Navidades de 2012.

—Los estaré esperando firme como una roca, sargento. Cuide bien de las niñas y de usted.

—Cuente con ello, escritor.

Le alargué una bolsa:

—Le he traído unos libros. Novelas policiacas de las buenas que lo tendrán entretenido unas cuantas noches.

Me sonrió, divertido.

—Yo también le he traído lectura.

Me alargó un sobre. Iba a abrirlo pero me detuvo:

—No, ahora no. Espere a que me haya ido.

Le obedecí. Al pie de la letra. En cuanto el barco se alejó del muelle, abrí el sobre. Dentro había una carpeta relativamente delgada, estampada con el sello de la policía de Bangor, en Maine, y con la siguiente inscripción a rotulador: «Caso Gaby Robinson». Era el asesinato no resuelto que había obsesionado a Vance: al principio de la década de 1990, una joven de diecisiete años había muerto asesinada cuando volvía a pie de una fiesta. El crimen nunca se resolvió.

Desde el barco, Gahalowood me dijo a voces:

—Me llevo una copia del expediente. ¡Quedamos dentro de un año!

Hice bocina con las manos para decirle:

—¡Está usted como una cabra, sargento!

—Por eso somos amigos, escritor.

Poco podía imaginarme lo ocupado que iba a estar ese año.

A los pocos días de marcharse Gahalowood, se vendieron los derechos cinematográficos de *El caso Alaska Sanders*, para mayor alegría de mi editor, Roy Barnaski. Cuando firmé el contrato, Barnaski me preguntó en qué pensaba gastarme el dinero. «Me voy a comprar una casa. Una casa de escritor».

Y eso hice.

En noviembre de 2011, adquirí una casa en Boca Ratón, en Florida, a la que me mudé a principios de 2012. Fui hasta allí en coche, saliendo de Nueva York bajo la nieve para llegar, dos días después, al calor tropical de Florida. Por el camino, marqué el número de un amigo recuperado. Ahora ya no estaba solo.

—Librería El Mundo de Marcus —contestó la voz de Harry Quebert.

—Harry, soy Marcus.

—¡Marcus! ¿Cómo le va?

—Estoy de camino hacia Florida.

—¿Se decidió a comprar la casa de la que me habló?

—Sí.

—Me alegro por usted. Por fin va a seguir su rastro. Por fin va a hablar de ellos.

Sonreí. Miré una foto que llevaba en el salpicadero; en ella se veía a los Goldman-de-Baltimore al completo. Tuve la sensación de que los cuatro me contemplaban con benevolencia.

—Ha llegado el momento —dijo Harry.

—¿El momento de qué? —le pregunté.

—El momento de la reparación.

«Para viajar lejos no hay mejor nave que un libro».

Emily Dickinson

Gracias por tu lectura de este libro.

En **penguinlibros.club** encontrarás las mejores recomendaciones de lectura.

Únete a nuestra comunidad y viaja con nosotros.

penguinlibros.club

 penguinlibros